POPULAR SCIENCE

9496 A • Rs. 120/-

Fully Illustrated in Colour

2215 S • ₹ 165/- Available in Hindi also.

Contains: 10 Projects

Fully Illustrated in Colour

2214 S • ₹ 165/- Available in Hindi also.

FREE Tutorial CD

8716 T • ₹ 160/-

8733 D • ₹ 195/-

9660 K • ₹ 295/-

8702 B• ₹ 150/-

6678 D • ₹ 195/-

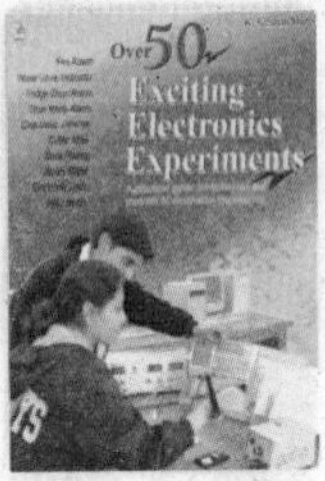

6679 A • ₹ 150/-

QUIZ BOOKS

8965 D • ₹ 150/-

7726 K • ₹ 120/-

7727 L • ₹ 120/-

7723 F • ₹ 100/-

9412 C • ₹ 150/-

7753 G • ₹ 120/-

7725 B • ₹ 100/-

7722 E • ₹ 120/-

NEW RELEASES

8767 C • Rs. 120/-

0019 R • Rs. 160/-

8762 P • Rs. 140/-

8764 T •

Set Code: 4514 S

- Over 900 Illustr
- Over 800 Pages
- 890 Articles
- Four Volumes

FREE Buy all 4 Vols. & get 5th Volume free wit an Audio-Video DVD wor ₹ 135/-

Set 4 Vols.: ₹

Each Vol.: ₹

Available in Hindi & English bot

This Library is must for every student *of a* School *or* *a* College

Also equally useful for everyone else

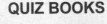

Price: ₹

Contains

₹ 150/

4 Bo of Libr

English Conversation · Grammar & Punctuation · How to use English · English Vocabulary

Miscellaneous

9497 B • ₹ 120/-

9783 H • ₹ 150/-

9680 B • ₹ 295/-

9686 I

SELF-IMPROVEMENT

• ₹ 195/- 9498 C • ₹ 180/- 9490 H • ₹ 175/- 9464 R • ₹ 80/- 9096 B • ₹ 150/- 5614 E • ₹ 150/- 4008 J • ₹ 150/- 9026 D • ₹ 120/- 9786 M • ₹ 195/-

• ₹ 100/- 8885 D • ₹ 150/- 9081 D • ₹ 150/- 9091 B • ₹ 120/- 9060 B • ₹ 195/- 9684 F • ₹ 195/- 8928 D • ₹ 80/- 9449 A • ₹ 195/- 9788 R • ₹ 195/-

MANAGEMENT/JOB/CARRIER/BUSINESS & PROFESSION

All Time Bestsellers

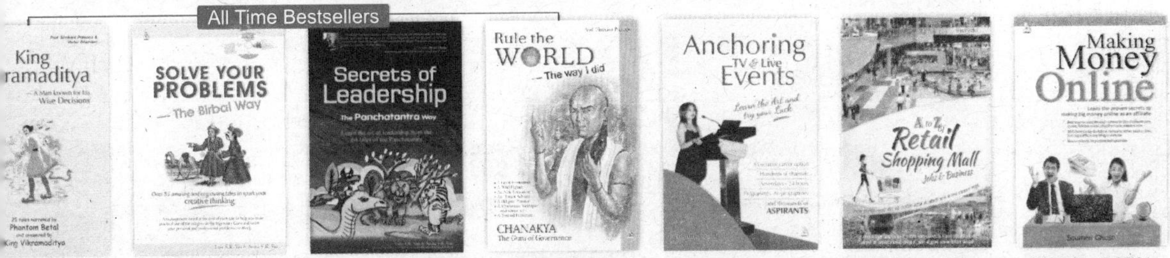

1 K • ₹ 150/- 5338 A • ₹ 135/- (with CD) 8979 A • ₹ 135/- 9406 B • ₹ 150/- 9672 G • ₹ 150/- 9682 D • ₹ 120/- 8729 T • ₹ 120/-

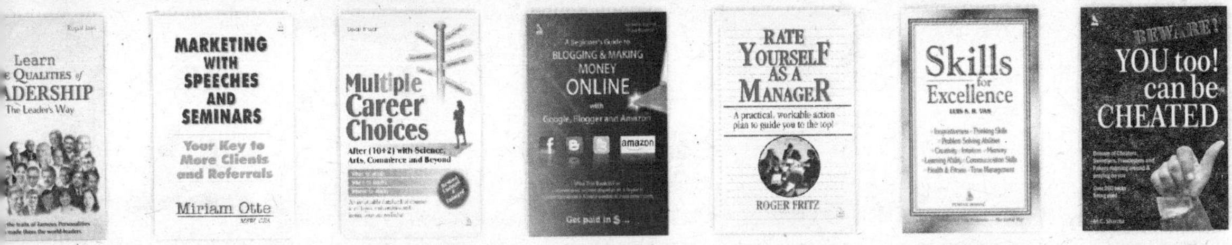

7 P • ₹ 195/- 9313 D • ₹ 150/- 5623 B • ₹ 250/- 9439 L • ₹ 150/- 5441 D • ₹ 195/- 8883 D • ₹ 150/- 8735 F • ₹ 150/-

8 D • ₹ 150/- 9079 B • ₹ 195/- 4005 E • ₹ 195/- 5643 B • ₹ 120/- 9431 C • ₹ 175/- 8990 C • ₹ 96/- 9763 P • Rs. 195/-

18 D • ₹ 120/- 5640 C • ₹ 120/- 5615 D • ₹ 150/- 8972 C • ₹ 80/- 4001 A • ₹ 150/- 5646 A • ₹ 225/- 4017 D • ₹ 150/-

PERSONALITY DEVELOPMENT

8748 E • ₹ 195/- 9666 A • ₹ 150/- 9678 R • ₹ 195/-

9670 E • ₹ 240/- 9696 M • ₹ 220/- 9070 B • ₹ 195/-

9028 D • ₹ 175/- 5641 A • ₹ 150/- 9450 B • ₹ 195/-

9088 C • ₹ 195/- 9667 B • ₹ 150/- 8966 E • ₹ 100/-

5639 B • ₹ 80/- 9466 T • ₹ 96/- 9973 B • ₹ 110/-

9981 B • ₹ 96/- 8868 D • ₹ 120/- 9487 E • ₹ 150/-

STUDENT DEVELOPMENT

9090 A • ₹ 220/- 9668 C • ₹ 150/- 9071 D • ₹ 165/- 8731 B • ₹ 100/- 9495 R • ₹ 1

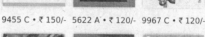

9455 C • ₹ 150/- 5622 A • ₹ 120/- 9967 C • ₹ 120/-

2241 J • ₹ 100/- 94441 S • ₹ 195/- 9654 D • ₹ 100/-

9652 D • ₹ 120/- 8962 A • ₹ 150/- 9089 D • ₹ 135/-

4016 D • ₹ 160/- 4009 K • ₹ 150/- 8997 B • ₹ 120/-

4010 L • ₹ 100/- 9787 P • ₹ 100/- 2244 D • ₹ 80/-

PARENTING

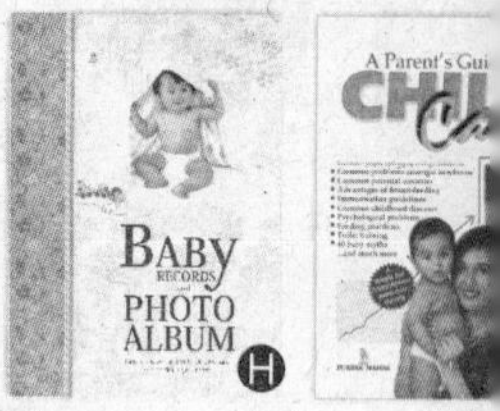

9906 J • ₹ 250/- (HB) 8261 D • ₹

9674 J • ₹ 220/- 9784 J • ₹

9594 K • ₹ 80/- 8917 D • ₹

9458 G • ₹ 80/- 9438 B • ₹ 1

9065 A • ₹ 80/- 9994 E • ₹ 1

ALTERNATIVE THERAPIES

82 F • ₹ 215/-

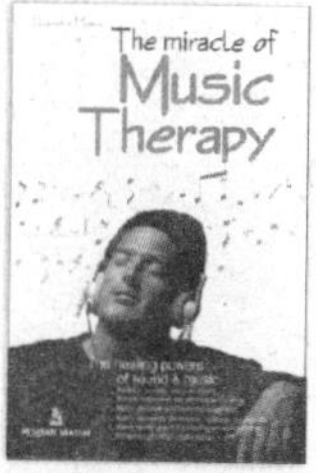

8983 E • ₹ 100/-

8836 D • ₹ 135/-

9935 F • ₹ 120/-

37 D • ₹ 96/-

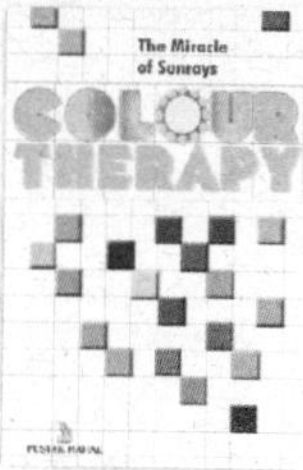

8889 D • ₹ 100/-

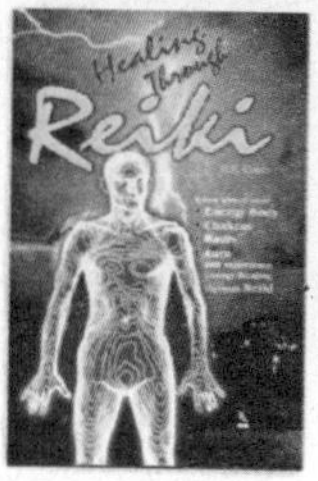

8842 D • ₹ 100/-

8941 A • ₹ 100/-

GENERAL HEALTH

9075 C • ₹ 225/-

8747 D • ₹ 150/-

9940 D • ₹ 150/-

8859 G • ₹ 80/-

8877 A • ₹ 150/-

8847 M • ₹ 100/-

8870 D • ₹ 100/-

9950 B • ₹ 120/-

9902 F • ₹ 120/-

COMMON AILMENTS & DISEASES

1 D • ₹ 120/-

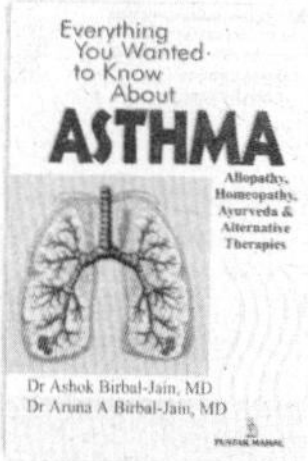

8281 A • ₹ 100/-

8094 D • ₹ 120/-

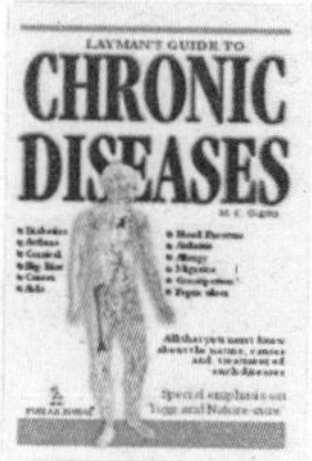

8848 D • ₹ 150/-

6 A • ₹ 96/-

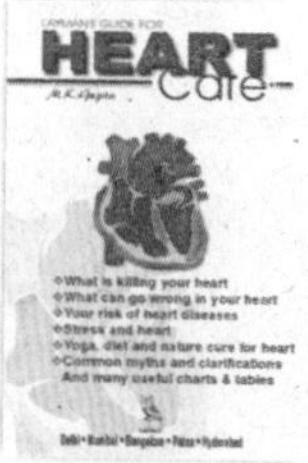

8888 D • ₹ 96/-

8908 D • ₹ 120/-

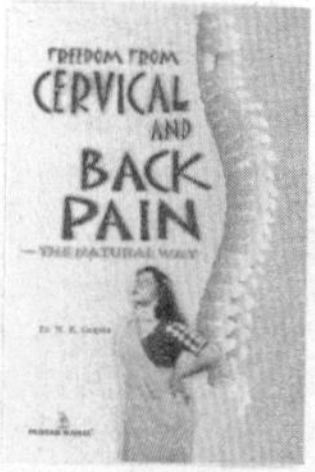

8878 B • ₹ 80/-

SLIMMING & FITNESS

8277 B • ₹ 120/-

8875 K • ₹ 120/-

9445 A • ₹ 150/-

DIET & NUTRITION

941 D • ₹ 100/-

8904 D • ₹ 150/-

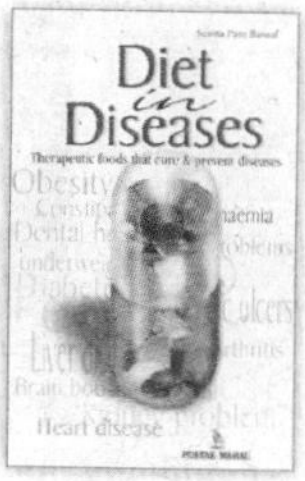

8985 B • ₹ 120/-

8968 G • ₹ 120/-

8271 C • ₹ 96/-

9037 D • ₹ 150/-

HINDOOLOGY / RELIGION / SPIRITUAL BOOKS

9873 C • ₹ 60/- | 9770 E • ₹ 150/- | 9453 A • ₹ 250/- | 4179 A • ₹ 295/- (HB) | 4138 B Rs. 250

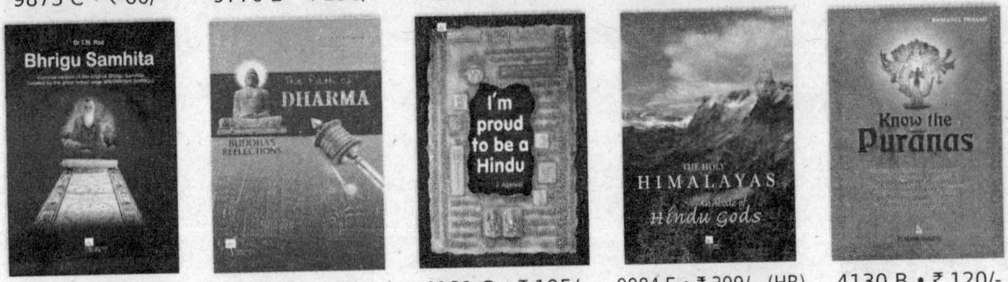

4177 B • ₹ 250/- | 9997 C • ₹ 80/- | 4181 C • ₹ 195/- | 9984 E • ₹ 399/- (HB) | 4130 B • ₹ 120/-

9811 P • ₹ 120/- | 9585 A • ₹ 96/- | 9508 D • ₹ 95/- | 9989 D • ₹ 96/- | 4183 A • ₹ 350/- (HB)

9504 D • ₹ 100/- | 9540 D • ₹ 150/- | 9513 A • ₹ 195/- | 4126 B • ₹ 96/- | 9812 R • ₹ 120/-

9504 D • ₹ 100/- | 4124 A • ₹ 120/- | 4190 C • ₹ 160/- | 9509 A • ₹ 150/- | 4152 B • ₹ 96/-

COMPUTERS

7712 K • ₹ 165/- | 7711 J • ₹

9768 C • ₹ 175/- | 7766 A • ₹

HOME MAKING / GRILLS & RA

3111 E • ₹ 175/- | 3107 F •

3106 E • ₹ 100/- | 3105 D •

3108 G • ₹ 150/- | 3104 M •

4188 A • ₹ 160/- | 4132 D • ₹ 100/- | 9987 E • ₹ 150/- | 9520 D • ₹ 120/- | 4134 B • ₹ 80/- | 4182 D • ₹ 96/- | 9405 A •

ASTROLOGY/VASTU/HYPNOTISM/PAMISTRY

871 A • ₹ 240/- 9693 H • ₹ 195/- 9671 F • ₹ 195/- 2127 D • ₹ 250/- 4177 C • ₹ 295/- 9086 A • ₹ 295/-HB

116 D • ₹ 150/- 8259 D • ₹ 88/- 2109 F • ₹ 150/- 2112 D • ₹ 120/- 3110 B • ₹ 120/- 2133 B • ₹ 96/-

399 D • ₹ 195/- 8925 D • ₹ 96/- 2132 A • ₹ 150/- 9432 D • ₹ 150/- 2120 D • ₹ 150/- 2109 F • ₹ 100/-

FICTION

Set Code SH 001

Set Code 9795 A

Set Code 9752 B • ₹ 550/-

ENGLISH IMPROVEMENT

540 D • ₹ 175/- 5541 C • ₹ 196/- 6651 E • ₹ 195/- 9448 D • ₹ 175/- 9056 A • ₹ 125/- 5538 D • ₹ 100/-

SAYING/QUOTATIONS/ PROVERBS

9474 F • ₹ 170/- 9789 A • ₹ 150/- 8999 D • ₹ 80/-

9953 A • ₹ 100/- 8947 E • ₹ 100/- 8890 D • ₹ 150/-

5512 A • ₹ 150/- 8963 B • ₹ 80/- 9425 A • ₹ 60/-

PERSON & PERSONALITIES

69 D • ₹ 120/- 9825 E • ₹ 150/- 2113 D • ₹ 195/- 9764 R • ₹ 100/- 8991 D • ₹ 120/-

JOKES HUMOUR & SATIRE

2342 C • ₹ 100/- 2343 D • ₹ 100/-

2341 B • ₹ 96/- 2318 A • ₹ 96/-

2330 B • ₹ 96/- 2319 B • ₹ 96/-

BODY/BEAUTY CARE

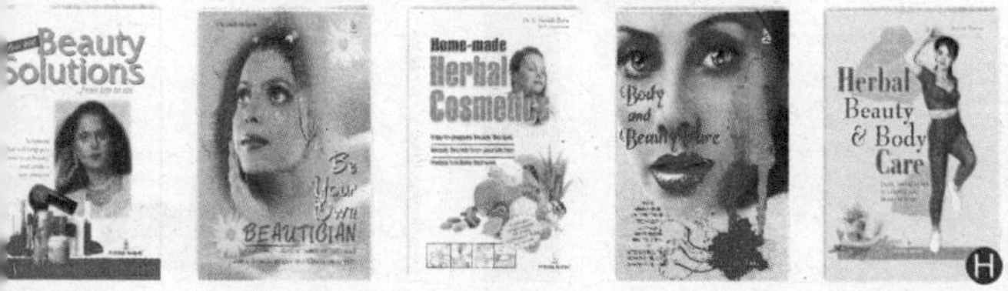

93 D • ₹ 150/- 9986 B • ₹ 150/- 8971 B • ₹ 120/- 9922 F • ₹ 120/- 8865 F • ₹ 120/-

FUN, FACTS, MAGIC & MYSTERIES

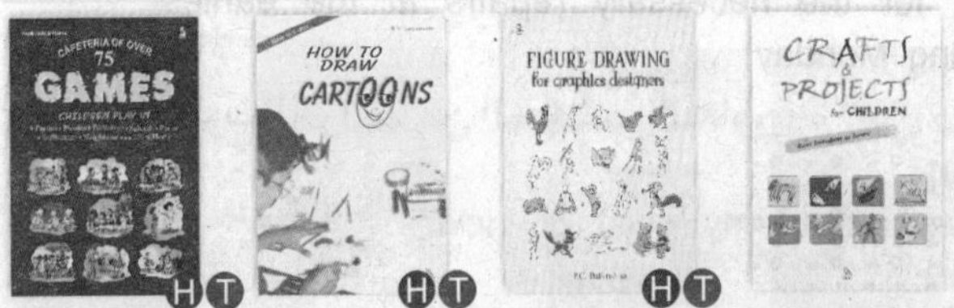

9484 B • ₹ 150/- 2275 D • ₹ 120/- 9479 M • ₹. 120/- 9470 B • ₹ 100/-

2208 M • ₹ 100/- 9816 D • ₹ 100/- 2247 F • ₹ 100/- 2250 A • ₹ 110/-

2211 F • ₹ 100/- 9457 E • ₹ 150/- 2237 M • ₹ 100/- 2335 A • ₹ 80/-

2243 L • ₹ 100/- 9775 M • ₹ 100/- 9985 A • ₹ 80/- 5110 A • ₹ 80/-

2337 C • ₹ 100/- 2336 B • ₹ 100/- 2331 C • ₹ 100/- 9977 B • ₹ 100/-

YOGA & MEDITATION

8269 A • ₹ 195/- 9998 D • ₹ 150/- 8939 D • ₹ 96/-

9958 S • ₹ 160/- 9087 B • ₹ 195/- 2118 F • ₹ 120/-

8901 D • ₹ 150/- 8099 D • ₹ 80/- 9025 D • ₹ 80/-

HOMEOPATHY, AYURDEDA

9446 B • ₹ 150/- 8887 D • ₹ 195/- 8270 B • ₹ 195/- 8923 D • ₹ 195

8010 D • ₹ 96/- 9094 E • ₹ 96/- 8944 D • ₹ 175/- 8948 A • ₹ 120

WORLD FAMOUS SERIES

9472 D • ₹ 100/- 5164 E • ₹ 100/- 9483 A • Rs. 100/- 51107 • ₹ 100/- 9766 A • Rs. 100/- 9489 G • Rs. 100/- 9761 M • Rs. 120/-

World Famous Mysterious Objects
True Stories of Mowglis and other Wild Childrens
World Famous Treasures (Lost and Found)
World Famous WARs & Battles
True Stories of Mystic Places
World Famous Adventures
World Famous Military Operations
World Famous Spy Scandals
World Famous Spies & Spymasters
World Famous Crooks & Con Men
True Stories 81 Weird Humans
True Stories of Great Explorers
World Famous Strange Mysteries
and many more.......

LOVE, ROMANCE & SEX

9602 B • Rs. 125/- 8260 D • Rs. 96/- 8266 D • Rs. 80/- 8278 C • Rs. 100/- 8916 D • Rs. 120/-

MORAL, WISDOM & FAIRY TALES

9677 P • Rs. 150/- 9486 D • Rs. 250/- 8967 F • Rs. 80/- 9077 E • Rs.120/- 9563 N • Rs. 125/- 2289 D •

وسيلة ممتازة لتعليم الإنجليزية بالعربية

رپيڈيكس®

إنجلش اسبيكنغ كورس

المترجم : أنيس الرحمن القاسمي الدهلوي
Reader & Head, Department of Arabic,
Zakir Husain College, University of Delhi

ميزات هذه الطبعة :

- لتحسين هذه الطبعة العربية ولجعلها عصرية ممتازة ،
بُذلت كل المساعي و استخدمت الوسائل الحديثة .
- لتعليم الإنجليزية بطريقة سهلة باللغة العربية اُتبع نظام ريبيديكس .
- ويحتوي الكتاب على مواضيع مختارة كلها لازمة و نافعة جدا .
- و يضم جملا من المحادثات اليومية التي يحتاج إليها الإنسان
كل وقت و يستعملها في حياته اليومية .
- بجانب سرد المفردات المبوبة ، هناك طرق لجعل الإنسان يتكلم الإنجليزية بطلاقة .
- طريقة كتابة الرسائل مع الرسائل النموذجية .

PUSTAK MAHAL®
Delhi • Bangalore • Mumbai • Patna • Hyderabad

Publishers
Pustak Mahal®

Administrative office and sale centre

J-3/16 , Daryaganj, New Delhi-110002
☎ 23276539, 23272783, 23272784 • *Fax:* 011-23260518
E-mail: info@pustakmahal.com • *Website:* www.pustakmahal.com

Branches

Bengaluru: ☎ 080-22234025 • *Telefax:* 080-22240209
E-mail: pustak@airtelmail.in • pustak@sancharnet.in
Mumbai: ☎ 022-22010941, 022-22053387
E-mail: rapidex@bom5.vsnl.net.in
Patna: ☎ 0612-3294193 • *Telefax:* 0612-2302719
E-mail: rapidexptn@rediffmail.com

ISBN 978-81-223-0898-8
Edition: 2016

RAJDHANI BOOK BINDING
22/4, Matiala Gaon, Uttam Nagar, New Delhi-110 059

ريبيديكس إنجلش اسبيكنغ كورس

ريبيديكس إنجلش اسبيكنغ كورس الآن فى يدك . و في أثناء إعداده بذلنا مساعي جادة و قمنا بالبحث والتفتيش لأيام طويلة لنعرف مسائل الناس و حاجاتهم ، كما و استشرنا الأساتذة المهرة وذوي خبرات واسعة في هذا المجال . فهذا الكتاب هو نتيجة هذه الجهود الشاقة و حصيلة الخبرات الطويلة للأساتذة المهرة . وكأنه هدية غالية لهذا القرن الجديد . إنه فريد و ممتاز من عدة نواح : من حيث اللغة وطريقة البيان والتعبير و شمول المواضيع الهامة اللازمة وما إلى ذلك . وذلك يتضح عند مطالعة الكتاب .

وفي هذا المنهج الجديد اتبعنا طريقة ' ريبيديكس ' لتعليم الإنجليزية (لأنها أنفع الطرق) ولكننا استخدمناها بعد إصلاحها تماما .

وفي قسم المحادثة (Conversation Section) حاولنا استعمال الكلمات الجديدة الشائعة الاستعمال اليوم في اللغة الإنجليزية لئلّا يواجه الطالب أيّ عقدة نفسية لا حاليا ولا في المستقبل وليتمكن من التعبير عن النفس بكلمات مناسبة و باختصار .

وبُذلت العناية القصوى بأن تكون الجمل أكثر إفادة وذلك بأن تشمل النواحي الشخصية والاجتماعية بجانب كونها متعلقة بالأعمال والمهن . فلذلك إن كان الدارس امرأة تدبّر البيت و تدير شئونه أو امرأة مهنتها الوظيفة والخدمة ، أو كان هو طالبا بالمدرسة أو الكلية أو من كان قد انتهى من دراساته و يبحث عن وظيفة أو كان كاتبا على الآلة أو كاتب اختزال أو صاحب محل تجاري أو بائعا أو مشتريا – أيّهم كان و مهما تكن مهنته ، إنّ هذا المنهج نافع لكل واحد منهم على حد سواء .

وإذا اقتبست من بين دروس الكتاب عدة كلمات أو جملا واستعملتها جزئيا في كلامك ، جاز لك ذلك ، ولكننا لا ننصحك به . إنما ننصحك بأن تدرس الكتاب كله و تتكلم الإنجليزية بصورة كاملة و شاملة . لأن هدفنا من وضع هذا الكتاب هو جعلك أهلا له و ماهرا فيه .

إلّا أن الانسان لا يجد في بعض الأحيان كلمة إنجليزية مناسبة فعندئذ ، يشير الكتاب ، بأن تستعمل كلمة من لغتك لتواصل كلامك بدون الإضرار بسلاسة الكلام و طلقة اللسان وبدون إظهار عجزك .

ولا يكون من المبالغة إذا قلنا إن **ريبيديكس إنجلش اسبيكنغ كورس** ، بفضل ميزاته ، سيكون منهجا لازما للحياة الناجحة في المستقبل . لأنه لا يعلّمك الإنجليزية تكلما و كتابة فحسب ، بل إنه يبني شخصيتك بأسرها .

الناشرون

Contents المحتويات

V Expedition المرحلة الخامسة

VI Expedition المرحلة السادسة

Conversation
الحوار العربي- الإنجليزي

الملحق- I (APPENDIX-I)

المفردات المبوّية (Classified Vocabulary)

الملحق-II (APPENDIX-II)
كتابة الرسائل (Letter Writing)

لنبــدأ

أخي العزيز ، مرحبا بك في هذا المنهج .

إنه ليس بمنهج عادي . إنه حصيلة بحث طويل فيما بين آلاف من الناس و نتيجة خبرات واسعة للأساتذة المهرة في مجال تدريس اللغة . وتم تجديده في ضوء آراء غالية و إشارات نافعة من القراء . وكل ذلك ستعرفه بقراءة الدروس التي في الكتاب وحل تمارينها .

و في أثناء إعداد هذا المنهج – الذي يتمدد على ٦٠ درسا في ٦٠ يوما – وضعنا أمامنا هدفين أساسيين : أوّلا أن يكون الطالب قادرا على التكلم بالإنجليزية بطلاقة و ثانيا أن يعرف طبيعة اللغة و بناء كلماتها و تكوين جملها والنطق الصحيح لحروفها ، بجانب معرفة علامات الترقيم ونحوها ، ليصبح، بفضل هذا المنهج ،قادرا على اللغة الإنجليزية تكلما و كتابة .

وسوف تكمل سفرك هذا في ٦٠ يوما بالتوقف في ست مراحل ، كل مرحلة منها وحدة مستقلة وهي تحتوي على ١٠ أيام لكل يوم درس جديد . واليوم الأخير من كل مرحلة أي اليوم العاشر والعشرون والثلاثون ... الخ هو يوم التمرين . و تحصل على معلومات جديدة في كل يوم كما ويمكنك اختبار معلوماتك من خلال الفحوص و جداول التمرين .

ولو أن جميع الجمل التي يحتويها الكتاب لازمة ولكن التي أكثر شيوعا و استعمالا أشير إليها في مختلف الأمكنة من الكتاب . وبما أنها ليست كثيرة عددا فيمكنك حفظها بسهولة . فاحفظها واستعملها في كلامك مع الناس .

وليس من اللازم أنّ كل من يعرف اللغة جيدا يتكلمها أيضا بطلاقة . لأنه إذا خاف الإنسان و خشي ، أنه إذا أخطأ ، سخر منه الناس ، تأتأ في الكلام و عيي . ولكن إذا عزم و تكلم باعتماد و ثقة ، تكلّم طويلا . فلذلك ننصحك أن: تمرنْ على النطق والتكلم أوّلا ثم اعتمدْ على النفس و تكلمْ بدون خوف، بدون أن تبالي بما يقوله الناس .

وفي إعداد هذا المنهج راعينا نفسية الإنسان . فبعد دراسة ٦٠ يوما سوف تستكشف أن تكلم الإنجليزية ليس أمرا صعبا . ولكن للوصول إلى تلك المرحلة يجب الالتزام بـ :

١. العزم المصمم
٢. الاجتهاد
٣. المثابرة حتى تحقيق الهدف

ونحن متأكدون من أنك قد تهيأت للالتزام بالأمور الثلاثة المذكورة . فأبشر أنك ستكون ماهرا في الإنجليزية حتميا لأنه قيل في الإنجليزية : Well begun is half done أي البدء الصائب لأمر ، نصف اكتماله . فابدأ السير معنا . سوف تعرف في المرحلة الأولى كلمات التحية والخطاب والاحترام والتكريم و طرق التعبير عن عواطف المحبة بكلمات سهلة و جمل مختصرة و الأفعال الثلاثة بدون الخوض في متاهة القواعد المعقدة ، بجانب عدة جمل للتكلم والتمرن .

و نحن إذ نستودعك اللّه ، نتمنى لك الخير والتوفيق و ندعوه أن يكون النجاح حليفك دائما في كل خطوة من خطواتك و في كل مرحلة من مراحل سفرك .

1st Day اليوم الأول

المرحلة الأولى (1st Expedition)

دعنا نبدأ اليوم الأول بالتحية والترحيب . يستعمل أهل بلادنا كلمات : السلام عليكم أو حيّاك الله وغيرها . وذلك في أيّ وقت من أوقات الليل والنهار. ولكن أهل اللغة الإنجليزية يستعملون مختلف كلمات التحية في مختلف الأوقات من الليل والنهار والمساء والصباح .

كلمات التحية (Sentences of Greeting)

مع الأكابر من الأقرباء أو أصحاب المناصب

من وقت الصباح إلى الساعة ١٢ ظهراً

١. صباح الخير ، يا جدّي!	Good morning, Grandpa!	غُد مارننغ، غراندبا!
٢. صباح الخير، يا أبي!	Good morning, Dad!	غد مارننغ، داد!
٣. صباح الخير ، ياسيدي!	Good morning, Sir!	غد مارننغ، سير!

من الساعة ١٢ ظهرا إلى الساعة ٥ مساء

٤. السلام عليكم، يا جدتي!	Good afternoon, Grandma!	غد آفترنون، غراندما!
٥. السلام عليكم يا أُمي!	Good afternoon, Mummy!	غد آفترنون، ممّي!
٦. حياك الله يا عزيزي/ عزيزتي!	Good afternoon, dear!	غد آفتر نون ، دِير!

بعد الساعة ٥ مساء

٧.مساء الخير، يا عمي!	Good evening, Uncle!	غد إيفننغ، انكل!
٨. مساء الخير، يا عمتي!	Good evening, Auntie!	غد إيفننغ ، اونتي!
٩.حياك الله، يا عزيزي/ عزيزتي!	Good evening, dear!	غد إ يفننغ، دِير!

عند التوديع ليلا

١٠. تصبحون على خير	Good night!	غد نايت!
تنام/ تنامين نوماً هادئاً!	Sweet dreams, darling!	سويت دريمز، دارلينغ!

عند التوديع في أي وقت من النهار

١١. مع السلامة، يا سيدي!	Good day to you, Sir!	غد ديه تو يو، سير!
١٢. سررت بلقائك/ بلقائكم!	Pleased to meet you!	بليزد تو ميت يو!

في أي وقت (Informal greetings) للأصدقاء والزملاء

١. مرحباً، يا سعاد!	Hi Suad!	هاي سُعاد!

٢. مرحباً ، يا أحمد! — Hi Ahmed! — هاي أحمد!

٣. مرحباً ،يا عمي! — Hello Uncle! — هيلو أنكل!

٤. مرحباً يا فاطمة! — Hello Fatima! — هيلو فاطمة!

٥. مرحباً، يا سهيل! — Hello Suhail! — هيلو سُهيل!

٦. مرحباً أيها السيدة ليلى! — Hello Mrs. Laila! — هيلو مسيز ليلى!

ملحوظة : إن كانت العلاقة ودية جدا في مكن استعمال هيلو و هاي مع من كان أكبر منك .

عند التوديع :

١. استودعكم الله يا أولاد! — Goodbye, children! — غد باي، تشلدرن!

٢. إلى اللقاء! — Bye, bye! — باي باي!

٣. مع السلامة، يا عزيزي! — Farewell, dear! — فير ول، دِير!

٤. مع السلامة ، نراكم، إلى اللقاء! — Bye, see you/so long! — باي ، سي يو/ سو لونغ!

للملاحظة (To Remember)

طريقة الخطاب في الإنجليزية

A

في الإ نجليزية :

١. يستعمل لِغراند فادر Grandfather كلمة مختصرة Grandpa .

٢. لِفادر Father تستعمل كلمة Dad داد أو Daddy دادي.

٣. يستعمل لـ غراند مدر Grandmother كلمة مختصرة : Grandma.

٤. لِمدر Mother تستعمل كلمة Mom أو (Mummy) أيضا.

B

في الإ نجليزية :

١. تستعمل كلمة(Uncle) لكل من العم والخال وزوج الخالة و زوج العمة.

٢. تستعمل كلمات آنت أو آنتي(Aunt, Aunty or Auntie) لكل من زوجة العم وزوجة الخال والعمة والخالة.

٣. تستعمل كلمة سير (Sir) لاحترام أو تكريم أيّ شخص .

٤. لاحترام أية سيدة تستعمل كلمة مادام (Madam)

٥. تستعمل كلمة كزن (Cousin) فقط ولا Cousin Brother/ Cousin Sister لكل من أبناء وبنات العم والعمة والخال والخالة .

٦. يُقال للزوج (Husband) (Hubby) 'هبي' مختصراً .

٧. تستعمل كلمة (.Mrs) للسيدة المتزوجة وكلمة (Miss) لغير المتزوجة .وكلمة (Ms) يمكن استعمالها لكل من المتزوجة وغير المتزوجة .

2nd Day اليوم الثاني

حُسن الأدب في الإنجليزية (Good Manners in English)

مع تعلم اللغة الإنجليزية يجب أيضا معرفة خلق أهل هذه اللغة وآدابهم . الإنجليز اثناء التكلم ، يلتزمون بالقيم الخلقية للغاية . ويستعملون ،لعرض حديثهم كلمات مختلفة من التواضع والانكسار . ففي هذاالدرس نذكر طائفة من تلك الكلمات التي تدل على حسن أدبهم .

A

لا يستعمل أهل اللغة الإنجليزية كلمات الاحترام مثلما نستعملها في لغتنا لمختلف الأشخاص . ولا يستعملون صيغة الجمع للشخص الواحد كما نستعملها أحيانا .ولذلك يقول بعض الناس "إن الإنجليزية لغة جافة" . ولكن الأمر ليس كذلك . فإنه مع أنهم لا يستعملون صيغ الجمع للواحد أبداً ، ولكنهم يستعملون كلمات الأدب والاحترام في كل جملة يتكلمون بها . وفيما يلي عدة كلمات من ذلك النوع . وهي تدل على حسن الأدب والثقافة فيهم . وعلى من يريد التكلم بالإنجليزية يجب حفظها .

1. Please	بليز	5. Allow me	آلاو مي	9. Pardon	باردن
2. Thanks	ثينكس	6. After you	آفتر يو	10. That is alright	ديت إز آل رايت
3. Welcome	ويلكم	7. Sorry	سوري	11. It's my pleasure	إتس ماي بليزر
4. Kindly	كائندلي	8. Excuse me	إيكسكيوزمي		

١. إذا أردت أن تطلب من أحد قلما أو ماء أو تسأل عن وقت أو أردت أن تقول نعم في جواب شخص فيلزم عليك استعمال (Please) . فإن لم تستعمل كلمة من مثل بليز (Please) أو كائندلي (Kindly) فيفهم عند ذلك أنك غير مثقف .

إننا نقول في لغتنا :

١. أعطني قلمك   ٢. كوب ماء   ٣. كم الساعة؟   ٤. نعم، أشرب

ومع ذلك لا يقال إن قائلها غير مثقف ، ولكن إذا قلت معانى هذه الجمل في الإنجليزية كما في التالي فسيعرف كل من عنده معرفة اللغة الإنجليزية ،إن القائل غير مثقف أو إنه حديث العهد بالإنجليزية وليس بمطلع على آداب اللغة .

1. Give me your pen. — غِو مي يور بين .
2. Give me a glass of water. — غِو مي أ جلاس أوف واتر .
3. What is the time? — وَت إز دَ تايم؟
4. Yes, I will drink it. — يس، آي وِل دِرنك اِت.

وإن قلت هكذا :

1. May I have your pen, please? — ميه آي هيو يور بين ،بليز؟
2. A glass of water, please. — إيه جلاس أوف واتر ،بليز .
3. Time please? — تايم، بليز؟
4. Yes, please. — يس ،بليز .

أو قلت الجمل المذكورة كالتالي فحينئذ يفهم أن شخصا مثقفا يتكلم :

1. May I borrow your pen, please? ميه آي بورو يور بين، بليز؟
2. Give me a glass of water, please. غِو مي أ جلاس أوف واتر، بليز.
3. What is the time, please? وَات إز د تايم بليز؟

٢. (أ) إذا أنجز لك شخص عملاً ما كما أنك سألته عن الوقت أو عن عنوان أيّ شخص وهو أخبرك عن ذلك فلا تنس أبداً أن تقول له كلمات الشكر Thank you أو Thanks فقط أو أضفت إلى ذلك وتقول ميني ميني تينكس تو يو؟ Many many thanks to you. أو تينك يو ويري متش. Thank you very much.

(ب) إذا قدّم لك شخص شيئاً ولا تريد أنه تأخذ مزيداً فلا تقل له بنحو قاطع لا أريد أن آخذ المزيد I don't want to take more. ولكن ينبغى أن تقول له 'نو، تينكس '. No, thanks.

٣. إذا شكرك شخص على عمل عملته له وقال (Thank you Or Thanks) فلم ينته الأمر على ذلك . لأنك إذا سكتّ على ذلك قال الناس إنك غير مثقف أو عديم التواضع . يلزم في مثل هذه المناسبة أن تقول أيًّا من الكلمات التالية :

It's* all right.	(إتس آل رايت)	لا شكر على واجب .
1. No mention.	(نو مينشن)	لا شكر على واجب .
2. It's fine.	(إتس فاين)	عفواً
3. My pleasure.	(ماي بليزر)	فيه فرحي
4. Welcome/you're welcome.	(ويلكم/ يو آر ويلكم)	مرحباً، مرحبابك

لعلك لاحظت أن في الكلمة الأخيرة لطفاً وتواضعاً أكثر من الأربع الأولى، بينما الكلمتين الأوليين أيضا تستعملان كثيراً .

٤ . إذا طلب منك شخص شيئاً وأنت تريد أن تعطيه ذلك فإن قلت له خُذه تيك إت (Take it) يُعرف حالاً أنك لا تعرف الأسلوب المهذّب . فينبغى أن تقول له :

With great pleasure. وِد غريت بليزر
Yes, you are welcome. يس، يو آر ويلكم

٥ . إذا كنت ترغب في مساعدة شخص كما أردت أن تساعد سيدةً يعاكسها ولدها وتريد أن تأخذه منها أو أردت أن تساعد شخصا بحمل حقيبته الثقيلة فله اسلوب بديع، وهو أن تقول : امنحني فرصة كذا ألاو مي (Allow me) أو ممكن أن أساعدك؟ ميه آي هيلب يو؟ (May I help you?)

٦. إذا أردت أن تفضّل غيرك (كبيراً كان أو سيدة) في الدخول أو الخروج من الغرفة ومع أن قولنا : أنت أولاً ليس بغير مهذب ولكن لا نقول في الإنجليزية فرست يو (First you) بل نقول (After you) آفتر يو.

٧. عند أهل اللغة الإنجليزية تشيع طريقة إظهار الأسف على كل أمر هاما كان أو تافها .إننا أيضا نظهر الأسف ونعتذر ولكن عندما وقع أمر هام أو حدث ضرر فادح أو فاتنا موعد لم نستطع إيفائه . ولكن أهل الإنجليزية يظهرون الأسف على كل أمر صغير وكبير وهام وتافه بكلمات سوري (Sorry) ، أو ايكسكيوزمي (Excuse me)'أو باردن (Pardon) وغيرها .

(الف) إذا مست يدك بيد أحدٍ فعليك أن تقول حالاً سوري (Sorry).

(ب) إن كان شخصان واقفان يتكلمان في ممرّ وليس هناك مكان لمرورك إلاّ من بينهما فإذا مررت، وجب عليك أن تقول

---

*إن استعمال المختصرات شائع في الإنجليزية . فيستعملون بدلاً من It is كلمة It's . بدلاً من You are كلمة You're في التكلم، وهلم جرّاً . وفيما يلي طائفة من أمثال ذلك :

I am —— I'm	He is —— He's
I have —— I've	She is —— She's
We are —— We 're	Is not/are not —— Isn't/aren't

وفائدتها أنها تُحدث السلاسة في التكلم .

ايكسكيوزمي (Excuse me) . وكذلك إذا قمت من مجلس وذهبت من حيال شخص أو أردت أن تقول شيئاً وكان الآخر يتكلم فوجب عليك ان تقول ايكسكيوز مي (Excuse me).

(ج) وكذلك إن كنت تحادث على التلفون أو تحادث شخصا بالمواجهة ولم تسمع أي كلمة أو جملة جيداً و أردت اعادتها فلاينبغى أن تقول له "اسبيك لاودلي" أو آي كان نوت هِير إيني ثينغ .(Speak loudly! I cannot hear anything) (تكلم بصوت مرتفع، لا أسمع ما تقول) بل ينساب ان تقول باردن (Pardon) أو آي بيغ يور باردن (I beg your pardon) ، فبذلك سيفهم المتكلم الأمر كله ويعيد كلامه .

(د) إذا ذهبت لزيارة شخص ووصلت إلى منزله فلا تدخله بدون الإ ذن . استأذنه بالإنجليزية بهذه الكلمات : ميه آن كم إن بليز May I come in, please? فيرد صاحب المنزل سرتنلي (Certainly) أو وِد غريت بليزر (With great pleasure) أو أوف كورس Of course أو (يس بليز كم إن Yes, please come in)

إن الإنجليزية مملوءة بمثل كلمات الأدب والثقافة هذه، فعليك أن تراعي هذا الأسلوب عند التكلم .

B

عدة تعبيرات لطيفة (Some Polite Phrases)

١. أنا متأسف ، لم أستطع أن أحضر ذلك اليوم .	I'am sorry, I couldn't make it • that day.	آيم سوري ، آي كدنت ميك إت ديت ديه .
٢. أنا متأسف، لم أستطع أن أصل في الميعاد .	I'm sorry, I couldn't make it in time.	آيم سوري ، آي كدنت ميك إت إن تايم
٣. آسف، أنا متأخر قليلاً .	I'm sorry, I got a little late.	آيم سوري ،آي غوت أ لِتل ليت .
٤. من فضلك أبْلغ معذرتي .	Please convey my apologies.	بليزكنويه ماي أبولوجيز .
٥. كان ذلك بسبب خطأ .	It was all by mistake.	إت واز آل باي مِستيك،
اسمح لي من فضلك .	Please excuse me.	بليز ايكسكيوز مي.
٦. أنا متأسف جدا .	I'm very sorry.	آيم ويري سوري .
٧. آسف إنّي أزعجتك .	Sorry to have disturbed you.	سوري تو هيف دستربد يو .
٨. إنى أطلب العفو والمعذرة .	I beg your pardon.	آي بيغ يور باردن .
٩. اسمح لي أن أقول .	Allow me to say.	الاو مي تو سيه.
١٠. أرجو انتباهك .	May I have your attention, please?	ميه آي هيف يور اتنشن بليز؟
١١. أعتبره لك .	It's all yours.	إتس آل يورس .
١٢. هل تسمح لي أن أتكلم؟	Will you please permit me to speak?	وِل يو بليز برمت مي تو اسبيك؟
١٣. دعني أساعدك .	Let me also help you.	لت مي آلسو هيلب يو .
١٤. ممكن أن تتحرك قليلاً؟	Will you please move a bit?	ول يو بليز موف أ بت؟
١٥. ممكن أن تتكلم بطيئاً؟	Will you please speak slowly?	ول يو بليزاسبيك سلولي ؟
١٦. هل تتفضل بالتكلم برفق؟	Will you mind speaking a bit softly, please?	ول يو مائند اسبيكنغ أبت سو فتلى بليز؟
١٧. هل تسمحني بالجلوس؟	Will you please let me sit?	وِل يو بليز لت مي سِت؟

١٨. ممكن أن تفرغ لي قليلاً من وقتك؟	Could you spare a few moments for me?	كد يو اسبير أ فيو مومنتس فورمي؟
١٩. كما تشاء.	As you please.	أيز يو بليز.
٢٠. اجلس مرتاحاً من فضلك.	Please make yourself comfortable.	بليز ميك يور سيلف كمفور تيبل.
٢١. آسف على إزعاجك.	Sorry for the inconvenience.	سوري فور دي انكنفي نينس.
٢٢. هذا من كرمك.	That's very/so kind of you.	ديتس ويرى/سو كائند أوف يو.
٢٣. تفضل.	Please help yourself.	بليز هيلب يو ر سيلف.
٢٤. سررنا بلقائك.	Glad to meet you.	غليد تو ميت يو.
٢٥. شكراً على نصحك الغالى.	Thanks for your kind/ valuable advice.	ثينكس فور يور كائند/ في ليو ايبل ادوائس.
٢٦. أحاول بكل ما في وسعي.	I will try my level best.	آي ول تراي ماي ليفل بيست.
٢٧. لعلك تتمتع بنفسك / لعلكم تتمتعون بأنفسكم	Hope you are enjoying yourself/ yourselves.	هوب يو آر انجوابنغ يور سيلف/ يور سيلوز.

(To Remember) للملاحظة

A

١. إننا في لغتنا نستعمل أحيانا صيغة الجمع لشخص مفرد وذلك عندما نريد تعظيمه نحو: هل معاليكم تتفضلون بالقدوم؟ ولكن أهل الإنجليزية لا يستعملون هكذا. إنهم يستعملون دائما نفس الكلمة سواء كان رجلاً عاديا أو معظما وهي (you)

ماذا تريد؟ What do you want? وت دو يو وانت؟

هل تشرفوننا بزيارتكم، سيدي، will you grace the occasion, sir? وِل يو غريس دَ أوكيزن، سير؟

B

لغرض الاعتذار وطلب العفو هناك عدة كلمات ونستعملها في مختلف المواضع نبين في ما يلى معانيها الأصلية:

١. Excuse*(v.) يعفو أو يسمح وهي كلمة عامة تشمل مختلف أوجه العفو التسامح.

اعذرنى، اعف عني، اسمح لي من فضلك. Please excuse me. بليز ايكسكيوز مي

٢. Forgive (v.) يتخلى عن إرادة المعاقبة، يغفر، يعفو نحو: الخطأ من الانسان والعفو من الله (To err is human, to forgive is divine)

٣. Pardon (v.) يغفر للمخطئ أو المجرم ذنبه أو خطأه. (Please pardon me for my mistake.)

٤. Mistake (v.) يخطئي في العمل، يظن خطأً (Don't mistake me for a doctor.) لا تظنني طبيباً

٥. Sorry (adj.) آسف (اننى آسف على وصولى متأخرا) (I am sorry for being late.)

إن جملة I beg your pardon تستعمل في هذه الأيام كثيرا. مثلاً إنك تتكلم على التلفون وفاتتك كلمة فتقول I beg your pardon أو 'Pardon'? فقط معنى ذلك "أنك تتكلم سويا ولكنني لم أسمع، أعد الجملة من فضلك." وإن قلت 'Please repeat it' فهو أيضا صحيح.

---

* v معناه أنه فعل (verb).

3rd Day اليوم الثالث

كلمات التعجّب (Exclamation)

هناك أساليب عديدة وجمل متنوعة للتعبير عن معاني عاطفية . فهي جميلة بجانب كونها سهلة الاستعمال . يمكن التعبير عن معاني الاستعجاب والابتهاج والحزن والغضب وغيرها بكلمات وجيزة وجمل قصيرة وبأسلوب رائع . يمكننا استعمالها مرة بعد مرة في كلامنا .

١. رائع، عظيم!	Marvellous!	مارويلس!
٢. أحسنت، مرحى!	Well done!	ويل دن!
٣. جميل، رائع!	Beautiful!	بيوتي فُل!
٤. ألا ، ها!	Hey!	هيه!
٥. يا للعجب/ مرحى!	Wow!	واو!
٦. سبحان الله ، يا رب!	My/Oh God!	ماي/ أوغود!
٧. بديع، أحسنت!	Wonderful!	وندرفُل!
٨. حتميا، بكل سرور!	Of course!	أوف كورس!
٩. لله الشكر!	Thank God!	ثينك غود!
١٠. بفضلٍ من الله!	By God's grace!	باي غودس غريس!
١١. الله يفتح عليك/أنعم الله عليك!	May God bless you!	ميه غود بليس يو !
١٢. وعليك أيضا!	Same to you!	سيم تو يو!
١٣. رائع، ممتاز!	Excellent!	إيكسيلنت!
١٤. كم يدعو للأسف/ ما أحزنه!	How sad!	هاؤ سَيد!
١٥. هذه بشارة/هذا خبر سار.	That is a good news!	ديت إز أ غُد نيوز!
١٦. ما أعظم الفوز!	What a great victory!	وات أ غريت فكتري!
١٧. يا للعجب!	Good heavens!	غد هيف نز!
١٨. اسمع، يا هذا!	Hello! Listen!	هيلو!لِسن!
١٩. عجّل ، بسرعة	Hurry up, please!	هري أب، بليز!
٢٠. ما أقبحه!/ ما أشد عيبا!	How terrible!	هاؤ تيربل!
٢١. ما أشد إهانة!	How disgraceful!	هاؤ دسغريس فُل!
٢٢. ما أشد سخفا!	How absurd!	هاؤ ابسرد!
٢٣. ما أكبر جراء ة!	How dare he!	هاؤ دِير هي!
٢٤. ما أحلى!	How sweet!	هاؤ سويت!
٢٥. ما أجمل!	How lovely!	هاؤ لَفْلي!
٢٦. كيف اجترأت على هذا الحديث!	How dare you say that!	هاؤ دِير يو سيه ديت!

٢٧. يا حبيبي! | Oh dear! | أو دير!
٢٨. عجّل، امش مسرعاً! | Hurry up! Walk fast! | هرى أپ/واك فاست!
٢٩. اسكت من فضلك ! أرجوك أن تسكت! | Please keep quiet/ Quiet, please! | بليز كيب كوايت! كوايت بليز!
٣٠. اى نعم، بلى! | Yes, it is! | يس ،اِت اِز!
٣١. حقاً! | Really! | رِيلى!
٣٢. أ هكذا! | Is it! | إز إت!
٣٣. شكرا! | Thanks! | ثينكس!
٣٤. أشكرك! | Thank you! | ثينك يو !
٣٥. أشكر الله! | Thank God! | ثينك غود!
٣٦. كل عام وأنتم بخير! | Many happy returns of the day! | ميني هيبي ريترنس أوف د ديه!
٣٧. هو راه، قد فزتُ! | Hurrah! I have won! | هوراه، آي هيف ون!
٣٨. دمت بصحة وعافية! | For your good health! | فور يور غُد هيلث!
٣٩. أهنّئك! | Congratulations! | كونغريشو ليشنز!
٤٠. ما أسخفه! ما أحمقه! | What nonsense! | وات نون سنس!
٤١. ما أخجله، عيب عليك . | What a shame! | وات أ شيم!
٤٢. ما آلمه! ما أفجعه! | How tragic! | هاؤ تريجك!
٤٣. ما أغرب ! ما أبدع ! ما أدهش! | What a pleasant surprise! | وات أ بليزنت سربرائز!
٤٤. بديع، رائع! | Wonderful! | وندرفُل!
٤٥. مغثى، مملّ! | How disgusting! | هاؤ دسغستينغ!
٤٦. احذر! | Beware! | بي وِير!
٤٧. يا للأسف! وا أسفاه! | What a pity! | وات أ بيتي!
٤٨. ما أبدع الفكرة! | What an idea! | وات اين آي‌ديا!
٤٩. مرحباً بكم يا سيدي! | Welcome sir! | ولْكم سير!
٥٠. مرحى ، أحسنت! | Cheers! | شيرز!
٥١. ما أشد إزعاجاً! | What a bother! | وات أ بودر!
٥٢. باحتراس، بحذر! | Watch out! | واتش آوت!
٥٣. وقيتم من النظر السوء! | Touch wood! | تش وُد!
٥٤. وليكن ما يشاء، مهما يكن! | Come what may! | كم وات ميه!

(To Remember) للملاحظة

١. كما أن كلا من الفصلة (،) والنقطة (.) يوضع في عبارات الجمل العادية ، فإن علامة التعجب توضع بعد الجمل المشتملة على معاني الدعاء والاستعجاب نحو: Wonderful! Really! وغيرها .

٢. للتعبير عن معاني الحياء أو التالم أو الابتهاج أو الغضب وغيره تستعمل كلمات مثل What, How وغيرها نحو: How wonderful! What a shame! وغيرها .

٣. عند التكلم بالجملة الاستعجابية (Exclamatory sentence) يجب اختيار اللهجة التعجبية .

4 th Day اليوم رابع

تعبيرات مختصرة (Phrases)

في الإنجليزية يكتفي بكلمة أو بكلمتين مكان التكلم بالجملة الكاملة فمثل !Yes, sir (يَس، سَير) !No, sir (نو، سير) Very good, sir! (فيري غود ،سير) وغيرها يكثر استعمالها في كثير من الأحيان. وعلى الراغبين في تعلم التكلم بالإنجليزية أن يعرفوها. فإن هذه التعبيرات أسهل من الجملة الكاملة لأنها حرة من قيود القواعد المعقدة للغة.

A

١. سآتي حالا .	Just coming.	جست كمينغ .
٢. حسن جدا .	Very well.	فيري ول .
٣. رائع/ جيد جدا .	Fine./Very good.	فائن / فيرى غود .
٤. كما تريد .	As you like.	ايز يو لايك .
	As you please.	ايز يو بليز .
٥. أي شىء آخر؟	Anything else?	إيني ثنغ ا يلز؟
٦. فيه كفاية / هذا يكفي .	That's enough.	ديتس اينف .
٧. أشكرك على هذا الإكرام .	Thanks for this honour.	ثينكس فور دس آنر .
٨. حسن / مضبوط .	O.K.	او كيه .
٩. لماذا لا؟	Why not?	واي نوت؟
١٠. لا شيء .	Not a bit.	نوت إيه بت .
١١. بعناية .	Take care.	تيك كير .
١٢. نقابل غدا .	See you tomorrow.	سي يو تو مورو .
١٣. نعم حتميا .	Yes, by all means!	يس ،باى آل مينز .
١٤. هذا كثير .	That is too much.	ديت إز تو متش .
١٥. أى نعم / نعم يا سيدي .	Yes, Sir!	يس سير .
١٦. لا، ابدا .	No, not at all.	نو، نوت أت آل .
١٧. لا بأس، لا حرج .	Never mind./Doesn't matter.	نيفر مائند/دزنت ميتر .
١٨. لا حاجة إلى شيء آخر .	Nothing else.	نثينغ إلز .
١٩. ليس بامر خاص .	Nothing special.	نثينغ اسبيشيال .
٢٠. أهلا وسهلا .	Welcome!	ولكم .
٢١. ثِق .	Rest assured.	رست اشورد .
٢٢. ما رأيتكم من زمان .	Long time no see.	لونغ تايم نو سي .
٢٣. مع السلامة .	Goodbye!	غود باي .

٢٤. إلى اللقاء! | Bye bye! باي باي!
٢٥. لا مُطلقاً! | Not the least! نوت دَ لِيَست!

كل هذ ه المذكورة مفردات أو مركبات ناقصة وليس جملا كاملة. ولكنها تستعمل مكان الجمل التامة.

B

جمل خاصة بالطلب/ الأمر (Sentences of Command/Order)

١. قف .	Stop.	إستوب .
٢. تكلم .	Speak.	إسبيك .
٣. اسمع .	Listen.	لِسَن .
٤. انتظر هنا .	Wait here.	ويت هير.
٥. تعال هنا .	Come here.	كم هير.
٦. أنظر هنا .	Look here.	لُك هير.
٧. خذ هذا .	Take it.	تيك إت .
٨. اقرب .	Come near.	كم نير.
٩. انتظر بالخارج .	Wait outside.	ويت آوت سايد .
١٠. اذهب إلى الفوق .	Go up.	غو أب .
١١. اذهب إلى التحت .	Go down.	غو داؤن .
١٢. انزل .	Get off.	غت اوف .
١٣. تاهب .	Get ready./Be ready.	غت ريدي/بى ريدي .
١٤. اسكت .	Keep quiet.	كيب كوايت .
١٥. احترس/ كن على حذر.	Be careful./Be cautious.	بي كيرفُل/بي كَوشَس .
١٦. اذهب بطيئا/ امش بتمهل .	Go slowly./Walk slowly.	غو سلولي/واك سلولي .
١٧. اذهب حالاً.	Go at once.	غو أت ونس .
١٨. قف هنا .	Stop here.	استوب هير .
١٩. اذهب مستقيما (على طول) .	Go straight.	غو استريت .
٢٠. ابتعد/ اخرج .	Go away./Get out.	غو اويه/غت آوت .

هذه الجمل تامة مع أن الفاعل لم يذكر فيها. وبما أنها تحتوي على فعل الأمر فالفاعل مفهوم عن السياق والقرينة وهو مثل أنتَ أو انتِ أو أنتم الخ

للملاحظة (To Remember)

١. كل الجمل في طائفة B أعلاه أريد بها الأمر. وإذا أردت الرجاء والالتماس فضع 'Please' قبل كل واحدة منها. فالجملة الأولى تكون "Please stop" (أرجوك الوقوف) وهلم جرا. فافعال الأمر ،الآن تؤدى معنى الرجاء ولالتماس.

٢. ولكن إن تطلب الإجازة من شخص كبير كالمدير مثلا أو تطلب شيئا آخر فاستعمل "Kindly" بدلا من Please مثلا

(a) Kindly grant me leave for one day. (أرجوك أن تتفضل بمنحي إجازة يوم واحد)

(b) Kindly look into the matter. (ارجوك النظر في الامر)

٣. إن كلمة Don't و Can't مختصرتان لـ Do not و Cannot.

٤. أنظر الجمل الخاصة بالرجاء في درس اليوم التاسع.

5th Day اليوم الخامس

الفعل الحاضر (Present Tense)

في الإنجليزية أن الفعل الحاضر على أربعة أقسام وهي:

(1) Ahmed studies.	(أحمد استديز)	١. أحمد يقرأ (في هذه الأيام)
(2) Ahmed is studying.	(أحمد ازاستدينغ)	٢. أحمد يقرأ (حالا)
(3) Ahmed has studied.	(أحمد هيز استديد)	٣. قد قرأ أحمد

٤. لايزال أحمد يقرأ منذ الصباح (أحمد هيز بين استدينغ سِنس مورنينغ) (4) Ahmed has been studying since morning

كل هذه الجمل فعلها حاضر. يعلم من المجملة الأولى حدوث الفعل (القراء ة) في الزمن الحاضر بدون تحديد أي مدة. ومن الجملة الثانية أن الفعل مستمر وقت التكلم. ومن الثالثة أن الفعل انتهى حالا ولم تمض عليه مدة طويلة وأما الجملة الرابعة في علم منها أن الفعل مستمر منذ مدة معينة. وتسمى هذه الأقسام الأربعة (1) Present Indefinite (2) Present Continuous (3) Present Perfect (4) Present Perfect Continuous على التوالي.

A

– Does/Do –

دو يو استدي إنجليش؟	**Ahmed :** *Do* you study English?	أحمد : هل تدرس الإنجليزية ؟
يس ،آي دو.	**Ghanim :** Yes, I *do.*	غانم : نعم
دز سميرة كم تو يور هاؤس؟	**Ahmed :** *Does* Samirah come to your house?	أحمد : هل سميرة تاتي إلى منزلكم؟
يس، شي كمس سم تايمز.	**Ghanim :** Yes, she comes sometimes.	غانم : نعم، هي تأتى أحيانا.
دو ادَرفريندز أولسو كم تو يو؟	**Ahmed :** *Do* other freinds also come to you?	أحمد : هل ياتي إليكم الأصدقاء الآخرون؟
يس ،ديه دو.	**Ghanim :** Yes, they *do.*	غانم : نعم، هم يأتون أيضا.
دو يو استيه إن كيرو؟	**Ahmed :** *Do* you stay in Cairo?	أحمد : هل تسكن في القاهرة ؟
نو،آئي إستيه إن إلكزاندريه.	**Ghanim :** No, I stay in Alexandria.	غانم : لا ، أسكن في الإسكندرية.

B

– Is/Are/Am –

/ازدس بك يو آر لوكينغ فور؟	**Suad :** *Is* this the book you are looking for ?	سعاد : أ هذا هو الكتاب الذي تبحثين عنه؟
يس، دِس إز إت.	**Laila :** Yes, this *is* it.	ليلىٰ : نعم هو هذا.
إزسميرة واتشينغ أ موفي؟	**Suad :** *Is* Samirah watching a movie?	سعاد : هل سميرة تشاهد الفيلم؟
نو، شى إز بليئنغ فيديو غيم.	**Laila :** No, she *is* playing a video game.	ليلىٰ : لا، هي تلعب بلعبة فيديو.

آريونوت غوئينغ تو ماركت ناو؟	**Suad :** *Are* you not going to market now?	سعاد : ألا تذهبين إلى السوق الآن ؟
نو ،آي أم نوت.	**Laila :** No, I *am* not.	ليلىٰ : لا.
إزيور فادر ان غورنمنت سرفيس؟	**Suad :** *Is* your father in government service?	سعاد : أ والدك موظف حكومي؟
نو ،هيْ از أ بزنس مان.	**Laila :** No, he *is* a businessman.	ليلىٰ : لا، إن والدي تاجر
إز يو ر برودر بريبيرينغ فور سم اغزامنيشن؟	**Suad :** *Is* your brother preparing for some examination?	سعاد : هل أخوك يستعد لامتحان ما ؟
يس ،هي از بريبيرينغ فور إم كوم اغزامنيشن.	**Laila :** Yes, he *is* preparing for the M.Com. examination.	ليلىٰ : نعم، إنه يستعد لامتحان ماجستير التجارة.

C

– Has/Have –

هيف يو رِتن إني ليتر تو سميرة؟	**Yousuf :** *Have* you written any letter to Samirah?	يوسف : هل كتبت رسالة إلى سميرة؟
يس ،آي هيف.	**Husain :** Yes, I *have.*	حسين : نعم كتبت.
هيز شى ريبلائيد تو يور ليتر؟	**Yousuf :** *Has* she replied to your letter?	يوسف : هل هي ردت على رسالتك؟
نو، شى هيزنت.	**Husain :** No, she *hasn't.*	حسين : لا، لم ترد.
هيف يو تيكن يور ميلز؟	**Yousuf :** *Have* you taken your meals?	يوسف : هل أكلت الطعام ؟
نو، آي هيد أ هيفي بركفاست إن دَ مو رنينغ.	**Husain :** No, I *had* a heavy breakfast in the morning.	حسين : لا، أكلت فطورا ثقيلا في الصباح.
دِدْ يو غو تو هز بليس؟	**Yousuf :** *Did* you go to his place?	يوسف : هل ذهبت إلى منزله؟
نو ،آي هيف يت تو غو.	**Husain :** No, I *have* yet to go.	حسين : ما ذهبت ولكن سأ ذهب.

D

– Has been/Have been –

وَات هيف يو بين دوئينغ سنس مورنينغ؟	**Ghanim :** What *have* you *been* doing since morning?	غانم : ماذا تفعل منذ الصباح ؟
آي هيف بين ريدينغ دس بُوك.	**Saeed :** I *have been* reading this book.	سعيد : (لا أزال) أقرأ هذا الكتاب.
هيز اِت بين رينينغ هير أولسوسِنس يستردِيه؟	**Ghanim :** *Has* it *been* raining here also since yesterday?	غانم : هل (لايزال) المطر ينزل هنا أيضا منذ أمس؟
يس، إت هيز بين، بت نوت كونتى نوس لى.	**Saeed :** Yes, it *has been,* but not continuously.	سعيد : نعم، ولكن بصورة متقطعة.
هيز دَ واتر بين بوايلينغ فور لونغ؟	**Ghanim :** *Has* the water *been* boiling for long?	غانم : هل الماء (لا يزال) يغلي منذ طويل ؟
نو ، ات هيز بين بوايلينغ أونلي فور أ ليتل تايم.	**Saeed :** No, it *has been* boiling only for a little time.	سعيد : لا، إنه، يغلي منذ وقت قصير.

نحن نسكن في هذا البيت منذ عشر سنوات.	We *have been* living in this house for ten years.	وي هيف بين لفي نغ إن دِس هاؤس فورتن إيرس.
هو يعمل على مشروع جديد منذ شهر يناير.	He *has been* working on a new project since January.	هي هيز بين وركينغ اون أ نيو بروجكت سنس ينوارى.

(To Remember) للملاحظة

لاحظ الجمل التالية :

١. أنت تكتب رسالة. You are writing a letter. يو آر رايتينغ أ ليتر

٢. أنت قد كتبت رسالة. You have written a letter. يوهيف رتن أ ليتر

هاتان الجملتان إيجابيتان (Affirmative) وإذا أردنا أن نحولهما إلى سلبيتين أو استفهاميتين قلنا كما يلي :

استفهامية **(Interrogative)**	سلبية **(Negative)**
1. Are you writing a letter?	1. You are not writing a letter.
2. Have you written a letter?	2. You have not written a letter.

لاحظت أننا لتحويلها إلى سلبية أضفنا " not " بعد الفعل الساعد (are have, not) ولتحويلها إلى استفهامية جئتنا بالفعل المساعد (have, are) في صدر الجملة. وهكذا نفعل بكل جملة من Present Perfect Tense, Present Continuous Tense

والآن أنظر الأمثلة من Present Indefinite Tense :

١. أنت تكتب رسالة. You write a letter. يو رايت أ ليتر

٢. أنا أقرأ الإنجليزية. I read English. آي ريد اينكليش

ولاحظ كيف نحولهما إلى سلبية واستفهامية :

استفهامية (ايجابيا) (Interrogative)	سلبية (Negative)
1. Do you write a letter?	1. You do not write a letter.
2. Do I read English?	2. I do not read English.

لاحظت أننا أضفنا " Do " من عندنا. وهكذا نفعل بكل جملة من Present Indefinite Tense وعند تحويل الجملة إلى سلبية أواستفهامية نستعمل " Do " للجمع و" Does" للمفرد. أما للمتكلم المفرد (I) والمخاطب (You) فنستعمل دائما " Do "

6th Day اليوم السادس

(Past Tense) الفعل الماضي

مثل الفعل الحاضر إن الماضي أيضا ينقسم على أربعة أقسام وهي:

١. قرأ أحمد (أحمد استديد) Ahmed studied. (٢) كان أحمد يقرأ (أحمد واز استدينغ) Ahmed was studying.

٣. كان قرأ أحمد (أحمد هيد استديد) Ahmed had studied. (٤) كان أحمد يقرأ منذ الصباح (أحمد هيد بين استدينغ سنس مورنينغ) Ahmed had been studying since morning .

يعلم من الجملة الأولى أن الفعل حدث في الزمن الماضي ومن الثانية أن الفعل كان مستمرا في الماضي ولم ينته بعد ومن الثالثة أن الفعل قد انتهى مسبقا في الزمن الماضي ومن الرابعة أن الفعل كان بدأ في الزمن الماضي من وقت معين، وتسمى هذه الأقسام. (1) Past Indefinite Tense (2) Past Continuous Tense (3) Past Perfect Tense (4) Past Perfect Continuous Tense على التوالي.

E

Did

المعلمة : هل استيقظتِ مبكرة بالأمس ؟	**Teacher :** *Did* you get up early yesterday?	دِدْ يو غت أب أرلي يسترديه؟
فاطمة : نعم يا سيدتي.	**Fatima :** Yes madam, I *did.*	يس مادام ،آي دِدْ.
المعلمة: هل أكلت الخبز والزبدة ؟	**Teacher :** *Did* you have bread and butter?	دِدْ يو هيف بريد اند بتر؟
فاطمة : نعم أكلت يا سيدتي.	**Fatima :** Yes madam, I *did.*	يس مادام ،آي دِدْ.
المعلمة: هل جاءت وردة اليك؟	**Teacher :** *Did* Wardah come to you at noon?	دِدْ ورده كم تو يو أت نون؟
فاطمة : لا، ماجاءت.	**Fatima :** No, she *didn't.*	نو ، شي دِدنْت.
المعلمة : هل كتبتِ هذه المقالة البارحة؟	**Teacher :** *Did* you write this essay at night?	دِديو رايت دِس ايسيه أت نائت؟
فاطمة : لا، ماكتبتها أنا، كتبها أخي.	**Fatima :** No, I *didn't,* my brother did.	نو ،آي دِد نت، ماي برودر دِدْ.
المعلمة : هل طويتِ فراشك قبل مجيئك إلى المدرسة؟	**Teacher :** *Did* you make your bed before coming to school?	دِدْ يو ميك يور بد بيفور كمينغ تو اسكول؟
فاطمة : نعم يا سيد تي، طويت.	**Fatima :** Yes madam, *I did.*	يس مادام،آي دِدْ.
المعلمة : هل حفظت درسك أمس؟	**Teacher :** Did you learn your lesson yesterday?	دِدْ يو لرن يور ليسن يستر ديه؟
فاطمة : لا ، ما حفظت.	**Fatima :** No, I *didn't.*	نو،آئي دِدنت.

F

Was/Were

المعلم : هل ذهبت إلى السوق أمس ؟	**Teacher :** *Were* you out for shopping yesterday?	وير يو آوت فورشوبينغ يسترديه؟

يوسف : نعم يا سيدي، ذهبت.	**Yousuf :** Yes sir, I *was.*	يس سير، آي وا ز.
المعلم : ألـم تكن تقرأ الكتاب وأنت تمشى؟	**Teacher :** *Were* you not reading a book	ويريو نوت ريدينغ أ بُوك
	while walking?	وائل واكينغ؟
يوسف : نعم يا سيدي كنت أقرأ.	**Yousuf :** Yes sir, I *was.*	يس سير، آي واز.
المعلم : هل كانت رقيه أيضا تقرأ	**Teacher :** *Was* Ruqayya also reading	واز رقيه اولسو ريدينغ
وهي تمشي؟	while walking?	وائل واكينغ؟
يوسف : لا، إنما كانت هي تستمع.	**Yousuf :** No, she *was* just listening.	نو، شي واز جست لسننغ.
المعلم: هل كانت خالتك تغني في بيتك؟	**Teacher :** *Was* your aunt singing	واز يور آنت سنغنغ
	at your house?	ايت يور هاؤس؟
يوسف : لا هي كانت أختى.	**Yousuf :** No, it *was* my sister.	نو، ات واز مائي سستر.
رابعة : هل كنت تقرأين الإنجليزية؟	**Rabia :** *Were* you studying English?	ويريو اسدينغ اينجليش؟
ماريه: نعم كنت اقرأ.	**Mariah :** Yes, I *was.*	يس، آي واز.

G

– Had–

كمال : أما كنت ذهبت إلى السنيما ؟	**Kamal :** *Had* you not gone to cinema?	هيد يو نوت غون تو سنيما؟
جمال : لا، ما ذهبت.	**Jamal :** No, I *had* not.	نو، آي هيد نوت.
مُنى : هل كان قد أغلق الدكان ؟	**Muna :** *Had* he closed the shop?	هيد هي كلوزد دَ شوب؟
وردة : نعم، كان قد اغلق.	**Wardah :** Yes, he *had.*	يس، هي هيد.
سعيد : ألـم يلتق بك إلى يوم أمس ؟	**Saeed :** *Had* he not met you till yesterday?	هيد هي نوت مت يو تِل يستردیه؟
على : نعم ، لم يلتق.	**Ali :** No, he *had*n't.	نو، هي هيدنت.
عمر : أما كنت ذهبت للعب أ مس؟	**Omar :** *Had* you not gone to play yesterday?	هيد يو نوت غون تو بليه يستردیه؟
صالح : لا، ما ذهبت.	**Saleh :** No, I *had* not.	نو، آي هيد نوت.
سمير : أما كنت لقيت شريف	**Sameer :** *Had* you met Shareef	هيد يو مت شريف
في أي مكان قبل ذلك؟	anywhere before?	إيني وير بيفور؟
غالب : نعم كنت لقيتة في بيروت	**Ghalib :** Yes, I *had* met him	يس ،آي هيد مت هِم
قبل سنتين.	in Beirut two years ago.	ان بيروت تو اِير س أغو.
محمود: هل كان القطار قد قام قبل	**Mahmood :** *Had* the train left	هيد دى ترين ليفت
أن تصل إلى المحطة؟	before you reached the station?	بيفور يو ريتشد دَ استيشيون؟
يونس : نعم كان قد قام.	**Younus :** Yes, it *had.*	يس، ات هيد.
سلمى : هل كانت أمك قد ذهبت	**Salma :** *Had* your mother gone to	هيد يور مدر غون تو
إلى السوق قبل أن تصلي إلى البيت؟	market before you reached home?	ماركت بيفور يو ريتشد هوم؟
زينب : لا، ما كانت ذهبت.	**Zainab :** No, she *hadn't.*	نو، شي هيدنت.

H

_ Had been _

هيد يو بين استدينغ فور لاست تو آورز يستردیه؟	**Hamdi :** *Had* you *been* studying for last two hours yesterday?	حمدي : هل كنت تقرأ بالأمس منذ ساعتين ماضيتين؟
يس ،بيكوز آي هيد بين بلانينغ تو سي أ فلم آفتر فينيثينغ ماي ورك.	**Fauzi :** Yes, because I *had been* planning to see a film after finishing my work.	فوزي : نعم، لأ نى كنت أفكر في مشاهدة الفيلم بعد الانتهاء من عملي.
بت، واي هيد سمير أولسو بين استدينغ وِد يو؟	**Hamdi :** But, why *had* Sameer also *been* studying with you?	حمدي : ولكن لماذا كان سمير أيضا يقرأ معك ؟
بيكوز، هي هيد اولسو بين انسستينغ أون غوينغ وِد مي فور دي فيلم.	**Fauzi :** Because, he *had* also *been* insisting on going with me for the film.	فوزي : لأنه كان يصر على الذهاب معي لمشاهدة الفيلم .
بت، يور مدر رواز سيئنغ ديت يو هيد بين بلانينغ تو غو آؤت وِد سم فريندز.	**Hamdi :** But, your mother was saying that you *had been* planning to go out with some friends.	حمدي : ولكن أمك كانت تقول إنك كنت تفكر في الذهاب للنزهة مع أصدقائك.
يس ،بريويسلي وى هيد بين بلانينغ سَم ثينغ أوف دِی سورت، بت ليتر وي شينجد أور بروجرام.	**Fauzi :** Yes, previously we *had been* planning something of the sort, but later we changed our programme.	فوزي : نعم، كنا نفكر في أولا ثمّ غيّرنا برنامجنا.

(To Remember) للملاحظة

ويمكننا أن نحول الجمل الإيجابية (البيانية) إلى سلبية أو استفهامية بنفس الطريقة المبينة في السابق . ففي كل الجمل السلبية نستعمل كلمة not وهي في Past Indefinite بإضافة did قبلها . وفي Past Continuous بعد was/were وفي كل من Past Perfect, Past Perfect Continuous بعد had. ولجعلها استفهامية نأتي بالأفعال المساعدة (did, was, were, had) في صدر الجملة.

Affir. :	I ate bread and butter.	(أى ايت بريد أند بتر)	أكلت الخبز والزبدة.
Neg :	I did not eat bread and butter.	(آي دد نوت ايت بريد أند بتر)	ما أكلت الخبز والزبدة.
Int. :	Did I eat bread and butter?	(دِدْ آي ايت بريد أند بتر)	هل أكلت الخبز والزبدة؟
Affir. :	You were reading a book	(يو ور ريدينغ أ بُوك)	كنت تقرأ كتابا.
Neg. :	You were not reading a book.	(يو ورنوت ريدينغ أ بُوك)	ما كنت تقرأ كتابا.
Int. :	Were you reading a book?	(وريو ريدينغ أ بُوك)	ألم تكن تقرأ كتابا؟
Affir. :	You had read the book.	(يو هيد رد دَ بُوك)	كنت قرأت الكتاب.
Neg. :	You had not read the book.	(يو هيد نوت رد دَ بُوك)	ما كنت قرألكتاب.
Int. :	Had you read the book?	(هيد يو رد دَ بُوك)	هل كنت قرأت الكتاب؟

7 th Day اليوم السابع

(Future Tense) الفعل المستقبل

في الإنجليزية إن الفعل المستقبل أيضا ينقسم على أربعة أقسام وهي كالآتي:. (١) سيقرأ أحمد .Ahmed will study (أحمد ول استدي) (٢) سيكون أحمد قارئاً .Ahmed will be studying (أحمد ول بي استدينغ) (٣) يكون أحمد قد قرأ .Ahmed will have studied (أحمد ول هيف استديد) (٤) يكون أحمد يقرأ منذ الصباح Ahmed will have been studying since morning. (أحمد ول هيف بين استدينغ سنس مورنينغ) ومثلما سبق أنها تسمى (1) Future Indefinite (2) Future Continuous (3) Future Perfect (4) Future Perfect Continuous على التوالى .

I

Will/Shall

ول يو بليه؟	**Ghufran :** *Will* you play?	غفران : هل ستلعب ؟
نو، آي وونت.	**Anwar :** No, I *won't.*	أنور : لا، أنا لا ألعب.
ول يو كم تو مورو؟	**Ghufran :** *Will* you come tomorrow?	غفران : هل ستأتي غدا؟
يس، آي وِل.	**Anwar :** Yes, I *will.*	أنور : نعم، سآتي.
ول يو استيه هير تو نايت؟	**Ghufran :** *Will* you stay here tonight?	غفران : هل تقيم هنا هذه الليلة ؟
نو ،آيل غو بيك.	**Anwar :** No, *I'll* go back.	أنور : لا، سأرجع .
ول يو سى موسىٰ أون فراي ديه؟	**Ghufran :** *Will* you see Musa on Friday?	غفران : هل ستقابل موسىٰ يوم الجمعة؟
نو، آي‌ل ويت فور يو أت هوم.	**Anwar :** No, *I 'll* wait for you at home.	أنور : لا، سأنتظر لك في البيت.

J

Will be/Shall be

ول يو بي اِن دَ ترين أت دس تايم تو مورو ؟	**Imaad :** *Will* you *be* in the train at this time tomorrow?	عماد : هل ستكون مسافرا بالقطار غدا في هذه الساعة؟
يَس، آيل بي أباوت تو ريتش كيروأيت دس تايم.	**Najeeb :** Yes, *I'll be* about to reach Cairo at this time.	نجيب : نعم ساكون على وشك الوصول إلى القاهرة غدا في هذه الساعة.
شل وي نوت بي بليئنغ ماتش أت دِس تايم تومورو ؟	**Imaad :** *Shall* we not *be* playing a match at this time tomorrow?	عماد : ألا نكون لا عبين المباراة في هذه الساعة غدا؟
يَس، وي ول بي.	**Najeeb :** Yes, we *will be.*	نجيب : نعم .
شل وي بي كمينغ تو بيروت أغين اَند أغين؟	**Imaad :** *Shall* we *be* coming to Beirut again and again?	عماد : أنكون نأتى إلى بيروت مرة بعد مرة؟
نو ، وي وونت بى .	**Najeeb :** No, we *won't be.*	نجيب : لا

K

–Will have/Shall have –

ول شي هيف غون؟	**Muna :** *Will* she *have* gone?	منى : أتكون هي قد ذهبت؟
نو ،شي وونت هيو.	**Reem :** No, she won't have.	ريم : لا
ول يو هيف كم بيك فروم بغداد باي نيكست منت؟	**Muna :** *Will* you *have* come back from Baghdad by next month?	منى : أتكونين قد رجعت من بغداد حتى الشهر المقبل؟
يس ،آيل هيف كم بيك باي دين.	**Reem :** Yes, *I'll have* come back by then.	ريم : نعم، أكون قد رجعت (من هناك) حتى ذلك الوقت.
ول يوهيف تيكن يور تست باي دس تايم تو مورو؟	**Muna :** *Will* you *have* taken your test by this time tomorrow?	منى : أ تكونين قد فرغت من الامتحان إلى هذا الوقت غدا؟
يس ،آي ول هيف فنشد أن امبورتنت شابتر آف ماى لايف.	**Reem :** Yes, I *will have* finished an important chapter of my life.	ريم : نعم، أكون قد أكملت بابا مهما من حياتي.
ول يور برود ر هيو ريترند فروم كنادا؟	**Muna :** *Will* your brother *have* returned from Canada?	منى : هل يكون أخوكِ قد رجع من كنادا ؟
نو، هي وونت هيف.	**Reem :** No, he *won't have.*	ريم : لا، يكون لم يرجع.

L

–Will have been/Shall have been

ول يو هيو بين سليبينغ أيت دس تايم تومورو؟	**Kamil :** *Will* you *have been* sleeping at this time tomorrow?	كامل : أتكون نائما في هذا الوقت غدا ؟
نو، بروبابلى آي شيل هيف بين استدينغ أت دس تايم.	**Husain :** No, probably I *shall have been* studying at this time.	حسين : لا، لعلّي أكون أقرأ في هذا الوقت.
أند، وات ول يور برودر، علي، هيف بين دوئينغ؟	**Kamil :** And, what *will* your brother, Ali *have been* doing?	كامل : وماذا يكون أخوك علي يفعل؟
هي ول هيف بين بريبيرينغ تو ليف فورد مسكس.	**Husain :** He *will have been* preparing to leave for Damascus.	حسين: هو سيكون يتأهب للسفر إلى دمشق.

(To Remember) للملاحظة

لاحظ استعمال Will, Shall, في الجمل التالية:. آي شيل نوت بليه.. (A) I shall not play. هي ول نوت بليه. (B) He will not play. استعملنا "shall" مع "I" و "will" مع "He" وهاتان الكلمتان خاصتان بالمستقبل بصورة عامة. والقاعدة أن كلمة "will" تستعمل مع كل من Ahmed (name), It, they, He, She, You, وكلمة shall تستعمل مع I, We, ولكن إذا استعملناها على عكس ما بيّنا فهما تفيدان التاكيد فمثلا: (١)آي ول نوت بليه تو مورو.. I will not play tomorrow. (1) يوشيل نوت ريترن .You shall not return. (2) فمعناها: (١) إنّي عزمت على أن لا ألعب غدا أو لن ألعب غدا. (٢) يجب أن لا ترجع أو لا ترجعنّ.

8th Day اليوم الثامن

(Some Important Helping Verbs) عدة أفعال مساعدة

Can, Could, May, Might, Must/Ought (to), Should/Would

إنك تمرنت حتى الآن، على الأفعال التى تتعلق بالأزمنة الثلاثة. وقد استعنت هناك أيضا بالأفعال الخاصة أو الأفعال المساعدة (Special Verbsأي Helping Verbs). فلنتمرن الآن على عدة أفعال مساعدة أخرى. فإن Can و May فعلان مساعدان، يؤديان معنى الاستطاعة أو القدرة والإمكان. ولكن معاني الإستطاعة والقدرة والإمكان يختلف بعضها عن بعض باختلاف السياق والظروف. ويمكنك فهمه من خلال الجمل التي تلي. وان Could هو الشكل الماضي لفعل Can كما ان Might هوالشكل الماضي لفعل May . وإذا بدأنا الكلام بفعل Could أو Would فهما يؤديان معنى الرجاء والالتماس.

– Can –

ليلىٰ : هل تستطيعين أن تعزفي على القيثارة؟	**Laila :** *Can* you play sitar?	كان يو بليه سيتار؟
ثريا : نعم، واستطيع أن أعزف على الفلوت أيضا.	**Surayya :** Yes, I *can* play the flute as well.	يس، آي كان بليه دَ فلوت أيزويل.
ليلىٰ : أ يمكنك أن ترجعي كتبي؟	**Laila :** *Can* you return my books?	كان يو ريترن ماي بوكس؟
ثريا : لا، لا يمكنني إرجاعها الآن.	**Surayya :** No, I *can't* return them yet.	نو، آي كانت ريترن ديم يت.
ليلىٰ : هل تقدرين على قراءة العبرية؟	**Laila :** *Can* you read Hebrew?	كان يو ريد هبريو؟
ثريا : نعم، أقدر.	**Surayya :** Yes, I *can*.	يس آي كان.

– May –

التلميذ : ممكن أن أدخل ، ياسيدي؟	**Student :** *May* I come in, Sir?	ميه آي كم إِن سير؟
المعلم : نعم، أدخل	**Teacher :** Yes, you *may*.	يَس ، يوميه.
التلميذ : هل استطيع أن أحضر سير؟ اجتماع الجمعية؟	**Student :** *May* I attend union meeting, Sir?	ميه آي أتند يونيون ميتينغ،
المعلم : نعم، بكل سرور/ حتمياً	**Teacher :** Yes, with great pleasure. /Of course.	يس، ود غريت بليزر/ أوف كورس.
التلميذ : هل تسمحني، سيدي، أن أرافق الأخ صالح؟	**Student :** Sir, *may* I accompany Saleh?	سير، ميه آي أكمبنى صالح؟
المعلم : لا ، الأحسن أن تنتهي من عملك أولاً.	**Teacher :** No.You better finish your work first.	نو، يو بيتر فِنِش يوروورك فرست.

– Could –

عامر : هل أمكنك أن تقوم بهذا العمل بوحدك (وحيدا)	**Amir :** *Could* you do this work alone?	كُود يو دو دس ورك ألون؟
صالح : لا، لم يمكنني.	**Saleh :** No, I *couldn't.*	نو، آي كودنت.
عامر : هل استطاعت ان تساعدك عند الحاجة؟	**Amir :** *Could* she help you in time?	كود شي هيلب يو إن تايم؟
صالح : نعم، أمكن لها أن تساعدني عند الحاجة.	**Saleh :** Yes, she *could.*	يس، شي كود.
عامر : ممكن أن تأتيني بكوب ماء؟	**Amir :** *Could* you bring me a glass of water?	كود يو برينغ مي أه جلاس أوف واتر؟
صالح : نعم، بكل فرح	**Saleh :** With pleasure.	وِد بليزر.

– Might/Must/Ought (to)/Would/Should –

لعل طارقاً قد ساعده.	Tariq *might* have helped him.	طارق مائت هيف هيلبد هم.
لعله جاء هنا.	He *might* have come here.	هي مائت هيف كم هِير.
يجب أن أحضر حفلة زواجه.	I *must* attend his marriage.	آي مست أتند هِز مارِج.
ينبغي أن نحب من هو أصغر منا.	We *ought* to love our youngers.	وي أوت لَف أور ينغرس.
يجب أن أصل إلى البيت حتى الساعة ١٠.	I *must* reach home by 10 o'clock.	آي مست ريتش هوم باي تن أو كلوك.
ممكن أن ترسل هذا الخطاب بالبريد؟	*Would* you post this letter please?	وُد يو بوست دِس ليتر بليز؟
عليك أن تحضر الفصول بانتظام أكثر.	You *should* attend the class more regularly.	يو شُد أتند دَ كِلاس مور ريغولرلي.

(To Remember) للملاحظة

(a) Can I walk?
(b) Can you do this job?
(c) Can you sing a song?

(a) May I walk?
(b) May I do this job?
(c) May I sing a song?

١- في الجمل التي أعلاه إن Can يؤدي معنى الاستطاعة والقدرة بينما May يؤدي معنى الإذن والرخصة. فمعنى Can I walk? هو: هل أستطيع/ أقدر على المشي؟ ومعنى May I walk هو: إني أطلب الإذن للمشي. ولكن الناس أحيانا يستعملون Can مكان May وبالعكس. ويباح ذلك في لغة التكلم ولكنه غير صحيح.

٢- كما ذكرنا في السابق أن could و might صيغتا الماضي لفعل can و may . وأعلم أن should و ought يؤديان معنى ينبغي أو يجب الخ (لإظهار معنى الواجب الأدبي أو الأخلاقي) فافهم معنى كل منها جيدا باستعمالها في مختلف الجمل.

9 اليوم التاسع
th Day

جمل الطلب والرجاء (Sentences of Order and Request)

فيما يلي عدة جمل للطلب والرجاء، وهي جمل الأمر (Imperative mood) ولا حاجة لها إلى صياغة أيّ صيغة من الفعل بل يكتفي فيها بالشكل الأول للفعل (المصدر) فلذلك من السهل التمرن عليها.

الطلب (الأمر) (Imperative Mood)

A

١. أنظر إلى الأمام.	Look ahead.	لُك أهد.
٢. تقدم إلى الأمام.	Go ahead.	غو أهد.
٣. سُق (السيارة) بتمهل.	Drive slowly.	درائيف سلولي.
٤. أنت وشأنك.	Mind your own business.	مائند يور أون بزنيس.
٥. اعتن به/ بها.	Take care of him/her.	تيك كير أوف هِم.
٦. ارجع.	Go back.	غو بيك.
٧. اسمع.	Just listen.	جست لِسن.
٨. ارجع بسرعة/ عاجلا، تعال بسرعة.	Come soon.	كم سُون.
٩. دعني أرى.	Let me see.	ليت مي سي.
١٠. كن مستعدا، تأهب.	Be ready.	بي ريدي.
١١. تحرك إلى جانب.	Move aside.	مُوف أ سائد.
١٢. تأمل قبل أن تتكلم.	Think before you speak.	ثِنك بيفور يو اسبيك.
١٣. ايتِ حتمياً.	Do come.	دو كم.

B

١٤. أخبرني عنه/ عنها.	Inform me about her/him.	إنفورم مي أباوت هر/ هِم.
١٥. لا تمزح.	Don't cut jokes.	دونت كت جوكس.
١٦. لا تتكلم كلاما غير معقول/ لا تهذر.	Don't talk nonsense.	دونت تاك نون سنس.
١٧. لابأس/ لا تقلق.	Never mind.	نيفر مائند.
١٨. دعني وحيداً/ دعني وشأني.	Leave me alone.	ليف مِي ألون.
١٩. دَعه/ خلّه.	Let it be.	ليت إت بي.
٢٠. تصبّر/استجمع قواك.	Have a heart.	هيف أ هارت.

٢١. قف.	Hold on.	هولد أون.
٢٢. لا تنس أبداً.	Never forget.	نيفر فورغت.
٢٣. لا تقلق.	Don't worry.	دونت وَرى.

C

٢٤. حاول مرة أخرى.	Please try again.	بليز تراي أغين.
٢٥. انتظر من فضلك.	Please wait a bit.	بليز ويت أ بِت.
٢٦. تفضل.	Please come in.	بليز كم إن.
٢٧. اجلس من فضلك.	Please be seated.	بليز بي سيتد.
٢٨. رد من فضلك.	Please reply.	بليز رِبلاى.
٢٩. أرجوك الانتظار مزيداً لبرهة.	Please stay a little longer.	بليز استيه أ لتل لونغر.
٣٠. لا تخجّلني.	Please don't embarrass me.	بليز دونت إمبراس مي.
٣١. كما تريد.	As you like./As you please.	أيز يو لائك / ايز يو بليز.
٣٢. شرفنا بزيارتك مرة أخرى.	Do come again.	دو كم أغين.

D

٣٣. تركز على الموضوع ، ولا تراوغ.	Come to the point, don't beat about the bush./	كم تو دى بواينت، دونت. بيت أباوت دَ بوش.
	Stop rambling and come to the point.	استوب رابلينغ أند كم تو دى بواينت.
٣٤. لا تسخف.	Don't be silly.	دونت بي سِلي.
٣٥. تناول هذه الجرعة.	Take this dose.	تيك دِس دوز.
٣٦. اتبعني.	Follow me./Come with me.	فولو مى/ كم ود مِى.
٣٧. اعمل عند ما تعمل(بعناية) والعب عندما تلعب (بكل فرح).	Work while you work and play while you play.	ورك وائل يو ورك. اند بليه وائل يو بليه.
٣٨. اجتهد في وقت مناسب/ انتهز الفرصة عندما تسنح.	Strike the iron when it is hot.	استرائك دَ آئرن وين إت إز هوت.
٣٩. اترك المكان.	Vacate the place.	فيكيت دَ بليس.
٤٠. لا بأس / العفو.	Never mind.	نيفر مائند.
٤١. حافظ على لسانك/ تأمل كلماتك.	Hold your tongue./ Mind your words.	هولد يور تنغ/ مائند يور وردز.
٤٢. أرسله بالفاكس.	Fax it.	فاكس إت.

E

٤٣. أرجوك أن تكون على صلة دائما.	Please keep in touch.	بليز كيب إن تتش.
٤٤. اعتمد على النفس.	Have faith in yourself.	هيف فيث إن يور سيلف.
٤٥. اعتنِ بشؤونك.	Mind your own business.	مائند يور أون بزنيس.

٤٦. قل ما في ضميرك/ عبّر عن نفسك. Speak your mind. اسبيك يور مائند.

٤٧. لا كلفة ، من فضلك. Please don't be formal. بليز دونت بي فورمل.

٤٨. ارسل هذا الطرد بالبريد السريع. Send this packet by courier. سند دِس باكت باي كورير.

٤٩. تبرع بسخاء. Donate generously. دونيت جينيرسلي.

٥٠. ساعد ني من فضلك. Please help me. بليز هيلب مي.

٥١. احترس، بعناية. Be careful. بي كِير فل.

٥٢. مد يدك من فضلك. Lend me a hand please. ليند مِي أ هيند بليز.

٥٣. حاول أن تفهم. Try to understand. تراي تو أندر ستيند.

(To Remember) للملاحظة

١. رأيت أن كلمات is, are, am, was, were, has, had, will, would, shall, should, can, could, may, do, did, might, وغيرها إذا جاءت في صدر الكلام فهي تفيد الاستفهام . وإذا جاءت في الجملة بعد الفاعل (Subject) فهي تؤدي معاني إيجابية (بيانية) كما ترى في الأمثلة التالية:

A	B
(1) Am I a fool?	I am not a fool.
(2) Were those your books?	Those were your books.
(3) Can I walk for a while?	You can walk for a while.
(4) May I come in?	You may come in.

٢. إن استعمال do, did لازم لتكوين جمل سلبية واستفهامية.

لاحظ الجملتين الإيجابيتين في ما يلى:

١. أنا أستيقظ مبكراً في الصباح. I get up early in the morning.

٢. استيقظتُ مبكراً في الصباح. I got up early in the morning.

وحوّلهما الآن إلى سلبيتين.

٣. لا أستيقظ مبكراً في الصباح. I do not get up early in the morning.

٤. ما استيقظتُ مبكراً في الصباح. I did not get up early in the morning.

فرأيت أننا استعملنا do not, did not عند تحويلهما إلى سلبية. فاعلم الآن أن كلمة do أو did نأتي بها في صدر الكلام عند ما نقصد الاستفهام.

٥. هل أستيقظ مبكراً في الصباح. Do I get up early in the morning?

٦. هل استيقظتُ مبكراً في الصباح. Did I get up early in the morning?

10 th Day اليوم العاشر

إنك تريد أن تتكلم الإنجليزية صحيحا و سلِسا وبدون تردد . وذلك هو الهدف نفسه من هذا الكتاب المسمى "Rapidex English Speaking Course" فلذلك الغرض نقدم لك عدة توصيات باتباعها تستطيع أن تتعلم الإنجليزية بسرعة وتتكلم بها بطلاقة وبكل اعتماد .

١ـ لغرض التمرن على التكلم اتخذ واحداً زميلاً لك . واقرأ الجمل التي في الكتاب بعناية . ولاحظ النقاط المبينة في مختلف الأمكنة حول استعمال الكلمات والجمل . ثم تمرن على التكلم مع زميلك . ويمكن إجراء الحوار بصورة سؤال وجواب . ففي بداية الأمر لا بد أن تحدث أخطاء ولكن لا حاجة إلى الخيبة واليأس . ولينبّه كل زميل صاحبه على خطأه ويصلحه . بعد قليل من الوقت سوف يقل وقوع الأخطاء ويحصل التحسّن في التكلم بشكل ملحوظ .

٢ـ تكلم بالجمل أمام المرآة، بالنطق الصحيح، مرة بعد مرة .

وبهذا التمرين تحسن قدرتك على التكلم وينشأ فيك نوع من الاعتماد .

في هذا الجزء من درس اليوم العاشر نقدم لك عدة تمارين وعدة فحوص . فإن فعلتها حصلت لك القدرة على اللغة وستعلم بعد ذلك كم تعلمت وأين يجب أن تولى العناية والاهتمام .

(Drill Tables) جداول التمرين

[TABLE]-1 الجدول ١

1	2	3
He She	is	ready. hungry.
I	am	thirsty.
They You We	are	tired.

[TABLE]-2 الجدول ٢

1	2	3
He She I	was	rich. poor.
They You We	were	pleased. sorry.

(i) تكلم ٢٤ـ٢٤ جملة بمساعدة كل من جدول (١ و ٢) ثم اشرح معنى كل جملة .

(ii) تتكون من كلا الجدولين أعلاه ٤٨ جملة إيجابية . كيف تحولها إلى سلبية؟ ....نعم كذلك . نضيف not بعد is , am, are, was, were مثلاً

She is not ready. فبهذه الطريقة حوّل كل الجمل من الجدولين إلى جمل سلبية .

(iii) حوّل الجمل الإيجابية من الجدول ٢ إلى جمل استفهامية .

[TABLE]- 3 — الجدول ٣

1	2	3
The boy His friends	did not can may must not ought to should will cannot	use this train. do as I say. go for hunting, enter the cave.

في الجدول ٣، ٦٤ جملة. اقرأ ها على زميلك

[TABLE]- 4 — الجدول ٤

1		2
(i)	Be	day after tomorrow?
(ii)	Go	Sanskrit?
(iii)	Have you written	Ramesh, sir?
(iv)	Did you wake up	this problem?
(v)	Will you come	at once.
(vi)	Can you read	to Radha?
(vii)	May I accompany	early yesterday?
(viii)	Could Rama solve	your own business.
(ix)	Mind	ready.
(x)	Don't	befool me.

في الجدول ٤ اعطيت ١٠ جمل مكسورة في عمودين . وهذه الجمل قد أخذناها من دروسك السابقة . عليك أن تُركبّها بحيث تتكون جملا مفيدة. ثم بين معانيها.

التمرين (Practice)

اليوم الأول

١. في الجمل التالية عدة أخطاء اصلح الأخطاء وتمرن على الجمل :

1. Good night uncle, how are you? (في الساعة السادسة مساءً)
2. Is he your cousin brother?
3. She is not my cousin sister.
4. Good afternoon, my son. (في الساعة ٩ صباحاً)
5. Good morning, mother. (في الساعة ٢ ظهرا)

٢. لاحظ الفرق بين جمل اللغتين من حيث التركيب وعدد الكلمات:

1. Father *has* come. — قد وصل الوالد المبجل .
2. The teacher *has* just left. — إن الأستاذ المحترم قد غادر حالاً.
3. The mother *has* called *you* again. — قد دعتك الوالدة المحترمة مرة ثانية .

هل رأيت الفرق؟ أن الجملة العربية : قد وصل الوالد المبجل ترجمتها في الإنجليزية "Father has come" فكلمات الاحترام التي نستعملها في العربية لاحاجة لها في الإنجليزية . فإذا ترجمت مثل هذه الجمل إلى الإنجليزية اجعلها بسيطة ثم ترجمها. (راجع: اليوم الأول: للملاحظة)

اليوم الثاني

٣ . نعيد لك هنا عدة أمور تتعلق بالثقافة وحسن الأدب :

(أ) إذا زرت أحدا وهو يكرمك جدا في نبغى لك أن تقول له:. Thanks for your hospitality (أشكرك على ضيافتك) .

(ب) I *am* very grateful to you. I *shall be* very grateful to you. You have been a great help. تأمل الجمل السابقة والفرق الذي فيما بينها واعلم المواضع التى تستعملها فيها: إذا أنجز لك شخص عملا على رجاء منك فتقول: I am very grateful to you. (أنا شاكر لك جدا)أو You have been a great help. (ساعدتنى كثيرا). وإن رجوت أحداً أن يعمل لك عملا فتشكره سلفا وتقول: I shall be very grateful to you. (سأكون لك شاكرا جدا)

(c) إذا مدحك شخص أمامك فلك أن تقول : Oh, I don't deserve this praise. (والله لا استحق هذا المدح)

اليوم الثالث

٤ . لاحظ الكلمات التالية: (أ) God, gods (ب) good, goods . فمعنى God هو الله وهو واحد ومعنى gods كل معبود سوى الله وهي كثيرة. وكلمة Good كلمة وصف معناها جيد بينما كلمة goods اسم معناها المتاع.

٥ . انظر الكلمات التاليه في القاموس واحفظ معانيها: Marvellous, Splendid, Disgraceful, Absurd, Excellent, Nonsense.

٦ . وافحص أيضا ماهي المعاني والمشاعر التي تعبر عنها بالكلمات التالية: Nasty, Woe, Hello, Hurrah.

اليوم الرابع

٧. تأمل الجمل التالية (a) Well begun, half done. (b) To err is human, to forgive is divine. (c) Thank you. (d) Just coming. إنها في بادئ النظر تبدو غير تامة ففي a و b لا يوجد الفعل وفي c و d الفاعل غائب فإن هذه الجمل نتكلم بها كما هي في لغه التكلم . وإنها تؤدي معنى الجمل الكاملة وتسمى مثل هذه الجمل elliptical sentences واستعمالها كثير في اللغة.

٨. في درس اليوم الرابع بيّنا معنى Just coming سآتي حالا فلك أن تسأل أ ليس معناه هو سيأتى حالا ؟ فجوابنا أنه يمكن أيضاً وهو إذا زار بيتك شخص وسأل عن أخيك فد خلت البيت ثم خرجت وقلت للزائر Just coming فتقدير الجملة الآن He is just coming.

اليوم الخامس

٩. انظر إلى الجمل التالية بنظرة فاحصة: (i) You speak English (ii) Do you speak English? إن الجملة الأولى إيجابية (بيانية) (Positive) والجملة الثانية استفهامية (Interrogative) عندما أضفنا do الذي هو الفعل المساعد(special) إلى الجملة الأولى تحولت هى إلى استفهامية، والآن حوّل أنت الجمل التالية إلى استفهامية بهذه الطريقة (بإضافة do, does) ثم ترجم كلها إلى العربية .

(1) You go to school. (2) You play hockey. (3) She is back from office at 6 p.m. (4) Mother takes care of her children. (5) They go for a morning walk. (6) I always work hard.

ترجم الجمل الإيجابية التى يتضمنها السؤال 11 إلى العربية.

١١. من الأفعال المساعدة (Special Verbs) التي تخص بالفعل الحال هي is, am, are, has, have. وقد استعملناها في الجمل التالية :

(i)	The moon *is* shining.	*Is* the moon shining?
(ii)	We *are* listening to you.	*Are* we listening to you?
(iii)	My father *has* gone out.	*Has* my father gone out?
(iv)	I *have* seen it.	*Have* I seen it?

انظر الجمل التي أعلاه بعضها أمام بعض وتأمل كيف تحولت الجمل الإيجابية Positive إلى استفهامية Interrogative فإن كلا من is, are, am, has, have, التي هي الأفعال المساعدة (special verbs) توضع في صدر الجملة، وعند التكلم بالجملة الاستفامية يكو ن الأسلوب استفهاميا.

ترجم كل الجمل الثمانى التى أعلاه إلى العربية.

١٢. حوّل الجمل التالية إلى جمل استفهاميه ثم ترجمها إلى العربية :

(1) Someone *is* knocking at the door. (2) Your friends *are* enjoying themselves. (3) I *am* reading a comic. (4) It *is* Friday today. (5) Your hands *are* clean. (6) The train *has* just arrived. (7) We *have* studied English. (8) It *has* rained for two hours. (9) They *have* gone to bed. (10) You *have* already finished your dinner.

من اليوم السادس إلى اليوم التاسع

١٣. إن عدد الأفعال المساعدة في الإنجليزية هو أربعة و عشرون فعلا وهي :

(i) do, does, did, is, are, am, was, were, has, have, had, will, shall (ii) would, should, can, could, may, might, must, ought (to) (iii) need, dare, used (to)

(i) الأفعال ١٣ الأولى تستعمل كصيغ لمختلف الأزمان ، ويمكنك أن ترى استعمالاتها في دروس اليوم الخامس والسادس والسابع.

(ii) عرفت استعمال كل من might , would, should, could في درس اليوم الثامن ورأيت أن معظم هذه الأفعال المساعدة تساعد الفعل الأصلى (الرئيسى) مثل : I may go وإذا أردت تكوين جملة استفهامية فانها توضع في صدر الجملة مثل : May I go? وإذا أريد جعل جملة سلبية في وضع not بعد الفعل المساعد قبل الفعل الرئيسى مثلا : I may not go.

١٤. ترجم الجمل الاستفهامية التالية إلى العربية:

(1) Must I tell you again? (2) Must she write first? (3) Can't you find your book? (4) Could they repair it for me? (5) Could you show me the way? (6) Won't she be able to get the cinema tickets? (7) Won't you be able to come to see us? (8) Should he go to bed early? (9) Should not the rich help the poor? (10) Dare I do it? (11) Need you be told to be careful? (12) May I have the room? (13) May I accompany you? (14) Should I ask him first? (15) Would you wait for a few minutes? (16) Did he give you money often?

١٥. إنك عرفت أن كلا من أفعال must, ought, need, dare, used (to) المساعدة (special verbs)تستعمل مثل الأفعال الأخرى. فترجم الجمل الإيجابية والسلبية التى أدناه إلى العربية وحاول ان تعرف جيدا كيف تستعمل هذه الأفعال .

(1) I need a towel. (2) She needn't go to the bank. (3) You needed rest, didn't you? (4) I might go to Qutab Minar? (5) You need't worry. (6) I ought to sleep now. (7) You need't go there. (8) I must save money. (9) There isn't any need to discuss this. (10) He won't attend the meeting, will he?

١٦. فيما يلي عدة أسئلة وإجاباتها الموجزة : تمرن عليها وبمساعدتها تستطيع أن تجيب على أسئلة أخرى لم تقرأ ها من قبل.

	سؤال **(Question)**	الإجابة الموجزة **(Short Answer)**
(1)	*Can* you speak correct English?	No, I can't.
(2)	*Will* you speak to her?	No, I won't.
(3)	*Could* they *have* gone there alone?	Yes, they could have.
(4)	*Should* I wait for you at the station?	No, you shouldn't.
(5)	Does she tell a lie?	No, she doesn't.

(6) *Do* you speak the truth? — Yes, I do.
(7) *May* we go now? — Yes, you may.
(8) *Weren't* you off to the market? — Yes, I was.
(9) Hadn't she finished her work? — Yes, she had.
(10) Must they work hard? — No, they needn't.

١٧. يمكن الرد على الأسئلة بطريقتين كاملا وموجزا نحو:

Q. Do you read English? (Question)
A. Yes, I read English. (Complete Answer)
A. Yes, I do. (Short Answer)

عند الحوار، بصورة عامة. إن الأجابة الموجزة هي طريقتنا المختارة. ذلك أننا أحيانا نكون في عجل، إما نتكلم على التلفون أو نكون في محلنا ونرد على الأسئلة التى يوجهها الزبون، فنختار الرد الموجز لأنه أسرع لنيل هدفنا و أوفر لوقتنا.
والمطلوب منك الآن تحويل الإجابات التالية إلى إجابات موجزة:

(1) No, I am not going there.
(2) Yes, I have written to her.
(3) No, she has not replied to my letter.
(4) Yes madam, I woke up early.
(5) Yes, I ate biscuit.
(6) Yes sir, I was reading a book while walking.
(7) No, I had not gone to cinema.
(8) No, I shall not play.
(9) No, we shall not be coming again and again.
(10) No, she will not have gone.

١٨. ترجم الجمل التالية إلى الإنجليزية ثم قارنها بالجمل الإنجليزية (المعكوسة) التي أدناه:

١. هل تعرف؟ ٢. هل تعرفه؟ ٣. هل تعرف عنوانه؟ ٤. لعلك لم تُجرح...أو جرحتَ؟ ٥. هل تريد أن تقول شيئاً آخر؟ ٦. هل أنت منزعج؟ ٧. هل أنت ذاهب إلى السوق؟ ٨. هل الطماطم طازجة؟ ٩. هل رأى حصانك؟ ١٠. هل كتب اليك؟ ١١. هل هو عرفك؟ ١٢. هل أخذتَ الدواء؟ ١٣. هل وَصَلَكَ شيء؟ ١٤. هل تسمحني أن أرجو منك شيئاً؟ ١٥. أكل شيء على ما يرام؟ ١٦. هل هوصحيح؟ ١٧. أ هي تعرفك؟ ١٨. هل أذهب الآن إلى البيت؟ ١٩. هل نأخذ هذه المجلة لك؟ ٢٠. هل تحسن اليَّ إحسانا؟ ٢١. هل تذهب معنا للنزهة؟ ٢٢. أهذه السيارة تقف على شارع محمد علي؟ ٢٣. هل أدعوه/ها؟ ٢٤. هل أزوره/ها؟ ٢٥. ألا تستطيع أن تقيم ليوم واحد؟ ٢٦. ألا يمكنك أن تعيرني كتابك لمدة أسبوع؟ ٢٧. ممكن أن أقابل السيد/ طارق؟

(1) Do you know? (2) Do you know him? (3) Do you know his address? (4) You haven't got hurt, have you? (5) Have you anything else to say? (6) Are you annoyed? (7) Are you going to the market? (8) Are the tomatoes fresh? (9) Has he seen your house? (10) Has he written to you? (11) Did he know you? (12) Have you taken the medicine? (13) Did you get something? (14) May I make a request? (15) Is everything fine? (16) Is it true? (17) Does she know you? (18) May I go home now? (19) Shall we get this magazine for you? (20) Will you do me a favour? (21) Will you go for a walk? (22) Will this bus stop at Mohd Ali Road? (23) Should I call him/her? (24) Should I visit him/her? (25) Can't you stay for a day? (26) Can't you lend me your book for a week? (27) Can I see Mr. Tariq?

ملحوظة: كون جملا إنجليزية أخرى على هذا المنوال وتمرن عليها بالتكلم مع أصدقائك ومعارفك.

11 اليوم الحادي عشر th Day

المرحلة الثانية (2nd Expedition)

إنك تجاوزت، في الأيام الأخيرة، مرحلة أولى من سفرك. وعليك الآن أن تتقدم إلى الأمام. كنا نعطيك، حتى الآن، معلومات بدائية حول التكلم بالإنجليزية. ونريد في اليوم الحادي عشر، أن نبين لك تلك الأمور التى بدونها لا يمكنك فهم اللغة واستعمالها بصورة جيدة. ففي خمسة أيام مقبلة نقدم لك معلومات عن الحروف اللاتينية (التي تكتب فيها الإنجليزية) حول عددها وطريقة كتابتها ونطقها وأصواتها الخاصة والحروف الصحيحة وحروف العلة في أبجديتها والحروف الصامتة في بعض الكلمات منها وكيف تستعمل تلك الحروف في كتابة الكلمات وما إلى ذلك. ثم من اليوم السادس عشر إلى اليوم التاسع عشر ستحصل على مزيد من المعلومات عن الجمل السلبية والاستفهامية. فلنبدأ، الآن، بالمرحلة الثانية.

الأبجدية اللاتينية (Roman Alphabet)

كما عرفت أن الإنجليزية تكتب بالحروف اللاتينية. وفي أبجديتها ٢٦ حرفا. وكل حرف منها إما كبير أو صغير وأشكالها تختلف عند الطباعة من التى تكتب باليد. فصارت كلها أربعة أنواع: (١) حروف الطباعة الكبيرة (٢) حروف الطباعة الصغيرة (٣) حروف الكتابة الكبيرة (٤) حروف الكتابة الصغيرة.

حروف الأبجدية (Alphabet)

من اليسار إلى اليمين

الحروف المطبعية الكبيرة (Capital Letters)

A	B	C	D	E	F
أيه	بي	سي	دي	إي	أف
G	H	I	J	K	L
جي	أتش	آي	جيه	كيه	أل
M	N	O	P	Q	R
أم	أن	أو	بي	كيو	آر
S	T	U	V	W	X
أس	تي	يو	في	دبلو	أكس
		Y	Z		
		واي	زد		

الحروف المطبعية الصغيرة (Small Letters)

a	b	c	d	e	f
أيه	بي	سي	دي	إى	أف
g	h	i	j	k	l
جي	أتش	آي	جيه	كيه	أل
m	n	o	p	q	r
أم	أن	أو	بي	كيو	آر
s	t	u	v	w	x
أس	تي	يو	في	دبلو	أكس
		y	z		
		واي	زد		

اعلم أن هذه الحروف على أربعة أصناف من حيث أمكنتها من السطور وهي:

١. حروف تكتب في سطرين متوسطين وهي: ١٤ حرفا
٢. حروف تكتب في ثلاثة سطور عليا وهي: ٦ حروف
٣. حرف يشغل كل السطور الأربعة وهو: حرف واحد
٤. الحروف التي تكتب في ثلاثة سطور تحتية وهي: ٥ حروف

يقلق البعض الناس على أن خطه قبيح و يظن أنه لا سبيل إلى تحسينه. بينما يحاول البعض الآخر لتحسين الخط ويحقق فيه بعض النجاح. فهل تعرف كيف يمكن ذلك. وكيف يكون خطك جميلا.

كما عرفت أن الإنجليزية تكتب بالخط اللاتينى. إن الخط اللاتينى له أسلوب. وهناك عدة قواعد لكتابته. فحروفها دقيقة وعريضة من مكان إلى مكان. ويمكن التمرين على الكتابة في دفتر ذي أربعة سطور. وإذا تعودت على ذلك وتحسّن خطك يمكنك أن تكتب بخطٍّ جميل بدون أربعة سطور.

فابدأ من يومك هذا، بالتمرين على الخط في أربعة سطور. اكتب صفحة واحدة كل يوم. ولا فرق بين أن تكون حاصلاً على شهادة الثانوية أو بكالوريوس، فإنه لا يشترط السن والعمر لتعلّم أيّ شىء. نتمنى أن يكون النجاح حليفك.

حروف الكتابة (Cursive Writing)

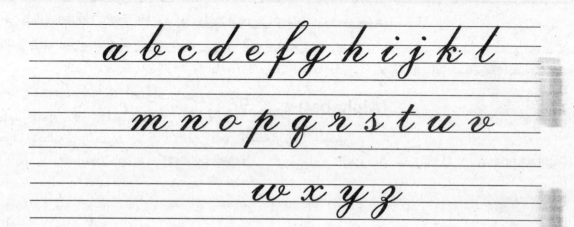

a b c d e f g h i j k l

m n o p q r s t u v

w x y z

للملاحظة (To Remember)

١. إن الحروف الكبيرة(Capital) تختلف في استعمالها عن الحروف الصغيرة (Small) فالحروف الكبيرة تستعمل في بداية اسم علم (كما في Dubai) أو في مختصرات الكلمات (كما في .Dr لكلمة Doctor) أو في بداية أيام الأسبوع أو أسماء الشهور (كما في Saturday, March) وغيرها. وفي الحقيقة إن الحروف الكبيرة هي زينة اللغة. افرض لو لم تكن الحروف الكبيرة في الإنجليزية لكتبنا كلمة أنا " i " مكان "I" .

٢ . تكتب الإنجليزية فوق السطر.

12th Day اليوم الثاني عشر

الحروف الصحيحة وحروف العلة في الإنجليزية (Consonants and Vowels)

قد مرّ في درس اليوم الحادي عشر تفصيل عن حروف الهجاء الصغيرة (small) والكبيرة (capital) وحروف الكتابة والحروف المطبعية. والآن نبين لك الحروف الصحيحة وحروف العلة في الإنجليزية، كما ونشرح لك أصواتها بالمقارنة مع الحروف العربية.

إن صوت حروف الهجاء في الإنجليزية أحيانا يختلف عن صوتها في استعمالها في الكلمة. فمثلا (H) اسمها اتش وصوتها ه في كلمات He, Hen, House وغيرها. وأمثال ذلك كثيرة. فلذلك يجب أن تعرف اسم كل حرف من الأبجدية والصوت الذي يؤديه . إن هناك خمسة أحرف للعلة وهي : A E I O U و ٢١ حرفا صحيحا. وهي:

Consonants : B C D F G H J K L M N P Q R S T V W X Y Z

أصوات الحروف الإنجليزية (English Pronunciation)

فيما يلي الأصوات التي تؤديها الحروف الإنجليزية عند الاستعمال في الكلمة :

الحرف الإنكليزى		الصوت	مثاله في الكلمة		الحرف الإنكليزى		الصوت	مثاله في الكلمة	
A	(أيه)	الألف بالإمالة	مان/مين	Man	M	(أم)	م	مان	Man
		الألف العادية	كار	Car	N	(أن)	ن	نوز	Nose
B	(بي)	ب	بُك	Book	O	(أو)	أ، أوَ	أوَر	Our
C	(سي)	ك	كيت	Cat			أو	أوبن	Open
		س	سنت	Cent	P	(پي)	پ(الفارسية)	پوست	Post
D	(دي)	د	دِد	Did	Q	(كيو)	ك	كوئك	Quick
E	(اي)	ـِ يْ	شِي	She	R	(آر)	ر	ريمائند	Remind
		ـِ	مِن	Men	S	(أس)	س	سَيند	Sand
F	(أف)	ف	فُت	Foot	T	(تي)	ت	تيشر	Teacher
G	(جِي)	جيم المصرية	جُد	Good	U	(يو)	اَ	اَپ Up ، كَپ	Cup
		جيم الفصحىٰ	جورج	George			يو	سيلوت	Salute
H	(اتش)	ه	هين	Hen	V	(وي/في)	و/ف	ويليو/في ليو	Value
I	(آي)	اِ	اِنديا	India	W	(دبلو)	و	واك	Walk
		آي	كائند	Kind	X	(أكس)	أكس	أكس ريه	X-ray
J	(جيه)	ج	جوك	Joke	Y	(واي)	ي	ينغ	Young
K	(كيه)	ك	كِك	Kick			آي	ماي	My
L	(أل)	ل	ليتر	Letter	Z	(زد)	ز	زيبرا	Zebra

* حرف q دائما يستعمل مع u : quick, cheque

أصوات الحروف المزدوجة : Ch (تش)، th (ت،ث)، ph (ف)، sh (ش)، gh (غ)، وعندما يكون قبل ghحرف علة فتكون حروف gh صامتة كمثل: Right (رائت) و أحيانا gh تؤدي صوت ف : rough (رف)

مواضع استعمال الحروف الصغيرة والكبيرة

في كتابة الجمل الإنجليزية يستعمل كلا القسمين من الحروف الصغيرة والكبيرة. وأما الحروف الكبيرة فلاستعمالها عدة مواضع خاصة وهي كما يلي:

١. أول حرف للجملة — This is a box. When did you come? etc. etc.

٢. أول من كل اسم علم — The Tigris, The Nile, Cairo, Ahmed etc.

٣. أول حرف لكل مصراع من الشعر —
His coat is ragged, And blown away.
He drops his head, And he knows not why?

٤. الكلمات المختصرة — P.T.O., N.B.

٥. أول حرف من أسماء أيام الأسبوع والأشهر — January, March, Sunday, Monday etc.

٦. أول حرف للشهادة التعليمية — B.A., LL.B., M.Com. etc.

٧. أول حرف /لأسماء الله تعالى وصفاته وكل ضمير يرجع إليه. — God, Lord, He, His.

٨. ضمير المتكلم المفرد (في حالة الرفع : أنا) —
How can I ever forget
What you have done for me?

٩. في كل رسالة كلمات الخطاب و الترحيب (Salutation) — Dear Khalid/Ahmed /Aunt/ Sir,
وكلمات الختام (Complementary clause) — Yours sincerely,/Affectionately yours,

١٠. عند بداية الجملة في داخل القوسين أي الهلالين Quotation mark — He said, "Don't forget to inform me the date of your interview."

للملاحظة (To Remember)

(i) لصوت 'ك' في الإنجليزية تستعمل حروف c, k, q وأحياناً تستعمل ck (block) . ولكن حرف c يؤدي أحيانا صوت س أيضاً :(cease سيز).

(ii) لصوت 'گ' (جيم المصرية) يستعمل حرف g (جُد good) ولصوت جيم الفصحى j (jam جام)، ولكن g أحيانا تؤدي صوت جيم الفصحى أيضاً : (جرم germ) (جنريشن generation) .

(iii) لصوت 'و' تستعمل v ودبلو: w: ويرى very، وال wall

(iv) لصوت 'ف' تستعمل f ولكن ph أيضا تؤدي صوت ف : Philosophy, fruit

13th Day اليوم الثالث عشر

أصوات الحروف الإنجليزية (English Pronunciation)

إن معرفة أصوات الحروف وخاصة حروف العلة هام جدا. فالحرف الواحد يؤدي أصواتا مختلفة . فان لحرف A أصوات الألف و اَئْ و أيْه و لحرف E أصوات أيْه و إِئْ مدّاً و قصراً. ولحرف I أصوات الكسرة و آي و اَ (الفتحه) ولحرف O أصوات أو بالفتحة و أو بالضم و لحرف U أصوات ـَ وـُ وـِ + ـُ وغيرها.

حروف العلة (Vowels)

فيما يلى مختلف أصوات (A)

اولا: أئْ (بفتح وامالة خفيفة)

أحد	An	أين	على	At	أيت
ولد	Lad	ليد	فأر	Rat	ريت
رجل	Man	مَين	وقوف	Stand	استيند
مجنون	Mad	مَيد	حظر	Ban	بَين

ثانيا: ا (الألف المفخمة)

كُلّ	All	آل	جدار	Wall	وال
سقوط	Fall	فال	حرب	War	وار
دعوة	Call	كال	بعيد	Far	فار
صغير	Small	اسمال	نجم	Star	استار

ثالثا: إِ + اَ (المزيج من الكسر الخفيف والفتح)

إناء، سلعة	Ware	وِيَرْ	الإسهام	Share	سِيَرْ
أجرة السفر	Fare	فِيَرْ	إضافي	Spare	اسپِيَرْ
جراءة	Dare	دِيَرْ	عناية	Care	كِيَرْ

رابعا: ايه

إذا وقعت بعد A ، Y أو I في كون صوت A : أيه

راتب	Pay	بيه	طريق	Way	ويه
إقامة	Stay	استيه	بهجة	Gay	غيه
مُخ	Brain	برين	رئيسي	Main	مين

فيما يلى مختلف أصوات (E)

أولاً: E (بفتح وإمالة قصيرة)

شبكة	Net	نت	رجال	Men	من
بيع	Sell	سل	بعده	Then	دين
رِجْل	Leg	لج	متى	When	وين
جيّد/ بئر	Well	ول	بليل	Wet	وت

ثانياً: E ـِ ئْ (قصيراً)

يكون	Be	بي	نحن	We	وِئْ
هو	He	هي	هى	She	شِئْ

ثالثا: EE إِئْ (بالمدّ)

يرى	See	سى	يبكى	Weep	ويب
نحل	Bee	بى	ينام	Sleep	سليب

رابعاً: EA إِئْ (بالمد)

نظيف	Clean	كلين	بحر	Sea	سِئْ
لحم	Meat	ميت	حرّ	Heat	هيت

E في عدة مواضع لا صوت له :

إذا وقع حرف e في نهاية الكلمة فلا صوت له مطلقا. ولكن يؤثر على نطق حرف العلة الذي يقع قبله بحرف أو حرفين. فانظر

كيف يؤثر حرف E على نطق A, I, O, U في الأمثلة التالية:

(أ) إذا كان E في النهاية وفي الكلمة A فيحدث المد (الطول) في صوت A . ولا صوت لـ E

الحياء	Shame	شيم	اسم	Name	نيم
الأعرج	Lame	ليم	نفسه	Same	سيم

(ب) إذا كان I في الكلمة فيكون صوته آي

حليلة	Wife	وائف	تسعة	Nine	نائن
أبيض	White	وائت	سطر/ الخط	Line	لائن

(ج) إذا كان O في الكلمة فيكون صوته أو

الأنف	Nose	نوز	دُخان	Smoke	اسموك
الأمل	Hope	هوب	مزاح، نكتة	Joke	جوك

(د) إذا كان في الكلمة U فيكون صوته أُو (بالضمة)

القاعدة	Rule	رُول	يونيو	June	جُون
اللحن	Tune	تيون	أنبوبة	Tube	تيوب

EW = ايو

قليل	Few	فيو	خياطة	Sew	سيو
جديد	New	نيو	ندي	Dew	ديو

أصوات "I"

يؤدى حرف (I) أصوات ـِ وآي وأحيانا ـَ وتفصيلها فيما يلي:

I = ـِ

مريض	Ill	إل	قتل	Kill	كِل
كبير	Big	بِج	مع	With	وِد
حِبر	Ink	إنك	سفينة	Ship	شِب

I= آي

عطوف،كريم	Kind	كائند	لطيف	Mild	مائلد
خلف	Behind	بيهائند	ميكروفون	Mike	مائك
ربط	Bind	بائند	ميل	Mile	مائل

I = آي ، أْ+إ

إذا وقع GH بعد (I) فحينئذ يكون صوت: ا آي أو آ+إ

صحيح	Right	رائِت	ضوء	Light	لائِت
نظرة	Sight	سائِت	عال	High	هاي

I = اَ

شركه	Firm	فرم	أوّل	First	فرست

I= آي

نار	Fire	فاير	الثناء	Admire	ادماير

IE = ـِيْ، EI = ـِيْ

قصير	Brief	بريف	يحقق	Achieve	أشيف
حصار	Siege	سيج	يستلم	Receive	رسيف
			يخدع	Deceive	ديسيف

صوت "O"

فيما يلى تفصيل عن مختلف اصوات **O**

O = اَو (بالفتح)

على	On	أون	ثعلب	Fox	فوكس
حار	Hot	هوت	اناء	Pot	بوت
وصمة	Spot	اسبوت	الجزء الأعلى	Top	توب
قطرة	Drop	دروب	نقطة	Dot	دوت
ناعم	Soft	سوفت	لا	Not	نوت
الله	God	غود	وجد	Got	غوت

O = أُو (بالضم ولكن خفيفاً)

يفتح	Open	أوبن	كذلك	So	سو
أمل	Hope	هوب	لا	No	نو
كبير/قديم	Old	أولد	الذهب	Gold	جولد
بيت	Home	هوم	أقصى، معظم	Most	موست
مزاح	Joke	جوك	بريد	Post	بوست

OW = او

وكذلك يكون صوت o بعد w

صف	Row	رو	إراءة	Show	شو
يبذر الحب	Sow	سو	غراب	Crow	كرو

OO = أُ (بدون المد)

ينظر	Look	لُك	كتاب	Book	بُك
أخذ	Took	تُك	جيد	Good	جُد

OO = أُو

غرفة	Room	رُوم	قمر	Moon	مُون
حذاء	Boot	بوت	ظهيرة	Noon	نون
يفعل	Do	دُو	أصل	Root	رُوت

O = اَ

ابن	Son	سَن	المجيء	Come	كَم

OW = آو

كيف	How	هاو	الآن	Now	ناو
			بقر	Cow	كاو

OY = واي

فرحة	Joy	جواي	ولد	Boy	بواى
			لعبة	Toy	تواى

OU = اَوَ

لنا	Our	اَوَر	ساعة	Hour	اَوَر

أصوات "U"

فيما يلي بيان مختلف أصوات **U**

U = اَ

فوق	Up	أب	كوب	Cup	كَب
كوخ	Hut	هَتُ	مزاح	Fun	فَن
وحل	Mud	مَدُ	الشمس	Sun	سَن

U = ـُ

يضع	Put	بُت	يدفع	Push	بُش
يجذب	Pull	بُل	هرة	Puss	بُس

U = ـِ يُو

متين	Durable	ديوريبل	فريضة	Duty	ديوتي
أكيد	Sure	شيور	صاف	Pure	بيور

أصوات "Y"

إن حرف Y يعمل عمل حرف العلة في بعض الأمكنة وفي الإنجليزية القديمة كان ذلك حرف علة. والآن إن حرف I قد حلّ محله تدريجيا. ومع ذلك إنه يؤدى أحيانا عمل حرف العلة.

Y = ـِیْ

تعدد الأزواج	Polygamy	بولي غيمي
الجريمة الشنيعة	Felony	في‌لوني
سياسة	Policy	بوليسي

Y = آيه

تيفوئيد	Typhoid	تايفوايد
إطار	Tyre	تاير

Y = آي

خندق	Dyke	دايك
سلالة حاكمة	Dynasty	داينستي

و بهذا قد تعرفت على مختلف استعمالات حروف العلة (vowels) وأصواتها المتنوعة وفي الدروس المقبلة ستحرز المعرفة عن الحروف الصحيحة (consonants).

الحروف الصامتة (Silent Letters)

في الكلمات الإنجليزية، كثير من الحروف تكون صامتة ولا صوت لها في نطق الكلمة. وهي من كلا النوعين الصحيحة والعلة وأمثالها فيما يلي. والمزيد عنها سيأتى في الدرس الخامس عشر.

A Silent

قيصر	Caeser	سيزر
هيمو غلوبين	Haemoglobin	هيمو غلوبين

B Silent

فتات، لقمة	Crumbs	كرمس
مدين	Indebted	اندیتد
سباك	Plumber	بلمر
يخضع، يموت	Succumb	سكم

C Silent

سلطة ملكية	Sceptre	سيبتر
مقراض	Scissors	سيزرس

D Silent

ميزانية	Budget	بجت
جسر	Bridge	برج
القزم	Midget	ميجت

G Silent

كريم، رؤوف	Benign	بيناين
تصحيم	Design	ديزاين
مُوذٍ، ضار	Malign	ملاين

H Silent

فخري، شرفي	Honorary	اونريرى
المكافأة الشرفية	Honorarium	او نريريم

K Silent

سكين	Knife	نايف
يقرع	Knock	نوك
بُرجمة	Knuckle	نكل

L Silent

الصدقة	Alms	آمز
مرهم	Balm	بام

P Silent

نفس	Psyche	سايكِ
طبيب نفساني	Psychiatrist	سايكيا ترِست

R Silent

الحديد، المكواة	Iron	آين
العالم	World	ولد

T Silent

العاهل الروسي	Tsar	زار
يشد	Fasten	فاسن
يحتضن	Nestle	نسليه

W Silent

غضب	Wrath	رات
يغلّف	Wrap	ريب
تحطّم، حُطام	Wreck	ريك

للملاحظة (To Remember)

١. تأمل نطق هذه الكلمات: Far (فار: بالألف العادية)، Fail (فيل: بالإمالة)، Fall (فال: بالألف المفخمة)، Fan (فين: بالياء وقبلها فتحة). والمطلوب منك أن تبحث وتستكشف الكلمات التي تماثل هذه الكلمات في النطق.

٢. إن صوت حرف E في كلمات Wet, Be, See يختلف في بعضها عن بعض. فصوته في الأولى ـَ يْ وفي الثانية ـِ وفي الثالثة الفتحة بإمالة. كما أن E لا يؤدي أيّ صوت في كلمات Shame, Line, Hope سوى أنه يمدد صوت حروف العلة التي قبله بحرف (وهي a,i,o على التوالي).

٣. هل تعرف أن صوت I ، الفتحة أيضاً. انظر Firm ، بجانب صوته آي كما في Fire فاير.

٤. إن اثنين من O معاً (OO) يؤديان صوت الواو الساكنة قبلها ضمة كما في Room (روم) ولكنهما يؤديان أيضا صوت الضمة فقط (كما في Look, Book)

٥. إن صوت O هو أو (الفتح مع الضم) وصوت U هي الضمة. ولكن هذين الحرفين يؤديان أحيانا صوت الفتحة كما في Sun (سن: الشمس) و Son (سن: الابن)

ففي ضوء هذا الدرس تتبع بنفسك أصوات مختلف حروف العلة آخذاً في الاعتبار الحروف الصامتة أيضا، تنكشف لك أسرار اللغة الإنجليزية.

14 اليوم الرابع عشر th Day

نطق الحروف الصحيحة (Consonants)

مثل Vowels يوجد في الحروف الصحيحة أيضا خلافات عديدة . فيؤدى حرف C أصوات س و ك و حرف G أصوات گ (جيم المصرية) و ج الفصحى وحرف S أصوات ز و س و ش وحرف T أصوات ش و تش وت ود وما إلى ذلك : فإن تمعنت في التوجيهات والتوصيات التالية أمكنك التمييز في ما بينها وتكون لا تواجه أي مشكلة في ذلك .

الحروف الصحيحة (Consonants)

B	C	D	F	G	H	J	K	L	M	N
ب	س	د	ف	ج	ه	ج	ك	ل	م	ن

P	Q	R	S	T	V	W	X	Y	Z
پ(ب)	ق	ر	س	ت	ف	و	كس	ي	ذ.ز.ض.ظ

مبد ئياً إن نطق الحروف الصحيحة (consonants) المذكورة أعلاه يقارب الحروف العربية المكتوبة تحت كل واحد منها . ومع ذلك نوصيك بالاستماع إلى نطقها والصوت الذي يحدث عندما يتكلم أهل اللغة . فتجد أن هناك فرقاً خفيفاً جداً بين الاثنين .

فإذا سمعت نطق consonants منهم علمت أن نطق K P T ليس كنطق ك و ب و ت تماماً بل يُسمع مع كل واحد صوت خفيف لحرف الهاء . كما أن نطق J ليس كالجيم تماما بل يمتزج به صوت خفيف لحرف 'د' أيضاً . وهذا الفرق الخفيف لا يمكن كشفه إلا بعد التمعن . ولغرض تحسين النطق يحسن بك استماع نشرة الأخبار على التلفزيون أو الراديو فبالاستماع إليها يتحسن نطقك للحروف الإنجليزية .

وأما حرف R ففي النطق بالراء في العربية يحدث شيء من الارتعاش في اللسان ويوهم أن الحرف يتكرّر . ويقاربه نطق R في كلمات Round, Real, Roll, Run وغيرها وأمّا الفرق بين نطقين ، فتعرفه بعد الاستماع جيداً .

وإذا كان قبل R أيّ من حروف العلة (Vowel) وبعد R حرف صحيح فنطقه هادِئ جِداً أو هو صامت أحيانا . أمّا حرف العلة الذي قبله فيكون فيه شيء من التمديد مثل Form فام Arm آم Art آت وغيرها . ونطق 'S' مثل 'س' في العربية وفيه صفة الصفير كما في Sweet سويت .

C	F	H	L	M	N	Q	V	W	X	Y	Z
س،ك	ف	ه	ل	م	ن	ق	و/ف	و	كس	ى	ز

إن الحروف الصحيحة(Consonants) التي أعلاه تنطق مثل الحروف العربية تقريباً .

ونطق F و Ph كليهما كنطق 'ف' كما في Fall (فال) و (Philosophy) (فلوسوفي) وما إلى ذلك .

تغير في نطق الحرف بتغير الحرف المجاور

في العربية يبقى نطق كل حرف دائما كما هو ولا يتغير مهما يقع . ولكن نطق الحروف في الإنجليزية يتغير بتغير الحروف المجاورة . فمثلا حرف 'سي' يؤدي صوت س في cent وصوت ك في cant . ولهذا التغير عدة قواعد نبيّنها لك فيما يلي .

نطق 'C'

يؤدي حرف سي صوتين : 'س' و 'ك'

١ـ يكون صوت C س إذا وقع بعده أيّ من حروف E, I, Y مثل :

يستلم	Receive	(ريسيف)	أرز	Rice	(رائس)	سينما	Cinema	(سينما)
إعصار	Cyclone	(سايكلون)	بنت الأخ	Niece	(نيس)	قطعة	Piece	(بيس)
ثلجي	Icy	(آيسى)	يحتفل	Celebrate	(سيليبريت)	قرن	Century	(سينشري)
شهادة	Certificate	(سر تيفي كيت)	حلقة	Circle	(سركل)	جنسية	Citizenship	(سيتيز نشيب)
قوة	Force	(فورس)						

٢ـ يكون صوت C 'ك' إذا وقع بعده أيّ من حروف (A, O, U, K, R, T) مثل :

سرير	Cot	(كوت)	طاقية	Cap	(كيب)	بقر	Cow	(كاو)
القط	Cat	(كيت)	مرشح	Candidate	(كنديديت)	ماشية	Cattle	(كيتيل)
ظهر	Back	(بيك)	ديك	Cock	(كوك)	قفل	Lock	(لوك)
حوض السفن	Dock	(دوك)	قطع	Cutting	(كتنغ)	يلعن	Curse	(كرس)
عادة	Custom	(كستم)	قاسٍ	Cruel	(كرويل)			

٣ـ وأحيانا يكون صوت C 'ش' إذا وقع بعده EA أو IA مثل :

اجتماعي	Social	(سوشيال)	محيط	Ocean	(أوشيان)	موسيقى	Musician	(موزيشييان)

نطق 'G'

ينطق حرف (G) بوجهين : أولا بـ (گ) (كالجيم في العامية المصرية أو القاف في العامية السعودية أو الخليجية ثانيا بـ (ج) كالجيم في العربية الفصحى :

١ـ إذا وقع 'GE' في طرف الكلمة ينطق كنطق الجيم في العربية الفصحى

العمر	Age	(أيج)	الصفحة	Page	(بيج)	ثورة، غضب	Rage	(ريج)
القفص	Cage	(كيج)	الحكيم العاقل	Sage	(سيج)	قياس، مقياس	Gauge	(غيج)

وفي الأمكنة التالية ينطق (G) أيضا كنطق الجيم في العربية الفصحى :

زنجبيل	Ginger	(جنجر)	يتصور	Imagine	(إيميجن)	جرثومة	Germ	(جيرم)
حمام	Pigeon	(بيجيون)	خلاصة	Gist	(جست)	جوهرة	Gem	(جم)

٢ـ وفي الأمكنة الأخرى ينطق (G) كنطق الجيم في العامية المصرية أو نطق القاف في العامية السعودية أو الخليجية:

كبير	Big	(بيج)	كيس، شنطة	Bag	(بيج)	يعلق	Hang	(هينج)
يذهب	Go	(جو)	الذهب	Gold	(جولد)	جوع	Hunger	(هنجر)
يعطى	Give	(جِفْ)	إصبع	Finger	(فنجر)	ينسى	Forget	(فورجت)

نطق 'S'

لحرف 'S' ثلاثة أصوات : ز، ش، س

١. إذا كان في آخر الكلمة أحدٌ من BE, G, GG, GE, IE, EF, Y وبعد ذلك 'S' في النهاية فيكون صوته 'ز' كما في :

قبائل	Tribes	(ترائيز)	أكياس	Bags	(بيجز)	بيض	Eggs	(ايجز)
الأزمان	Ages	(ايجز)	ابطال	Heroes	(هيروز)	قصص	Stories	(استوريز)
روبيات	Rupees	(رو بيز)	لُعب	Toys	(توايز)	أشعة	Rays	(ريز)

٢. إذا كان في آخر الكلمة أحد من F, P, KE, GHT, PE, TE وبعد ذلك 'S' في النهاية فيكون صو ته 'س' كما في:

سقوف	Roofs	(روفس)	قطع	Chips	(شِبس)	آمال	Hopes	(هوبس)
شفاه	Lips	(لِبس)	طائرات ورقية	Kites	(كايتس)	سفن	Ships	(شِبس)
النكت	Jokes	(جوكس)	ليالي	Nights	(نايتس)			

٣. يكون صوته "ش" إذا وقع بعد S أو SS إمَّا ION أو IA مثل :

آسيا	Asia	(ايشيا)	معاش تقاعد	Pension	(بنشن)	دورة	Session	(سيشن)
هجوم	Aggression	(اغريشن)	بناء فخم	Mansion	(مينشن)	روسيا	Russia	(رشيا)

نطق 'T'

لحرف 'T' أربعة أصوات : ش، تش، ت، د

١. إذا وقع في الكلمة 'T' بعد IA, IE, IO فيؤدي T صوت ش كما في :

مبدئي	Initial	(انيشيال)	مريض	Patient	(بيشنت)	صورة إيضاحية	Illustration	(الستريشن)
حصة	Portion	(بورشن)	ترقية	Promotion	(بروموشن)	نسبة	Ratio	(راشيو)

٢. إذا كان في الكلمة TION بعد 'S' أو URE بعد 'T' فيكون صوت 'T' كـ "تش" كما في :

سؤال	Question	(كويتشن)	ثقافة	Culture	(كلشتر)	فطرة	Nature	(نيتشر)
مستقبل	Future	(فيوتشر)	يعتقل	Capture	(كيبتشر)	صورة	Picture	(بكتشر)
مخلوق	Creature	(كريتشر)						

٣. إذا كان H بعد حرف T فيكون صوت T ت أو ث و في بعض الأحيان 'د' كالآتي :

	th = ت/ث						th= د				
ثخين	Thick	(ثِك)	دقيق	Thin	(ثِن)	هذا/ هذه	This	(دِس)	ذلك/تلك	That	دَيت
ثلاثة	Three	(ثِرى)	خيط	Thread	(ثرد)	حينذاك	Then	(دين)	هناك	There	دِيَر

(To Remember) للملاحظة

كلمة The ينطق بها بعضهم دَ (بالفتح) وبعضهم الآخر دِ (بالكسر) . وكلاهما صحيح . ولكنه بالكسر أفضل مع كل كلمة تبدأ بـ Vowel (نحو دِ ايغ ، دِ آنسر وبالفتح أفضل مع كل كلمة تبدأ بـ Consonant (نحو دَ كيت، دَ رَيت) وغيرها .

15 اليوم الخامس عشر th Day

الحروف الصامتة في بعض الكلمات (Silent Letters in Words)

يوجد في بعض الكلمات الإنجليزية عدة حروف صامتة (silent) . وهي تسبب مشكلة للذى لا يعرفها . نبيّن لك ، فيما يلي، تلك الكلمات بطريقة ممتعة . فبعد أن تعرفها يمكنك التكلم بصورة جيدة وبمهارة .

1

هل الحروف الأول للكلمة أيضا يكون "صامتا"؟

نعم، يكون الحرف الأول أيضا صامتا . فالمطلوب منك معرفة حروف الكلمة التالية والنطق بها وحفظ معانيها :

علم النفس	*P*sychology	(سائيكو لوجي)	طائرة مقاتلة	*G*nat	(نَيُت)
يكتب	*W*rite	(رايت)	ذات الرئة	*P*neumonia	(نمونيا)
معرفة	*K*nowledge	(ناليج)	شرف	*H*onour	(أونر)
			ساعة	*H*our	(آور)

لاحظت أن كل حرف أول لهذه الكلمات صامتٌ . وانظر الآن كيف نلفظ بالكلمات التالية :

*W*rong, *K*now, *K*nitting, *H*onest, *P*salm رونغ، نو، نتينغ، أونست، سام

رأيت أن K صامت في Knitting ولم نلفظ أيضا بـ T الثاني فيها . لفظناها كأنها Niting وكذلك (silent) أن كلاًّ من P و L صامت (silent) في Psalm .

2

من المعروف أن نطق كل من Right, High هاي ورايت على التوالي . على أساس ذلك الفظ أنت الكلمات التالية :

(رحلة)	Flight	(قوة)	Might	(قتال)	Fight	(تنهّد)	Sigh
(بهجة)	Delight	(ليل)	Night	(ضوء)	Light	(فخذ)	Thigh
(فارس)	Knight	(مشدود)	Tight	(مشرق/ فاتح)	Bright	(وإن/ ولو)	Though
(منظر)	Sight	(خوف)	Fright	(طفيف/ خفيف)	Slight	(من خلال)	Through

والآن، عندما كنت مطلعا على الحروف الصامتة ، أيمكنك أن تبين الحرفين اللذين صامتان (silent) معاً ؟ .... أحسنت . هما 'gh' .
وفي كلمة Knight حرف K أيضا silent .

G Silent			C Silent			B Silent		
علامة	Si*g*n	(سائن)	عطر	S*c*ent	(سنت)	مشط	Com*b*	(كوم)
تصميم	Desi*g*n	(ديزائن)	علم	S*c*ience	(سائنس)	حمل	Lam*b*	(لام)
استقالة	Resi*g*n	(ريزائن)	منظر	S*c*ene	(سين)	إبهام اليد	Thum*b*	(تم)

H Silent			K Silent			L Silent		
(أونر)	*H*onour	شرف	(نَوك)	*K*nock	طرق	(بام)	Pa*l*m	راحة اليد
(آور)	*H*our	ساعة	(نايف)	*K*nife	سكين	(كام)	Ca*l*m	هدوء
(توماس)	T*h*omas	اسم علم	(نَوت)	*K*not	عقدة	(هاف)	Ha*l*f	نصف
	N Silent			**T Silent**		(واك)	Wa*l*k	مشي
(اَوتم)	Autum*n*	خريف	(هَيسِنُ)	Has*t*en	تعجيل	(فوك)	Fo*l*k	الشعب
(كندم)	Condem*n*	إدانة	(لِسَن)	Lis*t*en	استماع	(تاك)	Ta*l*k	حوار
(هايم)	Hym*n*	ترنيمة الحمد	(اوفن)	Of*t*en	كثيراً	(شُد)	Shou*l*d	(فعل مساعد) يجب
(كولم)	Colum*n*	عمود	(سوفن)	Sof*t*en	يليّن	(ود)	Wou*l*d	(فعل مساعد) يرجى/يتوقع
(دَيم)	Dam*n*	لعنة				(كد)	Cou*l*d	(فعل مساعد) من المستطاع

U Silent			W Silent		
(غارد)	G*u*ard	خفير	(رونغ)	*W*rong	خاطئ
(غِس)	G*u*ess	تخمين	(آنسر)	Ans*w*er	جواب
(غست)	G*u*est	ضيف	(سورد)	S*w*ord	سيف

والآن متّع نفسك بالتكلم بالكلمات التالية واكتشف ماهي الحروف التي صامتة (silent) فيها :

Asthma, Heir, Island, Doubt, Reign, Wrapper, Wednesday

لا، يا أخي! ليست هي آستما وهِيَر و إزلاند و داوبت و ريجن و ورابر و ودنس ديه، بل إنها ايزما (داء الربو) وايَر (وارث) وآي لاند (جزيرة) وداوت (شك) و رين (سلطة) و رابر (غلاف) و ونزديه (يوم الاربعاء) على التوالي .

فالمطلوب منك أن تكشف الكلمات الأخرى مثلها في القاموس وتقدم في سبيل الرقيّ والنجاح إلى الأمام .

16 th Day
اليوم السادس عشر

استعمال What, Who, How في الجمل الاستفهامية

جاء ذكر الخط اللاتينى في سياق الكلام . وبيّناه هنالك لأن معرفته أيضا لازم . فلنرجع إلى ما تركنا منه . بيّنا في الدروس من اليوم السادس إلى اليوم الثامن أنه إذا أريد تكوين الجمل السلبية نأتي بالأفعال المساعدة في صدر الجملة ، نحو : Does he Know? Was Gopal reading? Will you play? وغيرها . نضيف هنا أننا إذا أتينا بأيٍّ من كلمات How, Which, When, Where, Why, What, Who, وغيرها قبل الجمل الاستفهامية فهي تؤدي معاني أوسع . سوف ترى في الدروس التالية، استعمال هذه الكلمات مصنفاً في الأولين ثم مزيجا في الدرس١٨ . فلنبدأ الآن :

A

What

١. س :	ماذا تريد؟	**Q.** *What* do you want?	وات دو يو وأنت؟
ج :	كوب لبن .	**A.** A glass of milk.	ايه جلاس أوف مِلك .
٢. س :	ماذا تكتب؟	**Q.** *What* are you writing?	وات آر يو رائيتينغ ؟
ج :	أكتب رسالة	**A.** A letter.	ايه ليتر .
٣. س :	ماذا تريد أن تقول؟	**Q.** *What* do you want to say?	وات دو يو وانت تو سيه؟
ج :	لا شيء .	**A.** Nothing.	نثينغ .
٤. س :	ما اسمك؟	**Q.****What's* your name?	واتس يور نيم؟
ج :	محمد خالد .	**A.** Mohammed Khalid.	محمد خالد .
٥. س :	ماذا يعمل والدك؟	**Q.** *What's* your father?	واتس يور فادر؟
ج :	هو رئيس التحرير	**A.** He's an editor.	هی از ان اديتر .
٦. س :	ماذا تعمل والدتك؟	**Q.** *What's* your mother?	واتس يور مدر ؟
ج :	إنها ربة البيت .	**A.** She is a housewife.	شی إز أ هاؤس وائف .
٧. س :	ماذا تعمل أنت في هذه الأيام؟	**Q.** *What* are you doing these days?	وات آر يودوإنغ دِيزديز؟
ج :	أدرس .	**A.** Studying.	استدينغ .
٨. س :	ماذا شاهدت في مصر؟	**Q.** *What* have you seen in Egypt?	وات هيف يو سين إن ايجبت ؟
ج :	الأهرام .	**A.** *The* Pyramids.	دَ بيرا مِدز .
٩. س :	ماذا كتبت لأبيك؟	**Q.** *What* did you write to your father?	وات ددیو رائت تو يور فادر؟
ج :	(كتبت) عن نتيجتى .	**A.** About my result.	اباوت ماي رِزلت .
١٠. س :	ماذا كانت تعمل في بيروت .	**Q.** *What* was she doing in Beirut?	وات وازشی دوإنغ إن بیروت ؟
ج :	إنها كانت تدرّس في مدرسة ابتدائية.	**A.** She was teaching in a primary school..	شی واز تيشنغ إن أيرائمرى اسكول.
١١. س :	ماذا تريد أن تعمل بعد النجاح في الثانوية؟	**Q.** *What* do you intend doing after passing High School?	وات دو يو إنتند دوإنغ آفتر باسِينغ هاي اسكول؟
ج :	سأواصل الدراسة .	**A.** I'll study further.	آيل استدى فردَر .

إن 'What's' هو الشكل المختصر (Shortened form) لـ 'What is' وهو يستعمل كثيراً في لغة التكلم . والآن قد كثر استعمال Shortened forms في الكتابة أيضاً . وأمثال ذلك كثيرة . نحو It's بدلا من It is و You're بدلاً من You are و I've بدلاً من I have وغيرها .

Who	**B**	
١٢.س : من أنت؟	**Q.** *Who* are you?	هو آر يو؟
ج : أنا تاجر.	**A.** I am a businessman.	آي ايم أ بزنسمان .
١٣.س : من هم؟	**Q.** *Who* are they?	هو آرديه؟
ج : هم أقربائي .	**A.** They are my relatives.	ديه آر ماي رليتِفْس .
١٤.س : من غنّى الغناء؟	**Q.** *Who* sang the song?	هوسينغ دَ سونغ؟
ج : غنّت ليلىٰ.	**A.** Laila did.	ليلىٰ دِد .
١٥.س : من يذهب إلى السوق؟	**Q.** *Who* will go to the market?	هو ول غوتو دَ ماركِتْ؟
ج : أنا أذهب .	**A.** I will.	آي وِل .
١٦.س : من يستطيع أن يقوم بهذا العمل؟	**Q.** *Who* can do this work?	هو كان دُو دِس ورك؟
ج : ناصر يستطيع .	**A.** Nassir can.	ناصر كان .
١٧.س : من تريد (البنت) أن تقابله؟	**Q.** *Whom* does she want to meet?	هوم دَز شي وأنت تو ميت؟
ج : أمّها .	**A.** Her mother.	هرمدر.
١٨.س : من صاحب هذه الدار؟	**Q.** *Who* is the owner of this house?	هوازدَ اونر أوف دِس هاؤس؟
ج : والدي .	**A.** My father.	ماى فادر .
How	**C**	
١٩.س : كيف يذهب هو إلى المدرسة؟	**Q.** *How* does he go to school?	هاؤدزهي غو تو اسكول؟
ج : بالباص .	**A.** By bus.	باي بس .
٢٠.س : كيف والدك؟	**Q.** *How* is your father?	هاؤ از يور فادر؟
ج : هو ليس بصحة تامة .	**A.** He's not well.	هيز نوت ول .
٢.س : كيف ذهبت إلى بغداد؟	**Q.** *How* did you go to Baghdad?	هاؤ دِد يو غو تو بغداد؟
ج : بالقطار.	**A.** By train.	باي ترين .
٢.س : كيف رجعت؟	**Q.** *How* did you return?	هاؤ دِد يو رِترن؟
ج : بالسيارة .	**A.** By bus.	باي بَس .
٢.س : كيف كانت صحتك في بغداد؟	**Q.** *How* was your health in Baghdad?	هاؤ واز يور هيلث إن بغداد؟
ج : كنت بصحة جيدة هناك .	**A.** It was perfectly alright there.	آي واز برفكتلى آل رايت دِيَر.
٢.س : كيف كان الجو هناك؟	**Q.** *How* was the weather there?	هاؤ واز دَ ويدر دِيَر؟
ج : كان الجوُّ بارداً هناك .	**A.** It was quite cold.	اِت واز كوايت كولد .
٢.س : كم سِنُّ ولدك؟	**Q.** *How* old is your son?	هاؤ أولد اِز يور سن؟
ج : سِنّه اثنتا عشرة سنة .	**A.** He is twelve.	هيز تويلف؟
٢.س : كم المسافة إلى المطار من هنا .	**Q.** *How* far is the airport from here?	هاؤ فار از دَ اير بورت فروم هِير؟
ج : حوالي ستة كيلو مترات .	**A.** About six kilometres.	أباوت سِكس كيلو ميترس .

٢٧. س : كيف تشعر الآن؟ — **Q.** *How* are you feeling now? — هاؤ آريو فيلينغ ناو؟

ج : أحسن بكثير من ذي قبل. — **A.** Much better. — متش بيتر.

(To Remember) للملاحظة

A	B
1. What do you say?	I do not know what you say.
2. What did you say?	I do not remember what you said.
3. What had you said?	I do not remember what you had said.
4. What is this?	Tell me, what this is.
5. What was that?	Tell me, what that was.

الجمل في عمود A جمل استفهامية بينما جمل عمود B جمل ساذجة . ولغرض تحويل الجمل الاستفهامية إلى جمل ساذجة نقوم بـ (١) حذف do, did وأمثالها من صدر الجملة ونستعمل الفعل العادي المطلوب نحو : What do you say نحولها إلى : What you say و What did you say. إلى What you said وغيرها . (٢) الأفعال المساعدة is, was, had وغيرها) التى في صدر الجملة الاستفهامية نأتي بها بعد Subject . وكذلك يمكننا تحويل الجمل الساذجة إلى استفهامية (بقلب الطريقة المبينة) .

A	B
1. I do not know *who* he is.	*Who* is he?
2. Tell me *whom* you want.	*Whom* do you want?
3. Tell me *whose* book that was.	*Whose* book was that?
4. I do not know *how* old you are.	*How* old are you?
5. Tell me *how* she knew.	*How* did she know?
6. You did not say *whom* you had promised.	*Whom* had you promised?

المطلوب منك التمرن على تحويل الجمل الاستفهامية إلى ساذجة و الساذجة إلى استفهامية وتكلم بها بصوت مرتفع وليُسمع أحدكم الآخر .

17 اليوم السابع عشر th Day

استعمال Which, When, Where, Why في الجمل الاستفهامية

عرفت في الدروس الماضية استعمال What, Who, How واعرف الآن استعمال كلمات When, Where, Which و Why . تستعمل Which عادة لغير العاقل وتشير When إلى الزمان و Where إلى المكان كما تبيّن Why السبب والعلة . ومن خواص هذه الكلمات أنه من اللازم استعمال do, did أو فعل مساعد آخر من helping verbs معها .

D

Which

١. س : أيّ غناء فَضَّلْتَ، غناء فريد أو أم كلثوم ؟	**Q.** *Which* song did you prefer – Farid's or Um-e-Kulsoom's?	وِتش سونغ دِد يو بريفر فريدس اور أم كلثومس؟
ج : أحب ما أحببتَ .	**A.** I like what you have liked.	آي لائك وَات يو هيف لائكتد .
٢. س : أيّ كتاب تقرأ؟	**Q.** *Which* book are you reading?	وِتش بُك آريو ريدينغ؟
ج : هذه هي الرواية التي استعرتُها منك بالأمس .	**A.** It's the novel *which* I borrowed from you yesterday.	اِتس دى نوفِل وِتش آي بورود فروم يو يستريه .
٣. س : أي كتاب محبوب عندك؟	**Q.** *Which* is your favourite book?	وِتش اِز يور فيورِت بُك؟
ج : الكتاب المحبوب عندي هو القرآن الكريم .	**A.** My favourite book is the Holy Qur'an.	ماي فيورِت بُك اِز دَ هولي قرآن.

E

When

٤. س : متى تعيد درسك؟	**Q.** *When* do you revise your lesson?	وَين دو يو رِوائز يورليسون؟
ج : صباحاً .	**A.** In the morning.	اِن دَ مورنينغ .
٥. س : متى ستأتي إلينا؟	**Q.** *When* are you coming to us?	وَين آر يو كمينغ تواَس؟
ج : مهما أجد الفرصة .	**A.** As soon as I get time.	أيز سون ايز آي غت تائم .
٦. س : متى قابلت سُهيلاً؟	**Q.** *When* did you meet Suhail?	وين دِد يو ميت سهيل؟
ج : قابلته في الأسبوع الماضى عندما جاء إلى دُبي .	**A.** Last Saturday, *when* he came to Dubai.	لاست ستردِيهَ ، ون هي كيم تو دُبي .

F

Where

٧. س : أين تعمل؟	**Q.** *Where* do you work?	وِيَر دو يو ورك؟
ج : في دائرة حكومية .	**A.** In a government office.	اِن اَ غورنمنت اوفس .
٨. س : من أين تشتري الكتب؟	**Q.** From *where* do you buy the books?	فروم وِير دويو باي دَ بُوكس؟
ج : مِن مكتبة فائن بدُبي .	**A.** From Fine Book Depot, Dubai.	فروم فائن بُك دبو، دبي.

وِيَر دويو لِف؟	**Q.** *Where* do you live?	٩. س : أين تسكن؟
أَت جبل علي .	**A.** At Jabal Ali.	ج : (أسكن) في جبل علي
فروم وِيَردد يو باي يور سوت؟	**Q.** *From where* did you buy your suit?	١٠.س : من أين اشتريت هذه البذلة لك؟
فروم ناشيو نال دريس هاؤس .	**A.** From National Dress House.	ج : من محل أزياء الوطني .

G **Why**

واي دو يو درنك مِلك ديلى؟	**Q.** *Why* do you drink milk daily?	١١.س : لماذا تشرب اللبن يوميا؟
تو مينتين غود هيلث .	**A.** To maintain good health.	ج : للحفاظ على الصحة الجيدة .
واي از مُناز تيشر سو استركت .	**Q.** *Why* is Muna's teacher so strict?	١٢.س : لماذا معلمة مُنىٰ صارمة جدا؟
بيكاوز شى از انترستد اِن دَ بروجريس أوف هر استودنتس .	**A.** Because she is interested in the progress of her students.	ج : لأنها ترغب في رُقىّ طلبتها .
واي آر يو سِتنغ هير؟	**Q.** *Why* are you sitting here?	١٣.س : لماذا أنت جالس هنا؟
آيم ويتينغ فور ماي فريند ،منير.	**A.** I'm waiting for my friend, Munir.	ج : أنا في انتظار صديقي منير .

للملاحظة (To Remember)

لاحظ الفرق بين Which و Who . فإن Who معناها من ؟ وWhich معناها أيّ؟ Who خاصة بالعقلاء، و Which بغير العقلاء. وستعرف ذلك بالأمثلة التالية بصورة جيدة :

Who	١. من هناك؟	*Who's* there?
	٢. من ذهب إلى القاهرة؟	*Who* went to Cairo?
	٣. من سيأتي إلى هنا؟	*Who* will come here?
Which	٤. أي كتاب موضوع على الطاولة ؟	*Which* book is on the table?
	٥. أيّ كتاب لي؟	*Which* book is mine?
	٦. أيّ كلب لك؟	*Which* is your dog?

إن كلمتى Who و Which تؤديان معنى الاسم الموصول أيضا (الذي، التي) ولكن بنفس الفرق الذي بيّنّا . Who للعقلاء و Which لغير العقلاء.

١. قابلت البنت التي هي العريفة .	I met the girl who is the monitor.
٢. البنت التى تعزف على بيانو هي أختي .	The girl, who is playing the piano, is my sister.
٣. انتق (خذ) الكتاب الذي تريد .	Select the book which you want.

إنّ Where's– شكل مختصر لـ Where is

18th Day اليوم الثامن عشر

تكوين الجمل الاستفهامية بطرق مختلفة (Miscellaneous)

اذكر تركيب الجمل الاستفهامية . واذكر استعمال كلمات الاستفهام What و Where وأمثالها في الجمل الاستفهامية مع كل من,were, has, have, had, was, is, are, am, will, shall, would وأمثالها من الأفعال المساعدة helping verbs واعلم أنه يمكن تكوين الجملة الأستفهامية من أحدها بصفة مستقلة أيضا . وذلك ما عرفته من قبل . وستراه هنا في ما يلي.

١.	ماذا حصل؟	What happened?	وات هيبند؟
٢.	هل طلبتني؟	Had you asked for me?	هيد يو آسكد فورمى؟
٣.	استأذنكم/ممكن أن أذهب؟	May I go?	ميه آي غو؟
٤.	هل أرافقكم؟	May I accompany you?	ميه آي أكمبنى يو؟
٥.	هل ستأتي؟	Are you coming?	آر يوكمينغ؟
٦.	هل آتي به؟	Should I bring it?	شُد آي برنغ إت؟
٧.	كيف حالُك؟	How are you?	هاو آر يو؟
٨.	أفهمت/ مفهوم؟	Did you understand?/ Understood?	دد يو أندرستاند/أندراستُد؟
٩.	ماذا تعني؟	What do you mean?	وت دو يو مين؟
١٠.	هل الرئيس متواجد؟	Is the boss in?	إز دَ بوس إن؟
١١.	من هو؟ من هذا؟	Who is it?	هو إز إت؟
١٢.	ما الشأن؟	What's the matter?	وتس دَ ميتر؟
١٣.	أين راشد؟	Where is Rashid?	وِير إز راشد؟
١٤.	متى جئت؟	When did you come?	وين دد يو كم؟
١٥.	هل نبدأ؟	Do/shall we begin?	دو/شيل وي بغين؟
١٦.	هل تفعل شيئاً؟	Will you do one thing?	ول يو دو ون تينغ؟
١٧.	هل اليوم عطلة؟	Is it a holiday today?	إز إت أ هولي ديه تو ديه؟
١٨.	هل تعرف؟	Do you know?	دو يو نو؟
١٩.	ألا تذهب؟	Won't you go?	وونت يو غو؟
٢٠.	ما المشكلة؟	What's the trouble?	واتس دَ تربل؟
٢١.	هل أنت زعلان؟	Are you angry?	آر يو اينغرى؟
٢٢.	كيف العائلة؟	How is the family?	هاو إز دَ فاملى؟
٢٣.	ماذا أصنع لك؟	What can I do for you?	وات كان آي دو فوريُو؟
٢٤.	أين نحن الآن؟	Where are we now?	وِيَر آر وي ناو؟
٢٥.	ماذا جاء بك هنا؟	What brings you here?	وات برنغز يو هِير؟
٢٦.	هل توجد عنده سيارة؟	Has he got a car?	هيز هي غوت أ كار؟

٢٧. هل لك أيّ شغل معي؟	Have you any business with me?	هيف يو أيني بزنيس وِد مي؟
٢٨. من يأتي؟	Who's coming?	هوز كمينغ؟
٢٩. ما هي الألوان في طعام العشاء؟	What's the menu for dinner?	واتس دَ مينو فور دِنر؟
٣٠. لمن هذا الرقم للتلفون؟	Whose telephone number is this?	هوز تيليفون نمبر إز دِس؟
٣١. أين نقابل؟	Where shall we meet?	وِيرشيل وي ميت؟
٣٢. كيف رجعت؟	How have you come back?	هاو هيف يو كم بيك؟
٣٣. لماذا تركت دراساتك؟	Why have you dropped your studies?	واي هيف يو دروبد يور استديز؟
٣٤. كيف أمّك الآن؟	How is your mother now?	هاو إز يور مدر ناو؟
٣٥. كيف أنت؟	How do you do?*	هاو دو يو دو؟
٣٦. أي فندق أفضل هنا؟	Which is the best hotel here?	وِتش إز دَ بست هوتيل هِير؟
٣٧. من هذا؟	Who's this?	هوز دِس؟
٣٨. أين ساجد؟	Where is Sajid?	وِير إز ساجد؟
٣٩. ما الخبر؟	What's the news?	واتس دَ نيوز؟
٤٠. متى سنقابل مرة أخرى؟	When shall we meet again?	وين شيل وي ميت أغين؟
٤١. كم سنُّك؟	How old are you?	هاو أولد آر يو؟
٤٢. كم كلّفتك هذه السترة؟	How much did this coat cost you?	هاو متش دِد دِس كوت كوست يو؟
٤٣. منذكم كم مدة أنت هنا؟	For how long have you been here?	فور هاو لونغ هيف يو بين هِيَر؟
٤٤. كم وقتا يستغرق هذا؟	How long will it take?	هاو لونغ وِل اِت تيك؟
٤٥. لماذا تُكلِّفُ نفسك؟	Why do you trouble yourself?	واي دو يو تربل يور سيلف؟
٤٦. لماذا الطريق مسدود؟	Why is the road closed?	واي إز دَ رود كلوزد؟
٤٧. أيّ فيلم يُعرض اليوم؟	What movie is on today?	وات موفي إز أون توديه؟
٤٨. ماذا تبحث؟	What are you looking for?	وات آر يو لُكينغ فور؟
٤٩. لماذا أنت جدّي هكذا؟	Why are you so serious?	واي آر يو سو سِيرِيس؟
٥٠. ماذا يجب أن ألبس للحفلة؟	What should I wear in the party?	وات شُد آي وِيَر اِن دَ بارتي؟
٥١. أين يجب أن أتصل بك؟	Where should I contact you?	وِير شُد آي كونتاكت يو؟
٥٢. هل هناك أيّ مشكلة؟	Is there any problem?	إز دِير اينى بروبلم؟
٥٣. أتكون متأخِّرا الليلة؟	Are you going to be late tonight?	آر يو غوئينغ تو بي ليت تو نايت؟
٥٤. ممكن أن أرقص معك؟	May I have a dance with you?	ميه آي هيف أ دانس وِد يو؟
٥٥. هل تلحق بنا/ هل تشاركنا؟	Would you like to join us?	وُد يُو لايك تو جواين أس؟
٥٦. ماذا يجب أن أفعل؟	What should I do now?	وت شُد آي دو ناو؟
٥٧. لماذا لا تستمع إليَّ؟	Why don't you listen to me?	واي دونت يو لِسن تو مى؟
٥٨. أيٌّ من هذين اللباسين يكون لى أنسب وأفضل؟	Which of these two dresses will suit me better?	وِتش أوف ديز تودريسز وِل سوت مي بيتر؟

☆إن استعمال How do you do? يكون عادة عند لقاء شخص لأول مرة . وخاصة عند ما يتعارف شخصان . ويقال نفس الجملة في الرد .

٥٩. أين يجب أن أبحث عنه؟ | Where should I look for him? | وِير شُد آي لُك فور هم؟
٦٠. ماذا استطيع أن أفعل لك؟ | What can I do for you? | وات كان آي دو فور يُو؟
٦١. ممكن أن استعمل هاتفك؟ | May I use your phone? | ميه آي يوز يو ر فون؟
٦٢. هل تعرفه؟ | Do you recognize him? | دويو ريكوغنائز هم؟

(To Remember) للملاحظة

(i)عرفت في الدروس الماضية أن أفعال is, am, are, was, were, had, will, would, shall, should, can, could, may, might, إن جاءت في صدر الجملة فهي جملة استفهامية . وإذا وقعت في وسطها بعد Subject فهي جملة سانجة بيانية. كما يلي :

A	B
(1) Am I a fool?	I am not a fool.
(2) Were those your books?	Those were your books.
(3) Had you gone there?	You had gone there.
(4) Can I walk for a while?	I can walk for a while.
(5) May I come in?	I may come in.

(ii) انظر الجمل السانجة التالية :

(1) I get up early in the morning. — ١. أستقيظ مبكرا في الصباح .

(2) I got up early in the morning. — ٢. أستيقظت مبكرا في الصباح .

وحوّلهما إلى (Negative)سلبية :

(3) I do no get up early in the morning. — ٣. لا أستيقظ مبكرا في الصباح .

(4) I did not get up early in the morning. — ٤. ما استيقظت مبكرا في الصباح .

لاحظت أنه أضيف do و did لتحويل الجملة إلى سلبية ويُؤتىٰ في صدر الجملة لتحويلها إلى استفهامية .

(5) Do I get up early in the morning? — ٥. هل أستيقِظُ مبكرا في الصباح؟

(6) Did I get up early in the morning? — ٦. هل استيقظت مبكرا في الصباح؟

19 اليوم التاسع عشر th Day

إنك تمرنت في الدروس الأخيرة على صيغ لجميع الأزمنة . ولاحظت في اليومين السادس والسابع تركيب الجمل الاستفهامية . هل يمكنك أن تبيّن كيف تحوّل الجملة الساذجة (Assertive) إلى استفهامية؟.. فإنك كوّنت الجمل الاستفهامية لجميع الأزمنة باستعمال الأفعال المساعدة .

(١) والآن تأمل كيف تُكوّن الجمل السلبية؟ تستعمل مع كل من أفعال do, did, is, are, was, were, have, had, will, would, shall, should, can, could, may, might, وأمثالها كلمة Not . وذلك لجعلها سلبية.

(٢) وأعلم أن هذه الأفعال لها صورتان — مطوّلة : shall not, would not, do not, did not, were not, should not, have not, can not, will not, وصورة مختصرة : don't, didn't, weren't, haven't, can't, wouldn't, won't, shouldn't, إننا عند الكتابة نستعمل صورها الكاملة بينما نستعمل في معظم الأحيان عند التكلم صورها المختصرة . ولكن استعمال كلتا الصورتين مسموح به في كلتا الحالتين : الكتابة والتكلم . فلنتمرن عليها .

الجمل السلبية (Negative Sentences)

١. لا أعرف .	I do not know.	آي دو نوت نو .
٢. لا أسأل شيأ .	I don't ask anything.	آي دونت آسك اينى ثينغ .
٣. هي لا تأتى هنا .	She does not come here.	شي دز نوت كم هِيَر .
٤. هي لا تعرف صنع الشاي .	She doesn't know how to make tea.	شي دزنت نوهاو تو ميك تى .
٥. لم يفقد الباص أمس .	He did not miss the bus yesterday.	هي دد نوت مس دَ بس يسترديه .
٦. لم نسمع هذا النبأ .	We haven't heard this news.	وي هيونت هردِس نيوز .
٧. لا برد اليوم .	It's not cold today.	إتس نوت كولد توديه .
٨. إنها ليست متزوجة .	She isn't married.	شي إز نت ميريد .
٩. لسنا متأخرين اليوم .	We are not late today.	وي آر نوت ليت توديه .
١٠. لم تكن هي في دُبي .	She wasn't in Dubai.	شي وازنت إن دُبي .
١١. لم نحضر المحاضرة .	We didn't attend the lecture.	وي ددنت أتند د ليكشر .
١٢. لا يوجد عندها ولد .	She doesn't have a son.	شي دزنت هيف أ سن .
١٣. ما وصلني الخطاب .	I didn't get the letter.	آي ددنت غت دَ ليتر .
١٤. ما كان عندهم سيارة .	They didn't have a conveyance.	ديه ددنت هيف أ كنفي انس .
١٥. لا تقلق، سوف لا يغضب الوالد .	Don't worry, father won't be angry.	دونت وَرى، فادر وونت بي اينغرى .
١٦. لا يكون الوالدُ موجوداً في البيت غداً .	Father won't be at home tomorrow.	فادر وونت بي أت هوم تومورو .
١٧. سوف لا نكون متأخرين غداً .	We shan't (shall not) be late tomorrow.	وى شانت (شال نوت) بي ليت تومورو.
١٨. لا استطيع أن أسوق موتسيكل .	I can't ride a motor cycle.	آي كانت رائد أيه موتور سائيكل .
١٩. يجب أن لا تسوق السيارة على ممرّ المشاة .	You must not drive the car on the footpath.	يومست نوت درائيو دَ كار اون دَ فوت باث .

٢٠.	لم أقدر أن أصل في الميعاد قبل أمس .	I couldn't reach in time day before yesterday.	آي كُدنت ريتش إن تايم ديه بِفور يسترديه .
٢١.	لا حاجة لك أن تذهب هناك .	You needn't go there.	يو نيدنت غو دِيَر .
٢٢.	لا مشكلة .	No problem.	نو بروبلم .
٢٣.	يجب أن لا نغلق الآن دكاننا... أو نغلق؟	Now we shouldn't close our shop should we?	ناو وي شُدنت كلوزأوَر شوب، شُد وي؟

الجمل السلبية ـ الاستفهامية (Interrogative-cum-Negative Sentences)

١. في الإنجليزية، إن الجمل مثل It's hot today, isn't it? (الحر شديد اليوم، أليس كذلك ؟) أو It's not cold today, is it? (لا برد اليوم، أليس كذلك؟) كثيرة الاستعمال .وهي تسمى Tail Questions . إنها دائما تكون في شكل سؤال صغير بعد الجمل الأصلية . إن كانت الجملة الأصلية غير سلبية فتكون Tail Question سلبية مثل It's hot today, isn't it? (وانظر أيضا الجمل رقم ٢٦،٢٨). وإن كانت الجملة سلبية فتكون Tail Question غير سلبية، مثل : It is not cold today, is it? (وانظر أيضا الجمل رقم ٢٧،٣٠)

٢. وفي الجملة الأصلية إن كلمة 'not' التي تأتي مع الفعل المساعد (helping verb) تستعمل بكلتا صورتيها : كاملة ومختصرة (is not, isn't)، بينما هي عادة مفضلة و مختارة إنها في الجملة الثانية (Tail Question) تستعمل في حالتها المختصرة (isn't). ولفهم كلامنا بصورة جيدة لاحظ الجمل التالية .

٢٤.	الحر شديد ، أليس كذلك؟	It is very hot today, isn't it?	إت إز ويري هوت تو ديه، إزنت إت .
٢٥.	هم أجانب ،أولا؟	They are foreigners, aren't they?	ديه آر فور نرز، آرنت ديه؟
٢٦.	لم تكن مسرورا ، أم كنت؟	You weren't pleased, were you?	يو ورنت بليزد ، ور يو؟
٢٧.	يكون غداً يوم الأحد ، أو لا يكون؟	It will be Sunday tomorrow, won't it?	إت وِل بى سنداي تومورو، وونت إت؟
٢٨.	نحن نتأهب بسرعة، أم لا؟	We'll be ready soon, won't we?	وِي وِل بي ريدي سون، وونت وي؟
٢٩.	لن أنسى هذا أبداً، أو أنسى؟	I can never forget it, can I?	آي كان نيفَر فورغت اِت ، كان آي ؟
٣٠.	لا أكون معك غدا، أو أكون؟	I won't be with you tomorrow, will I?	آي وونت بي وِد يو تومورو، وِل آي؟
٣١.	قد قابلنا من قبل ،أليس كذلك؟	We have met before, haven't we?	وي هيف مت بيفور، هيفنت وي؟
٣٢.	كنت قد انتهيت من عملك، أو لم تنته؟	You had finished your work, hadn't you?	يو هيد فنشد يُور ورك، هيدنت يو؟
٣٣.	لم يمكن لك أن تبحث لي كتاباً ،أو أمكن؟	You couldn't find the book for me, could you?	يو كُدنت فائند دَ بُك فور مى ،كد يو؟
٣٤.	يجب أن لا تذهب منى للنوم متأخرة، أوتذهب ؟	Muna shouldn't go to bed late, should she?	مُنى شدنت غو تو بيد ليت، شد شي؟
٣٥.	يجب أن ينتظر أمين حتى الساعة ١٢... أليس كذلك؟	Amin must wait till 12 o'clock, mustn't he?	أمين مست ويت تِل ١٢ أو كلوك، مستنت هى؟
٣٦.	إنها لم تتعلم الإنجليزية ، أو تعلمتْ؟	She hasn't learnt English, has she?	شي هيزنت لرنت اينجليش ، هيز شي؟
٣٧.	أنت قادر على التكلم بالإنجليزية، أم لست؟	You can speak English, can't you?	يو كان اسبيك اينجليش ، كانت يو؟
٣٨.	الرجال العظام لا يضيّعون وقتهم،	Great men don't waste their time,	غريت مين دونت ويست دِيَرتايم ،

	أليس كذلك؟	do they?	دو ديه .
٣٩.	يجب أن لا تقول مثل هذا الكلام، صحيح؟	You should not talk like this, should you?	يو شُد نوت تاك لائك دِس، شُد يو؟
٤٠.	ما أحسن الجو، أليس كذلك؟	How pleasant it is, isn't it?	هاؤ بليزنت إت إز، إز نت إت ؟
٤١.	تظُنُّ أنك ذكيّ، أليس كذا؟	You think yourself to be very clever, don't you?	يو ثِنك يور سيلف تو بي ويري كليفر، دونت يو؟
٤٢.	ستصل هي إلى هنا سريعاً، أم لا؟	She will reach here soon, won't she?	شي ول ريتشد هِيَر سون ،وونت شي؟
٤٣.	إنها وصلت إلى البيت متأخرة مرة أخرى، أليس كذلك؟	She reached home late again, didn't she?	شي ريتشد هوم ليت أغين، دِنت شي؟
٤٤.	لا ننسٰى صِبانا، أم ننسٰى؟	We never forget our childhood, do we?	وي نيفر فورغت اوَر شائلد هُد، دو وِي ؟

(To Remember) للملاحظة

A

A ـ في الإنجليزية يشيع استعمال المختصرات (Short forms) فتمرن عليها تكلما وكتابة .

do + not = don't	does + not = doesn't	did + not = didn't
is + not = isn't	are + not = aren't	was + not = wasn't
were + not = weren't	has + not = hasn't	have + not = haven't
had + not = hadn't	will + not = won't	shall + not = shalln't
can + not = can't	must + not = mustn't	could + not = couldn't
need + not = needn't	would + not = wouldn't	should + not = shouldn't

B ـ في مثل "n't" إن العلامة على n (n') تسمى Apostrophe .

B

في Tail-Question تستعمل جملتان متنا قضتان من حيث المفهوم فاحفظهما معاً .

I did — *didn't* I?	He is — *isn't* he?	We are — *aren't* we?
He was — *wasn't* he?	You were — *weren't* you?	They had — *hadn't* they?
We can — *can't* we?	You will — *won't* you?	I shall — *shan't* I?
I must — *mustn't* I?	You would — *wouldn't* you?	She could — *couldn't* she?
She does *not* — *does* she?	You *do not* — do you?	

والآن تمرن على هذه المختصرات :

I 'm — I am آيم	We 're — *We are* وي أر
You 're — You are يُوأر	*They 're* — *They are* ديه أر
He 's — He is هيز	
She is – *She 's* شيز	

وعلى هذه الطريقة تستعمل مكان I have, you have, she/he has مختصرات I've (آئيو) و You've (يو ايو) و She's (شيز) و He's (هيز) وكذلك تستعمل We 've (وى او) ، They 've (ديه او) مكان We have و They have وغيرها .

20 اليوم العشرون
th Day

من اليوم ١١ إلى ١٥

١ـ في الإنجليزيه خمسة حروف للعلة (Vowels) A,E,I,O,U : المطلوب منك أن تنطق وتتلفظ بالكلمات التالية منتبها إلى نطق و صوت حروف العلة:

(a) a = اَ ـا (مثل: car)

far	star	card	hard	dark	mark
arm	farm	harm	art	part	start
heart	guard	answer	can't	balm	palm
calm	half	craft	draft	graph	laugh

(b) y أو i = آي (مثل: my)

by	buy	cry	try	spy	style
die	lie	tie	eye	life	wife
like	strike	high	sight	right	height
fight	light	might	night	tight	bind
find	mind	kind	fine	line	nine
pipe	ripe	five	strive	drive	knife

(c) u أو o = ـَ (مثل: cup)

but	cut	rub	bud	dull	sum
fun	gun	up	hunt	lunch	luck
rush	sun	vulgar	cutter	butter	hut
front	worry	some	dozen	cousin	Monday
son	govern	nothing	young	tongue	southern
colour	comfort	become	brother	mother	other

(d) i = ـِ (مثل: it)

fit	hit	this	fish	wish	him
in	sin	thin	big	bid	kid
lip	slip	trip	ill	fill	will
kill	still	kick	pick	sick	trick
quick	king	link	spring	wing	fist
list	give	live	stick	clip	pin

(e) ee, ea = ـِ ـَ (مثل: near)

clear	tear	near	hear	fear	appear
ear	year	dear	rear	peer	gear
sheer	beer	deer	cheer	queer	compeer

(f) ea = ـِ ي (مثل: seat)

teat	beat	heat	meat	neat	heap
mean	sea	tea	lead	read	meal
each	reach	breach	preach	teach	speak

٢. في السوال١من (a) إلى (f) أعلاه١٦٨كلمة. بيّن معانيها وانظر في القاموس إن لم تعرفها. واعتبر تقديرك very good إذا أصبت في ١٥٠ كلمة. وgood إن كانت معاني ١٢٥ كلمة صحيحة. وأما إذا أصبت في ١٠٠ كلمة فقط فتقديرك not bad

٣. يوجد في بعض الكلمات ١٦٨ التي في السؤال١ حروف علة وفي بعضها حروف صحيحة صامتة كحرف 'l' في balm, palm وحرف g في tight, eight, وغيرها. فالمطلوب منك البحث عن الكلمات التي تتضمن الحروف الصامتة (Silent letters) مع تعيين الحرف الصامت في الكلمة.

٤. اكتب نطق الكلمات التالية بالحروف العربية كمثل rough رَف.

rough	fall	philosophy	forgive	age	page
from	arm	tribes	hopes	Asia	Simla
Russia	thin	then			

٥. بين الحروف الصامتة في الكلمات التالية:

Calm هادئ، Debt قرض، Folk الشعب، Half نصف، Knoll هضبة صغيرة، Lodge مأوى،منزل Match عود كبريت، Villain وغد، Reign سلطة، Stalk ساق النبات، Unknown غيرمعروف، Walk يمشي.

٦. اكتب نطق الكلمات التالية بالحروف العربية:

ice, can, come, policy, chocolate, receipt, received, pierce, of, off, accept, borne, born, clothes, morale, moral, island, gnat, known, psychology, written, honesty, psalm, knitting, honour, wrong, hour, deny

الآن قارنها بقاموس جيد.

٧. لغرض التمرن انتق من الكلمات التالية تلك التي تهجيتها صحيحة. ثم قارنها بقاموس جيّد.

hieght	height	speek	speak	call	calle
procced	proceed	speach	speech	near	nare
exceed	excede	treat	treet	reech	reach
exprress	express	harrass	harass	ocasion	occasion
havy	heavy	tension	tention	attack	atacke
angry	angary	attension	attention	sleep	sleap
new	nue	simpaly	simply	whitch	which
plastek	plastic	nature	nateur	velley	valley
pleese	please	tuche	touch	flower	flover
compeny	company	midal	middle	substract	subtract

من اليوم ١٦ إلى ١٩:

٨. كلمات الاستفهام في الإنجليزية (Interrogative Words) هي: what, who, how, which, when, where, why وغيرها. وقد استعمل كل منها في الجمل التالية، ترجمها إلى العربية:

1. *What* do you mean?
2. *What* does your father do?
3. *What's* wrong with you?
4. *What* has he decided?
5. *Who* do you think will be chosen?
6. *Whom* do you think I saw yesterday?
7. *Who* cleans your house?
8. *How* do you know his address?
9. *How* many boys ran in the race?
10. *How* did he work?
11. *Which* is your note book?
12. *Who* answered the question?
13. *When* did you return from Bombay?
14. *When* will you be able to repay the loan?
15. *When* are you going to start learning English?
16. *Where* do you live?
17. *Where* did she spend her summer vacation?
18. *Why* should we take exercise?
19. *Why* didn't you get up early?
20. *Why* do people read the newspaper?
21. *What's* troubling you?

٩. ترجم الجمل التالية إلى العربية ثم قارنها مع الجمل العربية المكتوبة معكوساً.

(1) The shop is closed, isn't it? (2) We are late, aren't we? (3) You did come, didn't you? (4) You won't come tomorrow, will you? (5) We won't go there, will we? (6) If you hadn't told her, she wouldn't have known. (7) I'm not late today. (8) They played well, but you didn't. (9) They won't reach in time, but we will. (10) My mother won't attend the wedding, but my father will. (11) I must go, but you need not. (12) You must not write in red ink. (13) He is wrong, isn't he? (14) I was with you, wasn't I? (15) You know him well, don't you? (16) We have done the work, haven't we? (17) You have learnt a lot, haven't you?

(١) الدكان مغلق...أليس كذا؟(٢) نحن متأخرون...ألسنا كذا؟ (٣) كنت جئت...أما كنت؟ (٤) سوف لاتأتي غداً...أ تأتي؟ (٥) سوف لانذهب هناك...أم نذهب؟ (٦) لولم تقل لها لما علمتْ. (٧) أنا لست بمتأخر اليوم. (٨) هم لعبوا جيدا ولكنك لم تلعب (مثلهم). (٩) سوف لايصلون في الميعاد ولكننا سنصل.(١٠) لاتحضرأمي العرس ولكن أبي سيحضر. (١١) يجب أن أذهب ولكن لاحاجة لأن تذهب. (١٢) يجب أن لا تكتب بالحبر الأحمر. (١٣) هو على خطأ...أليس كذلك؟ (١٤) كنتُ معك... ألم أكن؟ (١٥) أنت تعرفه جيداً...ألاتعرفه؟ (١٦) نحن أنهينا العمل... ألم ننهِ؟ (١٧)إنك تعلمت كثيراً...أليس كذلك؟

١٠ . فيمايلي عدة أسئلة مع إجابتها اطلب من صديقك أن يسألك و ترد عليه،ثم قارن جوابك بجوابنا :

(Questions) سؤال	**(Answers)** جواب
1. What's her dog's name?	It's Juno.
2. What do they want now?	They want more money.
3. Whom do you wish to see?	Mr.Tariq.
4. Who owns this car?	My cousin does.
5. What do you think?	I think that she will come soon.
6. What did you say?	I said that I would help her.
7. Who is coming today?	My uncle.
8. How do you earn so much money?	I work day and night.
9. How can a man make many friends?	By being a good friend himself.
10. Which book do you want now?	The Arabian Nights.
11. What has happened to him?	He walked into a lamp-post and hurt himself.
12. What is your suit made of?	Woollen cloth.
13. When do you plan to visit your auntie?	On Monday.
14. When will you be able to see me?	In a day or two.
15. Where did you sleep last night?	At my uncle's home.
16. Where did she invest the money?	In book trade.
17. Why must you work hard?	To succeed.
18. Why did you lend him your cycle?	Because he had to go to the market.
19. Why did you vote for Dr. Rashid?	Because he is very competent.
20. Whose telephone number is this?	Mr. Ghanim's.
21. Who's it?	It's me.
22. How are you?	Fine. And you?
23. Does Suaad know how to prepare tea?	No, she doesn't.
24. Shall we be late tomorrow?	No, I don't think so.
25. What is the date tomorrow?	20th February.

ترجم الجمل التي أعلاه إلى العربية.

١١ . ترجم الجمل التالية إلى العربية، ولسهولتك أعطينا الجمل العربية معكوسة فيماأدناه.

(1) I want three hundred dollars on loan. (2) He is known to the Prime Minister. (3) No, not at all. He is a book-worm. (4) No sir, the postman hasn't come yet. (5) Yes, he is weak but he is good in English. (6) No, it is slow by five minutes. (7) Nassir, I don't have any appetite. (8) No, this is no thoroughfare. (9) Yes, it is snowing too. (10) Yes, but it gains 10 minutes every day. (11) No, I'm not thirsty. (12) I have nothing else to say. (13) No, he had a headache. (14) It takes me half an hour. (15) She has gone to her school. (16) I have been working here for the last five years. (17) Don't give up. (18) No, he is an author.

١٢. الجمل التي يتضمنها السؤال ١١ أعلاه هي بشكل إجابات. عليك إنشاء أسئلة لها. ولغرض سهولتك أعطينا مفاهيمها في التالي. لايلزم أن يطابق سؤالك سؤالناتماما بل من الضروري أن يكون المفهوم مطابقا.

(1) What do you want? (2) Who knows him? (3) Is Mahmud not fond of games? (4) Is there any letter for me? (5) Is he weak in Arabic? (6) Does your watch give correct time? (7) Will you have some milk? (8) Can we pass through this way? (9) Is it raining? (10) Is your timepiece working properly? (11) Are you thirsty? (12) What do you want to say next, Abdoh? (13) Did he have fever? (14) How much time does it take you to reach school? (15) Where is your sister? (16) How long have you been working here? (17) I can't continue, shall I resign? (18) Is your father a businessman?

جدول التمرين

الجدول٥ : استعمال a, an مع What, That, This, It. الجمل الاستفهامية التي تختتم That أو This، ردها يبدأ بـ It . ويستعمل an للكلمات التي تبدأ بصوت حرف العلة ولغيرها a.

[TABLE]-5 الجدول٥

1	2	1	2	3
What is	that? this? It?	It is	a	book large bottle small cup
			an	7old book empty bottle empty cup

الجدول-٦: الجمل الاستفهامية المبدوءة بكلمات استفهام What, Why, Where, How

[TABLE]-6 الجدول٦

1	2	3	4	5
What Why Where How	did	we you they she/he	criticise support invest manage	him for? him in the election? the money? keep it a secret?

الجدول٧: إن كلمتى Shall, Should, Will, Would تستعملان لجعل الأسلوب الاستفهامي للجمل التي تبتدئ Shall, Will لطيفا رقيقا.

[TABLE]-7 الجدول٧

1	2	3	4
Shall Should Will Would	I we you they	stop walking begin to do it like to see it try the other way	now? soon? at once? tomorrow?

كون جملا من الجداول التي أعلاه وتمرن عليها.

21 اليوم الحادي والعشرون
st Day

(3rd Expedition) المرحلة الثالثة

في المرحلة الثالثة نريد أن نعطيك معلومات عن مختلف الأوجه لقواعد اللغة الإنجليزية. فإذاعرفتها عرفت شيئا كثيرا من اللغة. ومن دروس اليوم ٢١ إلى اليوم ٣٠ قد اولي الاهتمام بالمواضيع التالية:

Pronouns, Prepositions, Co-relatives, Active and Passive Voices, Temporals, Countable Nouns, Emphasis and some notable usages.

وفي الأخير ذكرنا عدة Idioms الشائعة الاستعمال. وفي نهاية كل درس هناك إشارات تساعدك في فهم المادة التي يحتويها الدرس. تمرن عليها ثم انظر إلى أيّ مستوى وصلت. واعرف الآن استعمال الضمائر:

استعمال He, She, It, This, That, You, I, Each, None وغيرها من الضمائر

استعمال أدوات a, an, the بصورة عامة

١. هذا حامد. — *This* is Hamid. دِس إز حامد.

٢. ذلك نبيل. — *That* is Nabeel. ديت إز نبيل.

٣. هذا كتابه. — *This* is *his* book. دس إز هز بك.

٤. تلك مذكرتها. — *That* is her diary. دس إز هردايرى.

٥. هو ولد. — *He* is a boy. هي إز أ بواي.

٦. هي بنت. — *She* is a girl. شي إز أ غرل.

٧. أنت طالب. — *You* are a student. يو آرأ استودنت.

٨. أنا كاتب. — *I* am a clerk. آي أم أ كلارك.

٩. هذا قلم. — *This* is *a* pen. دس إز أ بين.

١٠. هذا تفاح. — *This* is *an* apple. دس إز أن ايبل.

١١. ذلك برتقال. — *That's* *an* orange. ديتس أن اورينج.

١٢. أنا عربى. — *I* am *an* Arab. آي أم أن عرب.

١٣. هذا هوالكاميرا الذي أريد. — *This* is *the* camera *I* need. دس إز دَ كاميرا آي نيد.

١٤. أنا اشتريت أيضاً نفس القلم. — *I* have also bought *the* same pen. آي هيف آلسو بوت دَ سيم بين.

١٥. هذا مرسام وهولي. — *This* is a pencil, and *it's mine.* دس إز أ بينسل اند إتس ماين.

١٦. تلك شاتي. — *That* is my goat. ديت إز ماي غوت.

١٧. هذه كتبي. — *These* are *my* books. ديز آر ماي بُكس.

تلك كتبك. — *Those* are *your* books. دوزآر يور بُكس.

١٨. هذه الكتب لي. — *These* books are *mine.* ديز بُكس آر ماين.

	تلك الكتب لك.	*Those* books are *yours.*	دوزبُكس آر يورس.
١٩.	هذه كراساتك.	*These* are *your* notebooks.	ديز آر يور نوت بُكس.
	هي على الطاولة.	*They* are on *the* table.	ديه آر أون دَ تيبل.
٢٠.	تلك بلياتي(كُلّات زجاجية).	*Those* are *my* marbles.	دوز آر ماي ماربلز.
	هي مختلفة الألوان.	*These* are of different colours.	ديز آر أوف دفرنت كلرس.
٢١.	بلادالعرب وطننا.	Arabia is *our* homeland.	عربيا اِز أوَر هوم ليند.
	نحن سكانها.	*We* are *her* inhabitants.	وي آر هر انهابيتا نتس.
٢٢.	السيد هاشم أستاذك.	Mr. Hashim *is your* teacher.	مستر هاشم اِز يور تيشر.
٢٣.	رفعة وثروة أختان.	Rafat and Tharwat are sisters.	رفعة أند ثروة آر سسترز.
	أمهما معلمة.	*Their* mother is a teacher.	دِيَر مدر اِز أ تيشر.
٢٤.	كل واحد من هذين الولدين يلعب.	*Each* of *these* boys plays games.	ايتش أوف ديز بوايز بليز غيمس.
٢٥.	لا أحد منا ذهب هناك.	*None* of *us* went there.	نن أوف اَس ونت دِيَر.
٢٦.	متّعنا أنفسنا خلال الاجازة.	*We* enjoyed ourselves during the holidays.	وي انجوائد اَور سيلفز ديورينغ دَ هوليديز.
٢٧.	من يكن أفضل، ينل الجائزة.	*Whoever* is the best, will get a prize.	هواَ يفر اِز دَبيست ، وِل غت أ برائز.
٢٨.	إنها أذكى مني.	*She* is wiser than *me.*	شي اِز وائزر دين مي.
٢٩.	إن خطى أحسن من خط أخي.	*My* handwriting is better than *that* of *my* brother.	ماي هيندرايتينغ از بيتر دين ديت أوف ماي بَرودر.
٣٠.	ما ذلك؟ ذلك كمبيوتر.	What is *that*? *That's* a computer.	وات از ديت؟ ديتس أ كمبيوتر.
٣١.	ما تلك؟ تلك كتب.	What are *those*? *Those* are books.	وات آر دوز؟ دوز آر بُكس.
٣٢.	هذا صندوق وهذه جوانبه.	*This* is a box. *These* are *its* corners.	دِس اِز أ بوكس. ديز آر اتس كِور نرس.
٣٣.	من هو؟ هوصديقي.	*Who* is *that*? – He is *my* friend.	هواز ديت؟ هي اِز ماي فريند.
٣٤.	لمن هذه الكراسة؟	*Whose* notebook is *this*?	هوز نوت بك اِز دس؟
٣٥.	هذه لها.	It's *hers.*	اتس هيرس،
٣٦.	تلك البقرة لنا.	*This* cow is *ours.*	دِس كاو اِز أورس.
٣٧.	تلك الدكاكين لهم .	*Those* shops are *theirs.*	دوز شوبس آر دِيَرس.
٣٨.	هذه الساعة لي.	*This* watch is *mine.*	دِس واتش از مائن.
٣٩.	هذا البيت لك.	*This* house is *yours.*	دس هاؤس از يورس.
٤٠.	هذا البيت له.	*This* house is *his.*	دِس هاؤس اِز هِز.
٤١.	رسمك هوالأفضل.	*Your* painting is *the* best.	يور بينتنغ از دَ بيست.
٤٢.	أنااستمع إليك بعناية.	*I* am listening to *you* attentively.	آي أم لسننغ تو يو اتينتيفلى.
٤٣.	من يقرع الباب؟	*Who* is knocking at the door?	هو از نوكنغ ايت دَ دور.

٤٤. لمن هذه الأمتعة؟	*Whose* luggage is this?	هوز لغيج إز دِس؟
٤٥. ذلك أمرآخركلياً.	*That's* a different matter altogether.	ديتس دفرنت ميتر آلطوغيدر.
٤٦. إنّها لاتعرف قيمة (أهمية) الوقت.	*She* doesn't know the value of time.	شي دزنت نو دَ فاليُو أوف تايم.
٤٧. يمكنك أن تعتمد عليهم.	*You* can trust them.	يو كان ترست ديم.
٤٨. أنا شاكر لك جداً.	*I* am very thankful to *you*.	آي أم فيري ثينك فل تو يو.
٤٩. آلمني سلوكه الخشن.	*His* rude behaviour shocked *me*.	هز رود بيهيفير شوكد مي.
٥٠. لم أكن أتوقع منك هذا.	*I* never expected *this* from *you*.	آي نيفر اكسبيكتِد دِ س فروم يو.
٥١. هذه الكتب ليست لي بأيّ فائدة.	*These* books are of no use to *me*.	ديز بُكس آر أوف نو يوز تو مي.
٥٢. يجب أن نغادر حالاً.	*We* have to leave at once.	وي هيف تو ليف أت ونس.
٥٣. عندهم منازل خاصة لهم في دُبي.	*They* have their own houses in Dubai.	ديه هيف ديَر أون هاؤسيز اِن دُبَي.
٥٤. ذلك الدكان لعمّي.	*That* shop belongs to my uncle.	ديت شوب بلونغز تو ماي أنكل.

للملاحظة **(To Remember)**

١. اعرف الفرق بين كل من He, She, That . فإن He خاص بالمذكر وShe بالمؤنث و That لغيرالعاقل. مثل هات ذلك، لا هذا .Bring that, not this

٢. This, That اسمان للإشارة و These جمع This ، وThose جمع That

٣. إننا، في الجمل المقبلة، سنستعمل It مكان This (هذا) و That (ذلك)

٤. وبدلاً من These (هذه/ هؤلاء) و Those (تلك/ أولئك)، سنستعمل They في الجمل المقبلة .

٥. كل من a, an, the أدوات. يستعملan و a كلاهما للنكرة و the للمعرفة. وأداة a أو an تستعمل لكل مايمكن عده مثل a book, a cat, an animal, an egg وغيرها.

وإن كان الحرف الأول للكلمة أحد من حروف a, e, i, o, u تستعمل معها 'an' مثل : *an* animal, *an* Indian وغيرها وإن لم يكن أول الكلمة حرف علة فتستعمل 'a' مثل:. a man, a cat وغيرها.

٦. تستعمل The للاسم المعين (المعرفة) من الإنسان أو الشئ مثل: This is *the* book I need (هذا هوالكتاب الذي أريد) وسترى ذلك تفصيلياً في الصفحات المقبلة.

22 اليوم الثاني والعشرون
nd Day

الجمل المحتوية على ظروف المكان (Platial)

[on, at, into, in, of, to, by, with, besides, beside, between, among, amidst, over]

في اللغة الإنجليزية إن لحروف الجر أهمية بالغة. ويجب على طالب هذا اللغة معرفتها جيدا. إن بعضاً منها يتعلق بالمكان أوالزمان أو بأمر قانوني بينما البعض الآخر يتعلق بالسبب أوالحالة. ويجب التمرن عليها بعناية واجتهاد. إن prepositions تفيد نوعية علاقة (صلة) الاسم أوالضميربالأشياء الأخرى. إنها عادة تستعمل قبل الاسم وأحيانا بعده وبالتمرن عليها جيدا تكون ماهرا في استعمالها.

١. الكتاب على الصندوق.	The book is *on* the box.	دَ بُك اِزاون دَ بوكس.
٢. الكمبيوتر على الطاولة.	The computer is *on* the table.	دَ كمبيوتر از أون دَ تيبل.
٣. الكاتب على المقعد.	The clerk is *at* the seat.	دَ كلارك اِز أيت دَ سيت.
٤. على الباب لون أخضر.	There is green paint *on* the door.	ديَر از غرين بينت أون دَ دور.
٥. الوالد واقف بالباب.	Father is standing *at* the door.	فادر اِز استيندينغ أيت دَ دور.
٦. سأقابلك في البيت.	I'll see you *at* home.	آيل سي يو اَت هوم.
٧. سعاد تدخل الغرفة.	Suad is coming *into* the room.	سعد ازكمينغ إنتو دَ روم.
٨. جمال وكمال كلاهما في الغرفة.	Jamal and Kamal, both are *in* the room.	جمال اند كمال بوٹ آر إن دَ روم.
٩. سأصبُّ مزيدا من الماء في الكوب.	I'll pour some more water *into* the glass..	آيل بورسم مور واتر إنتو دَ جلاس.
١٠. يستحم الناس في النهر.	People bathe *in* the river.	بيوبل بيد إن دَ ريفر.
١١. نحن نجلس على الدكة	We sit *on* the bench,	وي سِت أون دَ بنش،
لكن الوالد يجلس على كرسيّ مريح.	but father sits *in* the arm-chair.	بت فادر سِتس إن دَ آرم شِيَر.
١٢. لماذا لا تجلس إلى الطاولة ؟	Why don't you sit *at* the table?	واى دونت يو ست ات دَ تيبل؟
١٣. أدخل القرص المرن في الكمبيوتر.	Feed the floppy *into* the computer.	فيد دَ فلوبى إنتو دَ كمبيوتر.
١٤. هو دخل بيته.	He went *into* his house.	هي ونت إنتو هز هاؤس.
١٥. ارسل الخطاب بالبريد السريع.	The letter was sent *by* courier.	دَ ليتر واز سنت باي كوريَر.
١٦. ترجمه من العربية إلى الإنكليزية.	Please translate this from Arabic *into* English.	بليز ترانسليت دِس فروم عربك انتوانجليش.
١٧. ليبيا في شماليّ إفريقيا.	Libya is *in* Northern Africa.	ليبيا اِز إن نوردرن أفريكا.
١٨. البحرالأبيض المتوسط في شمال ليبيا.	Mediterranean Sea is to the north of Libya.	ميديتيرين سي اِز تو دَ نورت أوف ليبيا.
١٩. لاتقدر الرجل بلباسه.	Don't judge a person *by* his clothes.	دونت جج أ برسن باي هز كلودز.

٢٠. ملأت الزجاجة بالحليب.	I filled the bottle *with* milk.	آي فلد دَبوطل ود مِلك.
٢١. قتل الأسد على يد الصياد.	The tiger was killed *by* the hunter.	دَ تا يغر واز كِلد باي دَ هنتر.
٢٢. هو وقف بجانب أخيه.	He stood beside *his* brother.	هي استُدبساید هز برودر.
٢٣. وضعت كرة القدم قرب صولجان هوكى.	I kept football *beside* hockey stick.	آي كيبت فُت بول بسايد هوكى استك.
٢٤. وزّع الحلوى بين شريف ومحمود.	Divide the sweets *between* Sharif and Mehmood.	ديوايد دَ سويتس بتوين شريف أند محمود.
٢٥. جنيف تقع بين الجبال.	Geneva is situated *amidst* the mountains.	جنيفا اِز سيشوايتد امدست دَ ماؤنتينز.
٢٦. هو رجل أصولي.	He is a man *of* principles.	هي اِز أ مان أوف برنسبلز.
٢٧. هناك جسر على نهر دجلة.	There is a bridge *over* the Tigris river.	دیَر اِز أ برج أوفر دَ تغرس ريفر.
٢٨. ارم الكرة من فوق الجدار.	Throw the ball *over* the wall.	ثرو دَ بال أوفر دَ وال.
٢٩. الطيور تطير فوق الِجسر.	Birds are flying *over* the bridge.	بردس آر فلاينغ أور دَ برج.
٣٠. القوارب تحت الجسر.	Boats are *under* the bridge.	بوتس آر اندر دَ برج.
٣١. أنيس واقف بين أمين وهاشم.	Anis is standing *between* Amin and Hashim.	أنيس اِز استيندينغ بتوين أمين أند هاشم.
٣٢. عامر أمام فاخر.	Amir is *in front of* Fakhir.	عامر اِز إن فرنت أوف فاخر.
فاطمة واقفة خلفه.	Fatima is standing *behind* him.	فاطمة اِز استيندينغ بيهايند هم.
٣٣. نحن في حيرة.	We are *in* confusion.	وي آر إن كنفيوزن.
النقود في جيبي.	The money is in *my* pocket.	دَ منى اِز إن ماي بوكيت.
السمك في البحر.	Fishes are *in* the sea.	فيشيز آر إن دَ سى.
٣٤. من في الداخل.	Who is inside?	هو اِز انساید؟

للملاحظة **(To Remember)**

١. إن كلمات at, on, in, with, by وغيرها هي prepositions. واستعمالها يكون لكلا الظرفين المكان(platial)والزمان (temporal). وقد رأيت في الجمل التي أعلاه استعمالها للمكان.

٢. إن كلمتى on و at متقاربتان في المعنى كما أن by وwith أيضا متقاربتان ولكن هناك فرق في استعمالهما. فجملة on the table معناها على الطاولة وجملة 'at the table' معناها إلى الطاولة. وكذلك by معناها بواسطة وكلمة with معناها 'مع' أو'ب'

٣. كلمة between تستعمل لشخصين/شيئين وamong لاثنين أوأكثر.

٤. لاحظ الجملتين التاليتين:

Fatima is going *in* her room. (×)

Fatima is going *into* her room. (✔)

إن الجملة الثانية صحيحة وأريد هنا أنها تدخل الحجرة لذلك استعمل into وكلمة "in" تستعمل عندما كان المراد أنها تمشى أو تشتغل في داخل الحجرة كما ترى فيمايلي:

فاطمة في حجرتها.	Fatima is *in* her room.	فاطمة اِز إن هر روم.
فاطمة نائمة في حجرتها.	Fatima is sleeping *in* her room.	فاطمة اِز سليبينغ إن هر روم.

23 اليوم الثالث والعشرون rd Day

(Co-relatives and Temporals) الكلمات المتلازمة وظروف الزمان

في عدة مواضع، في الإنكليزية، تستعمل (Co-relatives). وهى مجموعة كلمتين أو أكثر متلازمة بعضها مع بعض. ويكون الجزء الأخير جزءً مكمِّلاً. إذا حدث شيء من التغيير في أيّ منها تكون الجملة خاطئة ،وهي كمثل: no sooner–than, scarcely–when, hardly–when وغيرها. وهناك قسم منها لا جزء مكمل لها كمثل: As soon as we reached the bus stop, the bus left. في هذه الجملة as soon as مجموعة متلازمة ولكن ليس لها أي جزء تكميلي فاحفظها وتمرن عليها. في الجزء (B) من هذا الدرس نبيّن طريقة استعمال ظروف الزمان. (Temporals)

A

(Co-relatives) المجموعات المتلازمة

as soon as – x	as long as – x	unless – x	as far as – x
x – until	x – till	x – so that	no sooner – than
hardly – when	not only – but also	either – or	neither – nor
although –	Scarcely – when	rather – than	no less – than
the – the			

١. حالما وصلنا إلى المحطة قام (سار) القطار.	*As soon as* we reached the station, the train left.	أيز سون أيز وي ريشد دَ استاشيون دَ ترين ليفت.
٢. حالما قام هوللادلاء بخطابه ضجت القاعة بالهتافات والتهليل.	*No sooner* did he get up to deliver his speech *than* the hall began to resound with cheers.	نو سو نر دد هي غت أب تودليفر هز اسبيش ون دَ هَال بيغين تو رِ ساؤند ود شيَرس.
٣. دقّ الجرَس فور وصولنا إلى المدرسة.	We had *scarcely* reached the school *when* the bell rang.	وي هيد اسكيرسلي ريتشد دَ اسكول وين دَ بيل رينغ.
٤. بدأ المطر ينزل حالما خرج من البيت.	He had *hardly* left his house *when* it started raining.	هي هيد هاردلي ليفت هز هاؤس وين إت استارتِد رينغ.
٥. لايمكنك أن تجد القطار مالم تجر سريعا.	*Unless* you run fast, you will not be able to catch the train.	انلس يورن فاست، يو ول نوت بي ايبل تو كيتش دَ ترين.
٦. انتظرلي من فضلك حتى أعود.	Please wait for me *until* I return.	بليز ويت فورمى انتل آي رترن.
٧. لاحاجة أن تقلق على شيء ماكنت موجوداً هنا.	*As long as* I am here, you needn't worry about anything.	أيز لونغ أيز آي أم هير، يو نيدنت وري اباؤت ايني ثينغ.
٨. مع أنه فقير، أنه أمين.	*Although* he is poor, he is honest.	آلدو هي إز بور، هي از أونست.

٩. كان هنا بقدرما أنا أذكر.	*As far as* I remember,	أيز فار أيز آي رِممبر،
	he was here yesterday.	هي واز هير يستردِيه.
١٠. اصلح السقف قبل أن يرشح.	Get the roof repaired *before* it leaks.	غت دَ روف ريبيرد بفورات ليكس.
١١. لايمكنه حتى أن ينجح في الامتحان،	*What to speak of* standing first,	وات تو اسبيك أوف استيندينغ فرست،
فضلاً عن كونه أوّل (في فصله).	he cannot even pass the examination.	هي كان نوت ايفن باس دَاغزامنيشن.
١٢. لايغش (لاينقل) في الامتحان حتى ولو رسب.	He would *rather* fail *than* copy.	هي ود رادر فيل دَين كوبي.
١٣. لم يرفع العلم الوطني شخص أدنىٰ من رتبة	*No* less a person *than* the	نو ليس أ برسن دين د
رئيس (كبير) وزراء الولاية.	Chief Minister of the state	شيف مِنستر أوف دَ استيت
	hoisted the National Flag.	هو ايستد دَ ناشيونال فليغ.
١٤. هومريض إلى حد أنه	He is *so* ill *that* he cannot	هي از سو إل ديت هي كان نوت
لايستطيع أن يقوم من فراشه.	rise from his bed.	رائز فروم هز بيد.
١٥. هو يجتهد لكى يفوز بالجائزة	He works hard *so that* he	هي وركس هارد سو ديت هي
(ينال الجائزة).	wins a prize.	وِنس أ برائز.
١٦. يكون الجو أبرد فأبردكلما ترتفع.	*The* higher you go *the* colder it is.	دَ هاير يو غو دَ كولدر إت إز.
١٧. أحدكما مجرم إماأنت أوأخوك.	*Either* you *or* your brother is guilty.	آيدر يوأور يو ر بردر از غِلتي.
١٨. إنها ضعيفة حتى أنه لايمكنها المشي.	She is *too* weak to walk.	شي إز تو ويك تو واك.
١٩. إنها ضعيفة حتى أنها لاتستطيع أن تمشي.	She is *so* weak *that* she cannot walk.	شي إز سو ويك ديت شي كان نوت واك.
٢٠. لاأدرس الإنجليزية فحسب، .	I study *not only*	آي ايستدى نوت اونلي
بل أدرس الفرنسية أيضا	English *but* French *also.*	اينغليش بت فرنش آلسو.
٢١. لا يلعب في هذه الحديقة، لا خالد ولاأخوه.	*Neither* Khalid *nor* his brother	نايدرخالد نورهز بردر
	plays in this park.	بليز إن دس بارك.

B

الجمل المحتوية على ظروف الزمان (Temporals)

٢٢. هذا شهر يناير عام ٢٠٠٤.	It is January two thousand and four (2004).	ات إز ينورى تو تاوزند اند فور
هوسياتى في شهر أغسطس.	He will come *in* August.	(٢٠٠٤) هي ول كم إن اغسط.
٢٣. ستصلك رسالته في ثلاثة أيام.	You will receive his letter *in* three days.	يو ول رسيف هزليتر إن ثرى ديز.
٢٤. ستصلك رسالته خلال ثلاثة أيام.	You will receive his letter *within* three days.	يو ول رسيف هز ليترودِ إن ثرى ديز.
٢٥. غادرنا إلى بغداد يوم ٢٠ فبراير.	We left for Baghdad	وي ليفت فور بغداد
	on 20th February.	أون تونتيت فبروَرى.
٢٦. أنت جئت في الساعة الثالثة و النصف.	You came *at* half past three.	يو كيم أيت هاف باست ثري.
٢٧. يظل الدكان مفتوحاً من الساعة التاسعة	The shop remains open *from*	د شوب رمينس اوبن فروم
والنصف صباحاً إلى الساعة السابعة مساء.	9.30 A.M. to 7 P.M.	٩:٣٠أيه أم .تو ٧بي،أم .
٢٨. كانت هنا بالأمس حتى الساعة ٥ مساء.	She was here *till* 5.00 P. M. yesterday.	شي واز هير تل ٥ بي. أم يستر ديه.
٢٩. يلعب الأولاد لمدة ساعة واحدة كل يوم.	The boys play every day *for* one hour.	دَ بوايز بليه إفرى ديه فور ون آور.

هي هيز بين استيئنغ هير سنس يسترديه .	He has been staying here *since* yesterday.	٣٠.إنه يسكن هنا منذ أمس .
شي هيز بين لفينغ هير سِنس ٢٠٠٠.	She has been living here *since* 2000.	٣١.إنها تسكن هنا منذ عام ٢٠٠٠ م.
هاو لونغ هيف يو بين لرنينغ اينجليش؟	*How long* have you been learning English?	٣٢.منذ كم مدة تتعلم الإنجليزية ؟
آي هيف آل ريدى رِتن تو هر/هِم .	I have *already* written to her/him.	٣٣.إنّي قد كتبت إليه/ إليها بالفعل .
شي هيزنت كم يت .	She hasn't come *yet*.	٣٤.إنها لم تأتِ بعد .
دَ شو إز أباوت تو استارت .	The show is *about* to start.	٣٥.إن الاستعراض (البرنامج) يكاد أن يبدأ .
آي شيل فنش مائي ورك باي نكست فراي ديه.	I shall finish my work *by* next Friday.	٣٦.سأنهي عملي حتى يوم الجمعة المقبل .
هيئل فنش هز ورك إن اباوت فور اورز.	He'll finish his work *in about* four hours.	٣٧. إنه ينتهي من عمله في حوالي أربع ساعات .
آي ريتشد دير أراوند ٣ أو كلوك .	I reached there *around* 3 o'clock.	٣٨.وصلت هناك في الساعة ٣ تقريباً .
وين رقية كيم، مديحة ليفت .	When Ruqayyah came Madeeha left.	٣٩.عندما جاء ت رقيّة ، ذهبت مديحة .
هي وازبريدنغ هز لاست باي دا ن .	He was breathing his last *by* dawn.	٤٠.إنه كان يلفظ نفسه الأخير وقت الفجر .
آيل ميت هم نكست منث .	I'll meet him *next* month.	٤١.سأقابله في الشهر المقبل .

للملاحظة (To Remember)

١. No sooner did Rashid reach the school than the bell started ringing.

في مثل هذه الجمل تستعمل قطعتان من الكلمات .ولا تستعمل No sooner وحدها . لا بد من إضافةً than إليها .فإن هذه المجوعة تركّب جزئى الجملة وهما did Rashid reach the school و bell started ringing وتسمّى هذه المجموعة co-relatives أو co- relative conjunctions .

٢. تستعمل ، in، مع الشهر و، on، مع اليوم و 'at' مع الساعة والوقت مثل :

in February, on Tuesday, at 6.30 A.M. وغيرها . كما تستعمل مع الصباح (morning) والمساء (evening) in ومع noon و night كلمة 'at' مثل. in the morning , in the evening, at night, at noon.

٣. وتستعمل كلمة since حيث تم تحديد الزمن مثل: since 1974, since last Tuesday, since 4 A.M. عندما يكون الوقت في شكل الزمن بدون التحديد فتستعمل هناك 'for' مثل .for two months, for three years وغيرها .

24 اليوم الرابع العشرون
24th Day

استعمال حروف الإضافة (Prepositions) في الجمل

(from, by, with, in, of, for, in, into, against, on, over, about)

تستعمل في الجمل الإنجليزية حروف معينة للاضافة Prepositions . دعنا نتمرن على استعمال تلك الحروف . سوف ترى أن هناك ضابطة معينة لاستعمال كل Preposition . فافهمها ثم استعملها في حوارك .

From

١. كان الولد غائبا عن المدرسة .	The boy was absent *from* school.	دَ بوائيه وازابسنت فروم اسكول .
٢. يجب أن تمتنع من التدخين .	You must abstain/refrain *from* smoking.	يو مست ابستين/ ريفرين فروم اسموكينغ .
٣. جاء عمي من أسوان .	My uncle has come *from* Aswan.	ماي انكل هيزكم فروم أسوان .
٤. هو يمنعني عن الذهاب إلى هناك .	He prevents/stops me *from* going there.	هي بريفينتس /استوبس مي فروم غوئينغ دير .

By

٥. تتقدم شركته بسرعة فائقة .	His company is progressing *by* leaps and bounds.	هزكومباني اِز بروجريسينغ باي ليبس أند باوندس .
٦. كان يصاحبني والدي/كنت مصحوبا بوالدي.	I was accompanied *by* my father.	آي واز اكمبنيد باي ماي فادر .
٧. لا تقلق بهذا الخبر.	Please don't get disturbed *by* this news.	بليز دونت غت دستربد باي دس نيوز .
٨. استمتع بقصتي جداً .	He was highly amused *by* my story.	هي واز هايلي اميوزد باي ماي استوري .
٩. يجب أن يصل هذ الطرد إلى الرباط حتى يوم الاثنين .	This packet should reach Rabat *by* Monday.	دس باكت شد ريتش رباط باي منديه .

With

١٠. إنك لا تعرف كيف يعامل مع الآخرين.	You don't know how to deal *with* others.	يو دونت نو هاو تو ديل ود أدرس .
١١. يجب أن نعرف اللغة الإنجليزية .	We should be acquainted *with* the English language.	وي شد بي اكوينتد ود دَ اينجلش لانغويج .
١٢. إنه كان موهوباً بفن الرسم .	He was gifted *with* a talent of painting.	هي واز غفتد ود ا تيلنت أوف بينتنغ .

١٣. نحن سئمنا من سلوكه .	We got *fed* up with his behaviour.	وي غوت فد أب ود هز بهيفير .
١٤. إن مديرى راضٍ / مسرور بي	My boss was pleased *with* me.	ماي بوس واز بليزد ود مي .

In

١٥. كان مشغولاً بعمله / منهمكا في عمله .	He was *absorbed/busy in* his work.	هي واز أبزوربد / بزى إن هز ورك .
١٦. إن شهلاء صمّاء بأحدى أذنيها .	Shahla is deaf *in* one ear.	شهلا از دف ان ون اير.
١٧. يجب أن تكون لطيفا في سلوكك .	You must be *polite in* your behaviour.	يو مست بي بولايت ان يور بهيفير.
١٨. إنه ماهر في الموسيقى .	He is *well* versed *in* music.	هي از ول ورسد ان ميوزك .

Of

١٩. كان متأكدا من النجاح .	He was sure *of* success.	هي واز شيور أوف سكسس .
٢٠. إنه يعرف موطن ضعفه .	He is fully aware *of* his weakness.	هي از فلى اوير أوف هز ويكنس .
٢١. إنه مغرم بالمانجو .	He is fond *of* mangoes.	هي از فوند أوف مانجوز .
٢٢. إنه يذكّرني أخاه .	He *reminds* me *of* his brother.	هي ريمائندس مي أوف هز برودر .
٢٣. إنه شرف عظيم لي .	It's a matter *of* great honour for me.	اتس أ ماتر أوف غريت اونر فور مي .

For

٢٤. هل هي تستعد / تدرس للامتحان؟	Is she preparing/studying *for* the test?	از شي بريبرينغ /استدينغ فورد تست؟
٢٥. إننى دائماً اهتم به وأراعيه .	I always care *for* him.	آي آلويز كير فور هم .
٢٦. إنه اعتذر إليّ عن سوء سلوكه .	He apologized to me *for* his misbehaviour.	هي ابولوجائزد تو مي فور هز مس بهيفير .
٢٧. يلزم عليه أن يعطى الحساب للنقود .	He'll have to account *for* the money.	هيئل هيف تو اكاونت فور د مني.

To

٢٨. إنه مدمن على التدخين .	He is addicted *to* smoking.	هي از أدكتد تو اسموكينغ .
٢٩. إنه عمل خلافاً للقواعد .	He acted contrary *to* the rules.	هي اكتِد كونترارى تو د رولس .
٣٠. يفضّل بعض الناس المال على الصحة ..	Some people prefer wealth *to* health.	سم بيبل بريفر ولث تو هلث .
٣١. إنه أحال الأمر إلى السلطات العليا .	He referred the matter *to* the higher authorities.	هي ريفرد د ميتر تو د هاير او ثورتيز .

Into

٣٢. بحثت الشرطة في الأمر .	The police inquired/looked *into* the matter.	د بوليس انكوائرد / لكد انتو د ميتر .
٣٣. وضعنا كتبنا في حقائبنا .	We put our books *into* our bags.	وي بت أور بُكس انتو أور بيغس .
٣٤. دخل الحجرة .	He went *into* the room.	هي ونت انتو د روم .

Against

٣٥.	إنّي أحذّرك دائما من أعدائك .	I always warn you *against* your enemies.	آي الويز وارن يو أغينست يور انميز .
٣٦.	حذّره الطبيب ضدَّ القيام بعمل شاق .	The doctor cautioned him *against* working too hard.	د دكتور كوشند هم اغينست وركينغ تو هارد .

On

٣٧.	إن نقده ليس مبنيا على الحقائق .	His criticism is not based *on* facts.	هز كريتسزم از نوت بيزد أون فاكتس .
٣٨.	لماذا عزمت على الذهاب إلى هناك .	Why are you bent *on* going there?	واى آريو بنت أون غوينغ دير؟
٣٩.	لا نستطيع أن نعتمد عليه .	We cannot rely *on* him.	وي كان نوت رلاي أون هم .

Over

٤٠.	الثلج متناثر على الشارع .	Snow/Ice is scattered *over* the road.	سنو/ آيس از اسكاترد أوور د رود.
٤١.	الجسر فوق النهر .	The bridge is *over* the river.	دَ برج از أوفر دَ ريفر .

About

٤٢.	الأم قلقة حول صحة ولدها .	The mother is worried *about* her son's health.	دَ مدر از وريد أباوت هر سنز هيلث .
٤٣.	إنها كانت تسأل عن سعاد .	She was enquiring *about* Suad.	شي واز انكوائرينغ أباوت سُعاد .

{Phrase Prepositions}

٤٤.	كنت على وشك الذهاب .	I was *about* to go.	آي واز اباوت تو غو .
٤٥.	إنه نجح بفضل اجتهاده .	He succeeded *by dint of* hard work.	هي سكسيد د باي دنت أوف هارد ورك.
٤٦.	يجب أن نكون مستعدين لتضحية كل شيء في سبيل الوطن .	We should be prepared to sacrifice everything *for the sake of* our country.	وي شد بي بريبيرد تو سكريفايس افرى ثينغ فور د سيك أوف اور كنتري.
٤٧.	يجب أن نعمل لخير أصدقائنا .	We should act *in favour of* our friends.	وي شد اكت ان فافر أوف اور فريندس.
٤٨.	يجب أن نعمل لأجل عيشنا .	We must work *in order to* live.	وي مست ورك ان أوردر تو لِف.
٤٩.	حضرت المكتب على مرضي .	I attended the office *in spite of* my illness.	آي اتندد د أوفس ان اسبايت أوف ماي إلنس.
٥٠.	نحن محاطون بالمشاكل .	We are *in the midst of* trouble.	وي آر ان د مِدست أوف تربل .

٥١. أضطرّ إلى أن يقوم من وسط المجلس فجأة . | He had to leave suddenly *in the midst of* meeting. | هي هيد تو ليف سدنلى ان دَ مدست أوف ميتنغ .

٥٢. أضطر عباس إلى ترك الدراسات بسبب قلة المال . | Abbaas had to give up studies *for want* of money. | عباس هيد تو غف أب استديز فور وانت أوف مني .

للملاحظة (To Remember)

١. تستعمل حروف الإضافة (Prepositions) مع الفعل وغيره ومن اللازم التمرن عليها .

تستعمل عادة مع أفعال abstain, prevent, recover كلمة from ومع satisfy, please, accompany, replace, deal, كلمة with ومع care, apologise, prepare, كلمة *for* ومع addict, prefer, refer كلمة *to* ومع rely, base كلمة *on*.

وكل ذلك يمكن فهمها بالأمثال المذكورة أعلاه .

٢. عمّ استعمال عدة حروف للإضافة . وإن Phrase Prepositions تستعمل كما هي . مثلاً : by dint of, for the sake of, in order to, in the midst of, on the eve of . لاحظ استعمالاتها في الجمل السابقة . وهي وأمثالها تستعمل كثيراً في الإنجليزية . وهي تساعد في زيادة مجموعة الكلمات لكل من يريد تعلم الإنكليزية . فحاول أن تستعمل Phrase Prepositions في الجمل .

25 th Day اليوم الخامس والعشرون

(Active Voice and Passive Voice) المعلوم والمجهول

إننا، حينما نتكلم، نستعمل الفعل بطريقتين إما (i) باسناده إلى الفاعل (doer) نحو Haris learns the first lesson. (حارث يحفظ الدرس الأول) أو (ii) باسناد الفعل إلى المفعول (receiver) نحو The first lesson is learnt by Haris. (يحفظ الدرس الاول من قبل حارث). يسمى النوع الأول منهما Active Voice والنوع الثاني Passive Voice. ويجب على المتكلم أن يختار Voice حسب ما يقتضيه الظرف. وفيما يلي جمل من كلا النوعين، لاحظهما وافهمهما جيدا.

Active Voice	Passive Voice
١. هو يغني غناء . He sings a song. هي سنغز أ سونغ .	A song is sung by him. يغنى غناء من قبله . أ سونغ إز سنغ باي هم .
٢. إني بلّغت الرسالة . I delivered the message آي ديليورد د مسيج .	The message was delivered. بُلغت الرسالة . د ميسج واز ديليفرد .
٣. إنّهم سيلعبون كريكت . They'll play cricket. ديئل بليه كريكت .	يُلعب كريكت من قبلهم . Cricket will be played by them. كريكت ول بي بليد باي ديم .
٤. هل تكتب رسالة ؟ Are you writing a letter? آر يو رايتينغ أ ليتر؟	هل تكتب رسالة من قبلك ؟ Is a letter being written by you? إز أ ليتر بينغ رتن باي يو ؟
٥. كان العمال يحفرون جدولا . Labourers were digging a canal. ليبررز ور دِغنغ ايه كنال .	كان جدول يُحفر من قبل العمال . A canal was being dug by the labourers. أ كنال واز بينغ دغ باي د ليبررز .
٦. هل أنهيتم هذا العمل؟ Have you finished this job? هيف يو فنشد دِس جوب؟	هل أُنهي هذ العمل على يدكم ؟ Has this job been finished by you? هيز دِس جوب بين فنشد باي يو؟
٧. هل تكون قد ربطتَّ أمتعتك قبل وصول القطار؟ Will you have packed your luggage before the train's arrival? ول يو هيف بيكد يور لغيج بيفور د تريز أرايفل ؟	هل تكون أمتعتك قد رُبطت قبل وصول القطار؟ Will your luggage have been packed before the train's arrival? ول يور لغيج هيف بين بيكد بيفوردَ تريز ارايفل؟
٨. ساعده . Help him. هيلب هم .	Let him be helped.(by you). لِيُساعدُ من قبلك . لت هم بي هيلبد (بای يو) .

لتحويل Voice من المعلوم إلى المجهول يلزم أمران :

(i) يحذف الفاعل (وقد يذكر في الأخير بحرف جر) و يوضع المفعول مكانه نحو : قتل خالد أسدا Khalid killed a lion. فهذه الجملة تصير في المجهول قُتل أسد بيد خالد . . A lion was killed by Khalid

(ii) يتغير الفعل الرئيسي main verb إلى Participle فأمثال do, doing وغيرها تتحول إلى done وهناك حاجة إلى فعل مساعد كمثل is, was, be, being, has been وغيرها . ويمكنك ملاحظة صور الأفعال المختلفة في الجمل السالفة .

والجمل التالية فعلها Passive Voice ولم يذكر الفاعل فيها. فيكون تحويلها إلى Active Voice صعبا . واستعمال مثل هذه الجمل شائع في اللغة .

المبنى للمجهول (Passive Voice)

٩. بُني التاج محل بكلفة هائلة .	The Taj *was built* at an enormous cost.	د تاج واز بلت أيت أين إنورمس كوست .
١٠. تُزرع الذرة في موسم الأمطار .	Maize *is sown* in the rainy season.	ميز إز سون إن دَ ريني سيزن .
١١. ستعاقب على إمهالك .	You *will be punished* for your negligence.	يو ول بي بنشد فور يور نيغليجنس .
١٢. أُتهم بالسرقة .	He *was accused of* theft.	هي واز ايكيوزد أوف ثفت .
١٣. ستكون جميع الأوراق قد فحصت .	All the papers *will have been marked.*	أول دَ بيبرز ول هيف بين ماركد .
١٤. هل خُدعت .	*Have* you *been cheated*?	هيف يو بين شيتد ؟
١٥. هل أُخبر؟	*Has* he *been informed?*	هيز هي بين إنفورمد .
١٦. قُتل عند محاربة الصينين المعتدين .	He *was killed* fighting the Chinese aggressors.	هي واز كلد فائيتنغ د شائنيز أغريسرس .
١٧. وُلد جدي يوم ٢ أكتوبر ١٨٦٩ م .	My grandfather *was born* on 2nd October 1869.	ماي غراند فادر واز بورن أون سيكند أكتوبر ١٨٦٩ .
١٨. المهرجان الدولي يعقد كل سنة في دُبي .	International fair *is held* every year in Dubai.	دَ إنترنيشنل فير إز هيلد ايفري إير إن دُبي .
١٩. تُصدر عدة صحف يومية من دُبي .	Many dailies *are published* from Dubai.	مينى ديليز آر ببليشد فروم دُبى .
٢٠. سيُسرون بمقابلتك .	He *will be pleased/happy* to see you.	هي ول بي بليزد/ هيبي تو سي يو .
٢١. دُهشتُ بمنظر الفيضان الجائح .	I *was surprised* to see the fury of the floods.	آي واز سربرائزد تو سي د فيورى أوف دَ فلدس .
٢٢. يُقال/ يعتقد أن ٢٠ ألف رجل قتلوا في الحرب الأخيرة .	*It is said/believed* that twenty thousand people were killed in the last war.	ات از سيد/ بليفد ديت توينتى تاؤزند بيوبل وركلد إن دَ لاست وار .

Imperative Sentences

لتحويل الفعل في جمل الأمر (Imperative mood) من المعلوم إلى المجهول أحيانا

(a) تستعمل كلمة let في البداية ، وأحيانا (b) تستعمل في جمل active voice كلمة request or should حسب معانيها وتركب الجملة في passive voice تمرن أنت لكلتا الطريقتين .

٢٣. انجز هذا العمل .	Do this work.	لينجز هذا العمل على يدك	Let this work be done (by you).
	دو دس ورك .		لت دس ورك بي دن (باي يو) .
٢٤. اسأله أن يجلس .	Ask him to sit down.	ليطلب منه أن يجلس.	Let him be asked to sit down.
	آسك هم تو ست داون .		لت هم بي آسكد تو ست داون .
٢٥. عاقبه .	Punish him.	ليعاقب على يدك .	Let him be punished (by you).
	بنش هم .		لت هم بي بنشد (باى يو)
٢٦. اعلن للوظيفة .	Advertise the post.	ليعلن عن الوظيفة .	Let the post be advertised.
	ادور تائز د بو ست .		لت د بوست بي ادورتائزد .
٢٧. لا تدخن من فضلك .	Please don't smoke.	يرجى منك أن لا تدخن .	You are requested not to smoke.
	بليز دونت اسموك.		يو آر ريكو ستد نوت تو اسموك .
٢٨. لا تشجع اللا انضباط .	Don't encourage indiscipline.	يجب أن لا يشجع اللا انضباط .	Indiscipline shouldn't be encouraged.
	دونت إنكريج إندسيبلين .		إنديسيبلين شدنت بي إنكريجد .

(To Remember) للملاحظة

١. لاحظ الجملتين التاليتين:

(a) Ahmed killed the lion.

(b) The lion was killed by Ahmed.

أن فعل الجملة الأولى مبني للمعلوم (Active Voice) وفعل الثانية مبني للمجهول (Passive Voice) وفي المبني للمعلوم إن الفاعل هو المهم بينما في المجهول المفعول هو المهم .

٢. عند تحويل الكلام من المعلوم إلى المجهول نستعمل كلمة by نحو :

(i) The lion was killed by Ahmed. (ii) Cricket will be played by them.

٣. ولا نستعمل كلمة by في عدة أحيان نحو :

(i) Let your lesson be learnt. (ii) He was charged with theft.

اذكر أن المجهول يستعمل عندما يُراد إبراز الأهمية للمفعول فعلى سبيل المثال إذا أهمل التلميذ في الدراسة فيقال له : You will be punished for your negligence. (ستُعاقب على إهمالك) . وكان من الممكن أن يقال : The teacher will punish you for your negligence. (سيعاقبك الأستاذ على إهمالك) . وعند التأمل يظهر لك أن التعبير الأول أنسب وأبلغ تاثيراً من الثاني . لأن الأهمية هنا للمعاقبة لا للذي يعاقبك .

26 اليوم السادس والعشرون
th Day

(Transformation of Sentences) تحويل الجمل

إن هناك عدة طرق للتعبير عن معنى واحد . فإذا قلنا نفس الشيء بجملة أخرى رأينا أن الجملة الثانية تختلف عن الجملة الأولى في اللفظ والمعنى واحد . ويسمى هذا الشيء تحويل الجمل (transformation of sentences)

بيّنا في الدرس السابق (Active Voice and Passive Voice) وهو أيضا نوع من تحويل الجمل وفي هذا الدرس نتبين طرقاً أخرى منه .

إن هناك عدة أقسام للجمل وهي : استفهامية ، (Interrogative)، وتوكيدية (Assertive)، وسلبية (Negative) ، وتعجبية (Exclamatory)، وايجابية (Affirmative)

دعنا نرى كم من التوافق في مختلف الجمل في المعاني :

اسفتهامية (Interrogative)

١ . أيمكن أحدا أن يتحمل مثل هذه الإهانة؟

Can anybody/anyone bear such an insult?

كان ايني بدى/ ايني ون بير ستش أن انسلت؟

Who can bear such an insult?

هو كان بير ستش أن انسلت؟

تاكيدية (Assertive)

لا يمكن أحداً أن يتحمل مثل هذه الإهانة .

Nobody/No one can bear such an insult.

نو بدى / نو ون كان بير ستش أن انسلت؟

٢ . أليست الصحة أغلى ثمنا من الغنى؟

Is not health more precious than wealth?

از نوت هيلث موربريشس دين ويلث؟

الصحة أغلى ثمنا من الغنى.

Health is more precious than wealth.

هيلث از مور بريشيس دين ويلث .

٣ . ألم يتمتعوا بالحفلة ؟

Did they not enjoy at the party?

دد ديه نوت انجواى أيت دَ بارتي؟

تمتعوا بالحفلة .

They enjoyed at the party.

ديه انجوائيد أيت دَ بارتي .

٤ . أ ننسى هذه الأيام الجميلة أبداً ؟

Shall we ever forget these good days?

شيل وي ايفر فورغت ديز غد ديز؟

لن ننسى هذه الأيام الجميلة أبداً .

We'll never be able to forget these good days.

وي ول نيفر بي ايبل تو فورغت ديز غد ديز .

تعجبية (Exclamatory)

٥ . ما كان أحسن المنظر!

What a beautiful scene/lovely sight it was.

وات أيه بيوتي فل سين/ لفلي سايت إت واز!

إيجابية (Affirmative)

كان المنظر جميلا رائعا !

It was a beautiful scene/lovely sight.

إت واز أيه بيوتي فل سين/ لفلي سايت !

٦. ما أبرد الليلة!

It is a bitterly/terribly cold night!

ات از أ بترلى/ تيربلى كولد نايت!

البرد في هذه الليلة قاس/قارس .

What a cold night it is!

وات أ كولد نايت اِت اِز!

٧. ماأصعب الحياة التي نعيش!

What a hard life we live/lead!

وات أ هارد لايف وي لِف/ ليد!

إنا نعيش حياة صعبة!

We live/lead a very hard life!

وي لِف/ ليد أ فيري هارد لايف!

الأمر (Imperative)

٨. افتح الباب من فضلك .

Please open the door.

بليز أوبن دَ دور .

استفهاميه (Interrogative)

أيمكنك أن تفتح الباب من فضلك ؟

Will you please open the door?

ول يو بليز أوبن د دور؟

٩. تفضل اشرب كوبا من لبن .

Please have a cup of milk.

بليز هيف أ كب أوف ملك.

هل تشرب كوب لبن؟

Will you please have a cup of milk?

ول يو بليز هيف أ كب أوف ملك؟

١٠. أسكت من فضلك .

Please keep quiet.

بليز كيب كوايت؟

أيمكنك أن تسكت ؟

Will you please keep quiet?

ول يو بليز كيب كوايت؟

بيانية (Positive)

تفضيل (المقارنة)(Comparative)

يمكننا أن نقول شيئا واحدا يخص بالتفضيل بطرق مخلتفة والمعنى واحد .

١١. أحمد طويل مثل ساجد .

Ahmed is as tall as Sajid.

أحمد إز أيز تال أيز ساجد .

ساجد ليس بأطول من أحمد .

Sajid is not taller than Ahmed.

ساجد إ ز نوت تالر دان أحمد .

١٢. قليل من مدن بلادنا كبير مثل القاهرة .

Very few cities in our country are as big as Cairo.

ويري فيو ستيز ان أور كنتري آرأيز بغ أيز كيرو .

القاهرة أكبر من معظم مدن بلادنا .

Cairo is bigger than most other cities in our country.

كيرو از بغر دان موست أدر ستيز إن أور كنتري .

١٣. لم يكن أحد آخر أقوى من علي .

No other man was as strong as Ali.

نو ادر مان واز ايز استرونغ ايز على .

علي كان أقوى من كل شخص .

Ali was stronger than any other man.

علي واز استرونغر دين ايني أدر مان .

بيانية (Positive)

تفضيل الكل (Superlative)

١٤. قليل من الشعراء العرب كان شهيرا/ محبوبا مثل المتنبي .

Very few Arab poets were as popular/ famous as Mutanabbi.

فيري فيو عرب بويتس ور أيز بوبولر/ فيمس أيز متنبي .

كان المتنبي من أشهر/أحب الشعراء في عالم العرب .

Mutanabbi was one of the most popular/ famous poets of Arab world.

متنبي وازون أوف دَ موست بوبولر/فيمس بويتس أوف عرب ورلد .

سلبية (Negative)

إيجابية (Affirmative)

يمكن تحويل الجمل السلبية (Negative) إلى إيجابية (Affirmative) باستعمال كلمات النفي بحيث يكون معنى كلتيهما سواء .

١٥. لا إنسان خالد.

No man is immortal.

نو مان إز إمّورتال .

الإنسان فان .

Man is mortal.

مان إز مورتال .

١٦. سلمى ليست ذكية مثل غادة .

Salma is not as intelligent as Ghadah.

سلمى إز نوت أيز انتيليجنت أيز غادة .

غادة أذكى من سلمى .

Ghadah is more intelligent than Salma.

غادة از مور انتيليجنت دان سلمى .

١٧. بدون الكد لا تدرك المعالى .

There is no gain without hard work.

دير از نو غين ود آوت هارد ورك .

من جدّ وجَدَ .

Where there is hard work, there is gain.

وير دير از هارد ورك دير از غين .

١٨. إنها لا تهمل أبداً في أعمالها اليومية/ الروتينية .

She never neglects her daily/routine work.

شي نيفر نغلكتس هر ديلي/ روتين ورك .

إنها دائما تعتني بأعمالها اليومية/ الروتينية .

She always pays attention to her daily/routine work.

شي ألويز بيز اتنسيون تو هر ديلي/ روتين ورك

١٩. لم تمض برهة على وُصولي إلى المحطة إلا أن القطار قد قام .

No sooner had I reached the station *than* the train left.

نو سونر هيد آي ريتشد د استاسيون دان د ترين لفت .

حالما وصلتُ إلى المحطة إذ قام القطار .

Scarcely had I reached the station *when* the train left.

اسكار سلي هيد آي ريتشد دَ استاسيون وين دَ ترين لفت .

للملاحظة (To Remember)

١. لاحظ هذه الجملة :

Egypt is our country. We are *her* citizens.

لكلمة 'country' استعملنا her (هر) لأنها في الإنجليزية مؤنث .

٢. إن كلمات مثل (tree)، شجر و(spider) عنكبوت من الجنس الحيادى أو المحيّر . ليست هي مذكرا ولا مؤنثا . وتستعمل لمثل هذا الجنس it . والكلمات التالية من هذا النوع :

ماء	water	(واتر)	سكر	sugar	(شوغر)	ثلج	ice	(آيس)
خبز	bread	(بريد)	عشب	grass	(غراس)	زهر	flower	(فلوور)

٣. وهناك كلمات ليست حية ولكنها صُنفت إما مؤنثاً (feminine gender) أو مذكرا (masculine gender) نحو : لم تصل السيفينة بعد، لعلها متأخرة .. The ship hasn't come yet. She is probably late (دى شب هيزنت كم يت، شي از بروبابلى ليت. في هذه الجملة ship ليست بكائنة حية ولكنها اعتبرت مؤنثا (feminine gender). ولكن الشمس (sun)والموت (death) فهما مذكران .

27 اليوم السابع والعشرون
th Day

الأسماء القابلة للعد و غير القابلة له (Countable & Uncountable Nouns)

إن هناك أسماء يمكن عدّها وهي (countable) وأخرى لا يمكن عدها وهي (uncountable) أما النوع الأول فهو ما يتعلق بالأشخاص أو الأفراد ويأتي جمعه أيضا مثل .boy, boys وأما النوع الثاني فهو ما يتعلق بالمواد أو الصفات ولا يأتي جمعه ومن اللازم فهم كلا النوعين والتمرن عليهما .

A

الأسماء القابلة للعد (Countable Nouns)

١.	هناك عدة طلاب في الفصل .	There are *some/a few* students in the class.	دير آر سم/أ فيو استودنتس أن دَ كلاس.
٢.	هل هناك أية بنت في القاعة ؟	Is there *any* girl in the hall?	از دير ايني غرل ان د هال؟
٣.	لا ولد في الميدانِ.	There is *no* boy in the playground.	دير از نو بوائيه ان دَ بليه غراوند .
٤.	لا اِحدى من هولاء البنات	*None* of these girls	نن آف ديز غرلس
	كانت موجودة هناك .	was present there.	واز بريزينت دير .
٥.	هل لعب أحدكم كرة القدم .	Did *any* of you play football?	دد ايني أوف يوبليه فت بال؟
٦.	لم يحضر كثير من الأولاد،	*Many* of the boys hadn't come	ميني آف دَ بوائز هيدنت كم
	في المدرسة بالأمس .	to school yesterday.	تو اسكول يسترديه .
٧.	هناك في السلة عدد من المانجو .	There are a *few* mangoes in the basket.	دير آرأ فيو مينغوز ان دَ باسكت .
٨.	من الصعب أن تحبه أية بنت .	*Hardly* any girl would like him.	هاردلي ايني غرل وُدلايك هم .
٩.	في ذلك الكتاب صفحات أكثر	That book has *more* pages	ديت بك هيز مور بيجز
	من هذا الكتاب .	than this book.	دان دس بك .
١٠.	عانى كثير من الناس بسببه .	*Many* a man has suffered at his hands.	ميني أ مان هيز سفرد أيت هز هيندس .
١١.	لم يأت أحد من ذينك الرجلين .	*Neither* man has come.	نائيدر مان هيز كم ؛
١٢.	هو يتلقى راتبا قليلا .	He gets a *small* salary.	هي غيتس أ اسمول سيلرى .

B

الأسماء غير القابلة للعد (Uncountable Nouns)

١٣.	أليس هناك قليل من الحليب في الزجاجة .	Isn't there *any* milk in the bottle?	از نت ديرايني ملك ان د بوطل؟
١٤.	أعطِني من فضلك قليلاً من الماء .	Get me *some* water, please. Let me	غيت مي سم واتر بليز ، ليت مي
		have *some* water please.	هيف سم واتر بليز .

١٥.	هل يوجد في الزجاجة قليل من الحليب .	Is there *any* milk in the bottle?	از ديراينى ملك ان دَ بوطل؟
١٦.	كم الحليب في الكوب .	How *much* milk is there in the glass?	هاو متش ملك از ديران دَ جلاس؟
١٧.	الحليب في كوبك أقل منه في كوبي .	Your glass has *less* milk than mine.	يور جلاس هيز ليس ملك دان مائن .
١٨.	هل أعطيك مزيداً من الحليب ؟	Shall I give you *some more* milk?	شيل آي غِف يو سم مور ملك ؟
		Will you have *some more* milk?	ول يو هيف سم مور ملك .
١٩.	كان في النهر ماء كثير .	There was *a lot of* water in the river.	دير واز أ لوت أوف واتران دَ ريفر .
٢٠.	هل هو نصف ذلك بالضبط؟	Is it exactly *half* of that?	إز إت اكزكتلى هاف أوف ديت؟

C

(The Emphasis) التأكيد

٢١.	جيء حتميا ،لا تنسَ	*Do* come tomorrow. *Don't* forget./	دو كم تومورو-دونت فورغت/
	يجب عليك أن تجيء غدا .	You *must* come tomorrow.	يومست كم تومورو .
٢٢.	جاء كل من ريم وأخوها لزيارتي .	*Both* Reem and her brother came/	بوث ريم اند هر بردر كيم/
		dropped in to see me.	دروبد ان تو سي مي .
٢٣.	لن أعفو عنه أبداً .	I will never forgive him.	آي ول نيفر فورغِف هم .
٢٤.	إني فرح حقاً .	*Indeed/Of course,* I am happy.	انديد / أوف كورس آي ايم هيبى .
٢٥.	أنت لا تجتهد في الدراسة، أليس كذا ؟	You *don't* study hard, do you?	يو دونت استدى هارد،دو يو؟
٢٦.	إني لأجتهد اجتهاداً .	*Of course,* I do.	أوف كورس، آي دو .
٢٧.	اسكت من فضلك .	*Please* keep quiet./*Please* be quiet.	بليز كيب كوائت/ بليز بي كوائت .
٢٨.	اكتب إلى أبيك حتمياً .	*Do* write to your father.	دو رائت تو يور فادر .

(To Remember) للملاحظة

١. لصيغة الصفة (adjective) ثلاث degrees . الأولى positive مثل poor ، والثانية comparative مثل : poorer والثالثة superlative مثل : poorest:

٢. Hasan is *poorer than* Nassir.

He is *more careful* than his brother.

عند استعمال Comparative degree يجب استعمال كلمة than بعد poorer وغيرها .

٣. عند استعمال .Superlative degree يجب استعمال كلمة the قبل الصفة مثل

Mahamood is the *oldest* boy in the class.

28 th Day اليوم الثامن والعشرون

استعمال مختلف الكلمات (Miscellaneous Uses)

A

استعمال That و It

١. من ذلك/هو/هي؟	Who is *that/he/she?*	هواز ديت/هي/شي؟
٢. ذلك صديقي .	*It's* my friend.	اتس ماي فريند .
٣. ما كان ذلك جواباً صحيحا .	*It* was not the correct answer.	ات واز نوت د كركت آنسر .
٤. هذ الكتاب لك وذلك لي .	This is your book. *That* is mine.	دس از يور بك ، ديت از ماين .
٥. من هناك ؟	Who is there?	هو از دير؟
٦. أنا .	*It's* me.	اتس مي .
٧. هل تريد أن تقابلني أنا ؟	Is *it* me you want to see?	ازات مي يو وانت تو سي؟
٨. هل تدعوني أنا؟	Is *it* me you are calling?	ازات مي يو آر كالنغ؟
٩. كان ذلك أسعد الأيام في حياتها.	*It* was the happiest day of her life.	ات واز د هيبيست ديه أوف هر لايف .
١٠. ليس هناك أيّ فرق في ذلك .	*It* doesn't make any difference.	ات دزنت ميك ايني ديفرينس .
١١. إنه لا يهمني .	*It* doesn't matter to me.	ات دزنت ميتر تو مي .
١٢. الساعة رابعة تماما .	*It's* four o'clock.	اتس فور اوكلوك .

B

١٣. هل تعطيني إما قلم حبر أو قلم رصاص ؟	Will you please give me *either* a pen *or* a pencil?	ول يو بليز غِف مي آئيدر أيه بين اورأيه بنسل؟
١٤. كلا الجوابين صحيح .	*Both* answers are correct.	بوث آنسرزآر كركت .
١٥. لا هي معلمة ولا هي طالبة.	She is *neither* a teacher *nor* a student.	شي از نائيدر أ تيشر نورأ استوديِنت .
١٦. لا أحد من المتهمين مجرم .	*None* of the two prisoners is guilty.	نن آف دَ تو برزنرس از غلتى .
١٧. هناك عدد كبير من الطلبة في الفصل .	*There* are many/a number of students in the class.	دير آر ميني/أ نمبر أوف استو دينتس ان دَ كلاس .
١٨. يجب أن تجتهد رشيدة ومديحة كلتيهما .	*Both* Rasheeda and Madeeha should work hard.	بوث رشيدة اند مديحة شد ورك هارد .
١٩. قميصي أبيض وكذلك قميصك أيضا أبيض .	My shirt is white. Your shirt is white *too.*	ماي شرت از وايت . يور شرت از وايت تو .
٢٠. سترتي ليست بسوداء وكذلك سترتك.	My coat is not black.	ماي كوت از نوت بليك .

أيضا ليست بسوداء . Your coat is not black *either.* يور كوت از نوت بليك آيدر .

C

٢١. إن المنظر هنا طيب/جميل/حلو. The scenery here is nice/beautiful/lovely. دَ سينرى هيراز نائس/بيوتى فل لفلى .

٢٢. قد أكملت قراءة ثلثي هذ الكتاب . I have finished *two-thirds* of this book. آي هيف فنشد تو ثردس أوف دس بك .

٢٣. أمر القاضي بالقبض عليه . The magistrate *ordered* his arrest. دَ مجستريت أوردرد هز اريست .

٢٤. أقابله عندما أذهب إلى الشارقة. I'll see him when I go to Sharjah. آيل سي هم وين آي غو تو شارجة .

٢٥. إني قد أكلت الطعام . I *have* had my food/meals. آي هيف هيد ماي فود/ميلز .

٢٦. الوقت ثمين كالنقود . Time is money. تايم از مني .

٢٧. هل تلقيت مائة درهم كعلاوة شهرية . Did you get *a* monthly allowance of *a* hundred rupees? دد يو غت أ منثلي ا لاونس أوف أ هندريد روبيز؟

٢٨. عمري خمس وأربعون سنة . I *am* forty-five. آي ايم فورتي فائيف.

٢٩. ماذا يمكن أن يعمل الآن ؟ What *can be done* now? وات كين بي دن ناو؟
What's *to be done* now? وتس تو بي دن ناو؟

٣٠. قد اجترحت كلتا يديّ . *Both* my hands have been injured. بوث ماي هيندزهيف بين انجيورد .

٣١. إني قد تركت الرسم الفني . I have *given up* painting. آي هيف غيون اب بينتينغ .

للملاحظة (To Remember)

هناك عدة استعمالات لاسم الضمير it (pronoun) وهي كالآتي :

(١) للحيوانات أو الأطفال الصغيرة نحو : After dressing the wound of the dog, the doctor Patted it and sent it home. بعد تضميد جرح الكلب لاطفه الطبيب وأرسله إلى البيت .

As soon as the child saw its mother, it jumped towards her حالما رأى الطفل أمه وثب إليها .

(٢) للتاكيد على أي noun أو pronoun : It was Columbus who discovered America.

كان ذلك كولمبس الذي اكتشف أمريكا .

(٣) عند الحديث عن الجو والطقس .It is cold الجو بارد. It is raining outside. هناك مطر في الخارج .

(٤) لضمير المفعول Object قبل ذكره : Children find it difficult to sit quietly.

انه من الصعب للأطفال أن يجلسوا ساكتين .

(٥) للإشارة إلى مضمون الجملة السابقة : He was wrong and he realises it.

كان على خطأ وهو يعرف ذلك . كلمة it هنا تشير إلى كونه على خطأ (he was wrong) إن لكلمة it استعمالات كثيرة فيجب التمرن عليها بعناية .

29th Day اليوم التاسع والعشرون

(Countables & Uncountables) الأسماء القابلة للعد وغير القابلة له

١.	جميع الكتب التي على هذه الطاولة زرقاء.	*All* the books on this table are blue.	أول د بُكس أون دس تيبل آر بلو.
٢.	كل واحد في الحشد كان مذهولا .	*Everyone* in the crowd was stunned.	ايفري ون ان د كراود وازاستند.
٣.	كل واحد منهم عنده سيارته الخاصة .	*Each* of them has his own car.	ايتش أوف ديم هيز هزاون كار .
٤.	اشتريت أربعة أقلام، كل واحد بخمسة عشر فلسا .	I bought four pens at fifteen fils *each.*	آي باوت فور بينس ايت ففتين فلس ايتش .
٥.	كل من سعاد و ريم تحب احداهما الأخرى .	Suad and Reem are fond of *each other.*	سُعاد اند ريم آر فوند آف ايتش أدر.
٦.	راشد يزور أُمّه بعد كل أسبوع .	Rashid visits his mother *every other* week.	راشد فزتس هز مدر ايورى أدر ويك .
٧.	أيّ من هذين المفتاحين يفتح القفل .	*Either* of these two keys will fit the lock.	آيدر أوف ديز توكيز ول فت د لوك .
٨.	أعطني شيأ للأكل .	Give me *something* to eat.	غف مي سم ثنغ تو ايت .
٩.	اخرج من جيبك إذا كان أيّ شيء .	Take out *anything* you have in your pocket.	تيك آوت اينى ثنغ يو هيوان يور بوكت .
١٠.	ضيّعت كثيراً من الأشياء .	I've lost *many a thing.*	آئيف لوست مينى أ ثنغ .
١١.	هل جاء أحد ؟	Has *someone* come?	هيز سم ون كم؟
١٢.	نعم، ينتظرك واحد (شخص) .	Yes, *somebody* is waiting for you.	يس سم بدى ا ز ويتنغ فور يو .
١٣.	كان هناك ضجة في كل بيت .	There was commotion/uproar in *every* house.	دير وازكموشن/ابرور ان ايفرى هاؤس.
١٤.	هل جاء أحد آخر؟	Had *anybody/anyone* else come.	هيد ايني بدي/ايني ون ايلس كم .
١٥.	لم يأت أحد هنا .	*Nobody/No one* came here.	نو بدى/ نو ون كيم هير .
١٦.	كل شيء في هذا البيت تحت تصرفك/ ويمكنك أن تستعمل أي شيء أردت في هذا لبيت .	*Everything* in this house is at your disposal./You can use *anything* in this house.	ايفري ثنغ ان دس هاؤس از أيت يور دسبوزل ./يو كان يوز ايني ثنغ ان دس هاؤس .
١٧.	كل واحد في بيتي مريض .	*Everyone* in my house is ill.	ايفري ون ان ماي هاؤس از إل .
١٨.	كانوا في الحديقة كل الوقت . قضوا كل الوقت في الحديقة .	They were in the garden *all* the time./ They spent *all* the time in the garden.	ديه وير ان دَ غاردن اول دَ تايم . ديه اسبينت اول دَ تايم ان د غاردن.
١٩.	جلنا في عموم الحديقة .	We went *all around* the garden.	وي ونت اول أراوند د دَ غاردن .

٢٠.	إنهم قاموا بالزيارة لجميع أنحاء البلاد ..	They travelled *all over* the country.	ديه تريفلد اول اوفر دَ كنتري .
٢١.	انتظرتها في كل هذا الوقت .	*All* this while I waited for her.	اول دس وايل آي ويتيد فور هر .

B

(Idiomatic Sentences) الجمل الاصطلاحية

٢٢.	العادات القبيحة يجب كبحها في البداية .	Bad habits should be *nipped in the bud.*	بيد هيبتس شد بي نبد ان دَ بد.
٢٣.	يعيش محمود عيشةً صعبة ..	Mahmood lives from *hand to mouth.*	محمود ليفز فروم هيند تو ماوث.
٢٤.	لم يتم القبض على اللصوص حتى الآن .	The dacoits are still *at large.*	د ديكوئتس آر استل لارج .
٢٥.	قبض على القاتل مضرّج اليدين .	The murderer was caught *red handed.*	دَ مردرر وازكاوت ريد هيندد .
٢٦.	علمتُ بهذا الأمر .	I *got wind* of this matter.	آي غوت وند أوف دس ميتر.
٢٧.	إنه على وشك الموت .	His *days* are *numbered.*	هز ديز آر نمبرد .
٢٨.	بناء القصور الرملية لا يفيد .	*Building castles in the air* won't help.	بلدنغ كاسلز ان دَ اير وونت هيلب .
٢٩.	إنه نجا من حادثة السيارة بشق النفس .	He had *a narrow escape* in the lorry accident.	هي هيد أيه نيرو اسكيب. ان د لورى ايكسيدينت .
٣٠.	يجب أن لا تغضب إلى حد نفود الصبر على مثل هذه الأمور التافهة .	We should not *lose our temper* over trifles.	وي شد نوت لوز آور تمبر اوور ترفلز .
٣١.	إنه قد مارس و جرّب صروف الزمان وتقلّبه .	He has seen many *ups and downs* in his life.	هي هيز سين ميني أبس أند داونز ان هز لايف .
٣٢.	إنيّ استطيع أن أعمل لا ثنتى عشرة ساعة باستمرار .	I can work for twelve hours *at a stretch.*	آي كان ورك فورتويلف اورز ايت أ استريتش .
٣٣.	إنّه يريد أن يبلغ الذروة بأية وسيلة .	He wants to reach the top *by hook or by crook.*	هي وانتس تو ريتش د توب باي هوك اور باي كروك .

(To Remember) للملاحظة

١. في كل لغة توجد كلمات يستعملها الناس في معاني معيّنة ثم يطبقونها في مختلف المواضع حتى أن الكلمة تستعمل كمثل سائر Proverb . فإذا أردنا أن نتعلم أيّ لغة بصورة جيدة يجب علينا معرفة الأمثال السائرة فيها أيضا .

٢. فإذا أحدث الواحد تغييراً في الكلمات المعينة من ذلك المثل لا يكون صوابا . فعلى سبيل المثال إذا قال شخص Mahmood lives from *foot to mouth* لا يكون صحيحا . والاستعمال الصحيح المصطلح هو Mahmood lives from *hand to mouth.* فيجب استعمال الأمثال السائرة بكل احتراس .

30 اليوم الثلٰثون th Day

(Drill Tables) جداول التدريب

أعطيت هذه الجداول بهدف التدريب . وإذا تدربت عليها تحصل لك قدرة على التكلم بهذه الجمل أولاً ثم بمساعدتها تستطيع أن تبنى جملاً أخرى . في الجدول 8-A إن الضمائر his, her, their, your وغيرها استعملت مع الاسم house بصورة Possessive Adjective. وفي الجدول 8-B أن الضمائر mine or ours, his, hers, theirs, yours جاءت كـ Possessive Pronouns فالقاعدة أن الاسم يستعمل مع Possessive Adjectives ولا يستعمل مع Possessive pronouns

Example: This is *my pen.* (Possessive Adjective)

This pen is *mine.* (Possessive pronoun) فيجب فهم الفرق بين النوعين وحفظه .

(TABLE) — 8   (a) ١٢ جملة   (b) ١٢ جملة   الجدول ٨

	1	2	3
A	This is That isn't	his her their your my our	house.

	1	2
B	This house is That house isn't	his. hers. theirs. yours. mine. ours.

إذا قلنا Mr. Ahmed's فمعناه للسيد أحمد . يستعمل Apostrophe + s ('s) لبيان علاقة شيء أو شخص بآخر .This is Mr. Mahmud's house. She is Muna's sister. ويكثر استعماله للأحياء ويستعمل أحيانا لغير ذات الروح نحو a day's work, a month's supply, a year's growth وغيرها . وبما أن هذه التعبيرات expressions قد كثرت في اللغة فلذلك لا يمكن القول بأنها غير صحيحة .

اليوم الثاني والعشرون

في الجدول ٩ استعملت (Platial words) ظروف المكان in, under, on, near في الجمل .

الجدول ٩   ٣٨٤ جملة   **(TABLE) — 9**

1	2	3	4	5
It Your plate The bottle The cup	is isn't	in under on near	that this your Mr.Ahmed's	bag. basket. table.

اليوم الثالث والعشرون

في الجدول ١٠ هناك تمرين على too — to الكلمتين المتلازمتين (Linking Words) فمعنى I am *too* tired to do such heavy work. إنّي تعبان إلى حد أنه لا يمكنني القيام بهذا العمل الشاق . ومثلها جمل أخرى ويمكنك فهمها في ضوئها .

الجدول ١٠   ٢٧ جملة   **(TABLE) — 10**

1	2	3	4	5
I am The little boy was You will be	too	tired hungry weak	to	do such heavy work. go back so soon. answer their questions.

في الجدول ١١ هناك تمرين على when, as well as, after, before وغيرها لا تتصل بها الكلمات المتلازمة . تتصل الجملة الأولى بالجملة الثانية (ولا حاجة إلى then) نحو: When we arrived it began to rain.

الجدول ١١   ٦٤ جملة   **(TABLE) — 11**

1	2	3
When As soon as After Before	we arrived the train left they came she noticed	it began to rain. he started crying. the lights went out. he moved away.

في الجدول ١٢ جملة إيجابية (Positive) محتوية على since و for .

الجدول ١٢   ٦٤ جملة   **(TABLE) — 12**

1	2	3	4
She He I You	has been have been	discussing this matter quarrelling over it playing hockey reading a novel	since morning. for many days. since 2 P.M. for two hours.

اليوم الرابع والعشرون

في الجدول ١٣ هناك جمل محتوية على prepositions ولكنها بدون الترتيب . ركّب الجمل بالترتيب الصحيح . يمكن استعمال preposition واحد في أكثرمن جملة . حاول بنفسك وإذا واجهت صعوبة فاستعن بالدرس المشار إليه .

الجدول ١٣   ٣٤ جملة   **(TABLE) — 13**

1	2	3
You must refrain	by	my story
He was highly amused	into	working too hard
He prevents me	against	her son's health
The mother is worried		music
His work is progressing		his work
We got fed up		the matter
He was absorbed	about	his behaviour
The police looked	in	smoking
He is well versed		going there
My boss is pleased	with	leaps and bounds
She went		my work
The doctor warned him	from	the room

اليوم الخامس والعشرون

في الجدول ١٤ هناك جمل محتوية على الفعل المبنى للمجهول . في مثل هذه الجمل تستعمل الأفعال المساعدة مثل (is, is being, has been) بجانب الشكل الثالث للفعل .

الجدول ١٤   ١٦٥ جملة   **(TABLE) — 14**

1	2	3
	is	
	is being	
	has been	collected.
The money	is going to be	kept in a secret place.
	was	
The jewellery	was being	
	had been	sent away.
The body of the lion	will be	
	will not be	buried in my garden.
	will have been	
	should be	moved from here.

اليوم السادس والعشرون

في الجدول ١٥ تمرين على جمل محتوية على تفضيل من البعض (Comparative Degree) في مثل هذه الجمل يلزم استعمال than .

(TABLE) — 15 الجدول ١٥ ٦٠ جملة

1	2	3	4	5
He was They were	more	wicked honest cruel willing cheerful foolish	than	any one else. she was. you were. I was. we were.

في الجدول ١٦ تمرين على جمل محتوية على تفضيل من الكل(Superlative Degree) في مثل هذه الجمل تستعمل كلمات نحو 'best of' وغيرها .

(TABLE) — 16 الجدول ١٦ ٤٨ جملة

1	2	3	4	5	6
Your coat This one That one	is	the	thickest worst best finest	of	all. those in the shop. the lot. any I have seen.

اليوم السابع والعشرون

في الجزء A من الجدول ١٧ جمل محتوية على أسماء الأشياء القابلة للعد (Countable) وفى الجزء B أسماء الأشياء غير القابلة للعد (Uncountable) . إن كلمة Many تشير إلى العدد (Countable) و much تشير إلى الكمية (Uncountable) . تأمل إن كلا من cup, knife, pen, pencil, book أشياء (Countable) بينما money, oil, bread, tea, sand, كلمات تدل على الكمية وهي(Uncountable) .

(TABLE) — 17 الجدول ١٧ ٤٨ جملة

	1	2	3	4
A	How many	cups knives pens pencils books	are there	on the table? in the store? in the cupboard?

	1	2	3	4
B	How much	money oil salt tea sand	is there	in the house? in his possession? for use?

اليوم الثامن والعشرون

في الجدول ١٨ تمرين على استعمال ضمير 'it' .

الجدول ١٨ ١٤ جملة **(TABLE) — 18**

1	2	3
It	is was	my friend. not my turn. 4 O'clock. not noon yet. not true. very easy.

اليوم التاسع والعشرون

في الجدول ١٩ استعمل نوعان من المبتدأ سلبي (Negative) وإيجابي (Positive) إن المبتدأ Nobody مبتدأ سلبي بينما Somebody و everybody مبتدآن إيجابيان. فجملة Nobody took anything last time معناها لم يأخذ أحد شيئاً في المرة الأخيرة . بينما جملة Somebody took something last time معناها أخذ أحد شيئاً في المرة الأخيرة . في الجملة السلبية تستعمل عادة anything وفي الجملة الإيجابية something .

الجدول ١٩ ١٠٠ جملة **(TABLE) __ 19**

1	2	3	4
No one Nobody One of us None of you	wrote wanted cared for	anything	at that time.
Everybody Somebody Some of you A few of us	noticed took	something	before breakfast. last time.

(Practice) التمرين

I. فيما يلي الأسئلة وإجاباتها . الجمل فيها مأخوذة من دروس اليوم ٢١ إلى ٢٩ وقد أحدثنا في بعضها تغييرا يسيرا . اطلب من زميلك أن يسألك أسئلة وأجب أنت عليها . ثم قل له أن يتكلم بجمل الإجابات وانشئى أنت أسئلة لها . فتمرن هكذا تكراراً .

اليوم الحادي والعشرون

(Question) السؤال	**(Answer)** الجواب
1. What are you?	I'm a clerk. (8)
2. What's your nationality?	Egyptian. (12)
3. Is this the book you need?	Yes, this is it. (13)
4. Who went there?	None of us. (25)

اليوم الثاني والعشرون

5. Where is the book?	On the table. (2)
6. Where is the clerk?	At the table/seat. (3)
7. Where is Khalida going?	Into the room. (7)

8. Where is Fatima? — In the room. (9)
9. What do you play besides hockey? — Football. (23)
10. Who is inside? (33) — My brother.

اليوم الثالث والعشرون

11. Why does he work hard? — Because he wants to win a prize.
12. Can she walk easily? — No, she is quite weak. (20) or She can't.
13. Who is guilty? — Either you or your brother. (19)
14. For how long have you been learning English? (35) — For the last two years.
15. When shall I receive his letter? — Within three days. (27)

اليوم الرابع والعشرون

16. Was the boy absent from school? — Yes, he was. (1)
17. Does he know his weakness? — Yes, he is fully conscious/aware of it. (22)
18. Are you sure of your success? (19) — Yes, I'm dead sure.
19. Are his remarks based on facts? — No, they aren't. (37)
20. Why do you want to leave? — To try for a better job or for better prospects.

اليوم الخامس والعشرون

21. What's to be done? — Let the post be advertised. (26)
22. What am I requested to do? — You are requested not to smoke. (27)

اليوم السادس والعشرون

23. Shall we ever forget these good days? (4) — No, we'll never forget them or No, how can we?
24. Is man immortal? — No, he is not. (19)
25. Is there any gain without hard work? — No, there isn't.

اليوم السابع والعشرون

26. Did any of you play football? (5) — No, none of us did.
27. Isn't there any milk in the bottle? — No, there isn't.
28. Shall I give you some more milk? (14) — No, thank you./I need no more.
29. Will you give whatever I want? (18) — With great pleasure./Yes, of course.

اليوم الثامن والعشرون

30. Who is that? (1) — It's my freind. (2)
31. Is it me you are calling? (10) — Yes, I need you.
32. How many boys are there in the class? — There are many. (19)

اليوم التاسع والعشرون

33. Had anybody else come? (15) — No, nobody.
34. For how long did you stay in the garden? (20) — We stayed there all the time.
35. How much money can you lend me? — At the most I can lend you ten rupees.

II. ترجم إلى العربية كل الجمل التي يحتويها السؤال الأول:

(i) Zainab *does* come. (ii) Zainab *comes*. (iii) Zainab *did* come. (iv) Zainab *came*.

III. انظر إلى الجمل السالفة بنظرة فاحصة أيتها صحيحة . لعلك تقول أن الأولى والثالثة خاطئتان .ولكننا نقول بأن كلها صحيحة . وإذا سألت ما هو الفرق فيما بينها فنقول إن في الجملة الأولى وفي الجملة الثالثة جاءت كل من does وdid للتأكيد (emphasis) على Come . بينما الجملة الثانية والرابعة تخبران عن مجئ زينب بصورة عادة فهاتان الجملتان Positive Sentenses.

والآن ترجم الجمل التالية آخذاً في الاعتبار ما قيل هنا عن did, do, does

(i) My mother does like children.

(ii) Children do like to play.

(iii)The labourers did shout loudly.

(iv) Do come tomorrow.

IV. املأ الأمكنة الخالية بكلمة مناسبة من الكلمات التي في الهلالين .

1. He is ....(a, an) American. 2. The train is late by half... (a, an) hour. 3. Is he....(a, an) Russian? 4. The Nile is....(a, an, the) longest river of the world. 5. Qurna is....(a, an, the) small town in Iraq. 6. These pictures....(is, are) mine. 7. He has gone....(to, out) of Dubai. 8. Are you going....(to, for) sleep? 9. Put on a raincoat lest you....(will, shall, should) get wet. 10. Neither Mahmood nor Rashid....(play, plays) football. 11. Is she....(known, knew) to you? 12. They pray every day....(for, till) fifteen minutes. 13. Either Suad or Muna....(is, are) to blame. 14. She is....(too, so) weak to walk. 15. I am ....(too, so) weak that I can'twalk.

هذه الجوابات صحيحا .

1. (an), 2. (an), 3. (a), 4. (the), 5. (a), 6. (are), 7. (out), 8. (to), 9. (should), 10.(plays), 11.(known), 12. (for), 13. (is), 14.(too), 15.(so).

V. فيما يلي عدة جمل وبإزائها جمل أخرى . إحداهما صحيحة . اقرأ كلتيهما وقل أيتهما صحيحة :

1. (A) He looks older to his years/age. (B) He looks older than his years/age.
2. (A) My mother is right now. (B) My mother is alright now.
3. (A) Mother as well as father is happy. (B) Mother as well as father are happy.
4. (A) I couldn't understand but a few words. (B) I could understand but a few words.
5. (A) He was capable to support himself. (B) He was capable of supporting himself.
6. (A) I always see you with one particular person. (B) I always see you with one certain person.

الإجابات الصحيحة : 1. B, 2. B, 3. A, 4. B, 5. B, 6. A.

VI. أعد كتابة الجمل التالية بعد إصلاحها :

1. This is a ass. 2. That is a book. Thats my book. 3. We travelled by ship. It is a fine ship. 4. I am taller than he. 5. He was looking me. 6. He had hardly finished the work then his friend came. 7. Either you are thief or a robber. 8. I have been studying this subject since ten years. 9. He spent plenty of money at his wedding. 10. I no sooner left the house when it began to rain. 11. Though his arms were weak, but his legs were strong. 12. Neither you nor I are lucky. 13. It is too hot for work. 14. Have you much toys? 15. This is a bread. Bread is a food. 16. She is too weak that she can't walk. 17. He works hard lest he will fail. 18. Somebody spoke to me, I forget whom. 19. He is a man whom I know is corrupt. 20. Put everything in their place. 21. None of them were available there. 22. There is misery in the life of all men. 23. Are you senior from him?

والجمل الصحيحة في التالي (معكوسة) :

1. This is *an* ass. 2. That is a book. *It* is my book. 3. We travelled by ship. *It* was a fine ship. 4. I am taller than *him*. 5. He was looking *at* me. 6. He had *hardly* finished the work *when* his friend came. 7. You are *either* a thief *or* a robber. 8. I have been studying this subject *for* 10 years. 9. He spent plenty of money *on* his wedding. 10. *No sooner* did I leave the house *than it* began to rain. 11. Though his arms were weak, his legs were strong. 12. *Neither* of us is lucky. 13. It is *too* hot *to* work. 14. Do you have *many* toys? 15. This is *bread.* Bread is *food.* 16. She is *too* weak to walk. 17. He works hard *lest* he *should* fail. 18. Somebody spoke to me, I forget who. 19. He is *the* man *who* I know is corrupt. 20. Put everything in *its* place. 21. None of them *was* available there. 22. There is misery in the *lives* of all men. 23. Are you senior *to* him?

31 اليوم الحادي والثلثون
st Day

المرحلة الرابعة (4th Expedition)

تبدأ الآن المرحلة الرابعة من سفرك . ومن هنا تخرج من متاهة القواعد وتتعلم لغة الحوار والتكلم . في المراحل الثلاث السابقة حصل لك تمييز الصحيح من الغلط وعرفت كيف توضع وتركب الكلمات لبناء جمل صحيحة سليمة . فعلى أساس ما قد عرفت سوف تتقدم إلى الأمام وتتعلم الجمل التي تستعمل في الحياة اليومية. وقد أعطينا نطق الجمل الإ نجليزية بالحروف العربية ليسهل عليك التكلم بها ولتتمتع بالحوار في اللغة الإنجليزية فينشأ فيك الاعتماد ويزول عنك الخجل والحياء. ففي بداية الأمر دعنا نتعلم جملا تتعلق بالدعوة والترحيب .

١ . الدعوة (Invitation)

١. تفضل / ادخل من فضلك . — Come in please. — كم ان بليز .

٢. اشرب من فضلك حاجة باردة . — Please have something cold. — بليز هيف سم ثينغ كولد .

٣. ممكن أن تتفضل بالقدوم إلى هنا ؟ — Will you please come over here? — ول يو بليز كم اوفر هير؟

٤. تفضل نذهب للنزهة / دعنا نذهب للنزهة . — Come for a walk please./ Let's have a stroll. — كم فور أيه واك بليز/ ليتس هيف أ سترول .

٥. هل ترافقنا إلى السينما؟ أتريد أن تشاهد فيلما معنا؟ — Would you like to come with us to the cinema?/ Would you like to see a film/ movie with us? — وود يو لايك توكم ود اس تو د سنيما ؟ وود يو لايك تو سي أ فلم / موفي ود اس ؟

٦. أيمكنك أن تقضى النهار كله معنا؟ — Will you spend the whole day with us? — ول يو اسبيند هول ديه ود اس؟

٧. يسرني ذلك . — I 'll be glad/pleased to do so. — آئل بي غليد / بليزد تو دو سو .

٨. دعنا نذهب بالباص. — *Let's go by bus. — ليتس غو باي بس .

٩. هل تلحقين بنا في الرقص؟ ممكن أن أرقص معك؟ — Would you join me in the dance? May I dance with you? — وود يو جوائن مي ان دَ دانس؟ ميه آي دانس ود يو ؟

١٠. لا، لا أرقص . — No, I don't dance. — نو ، آي دونت دانس.

١١. لا أعرف كيف تلعب الأوراق . — No, I don't know how to play cards. — نو آي دونت نو هاؤ تو بليه كا ردس .

١٢. اقض من فضلك يوم الأحد الآتى معنا. — Please, spend next Sunday with us. — بليز ،اسبيند نكست سنديه ود اس.

١٣. شكرا على دعوتك للعشاء . — Thanks for your invitation to dinner. — ثينكس فور يو رانفيتيشن تو دنر.

نحاول أن نصل في الموعد . — We'll try to be punctual. — وي ول تراي تو بي بنكتشول .

شكرا على دعوتك لنا للعشاء . — Thanks for inviting us to dinner. — تينكس فور انوائتنغ اس تو دينر.

نحاول أن نصل في الميعاد . — We'll try to come in time. — وي ول تراي توكم ان تايم .

* Let's هو مختصر لـ Let us .

١٤.	أنا آسف، لا يمكنني أن أقبل دعوتك .	I'm sorry, I can't accept	آيم سوري ،آي كانت ايكسبت
	إلى الطعام وأشكرك على دعوتك لي .	your invitation to dinner.	يور انفيتيشن تو دنر .
		Thank you for remembering me.	تينك يو فور ريممبرنغ مي .
١٥.	ممكن أن ترافقنا إلى الحبانية بتاكسي ؟	Will you come with us in taxi to	ول يو كم ود اس ان تاكسي تو
		Habbaniyah?	حبانية؟
١٦.	شكراً جزيلاً على دعوتك.	Many thanks for your kind invitation.	ميني ثينكس فار يور كائند انفيتيشن
	إن فكرتك حول السفر	Your idea of a taxi tour	يو ر آيديا أوف أ تاكسي تور
	بتاكسي رائعة حقا.	is really grand.	از ريلي غراند .
	إنّي أرافقك حتميا .	I'll surely join you.	آيل شيورلي جوين يو .

٢. اللقاء والتوديع (Meeting & Parting)

١٧.	صباح الخير.	Good morning!	غود مورننغ .
١٨.	مرحباً ، كيف حالك؟	Hello, how are you?	هيلو !هاؤ آر يو ؟
١٩.	طيب، شكراً وكيف أنت ؟	Very well, thank you. And you?	فيري ول ، ثينك يو ،أند يو؟
٢٠.	أنا أيضا طيب .	I'm fine.	آي ايم فائن .
٢١.	سررت بلقائكم .	I'm glad to see you.	آي ايم غليد تو سي يو .
٢٢.	إنّه يسرّني .	It's my pleasure.	اتس ماي بليزر .
٢٣.	قابلنا منذ صلوة طويلة .	It's been a long time since we met.	اتس بين أ لونغ تائم سنس وي ميت .
٢٤.	إنّي سمعت كثيراً عنك .	I've heard a lot about you.	آئيف هرد أ لوت اباؤت يو.
٢٥.	انظر، من هذا ؟/ من هناك ؟	Look, who is it?/Who is here?	لُك،هو از ات؟ هو از هير؟
٢٦.	هل تتعجب برؤيتي؟	Are you surprised to see me?	آر يو سر برائزد تو سي مي؟
٢٧.	نعم، كنت أعتقد أنك في لندن؟	Really, I thought/was under the	رِيلى ،آى ثوت /واز اندر دَ
		impression that you were in London.	امبريشن ديت يو وير ان لندن .
٢٨.	كنت هناك. ولكني رجعت في	I was there, but I returned/	آي وازدير بت آي ريترند/
	الأسبوع الماضي .	came back last week.	كيم بيك لاست ويك .
٢٩.	طيب، نراكم، طيب نقابل مرة أخرى .	O.K. See you again./O.K.,	او .كيه . سي يو أغين./أو. كيه
		we'll meet again.	ويئل ميت اغين .
٣٠.	هل لتذهب / لتغادر الآن؟	Must you go/leave now?	مست يو غو/ليف ناؤ؟
٣١.	تسافر سفرة سعيدة/ على الطائر الميمون .	Have a pleasant/nice journey!	هيف أ بليزنت/نائس جرنى!
٣٢.	رحمكم الله .	God bless you!	غود بليس يو.
٣٣.	بلّغ ، من فضلك . تحياتي إلى والدك .	Please convey my regards/	بليز كنويه ماي ريغارد ز/
		compliments to your father.	كمبليمينتس تو يور فادر.
٣٤.	ليكن الحظ حليفك./ حظك سعيد .	May luck be with you! Best of luck!	ميه لَك بي ود يو . بست أوف لك .
٣٥.	تصبحون على خير.	Good night.	غد نائت
٣٦.	إلى اللقاء /مع السلامة .	Bye bye./Goodbye.	باي باي/غد باي .

٣. إقرار بالفضل (Gratitude)

٣٧.	شكراً جداً.	Thanks a lot.	ثينكس أ لوت .
٣٨.	شكراً على توصيتك.	Thanks for your advice.	ثينكس فور يو ر ايدفائس .
٣٩.	شكرا على الهدية .	Thanks for the present/gift.	ثينكس فور د بريزينت/غفت .
٤٠.	إنها هدية ثمينة / غالية	This is a very costly/ expensive present.	دس از أ فيرى كوستلي / اكسبنسيف بريزنت .
٤١.	إنّي شاكر لكم جدا.	I'm much/very obliged/grateful to you.	آئم متش/ فيري اوبلايجد غريت فل تو يو.
٤٢.	أنت كريم، هذا من كرمك .	You are very kind. So kind of you.	يو آر فيري كائند/سو كائند آف يو.
٤٣.	لا ،أبداً، إنّه يسرّني .	Not at all. It's my pleasure.	نوت ات آل. اتس ماي بليزر.
٤٤.	إنه ليس بالفضل أو الكرم . بل إنه يسّرني .	This is no matter of kindness. It will rather please me.	دس از نو ميتر آف كائندنيس . ات ول رادربليزمي.

٤. تهنئة وتمنيات طيبّة

(Congratulations & Good Wishes)

٤٥.	كل عام وأنتم بخير.	Wish you a happy new year.	وش يو أ هيبي نيو اير .
٤٦.	تهنئة قلبية بيوم ميلادك .	Hearty felicitations on your birthday.	هرتي فيلى ستيشنز أون يور برث ديه .
٤٧.	تهنئات حارة لليوم السعيد .	Many happy retuns of the day.	ميني هيبي ريترنز أوف د ديه .
٤٨.	تهئنة قلبية على نجاحك .	Congratulations on your success.	كنغريتوليشنز أون يور سكسس .
٤٩.	أهنئك على زاوجك الميمون .	Congratulations on your wedding.	كنغريتوليشنز أون يور ويدنغ .
٥٠.	يكون الحظ حليفك دائماً .	May you always be lucky./ May luck always shine on you.	ميه يوالويز بي لكي. ميه لك اولويز شاين أون يو .
٥١.	أرجو أن تكون ناجحا في الامتحان.	Hope you do well in the examination.	هوب يو دو ويل ان دَ ايغزامنيشن.
٥٢.	أهنئك نيابة عن الجميع .	I congratulate you on behalf of all.	آي كنغريشو ليت يو أون بي هاف أوف اول .
٥٣.	أتمنى لكم الخير والسعادة .	Wish you all the best.	وش يو اول دَ بست .

٥. جمل متنوعة

(Miscellaneous Sentences)

٥٤.	دعنا نأكل الآن .	Let's have food now.	ليتس هيف فود ناو .
٥٥.	أي شيء تحب؟ الشاي أو ألقهوة ؟	What would you like tea or coffee?	وات وود يو لايك – تي اور كوفي؟
٥٦.	أرافقك إلى المحطة للتوديع .	I will come to the station to see you off.	آي ول كم تو د ستيشن تو سي يو أوف .
٥٧.	أرجوك أن تقابلني كلما زرت دُبي .	Please look me up whenever you come to Dubai.	بليز لك مي اب وين ايفر يوكم تو دُبي .

٥٨. دعني أقدم إليك أعضاء أسرتي. Let me introduce you to my family. ليت مي انترودیوس يو تو ماي فيملي .

٥٩. هذه زوجتي، وهذه بنتي أحلام وهذا ولدي سعيد . Please meet my wife, my daughter Ahlaam and my son Saeed. بليز ميت ماي وايف ، ماي داو تر احلام اند مائى سن سعيد .

٦٠. أولادك كلهم حلو . You have lovely children. يو هيف لولى شلدرين .

٦١. يبدو إننا قد قابلنا من قبل . I think we have met before. آي ثنك وي هيف ميت بفور .

٦٢. لماذا هذه العجلة ؟ What's the hurry? واتس د هري ؟

امكث قليلا . Please stay a little more. بليز استيه أ لتل مور .

٦٣. لا توجد عندي كلمات أعبرها عن شكري لك . I have no words to express my thanks to you. آي هيف نو وردس تو ايكسبريس ماي ثينكس تو يو.

٦٤. إنك، في الحقيقة ، قد أبقيت على حياتي . You really saved my life. يو ريلي سيفد ماي لايف .

٦٥. تحيى حياتك المتزوجة طويلاً بالهناء والرخاء . May you have a long, happy and prosperous married life. ميه يو هيف أ لو نغ هيبى اند بروسبرس ميريد لا يف .

للملاحظة (To Remember)

١. للرجاء (request) يجب استعمال كل من would و please . فجملة: Would you please lend me one dollar? (ممكن أن تقرضنى دولاراً واحداً ؟) أكثر أدباً من Will you please lend me one dollar?

٢. الشكر بكلمة Thanks طريقة جلفة والأفضل Thank you و مع Thanks يجدر استعمال for أيضا وإن كان ذلك طويلاً . I thank you, sir, for your interest in my family. (أشكرك على العناية التي توليها بعائلتي.) واحذر أن تقول I thank you لأن هذا التعبير جلف وجاف .

٣. مع Congratulations و Felicitations تستعمل حرف on ، لا for أو at . لا تقل Congratulations for/at your success قل دائما Congratulations on your success.

وإذا قلنا ، بأية مناسبة للتهنئة لفظ Congratulations أو Congrats فقط، فهو أيضا صحيح .

32 اليوم الثاني والثلثون
nd Day

٦. الرفض/عدم القبول (Refusal)

١. إنه لا يمكنني أن أقدم .	I won't be able to come.	آي وونت بي ايبل توكم .
٢. أنا لا استطيع أن أفعل كما تريد .	I won't be able to do as you wish.	آي وونت بي ايبل تو دو ايزيو وش .
٣. لا أريد أن أقدم .	I don't want to come.	آي دونت وانت توكم .
٤. يؤسفني أن أرفض .	I 'm sorry to refuse.	آيم سوري تو ريفيوز .
٥. إنهم لا يوافقون على هذا .	They won't agree to this.	ديه وونت ايغرى تو دس .
٦. إنه لا يمكن ./ ليس بمستحيل .	It's not possible./impossible.	اتس نوت بوسيبل .امبوسيبل .
٧. أنا متأسف،	I regret,	آي ريغريت ،
لا استطيع أن أوافق على هذا الاقتراح .	I can't accept this proposal.	آي كانت ايكسبت د س بروبوزل.
٨. ألا لا تتفق معي؟	You don't agree with me, do you?	يو دونت ايغرى ود مي ، دو يو ؟
٩. إنه لا يمكن القيام بترتيبات ذلك .	It can't be arranged.	ات كانت بي ارينجد .
١٠. إنها لا تحب ذلك .	She's averse to this idea/to it./	شيز ايفرس تو دس آيديا/تو ات /
	She does not like it.	شي دز نوت لايك ات .

٧. اعتقاد (Believing)

١. ألا تعتقد؟	Don't you believe it?	دونت يو بليف ات؟
٢. إنها إشاعة فقط .	It's only a rumour.	اتس أونلى أ ريو مر.
٣. ليست هي إلا إشاعة .	It's only a hearsay/rumour.	اتس اونلى أ هيرسيه/ ريومر .
٤. أ نؤمن بما يقول سائق التاكسي هذا ؟	Should/Can we trust	شد/كان وي ترست
	this taxi driver?	دس تاكسى درايفر؟
٥. يمكنك أن تعتمد عليهم كليا .	You can trust them fully.	يو كان ترست ديم فلى.
٦. إنى اعتمد عليه كليا .	I have full faith in him.	آي هيف فل فيث ان هم.

٨. رجاء (Request)

١. انتظر من فضلك	Please* wait.	بليز ويت .
٢. ارجع من فضلك .	Please come back.	بليز كم بيك .
٣. خلّه من فضلك .	Let* it be.	ليت ات بى.
٤. جيء هنا من فضلك .	Please come here.	بليز كم هير .
٥. أجب من فضلك .	Please reply/answer.	بليز ربلاي/آنسر.
٦. أيقظه من فضلك .	Please wake him up.	بليز ويك هم أب.

٧. أرجو أن أسمع من أخبارك (من خلال الرسالة) Hope to hear from you. هوب تو هير فروم يو.
٨. أ تتفضل بإنجاز عمل لي؟ Will you do me a favour? ول يو دو مي أ فيور؟
٩. دعني أفعل. Let me work. ليت مي ورك.
١٠. دعني أرى. Let me see. ليت مي سى.
١١. دعه يستريح. Let them relax. ليت ديم ريليكس.
١٢. من فضلك أعطني قلماً وورقاً. Please give me a pencil and paper. بليز غيو مي أ بنسل ايندبيبر.
١٣. من فضلك جيء بعد غد حتمياً، ولا تنس. Please do come day after tomorrow, بليز دو كم ديه آفتر تو مورو. Don't forget. دونت فورغت.
١٤. من فضلك اعد كلامك. Please repeat/Pardon/I beg your pardon. بليز ربيت/باردن/آى بيغ يور باردن.
١٥. هل تتحرك قليلاً؟ Could you move/shift a little. كد يو موو/شفت أ لتل.
١٦. هل يمكنك أن تقابلني بعد غد؟ Can you see me day after tomorrow? كان يو سي مي ديه آفتر تو مورو؟
١٧. اسمحني من فضلك. Please forgive me. بليز فور غيو مى.
١٨. افتح النافذة من فضلك. Will you please open the window? ول يو بليزاوبن دَ وندو؟
١٩. يرجى من كل واحد أن يصلوا في الميعاد. All are requested to reach in time. اول آر ريكوستد تو ريتش ان تايم.

للملاحظة (To Remember)

*إن مكانة please في الحوار الإنكليزي هامة جدا. وهي تدل على سلوك مهذب. فاستعملها كثيرا. الرد بقول yes (نعم) فقط طريقة غير مهذبة. والرد بـ yes please رد لطيف ومهذب فلا تنسها أبداً. فبدلاً من Give me a glass of water. (أعطني كوب ماء) قل Please, give me a glass of water. (أعطني من فضلك، كوباً من الماء).

**كلمة Let تستعمل دائما مع first person و third person نحو:

Let them play football! (دعهم يلعبوا كرة القدم) What a fine weather! Let us go to the river bank. لا تستعمل let مع second person فلا نقول Let you go for a walk. إذا كان Second person مع first person فيمكننا أن نقول: Let us go for a walk. (دعنا نذهب أنا وأنت للنزهة)

33 اليوم الثالث والثلثون
rd Day

9 . الأكل (Meals)

١. أنا أشعر بالجوع .	I am feeling hungry.	آي أيم فيلنغ هنغري.
٢. ماذا تحب أن تأكل؟	What will you like to eat?	وات ول يو لايك تو ايت؟
٣. أي مخلل يوجد عندكم؟	Which pickles do you have?	وتش بكلزدو يو هيف؟
٤. هل أكلت الفطور؟	Have you had your breakfast?	هيف يو هيد يور بريك فاست؟
٥. لم آكل حتى الآن يا سعاد .	Not yet, Suad.	نوت يت ،سعاد.
٦. جهّز الفطور.	Prepare/make the breakfast.	برى بير/ ميك د بريك فاست .
٧. دعنا نأكل الفطور معاً .	Let's have breakfast together.	ليتس هيف بريك فاست تو غيدر.
٨. ذقه .	Just taste it.	جست تيست ات .
٩. لا، سأذهب إلى مأدبة .	No, I have to attend a party.	نو ، آي هيف تو اتيند أ بارتي .
١٠. ما هي الحلاوى عندكم؟	What sweet dishes do you have?	وات سويت دشز دو يو هيف؟
١١. هل ليلىٰ انتهت من الأكل؟	Has Laila finished her meals?	هيز ليلىٰ فنشد هر ميلز؟
١٢. ايت بسرعة ، قد قدّم الطعام .	Hurry up, food has been served.	هرى أب ،فود هيز بين سرود .
١٣. هل تريد علبة سيجارة؟	Do you want a packet of cigarettes?	دو يو وانت أ بيكت أوف سغريتس؟
١٤. أفضل سيكار على السيجارة .	I prefer cigar to cigarettes.	آي بريفر سيغار تو سغريتس .
١٥. ما أكلت شيئاً .	You hardly ate/had anything./ You ate very little.	يو هارد لي ايت/هيد اينى ثينغ . /يو ايت فيرى لتل.
١٦. خذ مزيداً .	Have a little more./Please have some more.	هيف أ لتلْ مور/ بليز هيف سم مور.
١٧. هل أنت أيضا تدخّن؟	Do you also smoke?	دو يو او لسو اسموك؟
١٨. تريد الشاي أو القهوة؟	Would you have tea or coffee?	وود يو هيف تي اور كوفي؟
١٩. آتِ بفنجان قهوة لي .	Bring/Get me a cup of coffee.	برنغ/ غت مي أ كب أوف كوفي.
٢٠. ألق القهوة .	Pour the coffee.	بور د كوفي.
٢١. يا نادل (غارسون) الملعقة قذرة..	Waiter, the spoon is dirty/not clean..	ويتر ، د اسبون از درتى/نوت كلين.
٢٢. أعطني الملح من فضلك .	Pass me the salt, please.	پاس مي د سالت ، بليز.
٢٣. أعطني قليلاً من الزبدة الطازجة،من فضلك..	Give some fresh butter, please..	غيو سم فريش بتر ، بليز.
٢٤. أعطني مزيداً من فضلك .	Get/Bring some more, please.	غت برنغ سم مور، بليز.
٢٥. ساعد نفسك/ خذ بنفسك،من فضلك .	Help yourself, please.	هيلب يور سيلف ،بليز.
٢٦. غيّر الصحن، من فضلك .	Change the plate, please.	تشينج دى بليت،بليز.
٢٧. هل أنت نباتي؟	Are you a vegetarian?	آر يو أ فيجى تيريان؟
٢٨. لا ،إنّي آكل اللحم.	No, I am a non-vegetarian.	نو، آي أيم أ نون فيجى تيريان .

٢٩. إنّي سآكل اليو م في الخارج .	I'll dine out today./	آيل داين آؤت تو ديه .
	I'll have my dinner out today.	آيل هيف ماي دينر آؤت تو ديه .
٣٠. هل تريد أن تشرب اللبن؟	Would you like some milk?	وود يو لايك سم ملك؟
٣١. قد جلست حالاً للأكل ؟	I have just sat down to have my meals.	آي هيف جست سيت داؤن تو هيف ماي ميلز.
٣٢. لا أحب الرز/ لا آكل الرز.	I'm not fond of rice. I don't eat rice.	آيم نوت فوند أوف رايس./ آي دونت ايت رايس.
٣٣. ما هي الحلوى بعد الأكل؟	What is there for dessert?	وات از دير فور ديزرت؟
٣٤. لم يكفني خبزان اثنان .	Two breads were not enough for me.	تو بريدس وير نوت انف فور مي .
٣٥. طعام البسلى والبطاطس من أكلي المفضل .	Peas – Potato is my favourite dish.	بيز بوتاتو از ماي فيو ريت دش.
٣٦. هذا وقت الطعام، تأهب .	It is dinner time. Get ready.	ات از دينر تايم غت ريدي.
٣٧. الملح في الخضر/ المرق قليل .	There is less salt in the vegetable/curry.	دير ازلس سالت ان د ويجى تيبل./ كري
٣٨. لا تشرب الماء على المعدة الخالية .	Don't take water on an empty stomach.	دونت تيك واتراون ان ايمبتى استومك.
٣٩. ما هي ألوان الطعام اليوم؟	What dishes are cooked today?	وات دشيزآر ككد تو ديه؟
٤٠. هات قليلا من الملح من أمّك.	Bring a pinch of salt from your mother.	برنغ أبنتش أوف سالت فروم يور مدر.
٤١. كل ما نجد هنا هو البطاطس فقط .	Potatoes are all we get here.	بوتيتوزآر اول وي غت هير.
٤٢. أنا عطشان حتى الآن .	I'm still thirsty.	آيم استل ثرستى.
٤٣. هم عزموني على الغداء .	They have invited me to lunch.	ديه هيف انوايتد مي تو لنتش.
٤٤. تعشّ اليوم معي من فضلك .	Please have your dinner with me.	بليز هيف يور دنر ود مي.
٤٥. تريد البيض مشويا أو مغليا؟	Will you have boiled or fried eggs?	ول يو هيف بو ايلد اور فرايد ايغز؟
٤٦. في مأدبتهم كانت سبعة ألوان من الطعام .	There were seven items/ dishes at their party.	دير وير سيفن آيتمز/ دشز ايت دير بارتى .
٤٧. نادية ماهرة في الطهى .	Nadiah is an expert cook.	نادية از أن ايكسبرت كك.
٤٨. هل تتفضل بمنحي مزيداً من الشوربة ؟	May I have a little/ some more gravy?	ميه آي هيف ألتل / سم مورغريفي؟
٤٩. أنا أحب الدجاج المشوى جدا.	I like tandoori/grilled chicken very much.	آي لايك تندورى/غرلد تشكن فيري متش .
٥٠. إنه أكال جدا .	He's a glutton.	هي از أ غلتن.

(To Remember) للملاحظة

١. يستعمل مع Feel اسم الصفة لا اسم المعنى . نحو : .I'm feeling thirsty آيم فيلنغ ترستى (أنا أشعر بالعطش) ولا نقول مثل العربية I feel thirst

٢. لكل لون من الطعام تستعمل كلمة dish مع أن معناها صحن . فمثلا أن أردنا أن نسأل عن أىّ أطعمةٍ تقدم هنا فنقول : What dishes do you serve?

٣. لا تستعمل للأكل كلمة eat في الإنجليزية عادة ولا كلمة drink للشرب . بل تستعمل كلمة take لكليهما ، نحو : Do you take tea? (هل تشرب الشاي؟) Do you take fish? (هل تأكل السمك؟) و Drink تستعمل لشرب الخمر .

34 th Day
اليوم الرابع والثلٰثون

١٠. الوقت (Time)

١. ما الساعة في ساعتك؟ *	What's the time by your watch?	واتس د تايم باي يور واتش؟
٢. الساعة سابعة ونصف .	It's half past seven.	اتس هاف باست سيفن .
٣. في أي ساعة تستيقظ؟	When do you wake up?	وين دو يو ويك اب؟
٤. إني استيقظ في السادسة والنصف كل يوم .	I wake up every morning at half past six.	آي ويك اب ايفرى مورننغ ايت هاف باست سكس.
٥. تأكل أختي فطورها في حوالي الساعة الثامنة .	My sister has her breakfast around eight o'clock.	ماي سستر هيز هر بريك فاست اراوند ايت او كلوك.
٦. في أي ساعة يأتي المدرس إلى المدرسة؟	When does the teacher come to the school?	وين دز د تيشر كم تو د اسكول؟
٧. قبيل الساعة التاسعة .	A little before nine.	أ لتل بيفور ناين.
٨. في أي ساعة تنتهي الفصول في مدرستها؟	When are the classes over in her school?	وين آر د كلاسز اوفر ان هر اسكول؟
٩. في الساعة الثالثة إلا الربع .	At quarter past three.	ايت كوارتر باست ثرى.
١٠. في أي ساعة تأكل العشاء؟	When do you have your dinner?	وين دو يو هيف يوردنر؟
١١. في الساعة السابعة والنصف .	At half past seven.	ايت هاف باست سيون.
١٢. أصل إلى بيتي في الساعة الرابعة إلا الربع.	I reach home at quarter to four.	آي ريتش هوم ايت كوار تر تو فور.
١٣. الساعة الآن ثلاثة وعشر دقائق .	It's ten past three now.	اتس تن باست ترى ناو.
١٤. سأذهب /أغادر في الساعة الرابعة إلا عشرين دقيقة .	I have to go/leave at twenty to four/at three-forty.	أي هيف تو غو/ليف ايت تونتى تو فور/ايت ترى فورتى.
١٥. في أي ساعة يصل والدك إلى البيت، عادة، في الليل؟	By what time does your father usually come home every night?	باي وات تايم دز يور فادر يوزوالى كم هوم ايفرى نايت؟
١٦. في أي ساعة يترك هو مكتبه؟	At what time does he leave his office?	ايت وات تايم دز هي ليف هز اوفس؟
١٧. إنه يترك مكتبه في الساعة الخامسة .	He leaves his office at/ by five o'clock.	هي ليفز هز اوفس ايت/ باي فايف اوكلوك.
١٨. ما هو التاريخ اليوم؟	What's the date today?	واتس دَ ديت توديه؟
١٩. اليوم الخامس عشر من مارس عام ألفين وأربعة .	It is fifteenth March two thousand and four.	ات از ففتينث مارس توتاوزند اند فور.
٢٠. ماذا تاريخ ميلادك؟	When is your birthday?	وين از يور برث ديه؟
٢١. لا أعرف، ياسيدي .	I don't know, sir.	آي دونت نو، سير.

٢٢. ساعتي تتقدم بدقيقتين يوميا .	My watch gains two minutes daily.	ماي واتش غينز تو منتس ديلى.
٢٣. انتفع بوقتك انتفاعاً كاملاً .	Make the best use of your time.	ميك د بيست يوز أوف يور تايم.
٢٤. إنه يعرف قدر الوقت وأهميته والوصول في المواعيد .	Now he values punctuality/time./ Now he knows the importance of time.	ناو هي فاليوز بنكتشويلتى/ تايم/ ناو هي نوزدَامبورتينس أوف تايم.
٢٥. هو يضيّع وقته .	He wastes his time.	هي ويستس هز تايم.
٢٦. هو مواظب حتى بالدقيقة .	He/she is punctual to the minute.	هى/ شى از بنكتشويل تو د منت.
٢٧. ما أسرع الوقت مضياً .	How time flies!	هاو تايم فلائز!
٢٨. انكسرت ساعتي .	My watch has broken.	ماي واتش هيز بروكن.
٢٩. قد حان وقت الهبوب من النوم .	It is time to wake up.	اتز تايم تو ويك اب.
٣٠. إنه في الميعاد . إنه ليس بمتأخر .	He is quite in time. He isn't late.	هي ازكوايت ان تايم. هي ازنت ليت.
٣١. إنه جاء في الموعد .	He came at the right time.	هي كيم ايت دَ رايت تايم.
٣٢. إنك متأخر بنصف ساعة .	You are late by half an hour.	يو آر ليت باي هاف اين اور.
٣٣. عندنا وقت كاف/ وقت كثير .	We have enough time./ We have plenty of time.	وي هيف انف تايم/ وي هيف بلنتى أوف تايم.
٣٤. لعل هذا منتصف الليل .	It's almost midnight.	اتس اول موست مد نايت.
٣٥. جئنا مبكرين جدا .	We are too early.	وي آر تو ارلى.
٣٦. إنك وصلت في الميعاد./ لكنت قد غادرت في دقيقة أخرى.	You are just in time. I would have left in another minute.	يو آر جست ان تايم/ آى وودهيف لفت ان اندر منت.
٣٧. ستأتي أيام جميلة ./ الأيام الجميلة مقبلة .	Better days will come./ Good days are ahead.	بيتر ديز ول كم./ غد ديز آر اهيد.
٣٨. إنّي أحاول توفير كل لحظة .	I am trying to save each/ every moment.	آي ايم ترايننغ تو سيف أ تش/ ايفرى مو منت.
٣٩. لكل شيء موعده .	There is a time for everything.	دير از أ تايم فور ايفرى ثينغ.
٤٠. ممكن أن توفّر قليلا من الوقت؟	Can you spare a little time?	كان يو اسبير أ لتل تايم؟
٤١. إذا قضى الوقت فلا يعود مرة ثانية .	Time once lost can never be regained.	تايم ونس لوست كان نيور بي ريغيند .

١١. الإذن (Permission)

١. هل نبدأ؟	Do/Should we begin?	دو/ شدوى بغن؟
٢. ممكن أن أذهب/ أغادر؟	May I go/leave?	ميه آي غو/ ليف؟
٣. ممكن أن أرافقك؟/ أن أذهب معك .	May I also come along?/ May I join you?	ميه آي اولسو كم الونغ؟/ ميه آي جواين يو؟
٤. دعني أذهب .	Let me go.	ليت مي غو.
٥. تستطيع أن تذهب الآن .	You may go/leave now.	يو ميه غو/ليف ناو.

٦. ايذن لي، من فضلك، أن أذهب الآن .	Please permit/allow me to go now.	بليزبرمت الاو مي تو غو ناو.
٧. ممكن أن أستعمل هاتفكم؟	Can I use your phone?	كان آي يوز يور فون؟
٨. هل أطفىء النور؟	Can I switch off the light?	كان آي سويتش أوف دَ لايت؟
٩. ممكن أن ألعب بلعبة فيديو لك؟	May I play your video game?	ميه آي بليه يور فيديو غيم؟
١٠. ممكن أن أدخل؟	May I come in, please?	ميه آي كم ان ،بليز؟
١١. أ أترك كتبي عندكم؟	Can I leave my books with you?	كان آي ليف ماي بكس ود يو؟
١٢. هل يمكننا أن ندخّن في غرفتكم؟	Can we smoke in your room?	كان وي اسموك ان يور روم؟
١٣. نعم، بكل سرور .	Of course, with great pleasure.	أوف كورس، ود غريت بليزر.
١٤. هل تأخذني، من فضلك، معك في سيارتك؟	Will you please give me a lift/ take me in your car?	ول يو بليز غِف مي أ لفت / تيك مي ان يور كار؟
١٥. ممكن أن آخذ دراجتك لمدة قصيرة؟	May I borrow your bike for a while?	ميه آي بورو يور بايك فور أ وايل؟
١٦. ممكن أن أزعجك ؟	Can I disturb you?	كان آي دسترب يو؟
١٧. ممكن أن أقيم في هذه الحجرة؟	Can I stay in this room?	كان آي استيه أن دس روم؟
١٨. هل نستطيع أن نستريح قليلا هنا؟	May we rest here for a while?	ميه آي ريست هير فور أ وايل؟
١٩. أ يمكن أن أذهب لمشاهدة فيلم اليوم؟	May I go to see a movie today?	ميه آي غو تو سي أ موفي تو ديه؟

للملاحظة (To Remember)

*يمكن إنشاء الاستفهام إما باستعمال كلمة الاستفهام نحو: What is your name please? (ما اسمك) أو بوضع الفعل المساعد في صدر الجملة نحو: Are you going? (هل تذهب؟) . وهذه الطريقة الأخيرة توجد في الإنجليزية فقط ولا توجد في العربية . ويمكن إنشاء الجمل الاستفهامية بالأفعال المساعدة الأخرى is, has, have, will, shall نوح: Is she unwell? (از شي أن ول) هل هي مريضة ؟ Have you a pen? (هيف يو أ بين؟) هل عندك قلم ؟ Shall we go? (شال وي غو؟) أ نذهب؟ وغيرها .

** للاستئذان تستعمل كلمة may . ولكن هناك تعبيرات أخرى لهذا الغرض فمثلاً نقول : Shall we set out now? (هل نبدأ السير الآن ؟) . وفي كثير من الأحيان لا تكون may كلمة مناسبة ولا تفيد بالغرض . وكما أن الريح هبت بسرعة فلا ينبغي أن يقال May I shut the window? بل يناسب أن يقال Should I shut the window? ولو أن الجملتين خاصتان بالاستئذان .

35 th Day اليوم الخامس والثلثون

(A) (Instruction/Order) ١٢. إرشاد/أمر

١. اعمل عملك .	Do your work.	دو يو ر ورك.
٢. ودّعه إلى المحطة .	See him off at the station.	سي هم أوف ايت د استاسيون.
٣. اصدق القول ولا تكذب .	Speak the truth, don't lie.	اسبيك د ترث، دونت لا ي.
٤. جرّب هذة السترة بلبسها .	Try this coat on.	تراي دس كوت اون.
٥. اعمل بإخلاص .	Work wholeheartedly.	ورك هول هار تيدلى.
٦. لا تشرب (الخمر)	Don't drink.	دونت درنك.
٧. جيء بكوب ماء صاف .	Fetch/get me a glass of fresh water.	فيتش/ غت مي أ جلاس أوف فريش واتر.
٨. تكلّم برفق .	Talk politely./Be polite.	تو ك بولا يتلى/بي بولا يت.
٩. ردّ على الرسالة بسرعة .	Reply by return post.	ريبلاي باي ريترن بوست.
١٠. افحص الحسابات .	Check the accounts.	تشيك دَ اكا ونتس.
١١. اشرب الشاي الحار ببطء .	Sip the hot tea slowly.	سب دَهوت تي سلولي.
١٢. جيء بعربة من محطة العربات ..	Get a tonga from the tonga-stand.	غت أ تونغا فروم تونغا استيندد.
١٣. ايقاف السيارات هنا غير مسموح به .	Parking is not allowed here.	باركنغ از نوت الاود هير.
١٤. اعصر برتقالتين .	Squeeze two oranges.	اسكوز تو اور نجز.
١٥. امش على يسارك .	Keep to the left.	كيب تو دَ ليفت .
١٦. أيقظني مبكرا في الصباح .	Wake me up early in the morning.	ويك مي أب أرلى ان دَ مورننغ.
١٧. اصلح سلوكك .	Mend your ways.	ميند يور ويز.
١٨. اسحب الستارة .	Draw the curtain.	دراو دَ كرتين.
١٩. اذهب به إلى جميع أنحاء المدنية .	Take him round the city.	تيك هم راوند د سيتي.
٢٠. جيء بالضيف إلى الداخل .	Bring the guest in.	برنغ دَ غيست إن.
٢١. تكلم مع كل واحد برفق .	Be polite to all./Speak politely with everybody.	بي بولا يت تو اول ./اسبيك بولا يتلي ود ايفرى بدى.
٢٢. ذكّرني بذلك في وقت مناسب ..	Remind me of it at the proper time.	ريمايندمي أوف ات ايت دَ بروبر تايم.
٢٣. امش بحيث خطاك تجارى خطاي .	Keep pace with me.	كيب بيس ود مي.
٢٤. نوّم الطفل .	Put the child to sleep/bed.	بت دَ تشايلد توسليب بيد.
٢٥. ذكّرني بذلك غداً .	Remind me about it tomorrow.	ريمايند مي اباوت ات تومورو .
٢٦. اجعل كل شيء جاهزاً .	Keep everything ready.	كيب ايفري ثنغ ريدي.
٢٧. امش بحذر .	Walk cautiously.	واك كوشسلى.

٢٨. جيء فيما بعد .	Come afterwards.	كم آفتر وردس.
٢٩. ايقظني في الساعة ٥ تماما .	Wake me up at 5 o'clock.	ويك مي اب ايت فايف أو كلوك.
٣٠. تأهب أن أردت أن تذهب معنا .	Get ready if you want to come along.	غت ريدي اف يو وانت توكم الونغ.
٣١. انتظر هنا حتى أعود .	Wait here until I 'm back.	ويت هير انتل آيم بيك.
٣٢. لا تقل هكذا .	Don't speak like this.	دونت اسبيك لايك دس.
٣٣. اعمل بامعان .	Work carefully.	ورك كير فلي.
٣٤. اعمل عملك .	Do your own work.	دو يور أون ورك.
٣٥. يمكنك أن تذهب الآن،	You may go now,	يو ميه غو ناو.
عندي شغل .	I have some work.	آي هيف سم ورك.
٣٦. اكتبه .	Note this down.	نوت دس داون.
٣٧. ارجع سريعا .	Come back soon.	كم بيك سون.
٣٨. جيء وقتاً آخر وقابلني .	Come and see me some other time.	كم اند سي مي سم أدر تايم.
٣٩. اعمل عملك من فضلك .	Please mind your own business.	بليز مايند يو ر أون بزنس.
٤٠. تصبر، اصبر.	Have patience.	هيف بيشنس.
٤١. احترم كبارك .	Respect your elders.	ريسبيكت يور الدرز.
٤٢. امكث أنت هناك .	You stay there.	يو استيه دير.
٤٣. اومل وقتاً سعيداً .	Hope for good times.	هوب فورغد تايم.
٤٤. اعتن بالطفل .	Take care of the baby.	تيك كير أوف د بيبي .

للملاحظة **(To Remember)**

* في الإنجليزية تكوّن كلمات كثيرة بإضافة بادئة إلى كلمة معيّنة نحو : Adjudge, misjudge, prejudge, subjudge, وغيرها وكلها كوّنت من كلمة judge باضافة ad, mis, pre, sub كبادئة (prefix) إليها . كما أن من خواص الإنجليزية أن كلمة واحدة تؤدي معاني متنوعة بتغيير (preposition) فمثلاً : go (يذهب) :Go out معناه ينطفئ نحو The light *went out* during the storm (انطفأ النور أثناء العاصفة.) و Go off معناه ينطلق نحو . The gun *went off* by itself (انطلقت البندقية تلقائيا . و Go through معناه دراسة فاحصة نحو: He *went through* the whole book, but could not discover anything new in it. (إنه قرأ الكتاب كله قراء ة فاحصة ولكنه لم يجد شيئًا جديداً فيه). في كل هذه الجمل أُستعمل went الذي هو الشكل الماضي لفعل go .

36th Day اليوم السادس والثلثون

١٢. إرشاد/الأمر (Instruction/Order) (B)

٤٥.	اذهب أنت نفسك.	Go yourself.	غو يور سلف.
٤٦.	تأهّب.	Be ready.	بي ريدى.
٤٧.	أوقد المصباح.	Light the lamp.	لايت دَ ليمب.
٤٨.	اشعل النور.	Switch on the light.	سوتش أون دَلايت.
٤٩.	اطفئ المصباح. *	Put off the lamp.	بت أوف دَ ليمب.
٥٠.	اطفىء النور.	Switch off the light.	سوتش أوف دَ لايت.
٥١.	افتح المروحة.	Switch on the fan.	سوتش أون دَ فين.
٥٢.	أرسل إليه (أحضره)	Send for him.	سيند فور هم.
٥٣.	دع هؤلاء الرجال يعملوا عملهم.	Let these people do their work.	ليت ديز بيبل دو دير ورك.
٥٤.	اغسل يديك.	Wash your hands.	واش يو ر هيندز.
٥٥.	جىء بسرعة.	Come soon.	كم سون.
٥٦.	أوقف السيارة.	Stop the car.	استوب دَ كار.
٥٧.	ارجع.	Go back.	غو بيك.
٥٨.	لا تؤخر/لا تتأخر.	Don't delay./Don't be late.	دونت ديليه/دونت بي ليت.
٥٩.	لا تكتب بقلم الرصاص.	Don't write with a pencil.	دونت رايت ود أ بنسل.
٦٠.	اكتب بقلم الحبر.	Write with a pen.	رايت ود أ بين.
٦١.	لا تحاك الآخرين.	Don't copy others.	دونت كوبى أدرس.
٦٢.	استأجر تاكسي.	Hire a taxi.	هاير أ تاكسي.
٦٣.	أغلق أزرار السترة.	Button up your coat.	بتن اب يور كوت.
٦٤.	لا تترك النار تنطفئ.	Keep the fire going.	كيب د فاير غوينغ.
٦٥.	أطعم الحصان العشب	Feed the horse with grass.	فيد دَهورس ود غراس.
٦٦.	اذهب ونظف أنفك.	Go, and blow your nose.	غو، اند بلو يور نوز.
٦٧.	أخبرني ولا تنس.	Don't forget to inform me.	دونت فورغت تو انفورم مي.
٦٨.	شدّ رباط حذائك.	Tighten your shoe-laces.	تايتن يورشو ليسز.
٦٩.	لا تقرأ على كلفة (خسارة) صحتك.	Don't study at the cost of your health.	دونت استدي ايت دَ كوست أوف يور هيلث.
٧٠.	اكتب رسالة مفصلة/طويلة.	Write a detailed letter./Write a long letter.	رايت أ ديتيلد ليتر/رايت أ لونغ ليتر.
٧١.	لا تفعل مثل ذلك في المستقبل/	Don't do so in future./	دونت دو سو ان فيوتشر./

	يجب أن لا يقع هذا في المستقبل .	Let this not happen in future.	ليت دس نوت هيبن ان فيوتشر.
٧٢.	أرسل هذه الرسالة بنفسك .	Post this letter yourself.	بوست دس ليتر يور سيلف.
٧٣.	كن مواظبا .	Be punctual.	بي بنكتشويل.
٧٤.	لا تراوغ عن الموضوع .	Don't beat about the bush.	دونت بيت اباوت دَ بش.
٧٥.	لا تقطف الأزهار .	Don't pluck the flowers.	دونت بلك دَ فلاورز.
٧٦.	اترك العادات القبيحة .	Give up bad habits.	غِف اب بيد هيبتس.
٧٧.	امضغ الطعام جيدا .	Chew your food well.	تشيو يور فود ويل.
٧٨.	نظّف أسنانك بفرشة .	Brush your teeth.	برش يورتيث.
٧٩.	لا تقل كلاماً فارغاً.	Don't chatter./Don't talk nonsense.	دونت تشيتر / دونت توك نون سنس.
٨٠.	ضع كل شيء بترتيب حسن .	Arrange/keep everything in order.	ارينج/كيب ايفري ثينغ ان اوردر.
٨١.	اكتب بالحبر .	Write in ink.	رايت ان انك.
٨٢.	لا تكن كأحمق .	Don't be silly.	دونت بي سلي.
٨٣.	اعتن بالضيوف .	Look after the guests.	لوك آفتر دَ غيستس.
٨٤.	اعمل عملك .	Mind your own business.	مايند يور أون بزنس.
٨٥.	اقبض بكلتا يديك .	Hold with both hands.	هولد ود بوث هيندز.
٨٦.	ضحّ بنفسك في سبيل الوطن .	Sacrifice your life for the motherland/country.	سيكريفايس يور لايف فور دَ مدر ليند/كنتري.
٨٧.	لا تعرقل في العمل .	Don't hold up the work.	دونت هولد أب دَ ورك.
٨٨.	احذر من العادات القبيحة .	Be careful against bad habits.	بي كير فل اغينست بيد هيبتس.
٨٩.	اعد ضبط الكمبيوتر .	Reset the computer.	ري ست دَ كمبيوتر.
٩٠.	ضع هذه الفكة .	Keep the change.	كيب دَ تشينج.

للملاحظة (To Remember)

معنى كلمة Put يضع . ولكنه من الجدير بالملاحظة أن معناه يتغير بصورة غريبة باستعمال مختلف Prepositions . فلاحظ الجمل التالية .

Put down معناه يكتب : Please *put down* all that I say. (اكتب من فضلك كل ما أقول)

Put forward معناه يقدّم : He hesitated to *put forward* his plan. (تردّد في تقديم خطته)

Put off معناه يؤجل For want of a quorum the meeting was *put off.* (بسبب عدم اكتمال النصاب أجّل الاجتماع)

Put on معناه يلبس : He *put on* new clothes on the Eid day. (إنه لبس لباسا جديداً يوم العيد)

Put out معناه يطفئ : *Put out* the fire lest it should spread around. (اطفئ النار خشية أن تنتشر إلى حواليها)

37 اليوم السابع والثلثون th Day

١٣. تشجيع (Encouragement)

١. اعتمد علينا .	Rest assured.	رست اشيورد.
٢. لاتقلق .	Stop worrying.	استو ب ورئنغ.
٣. لا تبك مثل الأطفال .	Don't cry like children.	دونت كراي لايك تشلدرن .
٤. ماذا يقلقك .	What's bothering you?	واتس بودرنغ يو؟
٥. لا تقلق عني .	Don't worry about me.	دونت وري اباوت مي.
٦. لا تخف.	Don't be scared.	دونت بي اسكيرد.
٧. لا حاجة إلى القلق .	There is no need to worry.	دير از نو نيد تو وري.
٨. لا أبالي بذلك .	I'm not bothered about it.	آيم نوت بودرد اباوت ات.
٩. اسألني إن كان هناك أي مشكلة .	You can ask me if there is any difficulty.	يو كان آسك مي اف دير از ايني ديفكلتي.
١٠. خذ ما تحتاج إليه .	Take whatever you need.	تيك وات ايفريو نيد.
١١. أنت قلق بلا سبب .	You are unnecessarily worried.	يو آر أن نيسيسريلى وريد.
١٢. إنّي افتخر بك .	I'm proud of you.	آيم براود أوف يو .
١٣. لا تتردد .	Don't hesitate.	دونت هيزي تيت .
١٤. إنه لا حرج فيه .	It doesn't matter.	ات دزنت ميتر.

١٤. تسلية (Consolation)

١٥. إنه مؤسف .	It's a pity./It's very sad.	اتس أ بيتي ./اتس فيري سيد.
١٦. سلّه .	Console him.	كنسول هم.
١٧. بهذه الطريقة تسير الأمور .	That's the way things are.	ديتس دَ ويه ثنغز آر.
١٨. كان ذلك كما شاء الله .	It was God's will.	ات واز غودس ول .
١٩. يجب أن نحتمل مالا يمكن دفعه .	What cannot be cured must be endured.	وات كان نوت بي كيورد مست بي انديو رد.
٢٠. اعتمد على الله فالمصيبة ستزول بإذنه.	Have faith in God, misfortune will pass.	هيف فيت ان غود، مس فور تشون ول باس.
٢١. ألهمكم الله الصبر والقوة إزاء هذه الكارثة.	May God give you strength to bear this terrible blow.	ميه غود غيف يو استرنت تو بير دس تيريبل بلو.
٢٢. نقدم إليكم عزاء نا .	We offer our condolences.	وي اوفر اور كندو لنسز.
٢٣. نحن متأسفون أسفا شديداً على وفاة والدها .	We are deeply grieved at the death of her father.	وي آر ديبلى غريفد ات دَ ديث أوف هر فادر.

١٥. الزعل (Annoyance)

٢٤. لِمَ ـ لم تبدأ العمل ؟	Why haven't you begun/started the work yet?	واي هيفنت يو بغن /استارتد دَ ورك يت؟
٢٥. لماذا تناقضني؟	Why do you contradict me?	واي دو يو كنترا دكت مي؟
٢٦. لماذا تحدق إليّ؟	Why do you stare at me?	واي دو يو استيرات مي؟
٢٧. أنت تزعل بلا سبب .	You are angry for nothing.	يو آر اينغري فور نـثنغ/
	You are unnecessarily getting annoyed.	يو آر أن نيسيسريلي غتنغ انوايد.
٢٨. أنت تضيّع وقتك بدون سبب .	You just/simply waste your time.	يو جست /سمبلى ويست يو ر تايم.
٢٩. من يجب أن نتهمه؟	Who is to blame?	هو از تو بليم؟
٣٠. هل إنّي جرحتك؟	Have I hurt you?	هيف آي هرت يو؟
٣١. ما أشد عارا!	What a shame!	وات أ شيم!
٣٢. لا يمكنني أن أسلّم بأنك لست بأمين.	I couldn't believe that you are not a honest person!	آي كدنت بليوُديت يو آر نوت ايه اونست برسن!
٣٣. من الذي استطيع أن اعتمد عليه .	Whom can I trust?	هوم كان آي ترست؟
٣٤. لم يكن ذلك الخطأ مني .	It was not my fault.	ات واز نوت ماي فولت.
٣٥. في الحقيقة كان ذلك خطأ .	Actually,it was done by mistake.	ايكتشويلي ،ات واز دن باي مستيك.
٣٦. إنه شخص مُزعج .	He is a nuisance.	هي ازأ نيو سانس.
٣٧. إنه خذلني .	He has let me down.	هي هيزليت مي داون .
٣٨. إنه يزعجني / يسخطني .	He irritates me.	هي ارّيتيتس مي.
٣٩. إنه خدعني / خانني .	He has betrayed/ cheated me.	هي هيز بتريد /تشد مى.

١٦. الثناء/ العطف (Affection)

٤٠. كان ذلك من شجاعتك .	That was very brave of you.	ديت واز فيري بريف أوف يو.
٤١. مرحَى، ممتاز، لتكن مثل ذلك دائما.	Well done! Good show! Keep it up.	ول دن! غد شو! كيب ات اب!
٤٢. رائع !	That's wonderful.	ديتس وندر فل.
٤٣. إن عملك جدير بالثناء .	Your work is praiseworthy.	يور ورك ازبريز وردي.
٤٤. أنت كريم. ما أكرمك!	You are so nice. /How nice you are!	يو آر سو نائس . /هاو نائس يو آر!
٤٥. ساعدتني كثيراً .	You have been a great help to me.	يوهيف بين أ غريت هيلب تو مي.

للملاحظة (To Remember)

إن في جملة Don't be afraid(لا تخف) كلمة Don't مركبة من Don't = Do + not حذف منها حرف O . وللدلالة على ذلك وضعت علامة (') apostrophe . ولكن won't ليست مركبة من Won't = Wo + not. إن أصلها will+not . فليس هناك ضابط كليّ لهذا الاختصار . واعرف إن not تكتب دائما n't . وإن can't هو مختصر لـ cannot. واصله can not ولكن تكتب دائما ككلمة واحدة لا منفصلة . وفيما يلي عدة مختصرات من هذا القبيل .

Shouldn't = should + not	Aren't = Are + not	Doesn't = does + not
Needn't = need + not	Weren't = were + not	Shan't = shall + not
Didn't = did + not	Couldn't = could + not	Wouldn't = would + not

وطريقة نطقها أن تنطق الكلمة الكاملة أولاً وتضاف إليها "نت" (بسكون النون) . مثل ودنت ، كدنت، شدنت، ددنت وغيرها .

38 اليوم الثامن والثلثون
th Day

١٧. الجمل السلبية (Negation)

١.	لا أستطيع أن أوافق على ما تقول .	I can't accept what you say.	آي كانت ايكسبت وات يوسيه .
٢.	لا أعرف شيئا عن هذا الأمر .	I know nothing in this connection.	آي نو نثنغ ان دس كنكشن.
٣.	لا تفعل مثل هذا العمل المؤذي مرة ثانية .	Don't do such a mischief again.	دونت دو ستش أ مس شيف اغين.
٤.	ليس الأمر كذ لك .	It's not so/like that.	اتس نوت سو / لايك ديت.
٥.	لم يمكنه أن يحصل على الإجازة.	He couldn't manage to get leave.	هي كدنت مينج تو غيت ليف.
٦.	ليس عندي أي شكوى .	I have no complaints./ I don't have any complaint.	آي هيف نوكمبلينتس./ آي دونت هيف ايني كمبلينت.
٧.	هذا لا يمكن .	It's impossible./It can't be so.	اتس امبوسبل ./ات كانت بي سو.
٨.	لا،لم يمكنني أن أذهب .	No, I couldn't go.	نو آي كدنت غو.
٩.	لا أعرف .	I don't know.	آي دونت نو.
١٠.	لا أريد شيئا .	I don't want anything.	آي دونت وانت ايني ثينغ.
١١.	لا شيء .	Nothing.	نثينغ.
١٢.	كيف يمكنني أن أفعل ذلك ؟	How can I do this?	هاؤ كان آي دو دس؟
١٣.	لا يمكنني القيام بذلك .	I can't do this.	آي كانت دو دس.
١٤.	لا أوافق/ لا أعتقد .	I don't agree/believe.	آي دونت ايغرى/بيليف.
١٥.	ذلك ليس بحق .	This is not true.	دس از نوت ترو.
١٦.	كان يجب أن لا تأذن بذلك .	You should not allow this.	يو شد نوت الاو دس .
١٧.	لا تنتقد على الآخرين .	Don't find fault with others./ Don't criticise others.	دونت فائند فولت ود ادرز/ دونت كريتي سايز ادرز.
١٨.	لا تفتخر بثروتك .	Don't be proud of your riches/money.	دونت بي براود أوف يو ر ريتشز/ مني.
١٩.	لا تخدع احداً .	Don't cheat anybody.	دونت تشيت ايني بدي.
٢٠.	لا تمش على العشب الطويل .	Don't walk on the tall grass.	دونت واك أون دَ تول غراس.
٢١.	لا تكن عنيداً .	Don't be stubborn.	دونت بي استبرن.
٢٢.	آسف، لا يمكنني أن أشتريه .	Sorry, I can't buy/afford it.	سوري ،آى كانت باى/افورد ات.
٢٣.	آسف، ليس عندي أي فكة .	Sorry, I don't have any change.	سوري ،آى دونت هيف ايني تشينج.
٢.	لا أعرف الغناء .	I don't know how to sing.	آي دونت نو هاو تو سنغ.
٢.	لا تغضب .	Don't be angry./Don't lose your temper.	دونت بي اينغري/دونت لوز يور تمبر.
٢.	لا تكن جلفا لأحد .	Don't be rude to anybody.	دونت بي رودتو ايني بدي .

لا تتكلم بطريقة جلفة مع الآخرين . Don't speak harshly with anybody. دونت اسبيك هارشلي ود ايني بدي.

١٨. موافقة (Consent)

١. كيفما تشاء . As you like./As you please. آيزيو لايك /آيز يو بليز.

٢. صدقت . You are right. يو آر رايت.

٣. لا مانع لديّ. I have no objection./ آي هيف نو اوبجكشن./
I don't have any objection. آي دونت هيف ايني اوبجكشن.

٤. لا بأس به . It doesn't matter . ات دزنت ميتر.

٥. سيكون كذلك . It will be so. ات ول بي سو.

٦. أنا متفق معك . I agree with you. آي ايغري ود يو.

٧. أنا معك . I am with you. آي ايم ود يو.

٨. نعم، هذا صحيح . Yes, it's true. يس اتس ترو.

٩. سأعمل بتوصيتك . I'll follow your advice. آيل فولو يور ايدوايس.

١٠. إني أقبل دعوتك . I accept your invitation. آي ايكسبت يور انويتيشن.

١١. أمنح موافقتي لذلك . I give my consent to this. آي غيف ماي كنسنت تو دس.

١٢. افعل كما يقول والدك . Do as your father says. دوايز يور فادر سيز.

١٣. لا أحاول أن أفرض رغبتي عليك . I'm not trying to impose my will on you. آيم نوت تراينغ تو امبوز ماي ول أون يو.

١٤. يبدو أنك لا تتفق معي . You don't seem to agree with me. يو دونت سيم تو ايغري ود مي.

١٩. تأسف (Sadness)

١. اسمح لي . Excuse me./Forgive me./Pardon me. اكسكيوز مي/فور غيف مي/باردن مي.

٢. أنا متأسف، أنك عانيت بسببي أنا . I'm sorry, you had to suffer because of me. آيم سوري. يو هيد توسفر بكاوز أوف مي.

٣. أنا متأسف بشدة على سماعي ذلك . I'm very sorry to hear this. آيم فيري سوري تو هير دس.

٤. كل عطفي وشفقتي لك . My sympathies are with you. ماي سمبيثيز آر ود يو.

(To Remember) للملاحظة

إن فعل Give معناه يعطي، يمنح. ولكن معناه يتغير بتغير Prepositions. ففعل Give up معناه يتخلى عن عمل أو رجاء Arshad gave up all hopes of recovering from his illness (تخلى أرشد عن كل رجاء في برئه من المرض) وكذلك Give in = يستسلم In spite of large rosources of the enemy the king refused to give in (على الرغم من الموارد الكثيرة للعدو، إن الملك لم يستسلم له). و give way = ينهار و give out = يفشي و give off يطلق و give ear = يستمع، ينصت و give a piece of one's mind = يتشاجر و give onself airs = يتبجح و give chase = يطارد و give around = يتراجع وغيرها .

39 th Day اليوم التاسع والثلٰثون

٢٠ . مشاجرة (Quarrel)

١. لماذا تغضب بهذه الشدة ؟	Why are you losing*your temper?	واي آر يو لوزنغ يور تمبر؟
٢. حذار، لا تقل هذه الكلمة مرة أخرى .	Beware, don't utter it again!	بي وير دونت اتر ات اغين!
٣. أنت قليل الصبر جدا .	You are very short-tempered.	يو آر فيري شورت تمبرد.
٤. إنه قد أزعجني كثيراً .	He has got**on my nerves.	هي هيز غوت أون ماي نرفز.
٥. ليكن ما يشاء .	Come what may!	كم وات ميه!
٦. ماذا أضررت بك؟	What harm/ wrong have I done to you?	وات هارم /رونغ هيف آي دن تو يو ؟
٧. يجب أن تصلح وتحسن عاداتك .	You'll have to mend your ways.	يول هيف تو مند يور ويز.
٨. لما ذا تتشاجر معه بلا ضرورة؟	Why do you quarrel with him unnecessarily?	واي دو يو كوارل ود هم أن نيسيسريلي
٩. لا تكن ثائراً في الغضب .	Don't get worked up/excited.	دونت غت وركد اب/ اكسايتد.
١٠. احسم الخلاف ، الآن .	Now settle the matter somehow.	ناو ستل د ميتر سم هاو.
١١. هل أنت على صوابك ؟	Are you in your senses?	آريو ان يور سنسيز؟
١٢. اخسأ .	Get out of my sight./Get lost.	غت آوت أوف ماي سايت/غت لوست.
١٣. لماذا تتدخل بشئوننا..	How are you concerned with our affairs.	هاو آر يو كنسرند ود اور افيرز.
١٤. لا تطوّل الأمر .	Now put an end to controversy./ Don't stretch the matter further.	ناو بت اين اند تو كنترو فرسي ./ دونت استريتش دَ ميتر فردر.
١٥. ويحك، لا أبالك .	Go to hell.	غو تو هيل.
١٦. دعه يسوي الخلاف بين الفريقين .	Let him mediate between the two parties.	ليت هم ميدي ايت بتوين دَ تو بارتيز.
١٧. قد سوّى الخلاف، قد انتهى الخلاف .	The quarrel is settled./ The matter ends here!	دَ كوارل از سيتلد/ دَ ميتر ايندز هير!
١٨. كونوا أصدقاء الآن .	Now be friends.	ناو بي فريندز.

٢١. الاعتذار (Apologies)

١. لا تأخذه باستياء .	Please don't mind this./ Please don't feel bad about it.	بليز دونت مايند دس./ بليز دونت فيل بيد اباوت ات.
٢. كنت أمزح .	I was just joking.	آي واز جست جو كنغ.
٣. آسف، إنّي متأخر .	I'm sorry, I got late.	آيم سوري ،آى غوت ليت.
٤. تأسفت على سماعي ذلك .	I was sorry/pained to hear this.	آي واز سوري ./ بيند تو هير دس.

٥.	اسمح لي إن كان هناك أيّ خطأ .	Excuse me, if there	اكسكيوز مي، اف دير
		has been any mistake.	هيز بين ايني مستيك.
٦.	أطلب المعذرة .	I beg your pardon.	آي بيغ يور باردن.
٧.	اعذرني من فضلك على سوء نطقي .	Please excuse my incorrect pronunciation.	بليز اكسكيوز ماي انكركت برونسي ايشن.
٨.	أنا آسف على إني قاطعت حديثك .	I'm sorry for interrupting you.	آيم سوري فور انتربتنغ يو.
٩.	آسف، لم اتمكن من الاتصال بك تلفونيا.	I 'm sorry, I couldn't call you.	آيم سوري،آي كدنت كول يو.
١٠.	اعتذر نيابة عني .	Apologise on my behalf.	ابولو جايز أون ماي بيهاف.
١١.	لا تعتذر، إنه لا بأسٍ به .	Don't apologise. It does not matter.	دونت ابو لوجايز . ات دز نوت ميتر.
١٢.	لم يكن ذلك إلا خطأً .	It was merely done by mistake.	ات واز ميريلي دن باي مستيك.
١٣.	أنا متأسف جدا .	I am very sorry.	آ ى ايم فيري سوري.
١٤.	لا تقلق ، لم يحدث أي ضرر .	Don't worry. No harm is done.	دونت وري. نو هارم از دن.
١٥.	أنا متأسف لو آذيتك وأنا لا أشعر .	I am very sorry if	آي ايم فيري سوري اف
		I have unknowingly	آي هيف أن نو اينغلي
		hurt you.	هرت يو.
١٦.	كان ذلك بدون تعمّد .	It was done unknowingly.	ات واز دن أن نو اينغلي.
١٧.	لم يكن ذلك من خطئك .	It was not your fault.	ات واز نوت يور فاولت.
١٨.	أنا متأسف بشدة على أنك انتظرت لي طويلا .	I am awfully sorry to have kept	آي ايم آو فلي سوري تو هيف كيبت
		you waiting so long.	يو ويتنغ سو لونغ.
١٩.	لا بأس به .	That's all right.	ديتس اول رايت.

٢٢. الغضب (Anger)

١.	يجب أن تستحيى من نفسك. عار عليك .	You should be ashamed of yourself.	يو شد بي اشيمد أوف يور سيلف./
		Shame on you.	شيم أون يو.
٢.	يجب أن تخجل في نفسك .	You should be ashamed of yourself.	يو شد بي اشيمد أوف يو ر سيلف.
٣.	أنت ذكيّ إلى حد المكر .	You are too clever/smart.	يو آر تو كليفر/اسمارت.
٤.	أنت شخص ماكر .	You are an extremely cunning man.	يو آر اين اكستريملي كننغ مان.
٥.	عار عليك .	Shame on you.	شيم أون يو.
٦.	أنت لئيم/ ماكر .	You are a mean/cunning fellow.	يو آر أ مين/كننغ فيلو.
٧.	لا أريد أن أنظر إلى وجهك/ اغرب عني .	I don't want to see your face./	آي دونت وانت تو سي يور فيس ./
		Don't show me your face again.	دونت شو مي يور فيس اغين.
٨.	لا تكلم بكلام فارغ .	Don't talk nonsense./Stop yapping.	دونت تاك نون سنس./استوب ييبنغ.
٩.	كان ذلك بسببك .	It's all because of you.	اتس اول بكاوزأوف يو.
١٠.	كان ذلك من صنعك .	It's all your doing.	اتس اول يو ر دوينغ.
١١.	لا يمكن أن تنفلت بهذه الطريقة .	You can't get away like this.	يوكانت غت اويه لايك دس./

لا يمكن أن تنفلت من هذا . You can't escape from this. يو كانت اسكيب فروم دس.

١٢. لا تستحق العفو . You don't deserve forgiveness./ يو دونت ديزرو فور غيو نيس.

أنت لا تُعذر أبداً . You can never be forgiven. يو كين نيفر بي فور غيون.

١٣. إنك مسئول عن هذا كله . You are responsible for this/that. يو آر رسبونسيبل فور دس/ديت.

للملاحظة (To Remember)

*إن كلمتى lose (لوز)يفقد و loose(لوس) فضفاض مختلفتان نطقا ومعنىً . ولكن بعضا منا يخطىء في الكتابة ويكتب loose مكان lose(كلمة loose تشابه goose (أوزة) و noose (ربقة)) فاحذر من هذا الخطأ.

**فعل Get غت (الحصول على) يؤدى مختلف المعانى مع مختلف أحرف الجر، فليلاحظ فيما يلي :

Get about يمشى : He *gets about* with difficulty since his illness. (يمشي بصعوبة بسبب علته .)

Get back = يعود : When will you *get back* ? (متى تعود؟)

Get down = ينزل She climbed the tree but then couldn't *get down* again (صعدت على الشجرة ولكن لم تستطع أن تنزل منها .)

Get going = يبدأ They wanted to *get going* on the construction of the house. (كانوا يريدون أن يبد أوا بناء الدار.)

Get in = يدخل "Please get in the train", said the guard. The train is about to start." ("ادخل القطار من فضلك"، قال الكمسارى "يكاد أن يمشى القطار.")

Get off = ينزل He *got off* the noon train. (هو نزل من قطار الظهر .)

Get out = يخرج He couldn't *get out* of the room: (لم يستطع أن يخرج من الغرفة .)

Get up = ينهض من النوم It is a good habit to *get up* early in the morning: (النهوض مبكرا عادة جيدة .)

Get together = يجتمع We are planning a *get together* to celebrate our friend's marriage. (نفكر أن نجتمع بمناسبة زواج صديقنا)

Get through = ينجح He *got through* his examination (إنه ينجح في الامتحان .) وغيرها.

40th Day
اليوم الأربعون

هنا عدة فحوص .

فيمكنك فحص أهليتك بها . كل ٢٠ جملة تحمل ٢٠ علامة . إن كانت لك ١٦ جملة صحيحة فأكثر فتقديرك جيد جداً (very good) . وإن كانت ١٢ جملة صحيحة فأكثر فتقديرك حسن (fair) .

Test No.1

من اليوم ٣١ إلى ٣٥

I. فيما يلي عدة جمل . يوجد في كل منها خطأ يرتكبه الناس في الكتابة أو التكلم . اصلحه ثم قارن الجملة بالجمل التي في الدروس من ٣١ إلى ٣٥ يوما . وافهم الأخطاء جيدا. (قد ذكر رقم المادة ورقم الجملة كليهما) .

1. Would you like to come with us to cinema? [1:5]. 2. Let us go through bus. [1:8]. 3. No, I don't know to play it. [1:11]. 4. It's mine pleasure. [2:22]. 5. Have nice journey. [2:31]. 6. Thanks for present. [3:39] 7. Wish you new year. [4:45]. 8. Congratulations for your success. [4:48]. 9. Please wake up him. [7:6]. 10. Let me do work. [7:9]. 11. Please repeat again. [7:14]. 12. What sweet dishes you have? [8:10] 13. Have little more. [8:16]. 14. Are you an vegetarian? [8:27]. 15. He is glutton. [8:50] 16. When you have dinner? [9:11]. 17. You are late by half hour. [9:36]. 18. May we rest here for while? [10:19]. 19. Tell the truth and speak no lies. [11:3]. 20. Note down this. [11:36].

Test No.2

من اليوم ٣٦ إلى ٣٩

II. إن الجمل التالية قرأتها في السابق وتراها بشئ من التغير . اقرأها وإذا وجدت أيّ خطأ فاصلحه وابحث عن سبب الخطأ . (وقد ذكر مع كل جملة رقم ومادة الجملة السابقة).

1. Don't write in pencil. Please write with pen. [12:59-60]. 2. Chew your food good. [12:77]. 3. You must guard bad habits. [12:88]. 4. You can ask if difficulty. [13:11]. 5. It's pity. [14:1]. 6. It was God will. [14:18]. 7. Whom I should trust? [15:23]. 8. He is nuisance. [15:36]. 9. I can't accept what do you say. [17:1]. 10. How I can do this! [17:12]. 11. Don't be proud for your riches. [17:20] 12. Do not walk at the long grass. [17:22] 13. I don't know to sing. [17:26]. 14. Don't angry. [17:27]. 15. I entirely agree to you. [18:8] 16. Yes, that is truth. [18:10] 17. I'll follow your advices. [18:12]. 18. Forgive me to interrupt you sir! [21:8]. 19. It was merely done with mistake. [21:12]. 20. I am awfully sorry for kept you waiting so long. [21:18].

Test No.3

III. يوجد في كل جملة من الجمل التالية خطأ. فأعد كتابتها بعد إصلاح الخطأ. الأخطاء بحروف مائلة (Italics).

1. Be careful not to *loose* your money. 2. Has the clerk *weighted* the letter? 3. Physics *are* not easy to learn. 4. You have a *poetry* to learn by heart. 5. My *luggages are* at the station. 6. You have five *thousands* rupees. 7. When she entered the room, she saw a notebook on the *ground.* 8. Let us see a *theater* tonight. 9. Which is the *street* to the village? 10. My younger brother is five and a half feet *high.* 11. Are you *interesting* in your work? 12. I have now *left* cricket. 13. Madam, *will* I go home to get my exercise book? 14. She sometimes *puts* on red shoes. 15. She *wears* her clothes in the morning. 16. There *is* a lot of flowers on this tree. 17. How *many* paper do you want? 18. He has given up smoking, *isn't* it? 19. Why *h e not sees* a film? 20. *What do elephants* eat?

الإجابات

1. lose, 2. weighed. 3. is, 4. poem, 5. luggage is, 6. thousand, 7. floor, 8. play, 9. road. 10. tall, 11. interested, 12. given up, 13. may, 14. wears, 15. puts on, 16. are, 17. much, 18. hasn't he, 19. doesn't he see, 20. what do.

Test No .4

IV. املأ الفراغات بكلمة مناسبة من الكلمات التي في الهلالين :

1. ...(shall, will) you please help me out of this dificulty? 2. She was over-joyed... (to, into) see her lost baby. 3. Thanks... (to, for) your food wishes. 4. We congr atulated him... (at, on) his success. 5. ...(Get, Let) me go home. 6. Are you feeling... (thirst, thirsty)? 7. Do you... (drink, take) milk or tea? 8. What... (is, are) the news. 9. Remind him... (of, on) his promise. 10. Switch... (out, off) the light. 11. Go.... (on, in) person to post this important letter. 12. Give.... (in, up) smoking, it's harmful. 13. Is there any need ....(for, to) worry? 14. Do not find fault.... (on, in, with) others. 15. Are you angry.... (on, with) me? 16. I know very little.....(of, in, on.) this connection. 17. Get out (from, of) my sight. 18. You are... (loosing, losing) temper. 19. We... (may, shall) have some coffee. 20. We must avoid....(smoking, to smoke).

الإجابات

1. Will, 2. to, 3. for, 4. on, 5. Let, 6. thirsty, 7. take, 8. is, 9. of, 10. off, 11. in, 12. up, 13. to, 14. with, 15. with, 16. in, 17. of, 18. losing, 19. shall, 20. smoking.

Test No.5

V . ترجم الجمل التالية إلى اللغة العربية:

1. No, I don't take tea. 2. I won't be able to attend his birthday party. 3. He does not agree with me. 4. They didn't come. 5. The lion killed two shepherds. 6. The Tigris was flooded. 7. Raise the curtain. 8. Don't they run fast? 9. How can it be so? 10. The tiger in the cage frightened the children. 11. I want your kind help. 12. He did it. 13. Who plays football in the park? 14. He lives only on milk. 15. Is't he twelve years old?

Test No.6

VI . حوّل الجمل السلبية إلى الإيجابية، والإيجابية إلى السلبية من الجمل التي في السؤال V أعلاه حسب الطريقة المبينة فيما يلي :

الجملة المذكورة	عكس الجملة المذكورة
He didn't play cricket.	He played cricket.
She sings very well.	She does't sing very well.

Test No.7

VII. تكلم بالكلمات التالية بالنطق الصحيح ثم اكتبها بالحروف العربية نحو: وُد would

invite, invitation, pleasure, journey, hearty, rumour, success, little stomach. quarrel, minutes, forty, fourteen, receipt, honest.

Test No.8

VIII.(i) بيّن معاني الأفعال التالية :

(i) to fetch, to enjoy, to meet, to burst, to bring, to enter, to chew, to cheat, to want, to agree, to obey, to move, to forget, to forgive, to hire, to abstain.

(ii) بيّن الفرق بين الكلمتين :

believe---belief, (to) check---cheque, (to)speak---speech, (to)agree---agreement, (to) cool---cold, (to) invite---invitation, (to) pride---proud, (to)except---(to) accept.

(iii) هات الكلمات المعاكسة للكلمات التالية نحو : (possible-impossible)

Patience, come, accept, clean, improper, without, switch, off, back, early, disagree, many, able, empty.

Test No.9

IX. إن فعل go يؤدي مختلف المعاني عند اتصاله بمختلف حروف الإضافة . ولمثل هذه الكلمات المركبة أهمية بالغة في كل لغة. نذكر هنا طائفة من الكلمات التي تركب مع go فاحفظها واستعملها في الجمل للتمرين .

go on = يواصل
go out = ينطفئ
go with = يرافق
go down = يغرق
go in for = يهتم بـ
go about = يشرع في
go into = يبحث
go back on = يحنث بوعده

41 اليوم الحادي والأربعون
st Day

المرحلة الخامسة (5th Expedition)

تعلمنا في المرحلة الرابعة جملاً إنجليزية تستعمل في مناسبات مخلتفة من الدعوة و التحية واللقاء والأمر والنهي والمشاجرة والغضب والعفو والاعتذار وغيرها. وفي المرحلة الخامسة سنتعلم جملاً تتعلق بالصحة والجو والاخلاق واللباس والقراءة والكتابة والألعاب. وكذلك الجمل التي يحتاج اليها عند المقابلة في البيت أو خارجه والبيع والشراء. فإنك إذ تقدر على التكلم بالإنجليزية بمساعدة هذه الجمل، فإنك سوف تعرف الكلمات الجديدة بالنطق الصحيح بإضافة البوادئ، إذا اتبعت الارشادات التي في النهاية.

٢٣. في البيت (At Home)

١. انظر، ضع الفراش هنا.	Look, make the bed over here.	لك، ميك دَ بيد أوفر هير.
٢. اللبن قد تخثر.	The milk has turned sour.	دَ ملك هيز ترند ساور.
٣. دعني أربط البقرة بوتد.	Let me tether the cow.	ليت مي تيثر د كاؤ.
٤. نظّف الغرفة دائما.	Keep the room clean/dusted.	كيب دَ روم كلين/دستد.
٥. اتقد الفحم إلى أن صار رماداً.	The coals were burnt to ashes.	دَ كولز ور برنت تو ايشز.
٦. كم ولداً عندك؟	How many children do you have?	هاو ميني تشلدرن دو يو هيف؟
٧. نطبخ البطاطس كل يوم.	We cook potatoes everyday for our meals..	وي كك بو تيتوز ايورى ديه فور اور ميلز.
٨. أية ألوان جديدة طبخت اليوم؟	What new dishes were made today?	وات نيو دشز ور ميد تو ديه؟
٩. متى أخذ الغسّال الثياب للغسل أخيراً؟	When did the washerman last take the clothes for washing?	وين دد د واشر مين لاست تيك دَ كلوذز فور واشنغ؟
١٠. اكو هذه السترة مرة أخرى.	Get this coat ironed again.	غت دس كوت آئرند اغين.
١١. ضع الثياب المبتلة في الشمس.	Put wet clothes in the sun.	بت ويت كلوذز ان د سن.
١٢. دعني اتهيّأ.	Let me get ready.	ليت مي غت ريدى.
١٣. أنت تبطئ كثيراً.	You are taking too long./	يو آر تيكنغ تو لونغ./
	You are being very slow.	يو آر بيئنغ فيرى سلو.
١٤. سوف نصل هناك قبل الميعاد.	We'll reach there before time.	ويل ريتش دير بفور تايم.
١٥. إن أمّ زوجها امرأة حسنة الخلق وليست زوجات أبنائها.	Her mother-in-law is good natured, but not her daughters-in-law.	هر مدر ان لا از غد نيشرد. بت نوت هر داترز ان لا.
١٦. مرحبا بكم.	You are welcome.	يو آر ويلكم.
١٧. يجب أن لا تحنث بوعدك..	You should not go back on your words.	يو شُد نوت غو بيك أون يور وردز./
	You should keep your word.	يو شد كيب يور ورد.
١٨. عامل معاملة سيئة.	He behaved very rudely./	هي بي هيفد فيري رودلي./

		He was impudent/rude.	هي واز امبو دنت/ رود.
١٩.	اطلوا آنيتكم بالقصدير.	Get your utensils tinned.	غت يور يوتنسلز تند.
٢٠.	لا أستطيع أن أنتظر مزيداً من الوقت.	I can't wait any longer.	آي كانت ويت ايني لونغر.
٢١.	إنّي خارج البيت منذ الصباح.	I have been out since morning.	آي هيف بين آوت سنس مورننغ.
٢٢.	أشعر بالنوم.	I 'm feeling sleepy.	آيم فيلنغ سليبي.
٢٣.	نمت البارحة نوماً هادئاً.	I had a sound sleep last night.	آي هيد أ ساوند سليب لاست نايت.
٢٤.	لا رجل في الداخل.	There is nobody inside.	دير از نو بدي انسائيد.
٢٥.	اذهب الآن للنوم.	Now, go to sleep/bed.	ناو غو تو سليب/ بيد.
٢٦.	تأخرت كثيراً.	You took a long time.	يو تك أ لونغ تايم.
٢٧.	سأتهيّأ في برهة.	I'll be ready in a moment.	آيل بي ريدى ان أ مومنت.
٢٨.	لماذا لم توقظني؟	Why didn't you wake me up?	واى ددنت يو ويك مي اب؟
٢٩.	ما اعتبرت ذلك مناسبا أن أوقظك.	I didn't think it proper to wake you up.	آي ددنت ثنك ات بروبر تشويك يو اب.
٣٠.	استريح لبرهة.	I'll relax/rest for a while.	آيل ريلكس/ ريست فور أ وايل.
٣١.	خذ الكرسى.	Pull/have a chair, please.	بل، هيف أ تشير بليز.
٣٢.	أنت يقظ حتى الآن!	You are still awake!	يو آر استل اويك!
٣٣.	من يطرق الباب؟	Who is knocking at the door?	هو ازنوكنغ ايت د دور.
٣٤.	استيقظت متأخراً اليوم في الصباح	I woke up late this morning.	آي ووك أب ليت دس مورننغ.
٣٥.	هناك شخص جاء لمقابلتك.	Someone has come./ There is someone to see you.	سم ون هيز كم/ ديراز سم ون تو سي يو.
٣٦.	تفضّل، ادخل.	Please come in.	بليز كم ان.
٣٧.	اجلس من فضلك.	Please be seated. Please have a seat./ Please sit down.	بليز بي سيتد/ بليز هيف أ سيت/ بليز ست داون.
٣٨.	أين أنور؟	Where is Anwar.	وير از انور؟
٣٩.	لا أعرف أين هو.	I don't know where he is.	آي دونت نو وير هي از.
٤٠.	ما هذا؟	What's it?	واتس ات؟
٤١.	من هذا؟	Who's it?	هوز ات؟
٤٢.	أنا مغيث.	It's me, Mughis.	اتس مي مغيث.
٤٣.	هل أرشد في الداخل؟	Is Arshad in?	از ارشدان؟
٤٤.	قد تقدم النهار.	The day has far advanced.	د ديه هيز فار ايدوانسد.
٤٥.	أنا في هذه الأيام في عسرة.	I'm hard up/tight these days.	آيم هارد أب/تايت ديز ديز.
٤٦.	استأجر طاهيا ماهراً.	Engage some expert cook.	انغيج سم ايكسبرت كك.
٤٧.	أنا تعبان جدا.	I am dead/terribly tired.	آي ايم ديد/ تيربلى تايرد.
٤٨.	دعنا نتحدث.	Let's have a chat.	ليتس هيف أ تشيت.
٤٩.	اقفل الباب بالرتاج.	Bolt the door.	بولت د دور.
٥٠.	حان وقت الذهاب الآن.	It's time to depart now.	اتس تايم تو ديبارت ناو.

٥١.	ضع أدوات البيت في محلها.	Keep the household things in their place.	كيپ دَ هاوس هولد ثنغز ان دير بليس.
٥٢.	استرح الليلة هنا .	Take rest/Relax here tonight.	تيك ريست/ ريليكس هير تو نايت.
٥٣.	أنت تنعس .	You are dozing.	يو آر دزنغ.
٥٤.	ضع فراشي .	Make my bed.	ميك ماي بيد.
٥٥.	ينزل الماء من أنفك .	Your nose is running.	يور نوز از رننغ.
٥٦.	تحدثنا طويلاً .	We kept talking/chating till very late.	وي كيبت توكنغ/ تشيتنغ تل فيري ليت.
٥٧.	اتصل بالطبيب هاتفيا .	Ring up the doctor.	رنغ اب دَ داكتر.
٥٨.	جاء خالي ليقابلني .	My maternal uncle has come to see me.	ماي ميترنل انكل هيز كم تو سي مي.
٥٩.	هذا السيد عنده شغل معك.	This gentleman has some work with you.	دس جنتل مين هيز سم ورك ود يو.
٦٠.	يجب أن اذهب إلى بيته .	I have to go to his house./ I have to call on him.	آي هيف تو غو تو هز هاوس/ آي هيف تو كول أون هم.
٦١.	إنه يسكن منفصلا عن والديه.	He lives separately from his parents.	هي لفز سيبريتلي فروم هز بيرنتس.
٦٢.	لو كان قال لي لأ قمت .	Had he asked me, I would have stayed.	هيد هي آسكد مي، آي ود هيو استيد.
٦٣.	أغتسل بالدش كل صباح .	I take/have a shower-bath every morning.	آي تيك/ هيف أ شور باث ايفري مو رننغ.

(To Remember) للملاحظة

* تكوّن صيغة الجمع في الإنجليزية بإضافة s في نهاية الكلمة . ولكن يجب الاحتياط والاحتراس في وضع s في بعض الكلمات . فمثلا كلمة son-in-law سن.إن.لا (زوج البنت) جمعها sons-in -law سنز.ان.لا. وليس son-in-laws، سن .إن لاز . وبهذه الطريقة تكون صيغ الجمع للكلمات التالية:

Father- in-law	(فادر.ان.لا)	والد الزوج / الزوجة	Fathers-in-law
Brother-in -law	(بردر.ان.لا)	زوج الأخت / أخو الزوج/ الزوجة	Brothers-in-law
Mother-in-law	(مدر.ان.لا)	أم الزوج/ الزوجة	Mothers -in-law
Sister-in-law	(سستر.ان.لا)	زوجة الأخ/ أخت الزوج/الزوجة، زوجة أخي الزوجة	Sisters-in law
Governor-General	(غورنر جنرال)	الحاكم العام	Governors-General
Commander-in-Chief	(كوماندر.ان.شيف)	القائد العام	Commanders-in-chief

وفى مثل هذه الكلمات يجب أن يلاحظ إلى الكلمة الرئيسية في المجموعة فيضاف حرف s إليها . وقياساً على ذلك جمع step-son يكون step-sons (ابن الزوج من زوجته الأخرى وابن الزوجة من زوجها السابق) وجمع maid servant يكون maid-servants (ميد سرونتنس)

42nd Day اليوم الثاني والأربعون

٢٤. خارج البيت (Out of Home)

١. هذا الحذاء ضيق .	This shoe is very tight.	دس شو از فيري تايت.
٢. إلى أيّ جهة يؤدي هذا الطريق ؟	Where does this road lead to?	وير دز دس رودليد تو؟
٣. هذا الطريق يؤدي إلى البصرة.	This road leads to Basrah.	دس رود ليدز تو بصره .
٤. امسك دراجتي لبرهة .	Just hold my cycle/bike.	جست هولد ماي سائيكل / بايك.
٥. يجب أن أستيقظ في الليل ..	I have to keep awake/wake up at night..	آي هيف توكيب اويك/ويك اب ايت نايت.
٦. امش دائما على يسارك .	Always keep to the left.	الويزكيپ تو د ليفت.
٧. امش دائماً على طريق المشاة .	Always walk on the footpath.	الويزواك أون د فوت باث.
٨. احذر من النشالين .	Beware of pickpockets.	بي وير أوف بك باكتس.
٩. لست مولعا بمشاهدة المسرحيات .	I am not fond of theatre/ seeing plays.	آي ايم نوت فوند أوف ثى ايتر/ سي ئنغ بليز.
١٠. انتقلت إلى منزل آخر/ غيّرت منزلي .	I have changed my house/I've shifted from the old place.	آي هيف تشينجد ماي هاوس/آئيف شفتد فروم دى اولد بليس .
١١. هل يمكن الواحد أن يستأجر تاكسى هنا؟	Can one get a taxi/cab here?	كان وي غت أ تيكسى/كيب هير؟
١٢. مهما يكن الأمر، يجب أن نصل إلى الاجتماع في الميعاد .	Come what may, we must reach the meeting in time.	كم وات ميه وي مست ريتش د ميتنغ ان تايم.
١٣. هذا الطريق مغلق للعامة .	This road is closed to the public.	دس رود ازكلوزد تو د ببلك.
١٤. الدخول ممنوع بدون الإذن .	No entry without permission.	نو انتري ودآوت برميشن.

٢٥ . للخادم (To Servant)

١. تعال هنا يا ولد .	Come here boy.	كم هيربواى.
٢. جئ بالطعام .	Bring the food.	برنغ د فود.
٣. هات لي بكوب ماء .	Get me a glass of water.	غت مي أ غلاس أوف واتر.
٤. اذهب وألق هذه الخطابات في صندوق البريد.	Go and post these letters.	غو ايند بوست ديز ليترز.
٥. اغسل الملابس .	Wash the clothes.*	واش د كلوذز.
٦. عجّل/ أسرع .	Hurry up./Make haste.	هرى أب ميك هيست.
٧. ارفع الطرد .	Lift/Pick up/Carry the bundle.	لفت/بك اب/كيري د بندل.
٨. أعطني نصف الخبز.	Give me half a bread.	غيو مي هاف أ بريد .

**(i) Clothes(كلوذز) معناه الملابس و Cloth القماش غير المخيط.
(ii) clothe (كلوذ)أيضا فعل معناه يلبَس/ يُلبِس

٩.	اذهب أنت الآن، عندي شغل . .	You go now, I have to do some work.	يو غو ناو، آي هيف تو دو سم ورك.
١٠.	ارني الطريق .	Show the way.	شو د ويه.
١١.	أوصله إلى الخارج .	Show him out.	شو هم آوت.
١٢.	لا تقاطع الحديث .	Don't interrupt.	دونت انتربت.
١٣.	اسمع .	Just listen.	جست لسن.
١٤.	لا تقلق .	Don't worry.	دونت وري.
١٥.	انتظر قليلا .	Wait a bit.	ويت أ بت.
١٦.	افتح المروحة .	Switch on the fan.	سوئيتش أون دَ فين.
١٧.	لا تحدث ضجيجا .	Don't make a noise.	دونت ميك أ نوايز.
١٨.	اذهب وانظر لماذا يبكي الولد .	Go and see why the child is weeping/crying.	غو ايند سي واى د تشايلد از وييبنغ كرائنغ.
١٩.	اعطني قلما و ورقا.	Give me a pencil and a piece of paper.	غيو مي أ بنسل ايند أ بيس أوف بيبر.
٢٠.	انتظر هنا حتى أعود .	Wait here until I'm back.	ويت هير انتل آيم بيك.
٢١.	يمكنك أن تذهب الآن.	You may go now.	يو ميه غو ناو.
٢٢.	ايقظني في الساعة ٤ تماما .	Wake me up at 4 o'clock.	ويك مي اب ايت فور اوكلوك.
٢٣.	اوقد المصباح .	Light the lamp.	لايت دَ ليمب.
٢٤.	اغلق / افتح النور .	Switch off/on the light.	سوئيتش اوف/اون دَ لايت.
٢٥.	تحرك إلى جانب .	Move aside.	موف آسايد.
٢٦.	استعمل عقلك / مخك .	Use your mind/brains.	يو زيو ر مائند/ برينز.
٢٧.	لا تنس أن تأتي مبكراً غداً .	Don't forget to come early tomorrow.	دونت فورغت توكم ارلى تو مورو.
٢٨.	اذهب واسترح قليلا .	Go and relax for a while.	غو ايند ريليكس فورأ وايل.

(To Remember) للملاحظة

مثل الاسم ، يمكن معرفة الصفة بالنظر إلى نهاية الكلمة. Articles of daily use are now available in the market. (توجد الحاجات اليومية في السوق الآن) فكلمة available كوّنت بإضافة able إلى avail. وكذلك كلمات agreeable (مقبول) comfortable (مريح) dependable (القابل للاعتماد عليه) eatable (القابل للأكل) manageable (القابل للإدارة) payable (القابل للدفع) saleable (القابل للبيع) washable (القابل للغسل) كونت كلها بإضافة able إلى الكلمة الأصلية (اسما أو فعلا). وأحيانا تستعمل ible مكان able نحو combust (احتراق) منهما combustible (قابل للاحتراق) eligible (أهل) illegible (غير مقروء)

وتكوّن أسماء الصفة أحيانا بإضافة al إلى الأسماء أو الأفعال نحو:

(متواصل)	continual	من continue	
(نهائى)	terminal	من term	
(وحشى)	brutal	من brute	
(مركزي)	central	من centre	

وفي هذه الصورة تحذف حرف 'e' إذا كان في النهاية .

43 اليوم الثالث والأربعون
rd Day

٢٦ . عند اللقاء (On Meeting)

١. فرحتُ/ فرحنا بلقائكم .	It's been nice seeing you.	اتس بين نايس سي ئنغ يو.
٢. متى أقابلكم؟/ متى نقابلكم؟	When do I see you again ./	وين دو آي سي يو اغين؟
	When shall we meet again?	وين شيل وي ميت اغين؟
٣. فرحت بلقائكم.	I am glad see you.	آي ايم غليد تو سي يو.
٤. هناك عمل هام عليّ أن أقوم به .	There is something important to do.	دير از سمثنغ امبورتينت تو دو.
٥. لم لم تجيء في ذلك اليوم؟	Why didn't you come that day?	واي ددنت يو كم ديت ديه؟
٦. أنت على خطأ .	You are mistaken./ You are at fault.	يو آر مستيكن./ يو آر ايت فولت.
٧. لم أركم منذ طويل .	Long time no see. (informal).	لونغ تايم نوسي.
	Didn't see you for a long time.	ددنت سي يو فور أ لونغ تايم.
٨. إنّه سأل عنك .	He has asked for you.	هي هيز آسكد فور يو.
٩. لم ينته عملي حتى الآن .	My work is not yet over.	ماي ورك از نوت يت اوفر.
١٠. جئت لأستشيرك .	I've come to seek your advice.	آئيف كم تو سيك يورايدوايس.
١١. أريد أن أتحدث معك .	I wish to talk to you.	آي وش تو توك تو يو.
١٢. انتظرتك طويلا .	I waited long for you.	آي ويتد لونغ فور يو.
١٣. أنت متأخر بنصف ساعة .	You are late by half an hour.	يو آر ليت باي هاف اين آور.
١٤. جئنا مبكرا .	We have come too early.	وي هيف كم تو ارلى.
١٥. كيف حالك ؟	How are you?	هاو آر يو؟
١٦. قدّمني إليه .	Introduce me to him.	انترودیوس مي تو هم.
١٧. أرسل برقية حول عافيتك .	Wire about your welfare.	واير اباوت يو رويلفير.
١٨. قم بالرياضة البدنية يوميا .	Take exercise daily./every day.	تيك ايكسر سايز ديلى/ ايفرى ديه.
١٩. لم أسمع من أخباره منذ طويل .	I haven't heard about him for long.	آي هيفنت هرد اباوت هم فور لونغ.
٢٠. أخبرني بخبر سار .	Let's have some good news.	لتس هيف سم غد نيوز.
٢١. وصلتني رسالتك آنفا .	Your letter has just been received.	يو رليتر هيز جست بين ريسيفد.
٢٢. اكتب الرسالة فور وصولك .	Write immediately on reaching.	رايت امى جييتلى أون ريتشنغ.
٢٣. لاتنس/ احفظه .	Don't forget it./Keep it in mind.	دونت فورغت ات/كيب ات ان مايند.
٢٤. أخبرني عندما يأتي .	Let me know when he comes.	ليت مي نو وين هي كمس.
٢٥. نراكم .	See you again.	سي يو اغين.
٢٦. أبلغ تحياتي إليه .	Give/convey my regards to him.	غِف/ كنويه ماي ريغاردس تو هم.

٢٧.	اكتب إليّ في حين وآخر .	Do write to me sometimes /off and on.	دو رايت تو مي سم تايمز أوف اند اون.
٢٨.	أعطني عنوانك من فضلك .	Please give me your address.	بليز غف مي يور ايدرس.
٢٩.	قابلني يوم الأحد المقبل .	Meet me next Sunday.	ميت مي نيكست سنديه.
٣٠.	هل حددت موعداً للاجتماع به / بها ؟	Have you arranged/fixed up a meeting with her/him?	هيف يو اريجند فكسد اب أ ميتنغ ود هر/ هم؟
٣١.	سرّني لقاءُه .	It was nice meeting him.	ات واز نايس ميتنغ هم.
٣٢.	مرحباً بك في كل وقت .	You are always welcome.	يو آراولويز ويلكم.
٣٣.	لا حاجة إلى كلفة .	There is no need for formality./ Don't be formal.	دير از نو نيد فور فورميليتي./ دونت بي فورمل.
٣٤.	علاقاتي معه ليست جيدة .	I am not on good terms with him.	آي ايم نوت أون غد ترمز ود هم.
٣٥.	نحن على علاقات جيدة/ ممتازة فيما بيننا.	We have an excellent /perfect relationship with each other.	وي هيف اين ايكسلينت/ برفيكت ريليشن شب ود ايتش ادر.
٣٦.	شكراً على مساء لطيف وجميل .	Thanks for a pleasant/wonderful/ lovely evening!	ثينكس فور أ بليزنت/وندرفل/ لفلي ايوننغ.

(To Remember) للملاحظة

هناك كلمات في الإنجليزية إذا استعملت جمعا يحدث شيء من التغير في معناها . فكلمة Rich معناها غنيّ. ولكن Riches ليس جمعا لكلمة Rich نحو : He is a rich man هو رجل غنيّ. Riches make men proud. (الثروة تجعل الناس مغرورين). وكذلك إن الكلمات التالية تستعمل في صيغة الجمع دائما .

alms (آمز)الصدقة ، spectacles (اسبيكتكلز) نظارة، trousers (تراوزرس) بنطلون ، scissors (سيزرس) مقراض، shorts (شورتس) سروال قصير .

وهناك كلمات في صيغة الجمع ولكن معانيها مفردة نحو :

Mathematics is difficult. (ماتيماتكس از ديفيكلت) الرياضيات مادة صعبة . ومثلها الكلمات التالية، تمرن عليها جيدا .

innings (انينغز) نوبة، News (نيوز) نبأ، means (مينز) وسيلة corps (كور) فيلق، series (سيريز) سلسلة .

*لأداء معنى نصف ساعة يستعمل half an hour .

44 th Day
اليوم الرابع والأربعون

٢٧. الشراء (Shopping)

١. هو صاحب محل صغير .	He is a petty/an ordinary shopkeeper.	هي از أ بيتي/اين اور دينري شوب كيبر.
٢. البائعون المتجوّلون يصيحون بصوت رفيع جدا.	The hawkers are shouting at the top of their voice.	د هو كرز آر شاوتنغ ايت د توب اوف دير وايس.
٣. هذا الرز من النوع الرد ىء.	This rice is of an inferior quality.	دس رايس از أوف اين انفرير كواليتي.
٤. هذا الشيء يباع بسعر تافه جدا .	This article is selling at a throw-away price.	د س آرتيكل از سيلنغ ايت أ ثرو اويه برايس.
٥. هناك كساد في التجارة هذه الأيام.	There is a depression in trade these days./ There is a slump in business these days.	دير از أ ديبريشن ان تريد ديز ديز / دير از أ سلمب ان بزنس ديز ديز.
٦. هذا الكتاب يباع كثيرًا جدا.	This book is selling like hot cakes.	دس بك از سيلنغ لايك هوت كيكس.
٧. ينقصني خمسون فلسا.	I am short by fifty fils.	آي ايم شورت باي ففتي فلس.
٨. ذلك الحلواني يبيع الحلويات البائتة.	This confectioner sells stale stuff/things.	دس كنفكشنر سيلز استيل استف/ ثنغز.
٩. ينقص المبلغ الذي اعطيتني دولارًا.	You have given me one dollar less.	يو هيف غيون مي ون دولر ليس.
١٠. هذا القماش يتقلص عندالغسل.	The cloth shrinks on washing.	د كلوث شرنكس أون واشنغ.
١١. هذا المانجو ناضج حتى التهرّؤ.	This mango is over-ripe.	دس مينغو ازا وور رايب.
١٢. كل شيء مغلق بسبب الإضراب.	Everything is closed becuse of the strike.	ايفري ثنغ از كلوزد بكاوز أوف د استرائيك.
١٣. يوجدكل نوع من القما ش في هذا الدكان.	All varieties of cloth are available at this shop.	اول فرايتيز أوف كلوث آر افيليوبل ايت دس شوب.
١٤. هذا الكتاب رائج جدا.	This book is very popular.	دس بك ازفيرى بابولر.
١٥. الإسعار تتد هور.	The prices are falling.	د برايسز آر فولنغ.
١٦. إن هذه السترة ضيقة لي.	This coat is tight for me.	دس كوت از تايت فور مي.
١٧. الكرسي بستين دولارًا رخيص جدا.	The chair is quite cheap for sixty dollars.	دَ شيراز كوايت شيب فور سكستي دولرس.
١٨. لاتقصّ الشعر قصيرًا جدا.	Don't cut the hair too short.	دونت كت د هير تو شورت.
١٩. لاتشتر أيّ شيء قرضاً.	Don't buy on credit.	دونت باي أون كريدت.
٢٠. صفِّ حسابي.	Clear my accounts.	كلير ماي اكاونتس.
٢١. جئت من السوق بالدقيق	Bring flour for twenty dollars	برنغ فلورفور توينتى دولارز

بعشيرين دولارًا.	from the bazaar/market.	فروم د بازار/ماركيت.
٢٢. سروالي فضفاض/ ضيّق.	My trousers are loose/tight.	ماي تراو زرز آر لوز/تايت.
٢٣. ساعتي في حاجة إلى التنظيف والتزييت.	My watch needs cleaning and oiling.	ماي واتش نيدز كليننغ اند آيلنغ.
٢٤. هل حذاؤك يؤذيك؟	Do your shoes pinch you?	دو يور شوز بنتش يو؟
٢٥. هذا القماش يكفي لسترة.	This cloth is enough for a coat.	دس كلوث از انف فور أ كوت.
٢٦. خذ قياسي.	Take my measurements.	تيك ماي ميزر منتس.
٢٧. أعطني عدة كتب جيدة.	Give me some good books.	غف مي سم غد بكس.
٢٨. إن الطبيب مقبول جدا.	The doctor has a large practice.	دَ دكتور هيز أ لارج بريكتس.
٢٩. استوص بأجرة هذا القميص خيرًا.	Charge a reasonable price for this shirt.	تشارج أ ريزنيبل برايس فار دس شرت.
٣٠. هل المواد جيدة؟	Is the stuff good?	از د استف غد؟
٣١. هل اللون ثابت؟	Is the colour fast?	از د كلر فاست؟
٣٢. كم مسافة للسوق من هنا؟	How far is the market from here?	هاؤ فار از د ماركيت فروم هير؟
٣٣. إنّها بعيدة جدا.	It's quite far.	اتس كوايت فار.
٣٤. إن ترد شراء كل شيء من مكان واحد فاذهب إلى السوق المركزية.	If you wish to buy everything from one place, go to Super Bazaar.	اف يو وش تو باي ايفري ثنغ فروم ون بليس، غو تو سوبر بازار.
٣٥. صاحب الدكان هذا يبيع الأشياء المغشوشة.	This shopkeeper sells adulterated stuff/things.	دس شوب كيبر سيلز ادلتريتد أستف / ثنغز.
٣٦. هل تقبل شيكا؟	Do you accept cheques?	دو يو ايكسبت تشيكس؟
٣٧. هذا وسِخ.	It's soiled/dirty.	اتس سوايلد/ درتي.
٣٨. هذا ممزق.	It's torn.	اتس تو رن.
٣٩. هذا جديد جدا.	It's brand new.	اتس براند نيو.
٤٠. صاحب الدكان هذا لايبيع السلع قرضاً.	This shopkeeper doesn't sell things on credit.	دس شوب كيبر دزنت سيل ثنغز أون كريدت.

وصف الناس/الأشياء (Describing People/Things)

١. هو طويل.	He is tall.	هي از تول.
٢. هي قصيرة.	She is short.	شي از شورت.
٣. سمير متوسط القامة.	Sameer is of medium height.	سمير از أوف ميديم هايت.
٤. مديحة سمينة.	Madeeha is fat.	مديحه از فيت.
٥. عاتكة هزيلة.	Atika is slim.	عاتكه از سلم.
٦. نبيل قويّ البنية.	Nabil is well built.	نبيل از ويل بلت.
٧. زينب جميلة.	Zainab is pretty/beautiful.	زينب از بريتي/بيوتي فل.
٨. سهيل جميل.	Suhail is handsome.	سهيل از هيند سم.
٩. سعاد بيضاء اللون.	Suad is fair.	سعاد از فير.

١٠. هشام داكن اللون.	Hisham is dark.	هشام از دارك.
١١. لونه أسمر.	His complexion is wheatish.	هز كمبليكشن از وهيتش.
١٢. ناصر له شوارب.	Naasir has a moustache.	ناصر هيز مستيتش.
١٣. السيد عمير له لحية / شوارب.	Mr. Umair has a beard/moustache.	مستر عمير هيز أ بيرد/ مستيتش.
١٤. ليس لهاشم لحية ولا شوارب.	Hashim is clean shaved.	هاشم از كلين شيفد.
١٥. هذا الصندوق ثقيل.	This box is heavy.	دس بوكس از هيفي.
١٦. هذه العلبة خفيفة الوزن.	This packet is light.	دس بيكت از لايت.
١٧. هذه الطاولة مدوّرة.	This table is round.	دس تيبل از راوند.
١٨. حقيبتى مربّعة الشكل.	My purse is square.	ماي برس از اسكواير.
١٩. هذه السلة بيضية الشكل.	This basket is oval.	دس باسكت از اوفل.
٢٠. هذا الكتاب مستطيل.	This book is rectangular.	دس بك از ركتينغولر.
٢١. هذه البئرعميقة.	This well is very deep.	دس ويل از فيري ديب.
٢٢. هذا الحوض ضحل.	This pond is shallow.	دس بو ند از شيلو.
٢٣. هذاالطريق طويل ولكنه مأمون.	This route is long but safe.	دس روت از لونغ بت سيف.
٢٤. هذا الطريق قصير ولكنه خطِر.	This route is short but risky/ dangerous.	دس روت از شورت بت رسكي / دينجرس.
٢٥. هذا الخبز بائت وصلب.	This bread is stale and hard.	دس بريد از استيل اند هارد.
٢٦. العيش طازج وناعم.	The bread is fresh and soft.	د بريد از فريش اند سوفت.
٢٧. الطعام شهيّ.	The food is delicious.	دَ فود از ديليشيس.
٢٨. بين المنزلين جدارعال.	There is a high wall between the two houses.	دير از أ هاي وال بتوين د تو هاوسز.
٢٩. سقف هذه الغرفة منخفض.	This room has a low ceiling.	دس روم هيز أ لو سيلنغ.

(To Remember) للملاحظة

الكلمات المنتهية بـ ant تكون إما أسماء أو صفات . نحو: abundant(كثير،وفير) distant(بعيد)، ignorant (جاهل)، important (مهم) هذه صفات ونحو applicant (المقدم بالطلب)، servant (خادم) وغيرها فانها أسماء . وكذلك الأسماء التي تنتهى بـ ent فانها أيضا إمّا أسماء نحو: ascent (صعود)، comment (تعليق) أو صفات كـ: content (قنع)، dependent (عالة)، excellent (ممتاز)، intelligent (ذكي) violent (عنيف) وغيرها.

من علامات أسماء الصفة إنها تنتهى بـ ful نحو: This is a beautiful garden. (هذا بستان جميل) كوّنت هذه الكلمة من beauty باضافة ful بعد تبديل y بـ i . وفيما يلي أمثال أخرى:

حييّ	(بيش فُل)	bashful	من	bash	مروّع	(اوفل)	awful	من	awe
سارّ	(ديلايت فل)	delightful	من	delight	ملوّن	(كلر فُل)	colourful	من	colour
صادق	(تروث فل)	truthful	من	truth	قويّ	(باور فُل)	powerful	من	power

45 th Day اليوم الخامس والأربعون

٢٨. الدراسة (Study)

١.	نلقي من المكافاة بقدرمانجتهد.	As we labour, so shall we be rewarded./ Our reward will depend on our labour.	ايز وي ليبر، سو شيل وي بي ريواردد./ اور ريوارد ول ديبند أون اور ليبر.
٢.	أيّ كتب قرأت في الإنجليزية؟	Which books in English have you read?	وتش بكس ان انغلش هيف يو رد؟
٣.	إنّي تعبان جدًا حتى إنه لايمكنني حضورالدرس.	I'm too tired to attend the class.	آيم تو تايرد تو اتيند دَ كَلاس.
٤.	متى يبدأ امتحانها؟	When does her examination begin?	وين دز اغزامينيشن بغن؟
٥.	أجتازامتحان بكالو ريوس هذه السنة .	I'll pass my B.A this year./ I'll be a graduate this year.	آيل باس ماي بي أيه دس اير./ آيل بي أ غريجويت دس اير
٦.	لم استطع اليوم أن أقرأ شيئا.	I couldn't study anything today.	آي كدنت استدى اينى ثنغ تو ديه.
٧.	إنّه رسب في امتحان بكالوريوس	He failed in the B.A examination.	هي فيلد ان د بى.ايه اغزامينيشن.
٨.	السؤال سهل جدا.	The question is very easy.	د كوئشتشن از فيرى ايزى.
٩.	لاعائشة ولا أختها تحضران المدرسة بالمواظبة.	Neither Aaisha nor her sister comes to school regularly.	نايدر عائشه نور هر سستر كمز تو اسكول ريغولرلى.
١٠.	لانجحنّ(في الامتحان)	I'll definitely pass/get through.	آيل ديفينتلى باس / غيت ثرو.
١١.	قرأت البارحةكتابا مسلياجدا.	I read a very interesting book last night.	آي رد فيري انترستتغ بك لاست نايت.
١٢.	إنه ضعيف في الإنجليزية.	He is weak in English.	هي از ويك ان اينجلش.
١٣.	في هذه الأيام تعقدالفصول مبكرا.	Classes start early nowadays/ these days.	كلاسز استارت ارلى ناو أ ديز/ ديز ديز.
١٤.	إننا أكملنا دراستنا.	We have completed/finished our studies.	وي هيف كمبليتد/ فنشد اور استديز.
١٥.	امّاتطلب منه العفو أوتدفع الغرامة.	Either you beg his pardon or pay the fine.	آيدر يو بيغ هز باردن اور بيه دَ فاين.
١٦.	هو لا يعرف شيئًا.	He doesn't know anything./ He's good for nothing.	هي دزنت نو اينى ثنغ./ هيز غد فور نثنغ.
١٧.	إنها غائبة منذ يوم الأربعاء.	She has been absent since Wednesday.	شي هيز بين ايبسنت سنس ويدنس ديه.
١٨.	لم يكن عندي وقت لإتمام عملي .	I had no time to finish my work.	آي هيد نو تايم تو فنش ماي ورك.
١٩.	ماذا يعنى ذلك.؟	What does it mean?	وَات دز ات مين؟
٢٠.	إنّها ترغب في دراساتهاجدا.	She takes keen interest in her studies.	شي تيكس كين انترست ان هر استديز.

٢١.	سيعرف الطلاب النّتائج غدا.	The students will know the results tomorrow.	دَ استو دنتس ول نو دَ رزلتس تومورو.
٢٢.	إنك نجحت في الامتحان.	You have passed the examination.	يو هيف باسد دَ اغزامينيشن.
٢٣.	لماذا لاتدعنى اقرأ/ادرس.؟	Why don't you let me read/study.	واى دونت يو ليت مي ريد/استدي؟
٢٤.	سيفرح أبواك أن نجحت في الامتحان.	If you pass, your parents will be happy.	اف يو باس يور بيرنتس ول بي هيبى.
٢٥.	إنى اعرف التكلم باللغةالإنجليزية.	I know how to speak English.	آي نو هاو تو سبيك انغلش.
٢٦.	في أية كلية تدرس؟	In which college are you?	أن وتش كوليج آر يو؟
٢٧.	كيف تجري دراساتك؟	How are you getting on with your studies?	هاو آر يو غيتنغ ود يوراستيديز؟
٢٨.	أنا في هذه الكلية منذ سنتين..	I have been in this college for two years.	آي هيف بين ان دس كوليج فو ر تو ايرز.
٢٩.	أنا في هذه الكلية منذعام١٩٨٠م.	I have been in this college since 1980.	آي هيف بين ان دس كوليج سنس ١٩٨٠ء.
٣٠.	مدرستك جيدة.	Your school is good.	يور اسكول از غد.
٣١.	إنّه جيد فى الإنجليزية.	He is good at English.	هي ازغد ايت انغلش.
٣٢.	إنسه لا يجلس في الامتحان هذه السنه.	He is dropping out of the examination this year.	هي از دروبنغ آوت أوف دي اغزايمنيشن دس اير.
٣٣.	إنّه رياضيّ جيّد.	He is a good sportsman.	هي از أ غد اسبورتس مان.
٣٤.	خطك ليس بجيد.	Your handwriting is not good.	يور هيند رايتنغ ازنوت غد.
٣٥.	ضع الكتاب عندك هذا الوقت.	Keep the book with you for the present..	كيب دَ بك ود يو فور د بريزينت.
٣٦.	إنّه يفرّمن المدرسة أحيانا.	He often runs away from the school.	هي اوفن رنز اويه فروم دَ سكول.
٣٧.	إلى أيّ شئ تنظر؟	What are you looking at?/ Why don't you pay attention?	وات آر يو لكنغ ايت؟/ واي دونت يو بيه اتينشن؟
٣٨.	أليس لك أيّ نفوذ على الناظر؟	Dont'you have any influence on the headmaster?	دونت يو هيف ايني انفلوينس اون دَ هيد ماستر؟
٣٩.	مدرستنا تغلق غدًا للإجازة.	Our school will be closed for vacation from tomorrow.	اوراسكول ول بي كلوزد فور ويكيشن فروم تو مورو.
٤٠.	يا أولاد،انتهى الوقت،سلّموا الدفاتر.	Boys, time is over, hand in your papers.	بوايز،تايم از اوفر، هيند ان يو ر بيبرز.
٤١.	هذا البرنا مج الجديد سيكون نافذ العمل من أول مايو.	The new timetable will come into force from 1st May.	دَ نيو تايم تيبل ول كم انتو فورس فروم فرست ميه.
٤٢.	لماذا تهذر؟	Why do you chatter /speak nonsense?	واي دو يو تشيتر/ اسبيك نون سنس.
٤٣.	ليس عندي قلم رصاص إضافي.	I don't have a spare pencil.	آي دونت هيف أ اسبير بنسل.
٤٤.	لا نتكلم فيما بيننا.	We are not on speaking terms.	وي آر نوت أون اسبيكنغ ترمز.
٤٥.	لايزور أحدنا الآخر.	We are not on visiting terms.	وي آر نوت أون فزيتنغ ترمز.
٤٦.	هذا الطالب لايستطيع أن يتمشى مع مستوى الصف العاشر.	This boy won't be able to get on in the 10th class.	دس بواي وونت بي ايبل تو غيت أون ان دَ تينث كلاس.

٤٧. لا تكلّم بكلام فارغ.	Don't speak nonsense./Stop yapping.	دونت اسبيك نون سنس./ استوب يبنغ.
٤٨. هل سُجل الحضور؟	Has the roll been called?	هيز دَ رول بين كالد؟
٤٩. مادة الرياضيات تروّعني.	Mathematics is my bugbear.	ميتث ميتكس از ماي بغ بير.
٥٠. فشلت كل الجهود.	All the efforts failed.	اول دَ افورتس فيلد.
٥١. نعمان أحسن طالب في الفصل.	Noman is the best boy in the class.	نعمان از د بيست بواي ان د كلاس.
٥٢. إنّه متخلف مني بسنة.	He is junior to me by one year.	هي از جونير تو مي باي ون اير.
٥٣. يرفع سمعة فصله تلميذ بارع.	A good boy brings credit to his class.	أ غد بواي برنغز كريدت تو هز كلاس.
٥٤. إنّه أسبق مني في الرياضيات.	He is ahead of me in Mathematics.	هي از اهيد أوف مي ان ميثيميتكس.
٥٥. من وضع هذه الورقة.	Who has set this paper?	هو هيز سيت دس بيبر؟
٥٦. حان موعد المدرسة.	It is time for school.	ات از تايم فور اسكول.
٥٧. لم يأت الولد إلى المدرسة.	The boy did not come to school.	دَ بواي دد نوت كم تو اسكول.
٥٨. انشد الولد قصيدة.	The boy recited a poem.	دَبواي ريسايتد أ بويم.
٥٩. هل عندك كراسة إضافية.؟	Do you have a spare exercise book/notebook?	دو يو هيف أ اسبير اكسرسايز بك/ نوت بك؟
٦٠. أعفى الناظر غرامتي.	The headmaster exempted my fine.	دَ هيد ماستر اغزمبتيد ماي فاين.
٦١. إنّه حصل على الامتياز في الإنجليزية.	He has distinction in English.	هي هيز دستنكشن ان انغلش.
٦٢. هل اخترت فئة الفنون او العلوم؟	Have you offered arts or science?	هيف يو اوفرد آرتس اور ساينس؟
٦٣. إني اخترت مواد الفيزياء والكيمياء والبيولوجيا.	I have offered Physics, Chemistry and Biology.	آي هيف اوفرد فزكس، كيمسترى ايند بايولوجي.

(To Remember) للملاحظة

This loan is repayable within twenty years. (يمكن وفاء هذا الدين في مدة عشرين عاما.) He recalled his school days. (إنه تذكر أيام مدرسته) When will you return? (متى تعود؟)

repayable	=	re + payable
recall	=	re + call
return	=	re + turn

تضمن الجمل المذكورة كلمات في بدايتها 're' ومعناها الرجوع والعودة :

re + payable	=	العودة + الدفع أي يفى
re + call	=	العودة + الذكر أي يتذكر
re + turn	=	العودة + يدور أي يعود/ يرجع

فإن 're' بادئة (prefix) وفيما يلي عدة كلمات أخرى تكوّن بإضافتها :

remark	(ريمارك)	يلاحظ	replace	(ريبليس)	يبدل واحداً مكان آخر
remove	(ريموف)	يزيل	remind	(ريمايند)	يذكّر
rejoin	(ريجواين)	ينضم مرة ثانية	reform	(ريفورم)	يصلح

46th Day اليوم السادس والأربعون

٢٩. الصحة (Health) (A)

١. كانت عندي حمى الليلة الماضية .	I had fever last night.	آي هيد فيفر لاست نايت.
٢. عندما تزول الحمى تناول قرص كونين ثلاث مرات .	Take quinine thrice after the fever is down.	تيك كونين ثرايس آفتر د فيفر از داون.
٣. أنا قلق حول صحتي .	I am worried about my health.	آي ايم وريد اباوت ماي هيلث.
٤. إنّه طبيب العيون .	He is an eye specialist.	هي از اين آي اسبيشلست.
٥. صحته سيئة .	He has run down in health.	هي هيز رن داون ان هيلث.
٦. جرح أكبر أصابع قدمي .	I've hurt my big toe.	آي هيف هرت ماي بغ تو.
٧. كل أسنانه في حالة جيدة .	All his teeth are intact.	اول هزتيث آر انتيكت.
٨. هو أعور .	He is blind in one eye.	هي از بلا يند ان ون آي.
٩. هو أعرج .	He is lame.	هي از ليم.
١٠. عندي إمساك في معظم الأحيان .	I often have constipation.	آي اوفن هيف كونستي بيشن.
١١. عندي سوء الهضم .	My digestion is bad./My stomach is upset.	ماي دايجيشن از بيد./ماى استومك ازاب ست.
١٢. ادلك رأسي بلطف، إنه يُريحني .	Press my head gently./ It's comforting.	بريس ماي هيد جنتلى. اتس كمفورتنغ.
١٣. عيونه متقرحة ويجري منها الماء .	His eyes are sore and watering.	هز آيز آر سو راند واترنغ.
١٤. على جسمه كله بثرات وحبوب .	His body is covered with boils.	هز بدى ازكفرد ود بوايلز.
١٥. انتشر داء الكوليرا في المدينة هذه الأيام .	These days/nowadays cholera has spread in the city.	ديز ديز / ناو أ ديز كوليرا هيز اسبريد ان د سيتى.
١٦. الرياضة البدنية علاج لكل مرض.	Exercise is a panacea for all diseases.	اكسر سايز از أ بنا سيا فور اول ديزيزز.
١٧. عنده مرض القلب .	He has heart trouble.	هي هيز هارت تربل.
١٨. الدواء مُر ولكنه يشفى المريض .	Medicine is bitter but it cures the patient.	ميديسين از بيتر بت ات كيورز د بيشنت.
١٩. في هذه الأيام تنتشر الحمى والأطباء يكسبون المال .	Nowadays fever is raging violently and the doctors are minting money.	ناو أ ديز فيفر از ريجنغ فايو لنتلى اند د دكتورز آر منتنغ منى.
٢٠. هل تعرف قراءة مقياس الحرارة ؟	Can you read the thermometer?	كين يو ريد دَ ثرمو ميتر؟
٢١. ينتشر الجدرى والحمى في المدينة .	Small pox and fever are raging in the city.	اسمول بوكس اند فيفر آر ريجنغ ان دسيتى.
٢٢. منذ كم مدة أخوك مصاب بالحمى؟	How long has your brother been down with fever?	هاو لونغ هيز يور بردر بين داو ن ود فيفر؟

٢٣.	كونين دواء مؤثر للملاريا.	Quinine is an effective remedy for malaria.	كونين از اين افكتيف ريميدى فور ملاريا.
٢٤.	أشعر بالحمى.	I'm feeling feverish.	آيم فيلنغ فيفرش.
٢٥.	استشر بطبيب.	Consult a/ some doctor.	كنسلت أ/سم دكتور.
٢٦.	عنده حمى مزمنة.	He has chronic fever.	هي هيز كرونك فيفر.
٢٧.	هو شُفى من الحمى.	His fever is down.	هز فيفر از داون.
٢٨.	شفيت السيدة من مرضها.	The lady recovered from her illness.	دَ ليدي ريكورد فروم هر النس.
٢٩.	المريض الآن خارج عن الخطر.	Now the patient is out of danger.	ناو دَ بيشنت از آوت أوف دينجر.
٣٠.	جرح جرحا شديداً.	He is badly hurt.	هي از بيدلى هرت.
٣١.	يجب عليك القيام بالرياضة البدنية بانتظام.	You should exercise regularly.	يو شد اكسر سايز ريغولرلى.
٣٢.	العمل الكثير قد أفسد صحته.	Over work has ruined his health.	اوور ورك هيز رويند هز هيلث.
٣٣.	هو مصاب بسوء الهضم.	He has indigestion.	هي هيز اندايجيشن.
٣٤.	البعوض شديد الإزعاج.	Mosquitoes are a menace.	موسكيو توز آر امينيس.
٣٥.	شفيت من الحمى.	I have recovered from fever.	آي هيف ريكورد فروم فيفر.
٣٦.	هو متوعك.	He is not feeling well.	هي از نوت فيلنغ ويل.
٣٧.	هو طفل ذو صحة جيدة.	He is a healthly child.	هي از أ هيلدي تشاييلد.
٣٨.	إني مصاب بمرض في الأمعاء.	I am suffering from some intestinal disorder.	آي ايم سفرنغ فروم سم انتستاينل دس اوردر.
٣٩.	الحمية رأس كل دواء.	Prevention is better than cure.	برى فينشن از بيتر دين كيور.
٤٠.	استرح قليلا بعد الغداء وامش ميلاً بعد العشاء.	After lunch sleep a while. After dinner walk a mile.	آفتر لنتش سليب أ وايل آفتر دنر واك أ مايل.
٤١.	هي في حالة الطمث.	She is in her period.	شي از ان هر بيريد.
٤٢.	إنّها تحاول أن تقلّل من وزنها.	She is trying to reduce her weight.	شي از تراينغ تو ريديوس هر ويت.
٤٣.	وحيدة ضعيفة جدا.	Waheeda is very weak.	وحيده از فيرى ويك.
٤٤.	رشيدة ضعيفة جدا.	Rasheeda is very weak.	رشيده از فيرى ويك.
٤٥.	الهناء شيء مقوّ للصحة.	Happiness is the best tonic/ thing for health.	هيبى نيس از د بيست تونك/ ثنغ فور هيلث.

(To Remember) للملاحظة

تنتهى الأسماء أحيانا بـ 'tion' كمثل action(عمل)، collection (مجموعة)، protection (أمان) وغيرها. وهي كونت من الأفعال التي تنتهى بـ 't' وليس بلازم أن يكون أصل مثل هذه الأسماء ينتهى بـ 't' فهناك أسماء تنتهى بـ tion وليس آخر فعلها الأصلي 't' كـ attention (عناية) من attend وdestruction (دمار) من destroy و convention (مؤتمر) من convene و reception (استقبال) من receive وdescription (وصف) من describe وتصح جملة : Timely action by the engine driver prevented a major railway accident.(باتخاذ الخطوة في وقتها منع سائق القطار حادثة كبيرة .)لأن action مكوّن من act وليس كل فعل منته بـ 't' يكوّن منه الاسم بإضافة ion . فإن هناك أفعالاً تكوّن منها الأسماء بإضافة ment كما في المثال التالي: His total investment amounts to one dollars million.
(مجموع مبلغ استثماره يبلغ مليون دولار) فكلمة invest التي تنتهي بـ 't' كوّن منها الاسم investment . ومثلها الكلمات التالية: adjustment(تسوية)،من adjust و assortment (اختيار) من assort وغيرها.

47 th Day اليوم السابع والأربعون

٢٩. الصحة (Health) (B)

٤٦.	نفسي تغثى .	I feel like vomiting./I am feeling sick.	آي فيل لايك فو ميتنغ/ آي ايم فيلنغ سك.
٤٧.	تناول جرعة دواء واحدة بعد كل أربع ساعات .	Take a dose of the medicine every four hours.	تيك أ دوز أوف دَ ميديسن ايفرى فور آورز.
٤٨.	الهواء الطلق منعش للصحة .	Fresh air is rejuvenating.	فريش ايراز ريجو فينيتنغ.
٤٩.	أنا متوعّك اليوم .	I am not feeling well today.	آي ايم نوت فيلنغ ويل تو ديه.
٥٠.	تورّمت قدماه بسبب المشي.	His feet are swollen because of walking..	هز فيت آر سويلن بكاوز أوف واكنغ.
٥١.	صحتي ليست بجيدة .	My health is down.	ماي هيلث از داون .
٥٢.	خذ مسهلا .	Take a purgative.	تيك أ بر غيتيف.
٥٣.	إنّه قد سئم من مرضه .	He is fed up with his illness.	هي از فد اب ود هز النس .
٥٤.	تجنب الأطباء الدجالين .	Beware of/Avoid quacks.	بي وير أوف / افوايد كواكس.
٥٥.	لم يستطع الطبيب أن يشخص مرضه .	The doctor could not diagnose his disease.	دَ دكتور كد نوت دايغنوزهز ديزيز.
٥٦.	ينزل من أنفك الماء .	Your nose is running.	يو ر نوز از رننغ.
٥٧.	تكسر عظم يدي .	My arm -bone has got fractured.	ماي آرم بون هيز غوت فريكتشرد.
٥٨.	أنا تعبان جدا .	I am dead /extremely tired.	آيم ديد/اكستريملى تايرد.
٥٩.	كيف هو اليوم؟	How is he today?	هاو از هي تو ديه ؟
٦٠.	خلع ذراعه أثناء اللعب بكرة اليد .	His hand was dislocated while playing volleyball.	هز هيند واز دسلو كيتد وايل بليئنغ فولي بول.
٦١.	إنّه اليوم أحسن منه بالأمس .	Today he is better than yesterday./ He is feeling better today.	توديه هي از بيتر دين يستر ديه. هي ازفيلنغ بيتر تو ديه.
٦٢.	هذا الدواء سيزيل الحمى منك.	This medicine will bring your fever down.	دس ميديسن ول برنغ يور فيفر داون.
٦٣.	عنده صداع .	He has a headache.	هي هيز أ هيدك.

٣٠. الجوّ (Weather)

١.	كانت تردّ السماء طوال الليلة .	It kept drizzling throughout the night.	ات كيبت درزلنغ ثرو آوت دَ نايت.
٢.	السماء ملبدة بالغيوم .	The sky is overcast.	دَ اسكاي از اوور كاست.
٣.	الحر/ البرد شديد اليوم .	It is very/terribly hot/cold today.	ات از فيرى/تيريبلى هوت/كولد تو ديه.
٤.	الحرّ جعلني مصابا بالدوار .	The heat has made me giddy.	دَ هيت هيز ميد مي غدي.

٥.	حتى المظلة لا تجدى عندما يكون المطر غزيراً .	Even an umbrella is useless in heavy rain.	ايفن اين امبريلا از يوزليس ان هيفى رين.
٦.	يشتد البرد يوماً فيوماً .	It is getting colder day by day.	ات ازغتنغ كو لدر ديه باي ديه.
٧.	البرد قارس في بغداد في هذه الأيام .	It is biting cold in Baghdad these days.	ات از بايتنغ كولد أن بغداد ديز ديز.
٨.	ينطفىء المصباح بالهواء الشديد، أبقه في الداخل .	The lamp will go off because of strong wind. Let it remain inside.	دليمب ول غو أوف بكاوز أوف استرونغ وند. ليت ات رمين انسايد.
٩.	تهب رياح السموم هذه الأيام .	Hot winds are blowing these days.	هوت وندس آر بلوينغ ديز ديز.
١٠.	أنت تعرق .	You are perspiring.	يو آر برسبايرنغ.
١١.	أنا أرتعد .	I am shivering.	آي ايم شيفرنغ .
١٢.	لم أكن مبتلاً .	I did not get drenched.	آي ددنوت غيت درنتشد.
١٣.	الغبار كثير.	It's terribly dusty.	اتس تيريبلى دستى.
١٤.	أرجو أن الجو سيبقى لطيفا.	I hope the weather will remain pleasant.	آي هوب د ويدر ول ريمين بليزنت.
١٥.	في الهواء برد .	There is a nip in the air.	دير از أ نب ان دَ اير.
١٦.	تثور عاصفة في الخارج .	A storm is raging outside.	أ استورم از ريجنغ آوت سايد .
١٧.	المطر ينزل غزيراً .	It's raining heavily.	اتس ريننغ هيفيلى.
١٨.	كان في الصباح برَد اليوم .	There was a hailstorm this morning./ It hailed this morning.	ديرواز أ هيل استورم دس مورننغ/ ات هيلد دس مورننغ.
١٩.	الرطوبة عالية .	It's very humid.	اتس فيرى هيومد.
٢٠.	إن الحرارة والرطوبة شديدتان اليوم .	It's sultry.	اتس سلترى.
٢١.	الهواء راكد .	The wind is almost still.	دَ وند از ال موست استل.
٢٢.	يهب الهواء البارد .	Cool wind is blowing.	كول وند از بلوينغ.
٢٣.	لم أذهب بسبب المطر .	The rain prevented me from going.	دَ رين بريفينتد مي فروم غوينغ.

للملاحظة (To Remember)

A patriot would gladly lay down his life for the sake of his country. (كل محب للوطن يضحيّ بنفسه لوطنه بسرور.) The camel walks very clumsily. (يمشي الجمل بطريقة غير رشيقة). في الجملتين المذكورتين إن كلمة gladly كونت من glad و clumsily من clusmy بإضافة ly ومثل هذه الكلمات تسمى حالاً . وفيما يلي نبذة من مثل تلك الكلمات :

able	من	ably	(بجدارة)	glad	من	gladly	(بفرح)
aimless	من	aimlessly	(بلا هدف)	humble	من	humbly	(بتواضع)
bad	من	badly	(بصورة سيئة)	intelligent	من	intelligently	(بذكاوة)
calm	من	calmly	(بهدوء)	kind	من	kindly	(لطفاً وكرماً)
efficient	من	efficiently	(بكفاءة)	honest	من	honestly	(بامانة)
wrong	من	wrongly	(خاطئا)	right	من	rightly	(صائبا)

48th Day اليوم الثامن والأربعون

٣١. الحيوانات (Animals)

١. س : أيّ الحيوانات تعطينا الحليب؟	Q. Which animals give us milk?	وتش اينيملز غِف اس ملك؟
ج : البقرة والجاموس والشاة .	A. The cow, buffalo and the goat.	دَ كاو بفولو اند دَ غوت.
٢. س : أيّ حيوان ينبح؟	Q. Which animal barks?	وتش اينيمل باركس؟
ج : الكلب .	A. The dog.	دَ دوغ.
٣. س : أيّ حيوان له عنق طويل؟	Q. Which animal has a long neck?	وتش اينيمل هيز أ لو نغ نيك؟
ج : زرافة .	A. The giraffe.	دَ جيراف.
٤. س : أيّ حيوان يعطينا الصوف؟	Q. Which animal gives us wool?	وتش اينيمل غفز اس وول؟
ج : الغنم .	A. The sheep.	د شيب.
٥. س : أيّ حيوان له ذنب مثل الشجيرة ؟	Q. Which animal has a bushy tail?	وتش اينيمل هيز أ بوشى تيل؟
ج : السنجاب له ذنب كالشجيرة .	A. The squirrel has a bushy tail.	د اسكويريل هيز أ بوشى تيل.
٦. س : أيّ حيوان مزيج من الحصان والحمار؟	Q. Which animal is a cross between horse and donkey?	وتش اينيمل از أ كروس بتوين هورس اند دنكى؟
ج : البغل .	A. The mule.	دَ ميول
٧. س : ماذا يعمل البغل؟	Q. What do mules do?	وات دو ميولز دو؟
ج : هو يحمل الأثقال .	A. They carry load.	ديه كيرى لود.
٨. س : أيّ حيوان له خرطوم ؟	Q. Which animal has a trunk?	وتش اينيمل هيز أ ترنك؟
ج : الفيل.	A. The elephant.*	دى ايليفينت.
٩. س : أيّ حيوان له سنام على ظهره؟	Q. Which animal has a hump on its back?	وتش اينيمل هيز أ همب أون اتس بيك؟
ج : الجمل .	A. The camel.	دَ كيمل.
١٠.س: أيّ حيوان له قرنان؟	Q. Which animal has horns?	وتش اينيمل هيز هورنز؟
ج : البقر .	A. The cow.	دَ كاو.
١١.س : أيّ حيوان يجرّ العجلة؟	Q. Which animal pulls wagons?	وتش اينيمل بلز ويغنس؟
ج : البغل .	A. The cart-horse/mule.	دَ كارت هورس/ميول.
١٢.س : أيّ حيوان يسكن في الخلية؟	Q. Which insect lives in a hive?	وتش انسيكت ليوز ان أ هائيف؟
ج : النحل .	A. Bees.	بيز.

*يكون نطق The في The elephant 'دي' وكذلك في كل كلمة تبدأ بحرف علة . مثل The ape, The owl على العكس من الكلمات التي تبدأ بحرف صحيح فيكون فيها دَ مثل The cow, The giraffe وغيرها .

١٣.س : أيّ طائر يصوّت في الليل؟	Q. Which bird hoots at night?	وتش برد هو تس ايت نايت؟
ج : البوم .	A. The owl.	د آول.
١٤.س : أيّ حيوان يشابه الإنسان؟	Q. Which animal resembles human beings?	وتش اينيمل ريزمبلزهيو مين بيينغز؟
ج : القرد .	A. The ape.	دَ ايب.
١٥.س : أيّ حشرة تنسج لها نسيجا؟	Q. Which insect weaves webs?	وتش انسيكت ويوز ويبز؟
ج : العنكبوت .	A. The spider.	د اسبايدر.
١٦.س : أيّ الحيوانات تعدّ من الضواري؟	Q. Which are the beasts of prey?	وتش آر د بيستس أوف بريه؟
ج : الأسد والذئب والنمر .	Q. Lion, wolf, leopard etc.	لاين،وولف،ليوبرد اتسترا.

٣١. اللعب (Games)

١. سعاد تلعب .	Suad is playing.	سعاد از بليئنغ.
٢. أرجو أنك ما جرحت جرحا شديدا .	Hope you are not hurt badly.	هوب يو آر نوت هرت بيدلى.
٣. أفضّل ركوب السيارة على المشي.	I prefer* riding to walking.	آي بريفر رايدنغ تو واكنغ.
٤. انا أطيّر طائرة ورقية.	I am flying a kite.	آي ايم فلاينغ أ كايت.
٥. سنلعب الشطرنج اليوم.	We will play chess today.	وي ول بليه تشس تو ديه.
٦. من كان ناجحا؟	Who won?	هو ون؟
٧. أيّ لُعب تلعب؟	What games do you play?	وات غيمز دو يو بليه؟
٨. دعنا نلعب الأوراق.	Come, let's play cards.	كم ليتس بليه كاردز.
٩. اخلط أنت وأنا سأقطع.	You shuffle the cards and I'll cut.	يو شفل دَ كاردز ايند آيل كت.
١٠. قد فازت فرقتنا.	Our team has won.	اور تيم هيز ون.
١١. هل أنت تعرف اللعب بالعصا؟	Can you wield a lathi?	كين يو ولد أ لاتى؟
١٢. دعنا نلعب.	Come, let's play.	كم ليتس بليه.
١٣. قد بدأ اللعب.	The game has started.	د غيم هيز استارتيد.
١٤. اللعب ضروري مثل الدراسات.	Games are as important as studies.	غيمز آر ايز امبورتينت ايز استديز.
١٥. وثأ كاحلى عند الوثوب.	I sprained my ankle while jumping.	آي اسبريند ماي اينكل وايل جمبنغ.
١٦. إنّه سجل رقما قيا سيا في الوثبة العالية.	He has set a record in high jump.	هي هيز ست أ ركارد ان هاى جمب.
١٧. إنّه عداء سريع.	He is a fast sprinter/racer.	هي از أ فاست اسبرنتر/ريسر
١٨. هل يعلّم في مدرستكم الرياضة البدنية/الألعاب الرياضية؟	Do they teach you exercise/ gymnastics in your school.	دو/ديه تيتش يو اكسر سايز/ جمنا ستتيكس ان يور اسكول؟
١٩. في مدرستنا ميدان لعب كبير.	Our school has big playground.	اور اسكول هيز بغ بليه غراوند.
٢٠. من القائد لفرقة كرة قاعدتكم؟	Who is the captain of your baseball team?	هو ازد كيبتن أوف يور بيس بول تيم؟

☆ فعل prefer يؤدي معنى تفضيل الأول على الثاني.

٢١. ممكن أن ألعب بدمنتون بمضربك؟	Can I play badminton with your racket?	كين آي بليه بيد منتن ود يور ريكت؟
٢٢. هل فرقتكم أيضا تلعب في الدورة الوطنية لكرة القدم ؟	Is your team also playing/ taking part in the national football tournament?	از يور تيم اولسو بليئنغ/ تيكنغ بارت اِن دَ نيشنل فت بال تو رنا منت؟
٢٣. أنا أحبّ التجذيف.	I like rowing.	آي لايك رو ينغ.
٢٤. إنّها تلعب للفرقة بانتظام.	She plays regularly for the team.	شي بليز ريغولرلى فور دَ تيم .
٢٥. نحن نقوم بالتدريب البدني مرة في أسبوع.	We do drill once a week.	وي دو درل ونس أ ويك.

(To Remember) للملاحظة

علمت في الدرس الماضي أن ly تحوّل الصفة إلى Abverb نحو : kind منه kindly ونفس الكلمة ' ly 'تحوّل الاسم إلى الصفة أيضا . نحو : .His brotherly behaviour endeared him to all his colleagues (إن سلوكه الاخوى حببّه إلى جميع زملائه) ففي هذه الجملة كوّنت brotherly بإضافة ly إلى brother . وإليك أمثلة أخرى في التالي :

مثل الرجال	manly	من	man		
مثل النسوة	womanly	من	woman		
مثل الملوك	kingly	من	king		
جسماً	bodily	من	body		
أبويّ	fatherly	من	father		
مثل الأم	motherly	من	mother		
مثل الأخت	sisterly	من	sister		
مثل العلماء	scholarly	من	scholar		

It was a windy day. (كان ذلك يوم الرياح) .

A fish has a scaly body (جسد السمك يكون حرشفيا) .

في الجملتين المذكورتين أن صفتى ,scaly, windy كوّنتا بإضافة Y إلى اسمى scale, wind وفيما يلي عدة كلمات الصفة من هذه الزمرة :

(فى المتناول)	handy	من	hand
(ذو غبار)	dusty	من	dust
(فسيح)	roomy	من	room
(مشمس)	sunny	من	sun
(منسّم)	breezy	من	breeze
(ماكر)	crafty	من	craft
(طماع)	greedy	من	greed
(مطير)	rainy	من	rain

49th Day اليوم التاسع والأربعون

٣٣. الشخصية والعمر (Person & Age)

١.	ما اسمك الكريم؟	Your name, please?/What is your good name?	يور نيم بليز؟/وات از يور غد نيم.
٢.	عرف بنفسك من فضلك.	Please, introduce yourself?	بليز، انترو ديوس يور سيلف.
٣.	كم عمرك؟	What is your age?/How old are you?	وات از يورا يج؟/هاو اولد آر يو؟
٤.	قد أكملت العشرين حالاً.	I have just completed twenty.	آي هيف جست كمبليتد توينتي.
٥.	أنت أكبر/أصغرمنّي.	You are older/younger than me?	يوآر اولدر/ ينغردين مي ؟
٦.	أنا أعزب.	I am a bachelor.	آي ايم أ بيتشلر.
٧.	هي متزوجة.	She is married.	شي از ميريد.
٨.	عندها بنتان فقط.	She has only two daughters.	شي هيز اونلى تو داو ترز.
٩.	ماذا يعمل والدك؟	What is your father?/What does your father do?	وات از يور فادر/وت دز يور فادردو ؟
١٠.	إنّه متقاعد من الخدمة الحكومية.	He has retired from government service.	هي هيز ريتايرد فروم غورنمنت سروس.
١١.	هو يبدو مسنًا.	He looks aged.	هي لكس ايجد.
١٢.	شعره أبيض.	He has grey hair.	هي هيز غريه هير.
١٣.	هل هي تلوّن شعرها؟	Does she dye her hair?	دز شي داي هر هير؟
١٤.	هل لك عائلة مشتركة؟	Do you have a joint family?/ Is yours a joint family?	دو يو هيف أ جواينت فيملي ؟/ از يورز أ جواينت فيملى؟
١٥.	نعم.	Yes, it is.	يس ،ات از.
١٦.	كم إخوة لك؟	How many brothers do you have?	هاو مينى بردرز دو يو هيف؟
١٧.	كم أختا لك؟	How many sisters do you have?	هاو مينى سسترز دو يو هيف؟
١٨.	أكبر إخوتي يسكن منفصلا.	Our eldest brother lives separately.	اور الدست بردر لِفز سيبير يتلى.
١٩.	ليس هو إلّا صبيًا.	He is just a kid.	هي از جست أ كد.
٢٠.	تبدو أصغرمن عمرك.	You look younger than your age./ You look young for your age.	يو لك ينغردين يور ايج. يو لك ينغ فور يو ر ايج.
٢١.	أخي عمره ست عشرة سنة.	My brother is sixteen years old.	ماي بردر از سكستين ايرز اولد.

٣٤. الخلق (Character)

١.	الغضب يدلّ على الضعف.	To get angry is to show weakness.	تو غيت اينغرى از تو شو ويكنس.
٢.	الرجل الكسول مثل نصف الميت.	An idle man is as good as half-dead.	اين آيدل مين از ايز غد ايز هاف ديد.
٣.	لا تستقرض ولا تقرض.	Neither borrow nor lend.	نايدر بورو، نور ليند.

٤.	يجب أن تصدق.	You must come out with the truth./ You must tell/speak the truth.	يو مست كم آوت ود د ترث. يو مست تيل/اسبيك د ترث.
٥.	هناك مسرة بالغة في الخدمة الغيرية (بدون توقع مجازاة)	There is great joy in selfless*service.	دير از غريت جواى ان سيلف ليس سرفس.
٦.	إنّه قام بالكفارة عن ذنبه.	He has atoned for his sin.	هي هيز اتوند فور هز سن.
٧.	لاتخدع ولا تنخدع.	Neither deceive nor be deceived.	نايدر ديسيف ،نور بي ديسفد.
٨.	إنّما الصالحون فرحون.	The virtuous alone are happy.	دَ فرتشوس الون آر هيبى.
٩.	المخّ الفاضي معمل الشيطن.	An idle mind is a devil's workshop.	اين آيدل مايند از أ ديفلز ورك شوب.
١٠.	إنّما الحياة لخدمة الناس.	Life is for others' service.	لايف از فور ادرز سرفس.
١١.	لاتسأل أحداً أيّ شيء.	Don't ask anything from anybody.	دونت آسك ايني ثنغ فروم ايني بدى.
١٢.	لايسمحنى بذلك ضميري.	My conscience doesn't permit.	ماي كونشنس دزنت برمت.
١٣.	الاستراحة كالإصداء.	To rest is to rust.	تو رست از تو رست.
١٤.	من يأكل بدون الاكتساب فكأنه يسرق.	He who eats without earning is committing a theft.	هي هو ايتس ود آوت ارننغ از كميتنغ أ ثيفت.
١٥.	إنّها تتكلم كل وقت.	She always keeps on talking.	شي اول ويز كيبس أون توكنغ.
١٦.	إنّها تحسد أختها.	She is very jealous of her sister.	شي از فيري جيلس أوف هر سستر.
١٧.	نحن متأكدون من أمانتك.	We are sure of your honesty.	وي آر شيور أوف يور اونستى.
١٨.	هويتظاهركأنه يعرف كل شيء.	He pretends to know everything.	هي برتندز تو نو ايفرى ثنغ.

٣٥. ألبسة (Dress)

١.	متر واحد من هذا القماش باثنى عشردولاراً.	This cloth is twelve dollars a/per metre.	دس كلوث از تو يلف دولارس أ/بر ميتر.
٢.	لاتنس، من فضلك أن تلبس الممطرة.	Please don't forget to wear a rain-coat.	بليز دونت فورغت تو وير أ رين كوت.
٣.	هذا القماش دافئ جدا.	This cloth is extremely/very warm.	دس كلوث از ايكستر يملى/فيرى وارم.
٤.	النساء الهنديات يلبسن الساري عادةً.	Indian women usually/ mostly wear sarees.	اندين ويمن يو زو يلي / موستلى وير ساريز.
٥.	لاتلبس الملابس المبتلة.	Don't wear/put on wet clothes.	دونت وير/بت أون ويت كلوذز.
٦.	البس سترة قديمة. اشتركتاباجديداً.	Wear old coat, buy a new book.	ويراولد كوت ،باى أ نيو بك.
٧.	سآتي بعد أن أغيّرملا بسي.	I will come after changing my clothes.	آي ول كم آفتر تشنجنغ ماي كلوذز.
٨.	الشباب هذه الأيام يلبس لباس الزيّ الحديث.	Nowadays the youth wear clothes of the latest fashion.	ناو أ ديز دَ يوث وير كلوذز أوف د ليتست فيشن.
٩.	كانت تلبس الساري الحريري.	She was wearing /clad in a silk sari.	شي واز ويرننغ /كليد ان أسلك ساري.
١٠.	ملابسي أرسلت إلى المغسلة..	My clothes have gone to the laundry.	ماي كلوذز هيف غون تو د لزندري.

١١.	كان يلبس حلة زرقاء.	He was wearing a blue uniform.	هي واز وير نغ أ بلو يونيفورم.
١٢.	هذه السترة صامدة للماء.	It is a water-proof coat.	ات از أ واتر بروف كوت.
١٣.	هذه الملابس لك.	These dresses are for you.	ديز دريسز آر فو ر يو.
١٤.	الناس باللباس.	A man is judged by his clothes/ by the clothes he wears.	أمان از ججد باي هز كلودز / باي دَ كلودز هي ويرز.
١٥.	هذا اللباس ضيق لي قليلاً.	This dress is a little tight for me.	دس دريس از أ لتل تايت فور مي.
١٦.	هذه السترة فضفاضة على الخصر.	This coat is loose at the waist.	دس كوت از لوزايت د ويست.
١٧.	هل عندكم قماش القمصان؟	Do you have shirtings?	دويو هيف شر تنغز؟
١٨.	نعم ، و يوجد عندنا قماش جيد للبذلات أيضاً.	Yes, we have good suitings also.	يس، وي هيف غد سو تنغز اولسو.
١٩.	بذلتي تختلف عن بذلتك.	My suit is different from yours./ Your suit is not like mine.	ماي سوت از ديفرينت فروم يورز/ يور سوت از نوت لايك ماين .
٢٠.	قميصه ليس كقميصي.	His shirt is not like mine/ similar to mine.	هز شرت از نوت لايك ماين / سميلير تو ماين.

(To Remember) للملاحظة

☆إذا لحقت less بأيّة كلمة هي لأداء معنى النفى نحو: He is a shameless person. (هو رجل وقح) Needless to say (لا حاجة إلى القول بأنك شخص مكرم) that you are a thorough gentleman. Cloudless sky in the rainy season, can really worry the poor Egyptian farmers. (السماء الصافية في موسم الأمطار تقلق حقاً الفلاح المصري الفتير) Astronauts remain weightless while travelling in space. (يبقى الرواد الفضائيون لا وزن لهم ما داموا في الفضاء) فمعنى 'less' لا ، غير، بلا ، بدون وغيرها.

وتوجد هناك كلمات تلحق بها مرةً less وأحيانا full نحو merciful (رحيم) ، merciless (قاس)، colourful (ملوّن)، colourless (بلا لون) ، careful (محترس) careless (غير مبال)، pitiful (جدير بالشفقة)، pitiless (عديم الرحمة) وغيرها. وهذه الكلمات المكونة من full و less توجد في معانيها معاكسة . وليس بلازم أن كلمة يجوز بها الحاق 'less' تلحق بها 'full' ايضا. فان كلمتى : friendless (شخص لا صديق له) و landless (شخص لا يملك أرضا). لحقت بهما less ولا تلحق بهما full فلا نقول friendful أو landful .

ومما يجب ملاحظته أن ' full' إن لحقت بأية كلمة أخرى بقيت بـ 'l' واحد (single) ولا مزدوج(double).

50 اليوم الخمسون
th Day

Test No. 1

العلامات النهائية ٢٠

من اليوم ٤١ إلى ٤٥

على ١٦ فأكثر: **very good**، ١٢ فأكثر: **fair**

I. إنّك قرأت الجمل المماثلة للجمل التالية في الدروس الماضية . في الجمل التالية توجد أخطاء حاول إصلاحها وافحص أهليتها. ثم قارن الكلمات الخاطئة التي بحروف مائلة (*italics*) مع الكلمات الصحيحة التي أدناه .

1. The milk has *become* sour? 2. Why didn't you wake me *on*? 3. You should not go back *from* your words. 4. Suad is taller of *a* two girls. 5. Wait *the* bit. 6. I saw the woman *whom* the boss said was away. 7. This rice is *on* inferior quality. 8. I am short *for* fifty paise. 9. This chair is quite cheap *at* sixty dollars. 10. Do not buy *at* credit. 11. Does your shoe *pinches* you? 12. Show me a shoe with *an* narrow toe. 13. As we labour, so shall we be *reward*. 14. I am *so* tired to attend the class. 15. The question is *so* easy. 16. He is *week* in English. 17. She has been absent *for* Wednesday. 18. *Should* you pass, your parents will be happy. 19. I have been in this college *since* two years. 20. He is junior *than* me by one year.

Test No.1 : الكلمات الصحيحة

1. turned, 2. up, 3. on, 4. the, 5. a, 6. who, 7. of, 8. by, 9. for, 10. on, 11. pinch, 12. a, 13. rewarded, 14. too, 15. very, 16. weak, 17. since, 18. if, 19. for, 20. to.

Test No.2

العلامات النهائية : ٢٠

من اليوم ٤٦ إلى ٤٩

على ١٦ فأكثر: **very good**، ١٢ : فأكثر **fair**

II. في الجمل التالية توجد أخطاء خفيفة. اصلحها ثم قارنها مع الكلمات التي أدناه :

1. He is *a* eye specialist. 2. All his *tooth* are intact. 3. He is blind *from* one eye. 4. Nothing *for* worry. 5. Can you *see* thermometer? 6. He is *bad* hurt. 7. Prevention is better *to* cure. 8. Happiness is *a* best tonic. 9. I am not feeling *good*. 10. How are you getting *of* in your business? 11. My health has gone *for* on account of hard work. 12. The patient is shivering *from* cold. 13. Many people died *from* malaria. 14. It's getting *cold* day by day. 15. *Sheeps* give us wool. 16. I prefer riding to *walk*. 17. Who *did* win the match? 18. Is *your* a joint family? 19. My brother is sixteen *year* old. 20. We are quite sure *or* your honesty.

Test No.2. : الكلمات الصحيحة

1. an, 2. teeth, 3. of, 4. to, 5. read, 6. badly, 7. than, 8. the, 9. well, 10. on, 11. down, 12. with, 13. of, 14. colder, 15. sheep, 16. walking, 17. won, 18. yours, 19. years, 20. of.

العلامات النهائية : ٢٠

Test No. 3

على ١٦ فأكثر: **very good** ، ١٢ فأكثر: **fair**

III. املأ الفراغات بكلمة مناسبة من الكلمتين اللتين بين الهلالين. وتأمل القواعد التي تتعلق به .

1. I........(have passed/passed) the B.A examination in 1976. 2. How......(many/much) letters did she write to me? 3. They have not spoken to each other... (for/since) two weeks. 4. She has been looking for a job...(for /since) July 1975. 5. I... (had/have) already bought my ticket so I went in. 6. He was found guilty... (for/of) murder. 7. They are leaving ... (for /to) America soon. 8. She was married.... (with/to) a rich man. 9. This shirt is superior ... (than/to) hat. 10. Write the letter....(with/in) ink. 11. She cannot avoid ...(to make /making) mistakes. 12. The train.... (left/hadleft) before I arrived. 13. She (finished/had finished) her journey yesterday. 14. You talk as if you.... (know/knew) everything. 15. She is (taller/tallest) than.....her sister. 16. It will remain a secret between you and... (I/me). 17. A girl friend of.... (his/him) told us this news. 18. Hashim and... (myself/I) were present there. 19. Abdullah played a very good... (game/play). 20. I played well yesterday... (isn't it/didn't I)?

Test No.3 الكلمات الصحيحة

1. passed, 2. many, 3. for, 4. since, 5. had, 6. of, 7. for, 8. to, 9. to, 10. in, 11. making, 12. had left, 13. finished, 14. know, 15. taller, 16. me, 17. his, 18. I, 19. game, 20. didn't I?

Test No. 4

IV. املأ الفراغات بكلمة مناسبة من الكلمتين اللتين بين الهلالين:

1. How... (much, more, many) children do you have? 2. Custard is my favourite.... (food, dish). 3. Where does this road... (lead, go) to? 4. Is he a... (dependible, dependable) person? 5. He is an..... (important/importent) minister. 6. When does your examination... (start, begin, commence)? 7...... (If /should) you pass, your parents... (will, shall) be happy. 8. The boy is so weak in mathematics that he will not be able to get... (up, on, in) with the class. 9. Good boys bring credit ... (to, for) their school. 10. A little girl ...(recalled, recounted, recited) a beautiful poem. 11. The squirrel has a ...(wooly hairly, bushy) tail. 12. The sun is bright because the sky is... (cloudy, cloudless). 13. As he is a .... (shameful, shameless) person he pays a good deed with a bad one. 14. She had ..... (wore, worn) a simple sari. 15. Children need ... (protection, defence) from traffic hazards. 16 ..... (Quitely, Quietly) he went out of the convention hall. 17. Hamid and Majid help... (each other, one another) 18. Small children help..... (each other, one another). 19. Madeeha has not come... (too, either). 20. They went for a ... (ride, walk) on their bicycles.

الكلمات الصحيحة

1. many, 2. dish, 3. lead, 4. dependable, 5. important, 6. commence, 7. if-will, 8. on, 9. to, 10. recited, 11. bushy, 12. cloudless, 13. shameless, 14. worn, 15. protection, 16. Quietly, 17. each other, 18. one another, 19. either, 20. ride.

Test No. 5

V. ترجم الجمل التالية إلى العربية:

1. Do you have books? 2. Did the washerman take the last wash? 3. Did you wake me up? 4. Is Ahmed there? 5. Shall we meet again? 6. Why do you say this? 7. When will your college reopen? 8. Why don't you allow me to read? 9. Why are you looking at him?

Test No. 6

VI . ترجم إلى الإنجليزية:

(١) أريد أن أتخلص منه . (٢) اسكت . (٣) نم مبكرا واستيقظ مبكرا. (٤) ذهبت منه الحمى . (٥) استشر بطبيب. (٦) عنده صداع. (٧) إنّي أرتعد (٨) إنّي نجحت . (٩) دعنا نلعب . (١٠) أنا أعزب. (١١) سنصل قبل الميعاد. (١٢) جاء أحد للمقابلة. (١٣) أنا تعبان جدا . (١٤) إنّي غيّرت منزلي. (١٥) إنّه يدعوك . (١٦) اكتب إليّ أحيانا. (١٧) هل اللون ثابت؟ (١٨)هل تقبلون الشيكات؟. (١٩) إنّه ضعيف في الرياضيات . (٢٠) أنا جيد في الإنجليزية.

Test No. 7

VII. (i) كوّن من الكلمات التالية كلمة جديدة بإضافة حرف في البداية نحو gold من old وغيرها.

now, he, ox, our, an , how, hen, ear, all, refer.

(ii) كوّن صيغ التفضيل من الكلمات التالية (مثل old منها old, older, oldest وغيرها).

good, young, pretty, bad, fine, strong, hard, wealthy.

(iii) اكتب الكلمات التالية بالحروف العربية وبيّن معانيها :

year, psalm, of, off, man, men, in, inn, to, too, answer, station, cloth, clothe, Mrs., bath, bathe, dare, dear, car, idea, idiom, white, who.

كوّن من الكلمات التالية صيغ التفضيل بمساعدة most or more نحو 'beautiful' منه more beautiful :

peaceful, difficult, careful, intelligent, stupid.

Test No. 8

VIII (i) بيّن صيغ الجمع للكلمات التالية :

knife, journey, city, woman, ox, tooth, mouse, sheep, deer, foot, child, brother, church, fly, day, brother-in-law, myself.

(ii) بيّن صيغ present, past و past participle للأفعال التالية نحو: go منه go, went, gone وغيرها.

to light, to lose, to mean, to pay, to say, to write, to throw, to win, to beat, to begin, to lie, to lay, to know, to hurt, to put, to cut, to hold, to forget, to shut, to take.

(iii) فيما يلي مختصرات لبعض الكلمات الشائعة الاستعمال فاكتب الكلمة الكاملة بازاء كل منها . :

Jan.	Mar.	Aug.	Oct.	Dec.	Mon.	Wed.	Fri.
Feb.	Apr.	Sep.	Nov.	Sun.	Tues.	Thurs.	Sat.
No.	Nos.	P.S.	P.P.	Co.	P.T.O.	K.M.	Dr.

إذا واجهت أيّ صعوبة في التمرينات exercises المذكورة فاستعن بقاموس .

51 اليوم الحادي والخمسون
st Day

المرحلة السادسة (6th Expedition)

إنّك قد أكملت من سفرك خمس مراحل وتعلمت شيئا كثيرا أثنائها. وهناك عدة أشياء أخرى يلزم معرفتها . وهي تتعلق بالحوار اليومي من آداب المعاشرة والمحادثات المكتبية والقانونية والتجارية وغيرها . ففي المرحلة السادسة جمل حول هذه المواضيع بجانب ذكر بعض من الأمثال السائرة .

٣٦. آداب المعاشرة (Etiquette)

ديت ول دو/دس/ات از اينف.	That will do./This/It is enough.	١. إنّه يكفي .
بليز دونت بودر.	Please, don't bother.	٢. لا تزعج نفسك .
نو تربل ايت اول.	No trouble at all.	٣. لا حرج .
دونت ورى اباؤت مي.	Don't worry about me.	٤. لا تقلق عنّي .
سو كايند/نايس أوف يو.	So kind/nice of you.	٥. إنّه من كرمك .
ات وود بي فيري كايند أوف يو.	It would be very kind of you.	٦. سيكون ذلك من كرمك .
هاؤ كان آي هيلب يو؟	How can I help you?	٧. كيف يمكنني أن أخدمك؟
واي دد يو تربل يور سيلف؟	Why did you trouble yourself ?	٨. لماذا أزعجت نفسك ؟
دس از سفي شنت.	This is sufficient.	٩. هذا يكفي .
دو نت بودر.	Don't bother.	١٠. لا تقلق .
بليز استيه ا لتل مور.	Please stay a little more.	١١. أقم لمزيد من الوقت، من فضلك .
بليز ايكسكيوز مي.	Please excuse me.	١٢. اسمح لي، عفواً .
آيم سوري.	I'm sorry.	١٣. أنا آسف .
دونت بي فورمل.	Don't be formal.	١٤. لا تتكلف .
ميه آي سيه سم ثينغ.	May I say something?	١٥. ممكن أن أقول شيئا؟
دونت مايند.	Don't mind.	١٦. لا تهتمّ .
آيم ايت يور سرفيس/دسبوزل.	I'm at your service/disposal.	١٧. أنا في خدمتك .
وي كدنت انترتين يو بروبرلى.	We couldn't entertain you properly.	١٨. ما استطعنا أن نكرمك حق الإكرام .
ميه آي ست هير؟	May I sit here?	١٩. ممكن أن أجلس هنا؟
ثينكس فور يور هيلب.	Thanks for your help!	٢٠. شكرا على مساعدتك .
وي آر غريت فل تو يو.	We are grateful to you.	٢١. نحن شاكرون لكم .
نو كوشتشن أوف كايندنس.	No question of kindess.*	٢٢. لا شكر على واجب،
ات وود رادر بليز مي.	It would rather please me.	بل إنّه يسرّني .

٢٣. شكرا على نصحك الغالي .	Thank you for your sensible/ good advice.	ثينك يو فوريور سنسيبل/ غد ايدفايس.
٢٤. مع تحياتي وعواطف الودّ والإخلاص، صديقك أمين .	With love and best wishes yours sincerely, Amin.	ود لف اند بست وشز. يورز سنسيرلى،امين.
٢٥. أرجوك العفو للإزعاج .	Kindly excuse me for the trouble.	كايند لي اكسكيوز مي فور د تربل.
٢٦. تحيّه للأخوات والود والمحبة للأطفال .	Regard to sisters and love to children!	ريغارد تو سسترز اند لف تو تشلدرن!
٢٧. سأكون شاكرا لك جدا لو قمت بهذا العمل .	I'll feel highly obliged, if you get this work done.	آيل فيل هايلى اوبلا يجد، اف يو غت دس ورك دن.
٢٨. ماذا يمكننى أن أخدم لك؟	What can I do for you?	وات كان آي دو فور يو؟
٢٩. ايت، أحيانا، إلينا من فضلك .	Please drop in sometime.	بليز دروب ان سم تايم.
٣٠. اجلس، من فضلك ، مستريحا .	Please make yourself comfortable.	بليز ميك يور سيلف كمفرتيبل.

٣٧. الاشارات (Signals)

١. هدّئ السرعة .	Drive slowly.	درايف سلولى.
٢. الزم اليسار/ اليمين .	Keep to the left/right.	كيب تو د ليفت/ رايت.
٣. منحنى خطر أمامك .	Dangerous turn ahead.	دينجرس ترن أهيد.
٤. ممنوع الانتظار .	No parking here.	نو باركنغ هير.
٥. اعبر من هنا .	Cross from here.	كروس فروم هير.
٦. ممنوع دخول الكلاب .	Dogs not permitted.	دوغزنوت برميتد.
٧. ممنوع الدخول .	No entrance.**	نو انترنس.
٨. مخرج .	Exit.	اكزِت.
٩. مدخل .	Entrance.	انترنس.
١٠. لا تمش على العشب .	Keep off the grass.	كيب أوف د غراس.
١١. ممنوع الدخول بدون الإذن .	No entry without permission.	نو انترى ودآوت برميشن.
١٢. ممنوع التدخين .	No smoking.	نو اسموكنغ.
١٣. اسحب السلسلة .	Pull the chain.	بل د تشين.
١٤. للإيجار .	To let.	تو ليت.
١٥. مدرسة أمامك .	School ahead.	اسكول اهيد.
١٦. طريق مغلق .	Road closed.	رود كلوزد.
١٧. طريق مسدود .	Dead end ahead.	ديد اند اهيد
١٨. مرحاض .	W.C.*	دبلو سي.
١٩. غرفة الانتظار .	Waiting room.	ويتنغ روم.

* إن W.C مختصرة لكلمة water closet . فيَ هذه الأيام كثيراً ما تستعمل للمرحاض كلمة Gentlemen's (جنتل مينز) أو Men (مين) (للرجال) و Ladies (ليديز) أو Women (ويمين) (للسيدات). بينما في المحادثات اليومية كلمة Toilet (تواليت) أو Lavatory (لافتري) أيضا تستعملان . ولكن استعمال W.C. أو Gentlemen's يعتبر أفضل .

٢٠. قم في صف من فضلك .	Please stand in a queue.	بليز استيند ان أيه كيو.
٢١. للسيدات فقط .	For ladies only.	فور ليديز اونلى.
٢٢. ممنوع السيارات الثقيلة .	Heavy vehicles are not allowed.	هيفي فيهيكلز آر نوت الاود.
٢٣. ممنوع التصوير .	Photography is prohibited.	فوتو غرافي از برو هيبتد.
٢٤. احذر من الكلاب .	Beware of dogs.	بي وير أوف دو غز.
٢٥. محجوز .	Reserved.	ريزرفد.
٢٦. ممنوع الوقوف .	Tow Away Zone.	تو ا ويه زون.

(To Remember) للملاحظة

* معرفة الاسم يكون أحياناً سهلاً جدا . فكل كلمة تنتهى بـ ness تكون اسماً .نحو : Long illness has made him weak. (مرضه الطويل جعله ضعيفا) ففي هذه الجملة illness اسم . هذا الاسم كوّن بإضافة ness بكلمة صفة . ولاحظ أمثالها فيما يلي:

جيسي: ill منها illness — thick منها thickness
good منها goodness — great منها greatness
sad منها sadness

** Assistance (المساعدة) هو اسم مكوّن من assist بإضافة ance إلى الفعل . وفيما يلي أمثال أخرى منه :

allow منها allowance (علاوة) — clear منها clearance (تصفية)
ally منها alliance (اتحاد) — pursue منها pursuance (متابعة)
(في الكلمات التي أعلاه بدّل y إلى i قبل إضافة ance) — في الكلمات التي أعلاه حذف e الأخير قبل إضافة ance

52nd Day
اليوم الثاني والخمسون

٣٨. المكتب (Office)

١.	هذا شيك بنك دُبي الوطني .	This is a Dubai National Bank cheque.	دس از أيه دُبى ناشيونال بنك تشيك.
٢.	هذا الكاتب محبوب عند الموظفين.	This clerk is a favourite of the officers.	دس كلرك از أ فيفرت أوف دَ آفيسرس.
٣.	لكم يوم يجب أن تحصل على الإجازة؟	For how many days would you have to take leave?	فور هاو ميني ديز وود يو هيف تو تيك ليف؟
٤.	ضغط الأعمال كثير في هذه الأيام.	Work pressure is very heavy these days.	ورك بريشراز فيرى هيوى ديز ديز.
٥.	أريد أن اقوم باتصال تلفوني .	I want to make a call.	آي وانت تو ميك أ كول.
٦.	علّق الإعلان على لوحة الإعلانات.	Put up the notice on the notice-board.	بت اب دَ نوتس أون دَ نوتس بورد.
٧.	هل المدير متواجد ؟	Is the boss in?	از دَ بوس ان؟
٨.	وقّع هنا من فضلك .	Please sign here.	بليز ساين هير.
٩.	قد قبل طلبي .	My application has been accepted.	ماي ايبليكيشن هيز بين ايكسبتد .
١٠.	لم يمكنه أن يحصل على الإجازة .	He didn't/couldn't get leave.	هي ددنت/كدنت غيت ليف.
١١.	قد وُجّه التحذير إليه .	He has been warned.	هي هيز بين وارند.
١٢.	سأفكّر في هذا الأمر .	I'll think over this matter.	آيل ثنك اوفر دس ميتر.
١٣.	إنّه قد استقال .	He has resigned.	هي هيز ريزايند.
١٤.	لم يناقش هذا الموضوع .	This point was not touched.	دس بواينت واز نوت تتشد.
١٥.	آخذه في الاعتبار .	I'll surely keep this in mind.	آيل شيورلى كيب دس ان مايند.
١٦.	افهم ما تقول .	I follow all what you say./ I am following whatever you are saying.	آي فولو اول وات يو سيه/ آي ايم فولوينغ وات يو آر سيئنغ.
١٧.	في هذا المكتب أن رئيس الكاتبين كل شيء .	The head clerk is all in this office.	د هيد كلرك ازاول ان دس اوفس.
١٨.	قد قبلت استقالته .	His resignation has been accepted.	هز رزغنيشن هيزبين ايكسبتد.
١٩.	ممنوع التدخين .	No smoking.*	نو اسموكنغ.
٢٠.	هل يمكنك تصميم هذا الرسم البياني على الكمبيوتر؟	Can you make this graphic design on computer ?	كان يو ميك دس غرافك ديزاين اون كمبيوتر؟
٢١.	وقفت ساعتي .	My watch has stopped.	ماي واتش هيز استوبد.
٢٢.	هل حصل التأخير؟	Is it late?	ازات ليت؟
٢٣.	أنت متأخر بساعة .	You are late by an hour.	يو آر ليت باي اين آور .

* في عدة أمكنة بدلا من 'No smoking' يوجد مكتوباً Smoking not allowed . وفي الحقيقة كلتاهما ليستا بجملتين تامتين .

٢٤. اطبع هذه الرسالة على الآلة بسرعة .	Type this letter fast.	تايب دس ليتر فاست.
٢٥. ما التاريخ اليوم؟	What's the date today?	واتس د ديت توديه؟
٢٦. إنّها التحقت بالعمل اليوم .	She has joined only today.	شي هيز جو اند اونلى توديه.
٢٧. هل هناك أيّ دعوة هاتفية لي؟	Is there any phone call for me?	از ديراينى فون كول فورمي؟
٢٨. إنّي حدّدت مع المدير موعداً في الساعة ٣ .	I have fixed an appointment with the director at 3 o'clock.	آي هيف فكسد اين ابايتنمينت ود دَ دائركتور كترايت ثري او كلوك.
٢٩. هل تعمل في ذلك المكتب؟	Are you working in that office?	آ ر يو وركنغ إن ديت اوفس.
٣٠. احسن أن تستقيل .	It's better if you resign.	إتس بيتراِف يو ريز اين.
٣١. أيّة وظيفة تشغل؟	What post do you hold?	وات بوست دو يو هولد؟
٣٢. هو مغترّ بنجاحه .	Success has gone to his head.	سكسس هيز غون تو هز هيد.
٣٣. إنّي مشغول جداً اليوم .	I'm very busy today.	آيم فيري بزي توديه.

٣٩. الأشياء (Things)

١. هذه صورة جميلة جداً .	This is a very fine/nice/ beautiful picture.	دس از أ فيري فاين /نايس / بيوتي فل بكتشر.
٢. أعط من فضلك الخردة .	Please give change.	بليزغِف تشنج.
٣. إنّك لم ترني صورتك .	You have not shown me your photograph.	يو هيف نوت شون مي يور فوتو غراف.
٤. أرسل هذه الأمتعة إلى فندقي من فضلك.	Please deliver the goods at my hotel.	بليز ديليفر د غدز ايت ماي هوتل.
٥. يلزم أن أغيّر نظارتي .	I have to get my spectacles changed.	آي هيف تو غيت ماي اسبكتكلز تشينجد.
٦. احتاج إلى بطانية زيادة .	I need another blanket.	آي نيد أَنَدر بلينكت.
٧. أرسلت ساعتي للتصليح .	My watch has been sent for repair.	ماي واتش هيز بين سينت فور ريپئير.
٨. أريد الرز والعدس والمرق .	I want rice, pulses and curry.	آي وانت رايس، بلسزاند كرى.
٩. أريد دوزينة من السيكارات ودوزينتين من السجائر .	I want one dozen cigars and two dozen cigarettes.	آي وانت ون د زن سغارز اند تو د زن سغريتس.
١٠. انكسر الزجاج بيدي .	The mirror was broken by me.	دَ ميرر واز بروكن باي مي.
١١. خذ حاجة باردة من فضلك .	Please have something cold.	بليزهيف سم ثنغ كولد.
١٢. لم أر كتابك .	I haven't seen your book.	آي هيفنت سين يور بك.
١٣. هذا الصندوق ثقيل جدا .	This box is very heavy.	دس بوكس از فيرى هيفى.
١٤. هات بجميع هذه الأشياء .	Bring/get all these things.	برنغ /غت اول ديز ثنغز.
١٥. علّب/اربط هذه الأشياء .	Pack these things/articles.	بيك ديزثنغز/آرتكلز.
١٦. احمل شنطتك من فضلك .	Please carry your holdall.	بليزكيري يور هولدال.
١٧. إنّه ترك منزله بكل أمتعته .	He left his house with bag and baggage.	هي ليفت هز هاوس ود بيغ اند بيغج.
١٨. يجب أن تسافر وأمتعتك خفيفة .	You should travel light.	يو شد تريفل لايت.
١٩. إنّه مولع بالأشياء الجميلة .	He is fond of beautiful things.	هي ازفوند أوف بيوتي فل ثنغز.

٢٠. يبدو أن هذا القماش متين . This cloth appears durable. دس كلوث ابيرس ديوريبل.

٢١. أعد الأواني إلى موضعها على الرف . Put the utensils back on the shelf. بت دَ يوتنسلزبيك أون دَ شلف.

٢٢. ادهن غرفتك باللون الأخضر . Get your room painted green. غيت يو ر روم بينتد غرين.

٢٣. هل دهنت منزلك ؟ Have you got your house whitewashed? هيف يو غوت يور هاوس وايت واشد؟

٢٤. يلزم أن أصلح أثاثي . I have to get my furniture repaired. آي هيف تو غت ماي فر نيتشر ريبرد.

(To Remember) للملاحظة

١. (a) جرى الفلك في البحر . (b) جرت الفلك في البحر. إن كلمة الفلك مفردة في الجملة الأولى ونفس الكلمة جمع في الجملة الثانية. فمثل هذه الكلمة توجد في الإنجليزية كلمات مفردها (singular number) وجمعها (Plural number) سواء . انظر: The hunter ran after the deer. د هنتر رين آفتر د دير (طارد الصياد الغزال) و The deer are fine looking animals. د دير آر فاين لكينغ انى ملز (الغزال حيوان جميل المنظر) .

ولاحظ الكلمات التالية :

sheep (شيب)	خروف	Chinese (شائنيز)	صيني	hair	شَعر (هِير)
a sheep (أ شيب)	خروف واحد	(many) sheep	خرفان كثيرة	a hair	(شعرة واحدة)(many hair), شعر كثير

٢. إن كلمات score (اسكور)عشرون، gross (جروس) (١٤٤ قطعة)، hundred (هندرد) مائة، thousand (ثاؤزند) الف وغيرها إن استعملت كنعت تبقى مفردة نحو : three thousand soldiers, two dozen eggs, five hundred rupees, . ولكنها إذا استعملت كـ Adverb فتأتي جمعا مثل : dozens of eggs , hundreds of rupees وغيرها .

53rd Day
اليوم الثالث والخمسون

٤٠ . القانون (Law)

١ .	أُتّهم عليه بالقتل .	He was accused of murder.	هي واز اكيوزد أوف مردر.
٢ .	كان في السجن لمدة يومين.	He was in the police lock-up for two days.	هي واز ان د بولس لوك اب فور تو ديز.
٣ .	إنّه أخبر البوليس بهذه الحادثة .	He reported this incident to the police.	هي ريبورتيد دس انسيدينت تود بولس.
٤ .	بُرّئَ المتهم .	The accused was acquitted.	دَ ايكيوزد واز اكيوتيد.
٥ .	إنّه فر واختفى .	He absconded.	هي ايبسكوندد.
٦ .	اطلق سراحه بكفالة .	He was released on bail.	هي وازريليزد أون بيل.
٧ .	الفوضى تعمّ المدينة .	Lawlessness prevails in the city.	لاليس نيس بر يفيلزان د سيتي.
٨ .	عملك غير شرعي .	Your act is illegel.	يور ايكت از اليغل.
٩ .	كان ذلك مقتضى العدل .	Justice demanded it.	جستس د يماند يدات.
١٠ .	أنت شاهد عني .	You are my witness.	يو آر ماي وتنس.
١١ .	هذا ضد القانون.	This is against the law.	دس از اغينست د لا.
١٢ .	هو برىء.	He is innocent.	هي از انو سنت.
١٣ .	إنّه متروك لك أن تحكم .	It's for you to judge.	اتز فوريو تو جج.
١٤ .	كل هذه المستندات مزورة .	These are all forged documents.*	ديز آر اول فورجد دوكو مينتس.
١٥ .	إنّه رفع دعوى ضدي .	He filed a suit against me.	هي فايلدأ سوت اغينست مي.
١٦ .	استجوب المحامون الشهود .	The lawyers cross-examined the witnesses.	دَ لايرز كروس اكزامند د وتنيسز.
١٧ .	كثرت المقاضاة في هذه الأيام .	Nowadays litigation is on the increase.	ناو'أ ديزلتغيشن ازاون د انكريز.
١٨ .	أن الشرطة تبحث في هذا الأمر .	The police is investigating the matter.	د بولس از انفستغيتنغ دَ ميتر.
١٩ .	إنّي قد انشأت دعوى جنائية ضده .	I have filed a criminal case against him.	آي هيف فايلد أ كريمينل كيس اغينست هم.
٢٠ .	أدان القاضي المتهم .	The magistrate convicted the accused.	دَ مجستريت كنو كتيد د اكيوزد.
٢١ .	وفى النهاية توصل كل من المدعي والمدعى عليه إلى التسوية .	At last the plaintiff and the defendant reached a compromise.	ايت لاست د بلينتف اند دَ ديفنديت ريتشدأ كمبرو مايز.
٢٢ .	حكم عليه بالإعدام .	He got a death sentence.	هي غوت أ ديث سينتنس.
٢٣ .	حكمت جماعة القضاة . لصالح المتهم	The jury gave its verdict in favour of the accused.	دَ جيورى غيف اتس ورد كت ان فيفر أوف دَ اكيوزد.
٢٤ .	قد صلب القاتل .	The murderer has been hanged.	دَ مردرر هيز بين هينغد.

اغنورنس أوف لاء از نو ايكسكيوز.	Ignorance of law is no excuse.	عدم العلم بالقانون ليس عذراً صالحا .	٢٥.
د جج بنشد د ثيف.	The judge punished the thief.	عاقب القاضي السارق .	٢٦.
وات وازدَ ججمينت ان دَكيس؟	What was the judgement*in the case?	ما كان الحكم في القضية؟	٢٧.
هي از اين آي وتنيس.	He is an eyewitness.	إنّه شاهد عيان .	٢٨.
هي از أ لاء أبايدينغ مان.	He is a law abiding man.	هو متمسك بالقانون .	٢٩.
جستس ديليد از جستس ديناید.	Justice delayed is justice denied.	التأخير في العدل كمنع العدل .	٣٠.
دَ ديفنس كاونسل آر غيود د كيس ويل.	The defence counsel argued the case well.	استدل محامي المتهم ودافع بصورة جيدة .	٣١.

(Radio/T.V. /Post Office) ٤١. الراديو والتلفزيون ومكتب البريد

آي هيف باؤت أ كلر تيليفيزيون.	I have bought a colour television.	إنّى اشتريت تلفزيونا ملوّنا .	١.
يور تي في از اون.	Your T.V. is on.	تلفزيونك مفتوح .	٢.
ماي ريديو از اوف.	My radio is off.	مذياعي مُطفأً.	٣.
نيوز بليتن از برود كاست سايمل تينى اسلى فروم اول ريديو استيشنز.	News bulletin is broadcast simultaneously from all radio stations.	تذاع نشرة الأخبار من جميع المحطات في وقت واحد .	٤.
آيم فيري فوند أوف واتشنغ تي في.	I'm very fond of watching T.V.	إنّى مغرم بمشاهدة التلفزيون .	٥.
د بوست مان از سورتنغ آؤت دَ ليترز.	The postman is sorting out the letters.	مساعي البريد يفرز الخطابات.	٦.
ناو سويتش اون/تيون انتو تشينل زى.	Now switch on/tune into channel Zee.	والآن دوّر إلى قناة "زي"	٧.
دَ نيكست كليرنس از ديو ايت فور ثرتى بي ام.	The next clearance is due at 4.30 p.m.	التصفية المقبلة للبريد في الساعة الرابعة .	٨.
دَ ميل از ديليفرد تِوايس أ ديه.	The mail is delivered twice a day.	توزّع الرسائل مرتين يوميا .	٩.
آي سينت ففتى دولارز باي منى اوردر.	I sent 50 dollars by moneyorder.	أرسلت ٥٠ دولاراً بالحوالة البريدية .	١٠.
د رجسترد بيكت نيدز مور استامس.	The registered packet needs more stamps.	الطرد المسجل ينقص طوابع بريدية .	١١.
بليز اكنولج د منى آردر.	Please acknowledge the moneyorder.	أشعر من فضلك باستلام الحوالة البريدية .	١٢.
دَ تيليفيزيون بليز أن امبورتنت رول أن أور ديلى لايف.	The television plays an important role in our daily life.	يلعب التلفزيون دوراً هاما في حياتنا .	١٣.
ماي ريديو هيز أ فيري كلير / شارب رسيبشن.	My radio has a very clear/ sharp reception.	لمذياعي استقبال صاف/حاد .	١٤.
هيف يو ويد د بارسل؟	Have you weighed the parcel?	هل وزنت الطرد؟	١٥.
آي هيف تو باي سم انفيلبس اند انليند شيتس فروم د بوست اوفس.	I have to buy some envelopes and inland sheets from the post office.	يلزم أن أشتري عدة ظروف وعدداً من الرسالات البلدية من مكتب البريد .	١٦.
د س تشينل از دستربد.	This channel is disturbed.	هذه القناة مشوّشة .	١٧.

١٨. لماذا لم تحدّدها بصورة صحيحة . You haven't tuned it properly. يو هيفنت تيوند ات بروبرلي.

١٩. العمال في قسم البريد على الإضراب. The workers in the postal department are on strike. د وركرز ان د بوستل ديبارتمنت آر أون استرايك.

٢٠. كم من الطوابع تحتاج هذه الرسالة؟ What will the stamp on this letter cost? وات ول د استامب أون دس ليتر كوست؟

للملاحظة (To Remember)

Here's a good government after decades.* (قد شكلت حكومة جيدة بعد وقت طويل) في هذه الجملة كوّن اسم government بإضافة ment إلى فعل govern . وفيما يلي عدة أسماء كوّنت بهذه الطريقة :.

(موافقة)	agreement	من agree	(وظيفة)	employment	من employ
(اندهاش)	amazement	من amaze	(اهتياج)	excitement	من excite
(تعديل)	amendment	من amend	(تسوية)	settlement	من settle

He is a civil servant (هو في خدمة مدنية) في هذه الجملة servant اسم في آخره ant . ومثل الأسماء فيما يلي :
accountant (محاسب), applicant (مقدم الطلب), consonant (الحرف الصحيح), defandant (المدعى عليه), merchant (تاجر)

في الأسماء المذكورة أعلاه servant ، defendant و accountant كونت بإضافة ant إلى defend ,serve و account على التوالي . ولكن أسماء merchant و consonant لم يتم تكوينهما بإضافة أيّ شيء إلى أية كلمة . وكذلك كلمة important ففي آخرها 'ant' ولكنها ليست اسماً .إنّها اسم الصفة .

54 اليوم الرابع والخمسون
th Day

٤٢ . السفر (Travel)

١.	هيّا .	Hurry up please.	هرى أب بليز.
٢.	قد ضللنا الطريق .	We have lost our way.	وي هيف لوست أور ويه.
٣.	السفر طويل .	It's a long journey.	اتس أ لونغ جرني .
٤.	يلزم أن أذهب إلى آغره .	I have to go to Agra.	آي هيف تو غو تو آغره.
٥.	لماذا رجعت عاجلا؟	Why did you come back so soon?	واي دد يو كم بيك سو سون؟
٦.	أين تقيم؟	Were are you staying?	ويرآر يو استيئنغ؟
٧.	هل اشتريت التذكرة؟	Have you bought the ticket.	هيف يو بوت د تكت؟
٨.	هل قطار القاهرة يصل في الميعاد؟	Is the Cairo Mail arriving on time?	از د كيرو ميل ارايفينغ أون تايم؟
٩.	اذهب إلى البصرة بقطار ١٠,٣٠	I'll go to Basra by the 10.30 train.	آيل غو تو بصره باي د تين ثرتي ترين.
١٠.	نذهب معاً .	We'll go together.	ويل غو تو غيدر.
١١.	ستفتح قلعة محمد علي في شهر يونيو هذه السنة .	Mohd Ali Fort will reopen in June this year.	محمد علي فورت ول رى اوبن أن جون دس اير.
١٢.	في أيّ ساعة يقوم قطار أسوان السريع؟	When does the Aswan Mail leave?	وين دزد اسوان ميل ليف؟
١٣.	سنصل في الميعاد .	We'll reach in time.	ويل ريتش ان تايم.
١٤.	على أيّ رصيف يصل القطار؟	On which platform will the train arrive?	أون وتش بلات فورم ول دَ ترين ارايف؟
١٥.	كم المسافة للمحطة من هنا؟	How far is the railway station from here?	هاو فار از د ريلويه استيشن فروم هير؟
١٦.	اسرع وإلاّ سيفوتك القطار .	Hurry up, otherwise you'll miss the train.	هرى اب ،ادر وايز يو ول مس دَ ترين.
١٧.	الآن بعد القطار عن النظر .	The train is out of sight now.	دَ ترين از آوت أوف سايت ناو.
١٨.	إذهب إلى المحطة لتوديع أخي .	I am going to the station to see off my brother.	آي ايم غوينغ تو دَ استيشن تو سي أوف ماي بردر.
١٩.	ليس إلاّ مسافة عشر دقائق بالأقدام.	It is only ten minutes walk.	ات از اونلي تين منتس واك.
٢٠.	إذهب إلى المحطة لا ستقبالهم.	I am going to the station to receive them.	آي ايم غوينغ تودَاستيشن تورسيف ديم.
٢١.	ليس هذا طريق مرور .	It's no thoroughfare.	اتس نو ثورو فير.
٢٢.	ذهبنا إلى الغابة للصيد .	We went to the forest for hunting.	وي ونت تو د فورست فور هنتنغ.
٢٣.	الطريق مسدود للتصليح .	The road is closed for repairs.	د رود از كلوزد فور ريبيرز.
٢٤.	لم يتلقوا القطار .	They couldn't catch the train.	ديه كدنت كيتش د ترين.
٢٥.	كان الهواء قليلا في العجلة الأمامية .	The front wheel had less air.	دَ فرنت ويل هيد ليس اير.
٢٦.	قد تمزق الإطار .	The tyre of the car burst.	دَ تاير أوف دَ كار برست.
٢٧.	أنا مولع بسياقة الدراجة .	I'm fond of cycling.	آيم فوند أوف سايكلنغ.

٢٨.	أنا غيّرت القطار في دقهلية .	I changed the train at Daqhaliya.	اي تشينجد دَ ترين ايت دقهلية.
٢٩.	شباك التذاكر مفتوح ليلاً ونهاراً.	The booking office remains open twenty four hours.	د بكنغ آفس رمينز اوبن توينتي فور آورز.
٣٠.	هل يذهب هذا القطار إلى الأسكندرية مباشرة.	Is this a direct train to Alexandria?	از دس أ دايريكت ترين تو اليكزاندريا؟
٣١.	سأذهب معك إلى المحطة .	I'll accompany you to the station.	آيل أكمبني يو تو د استيشن.
٣٢.	سأكون في كشمير في الأسبوع القادم .	I'll be in Kashmir next week.	آيل بي ان كشمير نيكست ويك.
٣٣.	عبور السكة الحديدية ممنوع.	Crossing the railway tracks is prohibited.	كروسنغ د ريلويه تريكس از بروهيبيتد.
٣٤.	المحطة القادمة ستكون بغداد .	The next station is Baghdad.	دَ نكست استيشن از بغداد.
٣٥.	يبقى هناك نصف ساعة للقطار أن يقوم .	There is still half an hour for the train to start.	دير از استل هاف أن اور فور د ترين تو استارت.
٣٦.	عجّل، لا يقف القطار هنا إلا لوقت قصير جداً .	Hurry up, the train stops here for a shortwhile.	هري اب، دَ ترين استوبس هير فور أ شورت وايل.
٣٧.	موعد القطار الساعة الحادية عشرة والنصف .	The train is due at half-past eleven.	د ترين از ديو ات هاف باست اليفن.
٣٨.	تعطلت سيارتنا في الطريق .	Our car broke down on the way.	آور كار بروك داون أون د ويه.
٣٩.	سيهبط في دُبي يوم الاثنين .	He will land in Dubai on Monday.	هي ول ليند ان دُبي أون منديه.
٤٠.	العتالون يفرّغون البضائع .	The porters are unloading the cargo.	د بورترز آران لودنغ د كار غو.
٤١.	إنّي استأجرت جواداً .	I hired a horse.	آي هايرد أ هورس.
٤٢.	هل توجد سيارة أجرة هنا؟	Is a taxi/cab available here?	از أ تيكسي/ كيب افيليبل هير؟
٤٣.	قد وصل القطار إلى الرصيف بالفعل .	The train has already reached the platform.	دَ ترين هيز اول ريدى ريتشد د بلات فورم.
٤٤.	هذه العربة محجوزة للجنديين.	This bogie is reserved for soldiers.	دس بوغي از ريزرفد فور سولجرز.
	نحن مسافرون بعربة النوم .	We are travelling by the sleeper coach.	وي آر تريفلنغ باي دَ سليبر كوتش.
٤٥.	أين تقضي الإجازة الصيفية هذه السنة؟	Where will you spend your summer vacation this year?	ويرول يو اسبند يور سمر فيكيشن دس اير؟
٤٦.	أذهب إلى أي مصيف، ممكن أن أذهب إلى سرينغر .	I'll go to some hill station, probably to Srinagar.	آيل غو تو سم هل استيشن، بروبابلى تو سرينغر.

للملاحظة (To Remember)

Our school will reopen tomorrow. (ستفتح مدرستنا غداً)، Nixon Road in Baghdad has been renamed Saddam Husain Road. (قد غيّر اسم شارع نيكسون في بغداد وسمي شارع صدام حسين) في هاتين الجملتين reopen = re + open, renamed = re + named- فمعنى لاحقة re إعادة . ومثلها كلمات أخرى فيما يلي :

rebound	(يعود بعد الوثوب)	reenter	(يدخل مرة ثانية)	replant	(يعيد الغرس)
reclaim	(يدّعي مرة ثانية)	refill	(يعيد الملأ)	reprint	(يعيد الطبع)
retrace	(يعود في نفس الطريق)	reload	(يعيد الشحن)	recount	(يعدّ مرة ثانية، يشرح مفصلا)
rejoin	(ينضم مرة ثانية)	remake	(يعيد الصنع)	recross	(يعبر مرة ثانية)

55 th Day اليوم الخامس والخمسون

٤٣ . متعة (Recreation)

١.	كنا نستمع إلى الموسيقي .	We were listening to music.	وي ور لسننغ تو ميوزك.
٢.	إنها ستنتظرك على السينما .	She will wait for you at the cinema hall.	شي ول ويت فور يو ات د سينما هال.
٣.	إنها تستطيع أن تعرف على البيانو وليس على الكمان .	She can play piano but not violin.	شي كان بليه بيا نو بت نوت وايلن.
٤.	كنت أذهب لمشاهدة فيلم كل يوم الأحد .	I used to go to see a film every Sunday.	آي يو زد تو غو تو سي أ فلم ايفري سنديه.
٥.	جمع طوابع البريد هوايتي .	Stamp collecting/philately is my hobby.	استامب كلكتنغ / فليتلي از ماي هوبي.
٦.	أريت بعضا من طوابع البريد لي لأحمد .	I showed some of my stamps to Ahmed.	آي شود سم أوف ماي استامبس تو أحمد.
٧.	كان ذلك غناء حلواً .	It was a sweet/melodious song.	ات واز أسويت / ميلو ديس سونغ.
٨.	كانت القصة ممتعة .	It was a very interesting story.	ات واز أ فيري انترستننغ استوري.
٩.	هل المسرحية اليوم قابلة للمشاهدة؟	Is today's play worth seeing?	از تو ديز بليه ورث سي انغ؟
١٠.	الفيلم 'الأرض' سيؤذن بعرضه في القريب العاجل .	The film 'El Arz' will be released shortly.	دَ فلم 'الأرض' ول بي ريليزد شورتلي.

٤٤ . لا تفعل (Don'ts)

١.	لا تراوغ عن العمل .	Don't shirk work.	دونت شرك ورك.
٢.	لا تكن مسرعا .	Don't be in a hurry.	دونت بي ان أ هري.
٣.	لا تغتب أحدا .	Don't speak ill of others.	دونت اسبيك ال أوف أدرز.
٤.	لا تضحك على الآخرين .	Don't laugh at others.	دونت لاف ايت ادرز.
٥.	لا تخاصم أحدا .	Don't quarrel with others.	دونت كوارل ود ادرز.
٦.	لا تعتمد على الآخرين .	Don't depend upon others.	دونت دبند ابو ن ادرز.
٧.	لا تخرج حافيا .	Don't go out barefooted.	دونت غو آوت بير فوتيد.
٨.	لا تضيع وقتك .	Don't waste your time.	دونت ويست يور تايم.
٩.	لا تسرق شيئاً .	Don't steal others' things.	دونت استيل ادرز ثنغز.
١٠.	لا تفقد صوابك .	Don't lose your balance.	دونت لوز يور بيلنس.
١١.	لا تجلس عاطلا .	Don't sit idle.	دونت ست آيدل.
١٢.	لا تنعس عند العمل .	Don't doze while working.	دونت دز وايل وركنغ.
١٣.	لا تقطف الأزهار.	Don't pluck flowers.	دونت بلك فلاورز.
١٤.	لا تبصق على الأرضية .	Don't spit on the floor.	دونت اسبت أون د فلور.
١٥.	لا تزعج أحداً .	Don't disturb others.	دونت دسترب ادرز.

١٦. لا تلو زوايا الورق .	Don't fold the corners of the pages.	دونت فولد كورنرز أوف د بيجز.
١٧. لا تكتب شيئاً على كتبك .	Don't write anything on your books.	دونت رايت ايني ثنغ أون يور بكس.

٤٥ـ افعل (Do's)

١. اكتب نظيفا مهما استطعت .	Write as neatly as you can.	رايت ايز نيتلي ايز يو كان.
٢. تناول الكتاب بيد نظيفة .	Handle a book with clean hands.	هيندل أ بك ود كلين هيندز.
٣. الزم اليسار/ اليمين في الشارع.	Keep to the left/right on the road.	كيب تو دَ ليفت/رايت اون د رود.
٤. صافح دائما بيدك اليمنى .	Always shake hands with your right hand.	اول ويز شيك هيندز ود يور رايت هيند.
٥. اجتهد دائما/ تعوّد على الاجتهاد .	Be hard working/Cultivate the habit of working hard.	بي هارد وركنغ/ كلتي فيت د هيبت اوف وركنغ هارد.
٦. ابتعد عن الحمق .	Always keep the idiots off.	اول ويز كيب د ايديتس اوف.
٧. تكلم مع كبارك باحترام .	Talk respectfully with elders.	تاك ريسبيكت فلي ود ايلدرز.
٨. تناس الخلافات .	Sink your differences.	سنك يور دفرينسز.
٩. استيقظ مبكراً في الصباح .	Wake up early in the morning.	ويك اب ارلي ان د مورننغ.
١٠. اذهب للنزهة صباحاً ومساءً .	Go out for a walk in the morning and evening.	غو آو ت فور أ واك ان د مورنغ اند ايفننغ.
١١. نظف أسنانك بفرشة بعد كل أكلة .	Brush your teeth after both the meals.	برش يور تيث آفتر بوث د ميلز.
١٢. قم مستقيماً لا تنحن .	Stand upright, don't bend.	استيند اب رايت، دونت بيند.
١٣. سوّ خلافاتك .	Patch up your disputes.	بيتش اب يور دسبيوتس.
١٤. اصلح عاداتك .	Mend your ways.	ميند يور ويز.
١٥. اطع كبارك .	Obey your elders.	او بيه يور الدرز.
١٦. أحبّ صغارك .	Love your youngers.	لَف يور ينغرز.
١٧. قم بالاحترام الواجب لزملائك .	Give due regard to your equals.	غِف ديو رغارد تو يور ايكولز.
١٨. كن مواظباً ومحترساً .	Be punctual and attentive.	بي بنكتشويل ايند اتينتف.
١٩. امضغ طعامك جيداً .	Chew your food properly.	تشيو يور فود بروبرلي.
٢٠. امسك بقوة .	Hold firmly.	هولد فرملي.

(To Remember) للملاحظة

I dislike mangoes. (لا أحب المنجة) Do you give discount on your sales? (هل تقوم بالخصم على مبيعاتك؟)
He is a dishonest person. (هو رجل غير أمين) في هذه الجمل في كلمات dislike = dis + like,
discount = dis + count, dishonest = dis + honest معنى البادئة dis غير أو ضد، أو عدم . وفيما يلي كلمات اخرى مكوّنة من بادئة dis

disable	(يفقده الاهلية)	disprove	(يدحض)
disagree	(لا يوافق)	displace	(يزيل عن مكانه)
displease	(يغضب)	disarm	(ينزع السلاح)
disobey	(يعصي)	disgrace	(يهين)

ليلا حظ أن كل كلمة تبدأ بـ dis لا تكون ضداً لكلمة أخرى . فمثلا كلمة distance, أو disturb كلمتان مستقلتان وليستا مكونتين بإضافة dis إلى tance أو turb .

56 th Day اليوم السادس والخمسون

٤٦. معاملات (Dealings)

١. قم بتصفية الحسابات دائماً .	Keep the accounts clear.	كيب دَ اكاونتس كلير.
٢. كيف سوق الغلة؟	How is the grain market?	هاو از د غرين ماركيت؟
٣. عدّ النقود من فضلك .	Please count the money.	بليز كاونت د مني.
٤. إني انخدعت به .	I got duped by him.	آي غوت ديوبد باي هم.
٥. هذه السكة زائفة .	This is a base coin.	دس از أ بيس كواين.
٦. إنه استثمر جميع المال في التجارة .	He invested all the money in trade/business.	هي انفيستد اول د مني ان تريد/ بزنس.
٧. حدّد الأجرة .	Settle the wages.	ستل دَ ويجز.
٨. كيف تجارتك هذه الأيام؟	How is your business going?	هاو از يور بزنس غوينغ؟
٩. أعط كل واحد من الولدين دولارين .	Give the boys two dollars each.	غِف دَ بوايز تو دولارس ايتش.
١٠. هل تلقيت أجرتك ؟	Did you get your wages?	دد يو غت يور ويجز؟
١١. قد أصبح حسابي معك صافياً .	Now I'm square with you.	ناو آيم اسكوير ود يو.
١٢. يجب دفع المبلغ سلفاً .	Advance money will have to be paid.	ايدفانس مني ول هيف تو بي بيد.
١٣. كم من المبلغ يمكنك أن تعطيني؟	How much money can you spare for me?	هاو متش مني كان يو اسبير فورمي؟
١٤. لا تنفق أكثر من ما تكسب .	Don't spend more than you earn.	دونت اسبند مور دين يوارن.
١٥. هل هو دفع راتبك ؟	Has he paid your salary?	هيز هي بيد يور سيلري؟
١٦. خلاص، أعطني الفاتورة من فضلك .	That's all, please make the bill.	ديتس اول ، بليز ميك د بل.
١٧. أنا في هذه الأيام في عُسر .	I'm hard up/tight these days.	آيم هارد اب/ تايت دِيز دَيز .
١٨. لا تقرض، لأن القرض أحيانا يُفقد المال والصديق كليهما .	Don't lend, for a loan often loses both itself and a friend.	دونت ليند، فور أ لون اوفن لوزز بوث ات سيلف اند أ فريند.
١٩. ليس عندي أي نقود .	I don't have any cash.	آي دونت هيف ايني كيش.
٢٠. سنودع جميع نقودنا في البنك .	We'll deposit all our money in the bank.	ويل د بوزت اول اورمني ان د بينك.
٢١. توجد هناك قلة المال .	There is a shortage of funds/cash.	دير از أ شورتج أوف فندز/كيش.
٢٢. كم من النقد يتواجد عندك؟	How much is the cash in hand?	هاو متش ازد كيش ان هيند؟
٢٣. أنا لست بطامع في المال .	I am not after money.	آي ايم نوت آفتر مني.
٢٤. سأستثمر جميع أموالي في التجارة .	I'll invest everything in the business.	آيل ا نفيست ايفري ثنغ ان د بزنس.
٢٥. كل المال قد أُنفق .	All the money has been spent.	اول دَ مني هيز بين اسبنت.
٢٦. هل يمكنك أن تقرضني مائة دولار؟	Can you lend me a hundred dollars?	كان يوليند مي أ هندريد دولارس؟
٢٧. يلزم أن أدفع عدة فاتورات .	I have to pay several bills.	آي هيف تو بيه سيفرل بِاز.

٤٧. التجارة (Business)

١. هل لك تعامل معه ؟	Do you have any dealings with him?	دو يو هيف ايني ديلنغز ود هم.
٢. أ أنت في الخدمة أو تمارس التجارة؟	Are you in service or business?	آر يو ان سرفس اور بزنس؟
٣. التجارة تربح في هذه الأيام .	Business is flourishing these days.	بزنس ازفلرشنغ دِيز ديز.
٤. خلّص الطرد من المحطة .	Get the parcel delivered from the station.	غت دَ بارسل ديليفرد فروم دَ استيشن.
٥. دعنا نتعامل .	Let us have a deal.	ليت اس هيف أ ديل.
٦. أرجوك أن تقوم باجراءات حول دفع أجرتي .	Please arrange for the payment of my wages.	بليزارينج فور د بيمنت أوف ماي ويجز.
٧. المال يجلب المال .	Money begets money.	مني بغتس مني.
٨. أعطني مائة دولار سلفاً .	Kindly give me a hundred dollars in advance.	كايندلي غِف مي هندريد دولارس ان ايدفانس.
٩. هل أنت تمارس التجارة ؟	Are you in business?	آر يو ان بزنس؟
١٠. أنا مدين .	I am under debt.	آي ايم اندرديت.
١١. كم المبلغ بالفاتورة؟	How much is the bill?	هاو متش از د بل؟
١٢. كم السعر لهذا ؟	How much does it cost?	هاو متش دز ات كوست؟
١٣. يلزم صرف هذا الشيك .	This cheque is to be encashed.	دس تشيك از تو بي أنكيشد.
١٤. أرسل هذه الرسالات بالبريد .	Post these letters.	بوست ديز ليترز.
١٥. التجارة تواجه المشاكل في هذه الأيام .	Business is bad these days.	بزنس ازبيد دِيز ديز.
١٦. ما مهنتك ؟	What is your profession?	وات از يور بروفيشن؟
١٧. كم من المساهمين في هذه الشركة؟	How many shareholders are there in this company?	هاو ميني شير هولدرز آر دير ان دس كومباني؟
١٨. إنه في تجارة الاستيراد والتصدير .	He is in the import-export trade.	هي از ان دَ امبورت ايكسبورت تريد.
١٩. نحن عملاء .	We are brokers.	وي آر بروكرز.
٢٠. هل أرسلت فاتورة للبضائع ؟	Have you sent an invoice for the goods?	هيف يو سينت اين انفايس فور د غدز؟
٢١. كيف يمشي عمله؟	How is he doing?	هاو از هي دوينغ؟

للملاحظة (To Remember)

Lecturership is a respectable profession. (وظيفة المحاضر وظيفة احترام) في هذه الجملة تكوّن اسم جديد بإضافة ship في Lecture وهو Lectureship . فليلاحظ أن الكلمات المنتهية بلاحقة ship تكون عادة أسماء، نحو : scholarship(منحة دراسية/ العلم)، membership (العضوية) ، kinship (القرابة) ، hardship (الصعوبة) friendship (الصداقة) وغيرها.

وكذلك الكلمات المنتهية بلاحقة hood تكون أيضا أسماء نحو :.I know him from childhood وفيما يلي عدة أسماء مثلها :

father	من	fatherhood	(الأبوة)	boy	من	boyhood	(الصبا)
mother	من	motherhood	(الأمومة)	girl	من	girlhood	(الصبا)
man	من	manhood	(الرجولية)	parent	من	parenthood	(الأبوّة/ الأمومة)

57 اليوم السابع والخمسون
th Day

٤٨. الأقوال والأمثال (Sayings)

١.	الحق مُرّ.	Truth is bitter.	ترث ازبتر.
٢.	الاجتهاد دائماً يثمر.	Hard work always pays.	هارد ورك اولويز بيز.
٣.	الكسل رأس كل شرّ.	Idleness is the root cause of all ills.	آيدلنس از د روت كاوز أوف اول الز.
٤.	البيت الذي فيه فراق لا يدوم طويلاً.	A divided house cannot stand.	أ ديفايدد هاؤس كان نوت استيند.
٥.	الصدق ينجى.	Truth always wins.	ترث الويز ونز.
٦.	زرغبًا تزدد حُبًا.	Familiarity breeds contempt.	فيميليريتى بريدز كنتمبت.
٧.	الرخاء يجلب الأصدقاء والبؤس يختبرهم.	Prosperity gains friends, but adversity tries them.	بروسبيريتي غينز فريندس ، بت ايدفرستي ترايز ديم.
٨.	الأمانة خير سياسة.	Honesty is the best policy.	اونستى از د بست بوليسى.
٩.	المدح في وجهك من قبيل التملق والمداهنة.	Extolling /praising you at your face is flattery.	اكستولنغ/ بريزنغ يو ات يور فيس از فليترى.
١٠.	من الطبيعي إن تنشأ الاختلاف في المعرفة.	Learning breeds controversy.	لرننغ بريدز كنتروفرسي.
١١.	ليس الكل سواء.	All are not alike.	اول آر نوت الايك.
١٢.	لا يدوم شيء في هذا العالم.	Nothing is permanent in this world.	نثنغ از برمانننت ان دس ورلد.
١٣.	التجربة خير معلّم.	Experience teaches the unskilled.	ايكسبيرينس تيتشزدَ أن اسكلد.
١٤.	كل شيء مسموح في الحب والحرب.	All is fair in love and war.	اول از فير ان لف اند وار.
١٥.	السكة الزائفة لا تمضي أبداً.	A base coin never runs.	أ بيس كواين نيفر رنز.
١٦.	المرء عبد لبطنه.	Man is slave to his stomach.	مان از سليف تو هز استومك.
١٧.	بالمثابرة تحقق الأهداف.	Perseverance prevails.	برسي فيرنس بريفيلز.
١٨.	المجاملة لا تكلّف شيئاً.	Courtesy costs nothing.	كرتسي كوستس نثنغ.
١٩.	إذا مات المرء سقط ما عليه.	Death pays all debts.	ديث بيز اول ديتس.
٢٠.	كل حمار يحب صوته.	Every ass loves his bray.	ايفري ايس لفز هز بريه.
٢١.	اتّهمْه ثم خذه.	Give a dog a bad name and hang him.	غِف أ دوغ أ بيد نيم اند هينغ هم.
٢٢.	الجميل من يعمل جميلاً.	Handsome is that handsome does.	هيندسم از ديت هيند سم دز.

(Miscellaneous Sentences) (الجمل المتنوعة)

١.	قد انتهى الغاز.	The gas has finished.	دَ غيس هيز فنشد.
٢.	الوضع في المدينة متوتر.	The situation in the city is tense.	دَ ستشو يشن ان د ستي از تينس.
٣.	السكوت يعّم الغرفة.	There is pin drop silence in the room.	دير ازبن دروب سايلينس ان د روم.
٤.	معرفة الكمبيوتر لازم للحصول	Computer knowledge is essential these	كمبيوتر نولج از اسنشيل ديز

على الوظيفة في هذه الأيام .	days to get a good job.	ديز تو غت أ غد جوب.
٥. أنيس شخص بسيط وصريح .	Anis is a simple and straight forward man.	أنيس از أ سمبل اند استريت فور وارد مان.
٦. تم انتخابه بإجماع .	He was elected unanimously.	هي واز الكيتد يونانيمسلي .
٧. كم وقتاً تستغرق في التأهب؟	How long will you take to get ready?	هاو لونغ ول يو تيك تو غت ريدي.
٨. إن وضع القانون والنظام يتدهور يوماً بعد يوم .	The law and order situation is deteriorating day by day.	دَ لا اند اوردر ستشويشن ازديتير يوريتنغ ديه باي ديه .
٩. لا تستصغر العدو أبداً .	Never underestimate the enemy.	نيفر اندراستيمت دَ اينمي.
١٠. يوجد هبوط في سوق الأسهم في هذه الأيام.	There is a slump in the share market these days.	ديراز أ سلمب ان دَ شير ماركت ديز ديز.
١١. هناك ارتفاع في سوق الأسهم .	There is a boom in the share market.	دير از أ بوم أن د شير ماركت.
١٢. إنها تتذمّر كل وقت .	She is grumbling all the time.	شي از غرملنغ اول د تايم.
١٣. البترول سريع الالتهاب .	Petrol is highly inflammable.	بترول از هايلي انفليميبل.
١٤. عنده ذوق جيد .	He is a man of good taste.	هي از أ مان أوف غد تيست.
١٥. لا تنظر إليّ هكذا .	Don't look at me like this.	دونت لك ايت مي لايك دس .
١٦. كانت لجمال عبد الناصر شخصية مؤثرة .	Abdul Nasir had an impressive personality.	عبد الناصر هيد اين امبر يسيف برسنالتي.
١٧. انتهز الفرصة بصورة جيدة .	Make the most of the opportunity.	ميك دَ موست أوف د ابور تشيونيتي.
١٨. التكلّم معه لا يليق بشأني .	Talking to him is below my dignity.	تاكنغ تو هم از بلو ماي دغنيتي.
١٩. وقّع كلا البلدين على اتفاقية السلام .	The two countries signed a peace treaty.	دَ تو كنتريز سايند أ بيس تريتي.

للملاحظة (To Remember)

فيما يلي جمل تتضمن أسماء الصفة التي كوّنت بإضافة ive و ous إلى الفعل . فإذا تأملتها استطعت أن تكوّن أسماء الصفة من الفعل أو الاسم بهذه الطريقة .

This soap comes in several attractive shades. Attract + ive = Attractive

This is a preventive medicine . Prevent + ive = Preventive

Even at seventy he leads an active life.Act + ive = Active.

في الجمل التي أعلاه كوّنت attractive من attract و preventive من prevent و active من act . وآخر كل منها ive . وكذلك : defensive من defend و destructive من destroy و elective من elect و impressive من impress وغيرها.

It is dangerous to drive fast. (السياقة المسرعة خطر)، The Nilgiris is a mountainous district (نيلجيرى مديرية جبلية) The cobra is a poisonous snake. (الأفعى حية سامة) The Iliad is a famous epic. (إن الالياذة شعر ملحمى شهير.)

Danger + ous = dangerous، mountain + ous = mountainous، Poison + ous = poisonous ،

Fame + ous=famous وغيرها (بإلحاق ous بـ fame حذفنا 'e') وكذلك أسماء الصفة التالية مكوّنة بإلحاق 'ous' بـ enormity(ضخامة) و nerve (عصب) و prosperity (رخاء) و humour (فكاهة) :

enormous (ضخيم) و nervous (عصبى) و prosperous (ذات رخاء) و humourous (فكاهي)

58th Day اليوم الثامن والخمسون

٤٩. حضور حفلة عرس (Attending a Wedding)

١. من أين جاء موكب العريس؟	Where has the *barat* come from?	ويز هيز د بارات كم فروم؟
٢. أين يذهب موكب العريس؟	Where will the *barat* be going?	ويرول د بارات بي غوينغ؟
٣. هل يوجد عندكم تقليد البائنة ؟	Do you have the dowry system?	دو يو هيو د دويري سستم؟
٤. ما موعد العرس؟	What is the date of wedding?	وات از دَ ديت أوف ويدنغ؟
٥. إنّي أريد أن أرى العريس والعروس؟	I want to/would like to see the bride and groom.	آي وانت تو/وود لايك تو سي د برايد اند غروم .
. كانت مأدبة الزواج جيدة .	The wedding/party was very good.	دَ ويدنغ / بارتي واز فيرى غد.
. تفضل بقبول هذه الهدية الصغيرة .	Please accept this small/little gift.	بليز ايكسبت دس اسمول/لتل غفت.

٥٠. في السينما (In the Cinema)

. أي فيلم يعرض في هذ المسرح؟	Which film/movie is running in this cinema hall?	وتش فلم/ موفي ازرننغ ان دس سينما هال؟
. هل هذا فيلم جيد ؟	Is this a good movie?	ازدس أ غد موفى؟
. من هم الذين يمثلون في هذا الفيلم؟	Who are all acting in this movie?/What is the cast of this movie?	هو آراول ايكتنغ ان دس موفي؟ وات از دَ كاست اوف دس موفي؟
أعطني تذكرة من فضلك لبلكون.	Please give me a ticket for the balcony..	بليزغف مي أ تكت فور د بالكوني.
. في أي ساعة يبدأ الفيلم؟	At what time/when will the film start?	ات وات تايم/وين ول د فلم استارت؟

٥١. في ميدان اللعب (On the Playground)

. أريد أن أشاهد اليوم مباراة كرة القدم/ الهوكي/الكركيت .	I want to see a football/hockey/ cricket match today.	آي وانت تو سي أ فت بال /هوكى/ كركت ميتش تو ديه.
. أيّ فرق تلعب المباراة؟	Which teams are playing the match?	وتش تيمس آر بليئنغ د ميتش.
. في أي ساعة تبدأ المباراة؟	When will the match start?	وين ول دَ ميتش استارت؟
. ما اسم ذلك اللاعب؟	Who is that player?	هو از ديت بلير؟
. من فاز في المباراة بالأمس؟	Who won the match yesterday?	هو ون دَ ميتش يسترديه؟
. أي لعب تحبّ؟	What games do you like?	وات غيمز دو يو لايك؟

٥٢. في مكتب السياحة (In the Tourist Office)

١.	أيّ الأمكنة قابلة للمشاهدة في هذه المدينة؟	Which are the worth seeing places in this city?	وتش آر د ورث سيئنغ بليسز ان دس سيتي؟
٢.	أريد أن اشاهدكهوف أجنتا وايلورا .	I would like to see/visit the Ajanta and Ellora Caves.	آي وود لايك تو سي/ وزت د اجنتا اند ايلورا كيفز.
٣.	أيّ وسيلة أفضل للذهاب إلى الجيزة. القطار أو الباص؟	What's the best transport to Giza train or bus?	واتس د بيست ترانسبورت تو جيزه. ترين اور بس؟
٤.	أين يجب أن أقيم في نجف؟	Where should I stay in Najaf?	وير شد آي استيه ان نجف.
٥.	أعجبتني مدينة بغداد جدا .	I liked Baghdad a lot.	آي لايكد بغداد أ لوت.
٦.	أريد دليلا سياحيا. أين يُوجد؟	I want a tourist guide. Where will I get one?	آي وانت أ تورست غايد. وير ول آي غت ون؟

٥٣. في ا لفندق (In the Hotel)

١.	هل هناك أية غرفة فارغة في هذا الفندق؟	Is there any room available in this hotel?	از دير ايني روم افيليبل ان دس هوتل؟
٢.	ما أجرة غرفة بسرير/ بسريرين؟	What do you charge for a single/ double bed room?	وات دو يو تشارج فورأ سنغل/ دبل بيد روم.
٣.	احمل امتعتي إلى الغرفة رقم ٦ .	Take my baggage/ luggage to room No.6, please.	تيك ماي بيغيج/ لغيج تو روم نمبر ٦، بليز.
٤.	أرسل فطوري/ غدائي/ عشائي إلى غرفتي، من فضلك .	Please send my breakfast/lunch/ dinner in my room.	بليز سند ماي بريك فاست/ لنتش/ دنر ان ماي روم.
٥.	أنا ذاهب/ذاهبة خارج الفندق لساعة .	I am going out for an hour (or so).	آي ايم غوينغ آوت فور اين اور (اورسو)
٦.	هل كان هناك أيّ دعوة تلفونية/ رسالة لي ؟	Was there a call for me? Is there any letter for me?	وازدير أ كول فور مي؟/ ازدير ايني ليتر فور مي.
٧.	أرسل زواري إلى غرفتي، من فضلك .	Please send my visitors to my room.	بليز سند ماي ويزيترز تو ماي روم.
٨.	أريد ماءً باردا/ حارا .	Get me some hot/cold water.	غت مي سم هوت/كولد واتر.
٩.	صاحب الغسيل لم يأت بعد .	The laundry-man hasn't come yet.	دَ لوندرى مان هيز نت كم يت .

٥٤. مع الخادم (With the Servant)

١.	جيء ببعض الخضر من السوق .	Get some vegetables from the market.	غت سم ويجى تيبلز فروم د ماركيت.
٢.	خذ المواد/الأشياء من المخزن التعاوني .	Get the stuff/things from the co-operative store.	غت دَ استف/ ثنغز فروم د كو اوبريتيف استور.
٣.	أيقظني في الساعة الخامسة .	Wake me up at five o'clock.	ويك مي اب ات فايف او كلوك.

٤.	اذهب وأرسل هذا الخطاب بالبريد .	Go and post this letter.	غو اند بوست دس ليتر.
٥.	هل عادت الملابس من المغسلة؟	Are the clothes back from the laundry?	آر د كلوذز بيك فروم د لوندري؟
٦.	جهّز لي كوباً من الشاي .	Make me a cup of tea.	ميك مي أ كب أوف تي.
٧.	هل الطعام/الغداء/العشاء جاهز؟	Is the food/lunch/dinner ready?	از دَ فود/لنتش/ دنر ريدي؟

٥٥. مع الطبيب (With the Doctor)

١.	عندي حمي وسعال أيضا .	I have some temperature/ fever and also cough.	آي هيف سم تمبريتشر/ فيفر اند اولسو كف.
٢.	كم مرة في اليوم أتناول هذا الدواء؟	How many times a day should I take this medicine?	هاو ميني تايمز أ ديه شد آي تيك دس ميديسين؟
٣.	ماهي الأشياء التي يسمح لي بأكلها؟	What all can I eat?	وات اول كان آي ايت؟
٤.	يجب أن تحتفظ بسجل وزنك شهريا .	You should keep a monthly record of your weight.	يو شد كيب أ منثلي ركارد أوف يور ويت.
٥.	ضغط دمك عاديّ .	Your blood-pressure is normal.	يو ربلد بريشر از نورمل.
٦.	قلّل من أكل الملح والسكر.	Cut down on sugar and salt.	كت داون أون شوغر اند سالت.
٧.	أفضل أن تتناول الخضر أكثر.	You should eat lots of green vegetables.	يو شد ايت لوتس أوف غرين ويجيتيبلز.
٨.	أين يجب الواحد أن يذهب لأشعة اكس؟	Where should/does one go for X-ray?	وير شد/ دز ون غو فور ايكسريه؟
	أين قسم أشعة اكس؟	Where is the X-ray department?	وير از د ايكسريه ديبارتمنت؟
٩.	لا تؤخذ رسوم/أجرة العلاج في هذه العيادة./ ولا رسوم أيضا للاستشارة الطبية هنا.	This is a free dispensary./Medical care is free here/in this hospital. There is no consultation fee. We don't charge the patients anything.	دس از أ فري دسبنسري/ ميديكل كير از فري هير/إن دس هوسبيتل. ديئر از نوكنسلتيشن في. وي دونت تشارج دَ بيشنتس ايني ثنغ.

٥٧. المواضيع العامة (General Topics)

١.	كان هذا العمل غير مقنع .	His work was quite disappointing.	هز ورك واز كوايت دس ابواينتنغ.
٢.	إنه يسرني أن أتخلص منه .	I'll be glad to get rid of him.	آيل بي غليد تو غت رد أوف هم.
٣.	سترتك ليست كمثل سترتي .	Your coat is not like mine.	يور كوت از نوت لايك ماين.
٤.	لا تستطيع أن تصلح الأخطاء .	You cannot correct the mistakes.	يو كان نوت كركت د مستيكس.
٥.	هو الذي فاز في المباراة.	He's the one who won the match.	هيئز دَ ون هو وان دَ ميتش.
٦.	أية البنتين أطول؟	Who is taller of the two girls?	هو از تا لر أوف د تو غرلز؟
٧.	سيوافق على هذا أكثر الناس .	Most of the people would agree with it.	موست أوف د بيبل ود ايغرى ود إت.
٨.	سألتها هل تذهب إلى السوق أم لا.	I asked her whether she was going to the market or not.	آي آسكد هر ويدرشى واز غوينغ تو دَ ماركيت اور نوت.

٩.	هل تتكلم معها إن جاءت؟	Will you speak to her if she comes?	ول يو اسبيك تو هراف شي كمز؟
١٠.	قتل الشخص البائس برصاص .	The unfortunate/poor man was shot dead.	دَ أن فور تشونيت/ بور مان واز شوت ديد.
١١.	إنه يشابه أمه .	He resembles his mother.	هي ريز مبلز هز مدر.
١٢.	الفضة معدن نفيس .	Silver is a precious metal.	سلفر از أ بريشس ميتل.
١٣.	تلقيت ثماني مائة واثنين وأربعين دولاراً .	I got/received eight hundred and forty-two dollars.	آي غوت/ ريسيفد ايت هندريد اند فورتي تو دولارس.
١٤.	إنها تذهب إلى الكنيسة يوم الأحد .	She goes to church on Sunday.	شي غوز تو تشرتش أون سنديه.
١٥.	أذهب للنزهة في الصباح .	I go for a walk in the morning.	آي غو فور أ واك ان د مورننغ.
١٦.	اشتريت هذا الكتاب بثلاثة دولارات .	I bought this book for three dollars.	آي بوت دس بك فورثري دولارز.
١٧.	إنهم سيدرسون اللغة الألمانية بجانب الإنجليزية .	They will study German besides English.	ديه ول استدي جرمن بسايدز انغلش.
١٨.	إنّي عازم على أن أذهب .	I'm determined to go.	آيم دترميند تو غو.
١٩.	إنّي صمت على أن أبعثه .	I have made up my mind to send him.	آي هيف ميد اب ماي مايند تو سيند هم.
٢٠.	علقنا الرسم على الجدار .	We hung the picture on the wall.	وي هنغ د بكتشر أون د وال.
٢١.	أُلقى القبض على القاتل وشُنِق .	The murderer was caught and hanged.	د مردرر واز كاوت اند هينغد.
٢٢.	هل تعير ني قلمك من فضلك؟	Will you please lend me your pen?	ول يو بليز ليند مي يور بين؟
٢٣.	ممكن أن أستعير منك قلما ؟	Can I borrow a pen from you?	كان آي بورو أ بين فروم يو.
٢٤.	سيبدأ الاجتماع مبكراً .	The meeting will start early.	دَ ميتنغ ول استارت ارلي.
٢٥.	إنّي سأحضر الاجتماع .	I'll attend the meeting.	آيل اتند دَ ميتنغ.
٢٦.	ذهبت للنوم مبكراً البارحة ولكنني لم أستطع أن أنام .	I went to bed early last night but couldn't sleep.	آي وِنت تو بيد ارلي لاست نايت بت كدنت سليب.
٢٧.	في أي ساعة تذهب للنوم؟	When do you go to bed?	وين دو يو غو تو بيد؟
٢٨.	هل هي تحفظ نقودها في البنك؟	Does she keep her money in the bank?	دز شي كيب هرمني ان د بينك؟
٢٩.	يكون الحر شديداً هنا في فصل الصيف.	It is very hot here in the summer.	ات از فيرى هوت هيران د سمر.
٣٠.	الحرُّ شديد حتى أنه لا يمكن لعب الهوكى هنا .	It is too hot here to play hockey.	ات از تو هوت هير تو بليه هوكي.
٣١.	الرباط أبعد من الرياض .	Rabat is farther than Riyadh.	رباط از فاردر دين رياض.
٣٢.	نحصل على مزيد من المعلومات .	We will collect/get/ gather more information.	وي ول كلكت/ غت/ غيدر مور انفورميشن.
٣٣.	أنت جئت إلى البيت بعدى .	You came home later than me.	يو كيم هوم ليتر دين مي.
٣٤.	الرياض و جدة كلتاهما مدينتان كبيرتان .. والثانية تقع على شاطئ البحر .	Riyadh and Jeddah are big cities. The latter is situated by the sea.	رياض اند جده آر بغ سيتيز. د ليتر از ستشويتد باي د سي.
٣٥.	تجارة هذا البقال رابحة .	This grocer has good business.	دس غروسر هيز غد بزنس.
٣٦.	هذا المحامي له موكلون كثيرون .	This lawyer has many clients.	دس لاير هيز ميني كلاينتس.

٣٧. نصحتني أمّي نصيحة غالية .	My mother gave me a good piece of advice.	ماي مدر غيف مي أغد بيس اوف ايدفايس.
٣٨. لا تشتغل لوحة المفاتيح هذه بصورة سوية .	This keyboard is not functioning well.	دس كى بورد از نوت فنكشننغ ويل.
٣٩. رخسانة شعرها طويل .	Rukhsana has long hair.	رخسانه هيز لونغ هير.
٤٠. ليس عندي فواكه كافية .	I don't have enough fruit.	آي دونت هيف انف فروت.
٤١. هل تريد أن تشتري دوزينتين من الموز؟	Do you want to buy two dozen bananas?	دو يو وانت تو باي تو دزن بناناز؟
٤٢. هذا القرص المرن مصاب بفيروس .	This floppy is virus infected.	دس فلوبي از فايرس انفكتد.
٤٣. هنا خروف وهناك غزال .	Here is a sheep and there is a deer.	هير از أ شيب ايند دير از أ دير.
٤٤. عند الراعي عشرون خروفا وغزالان اثنان .	The shepherd has twenty sheep and two deer.	دَ شيفرد هيز توينتي شيب اند تو دير.
٤٥. راتبه قليل .	His wages are low.	هز ويجز آر لو.
٤٦. عائشة و زينب تأتيان إلى هنا .	Ayesha and Zainab are coming here.	عائشه اند زينب آركمنغ هير.
٤٧. عدد الطلبة يقلّ .	The number of students is decreasing.	د نمبر أوف استودنتس از ديكريزنغ.
٤٨. كثير من الطلبة غائبون اليوم .	Many students are absent today.	ميني استوديننس آر ايبسنت تو ديه.
٤٩. سنأكل السمك/الدجاج في العشاء غدا .	We will eat fish/ chicken at dinner tomorrow.	وي وِل ايت فش/ تشكن ات دنر تومورو.
٥٠. استغرق قرائتي هذا الكتاب ساعة ونصفا .	This book took me one hour and a half./ I read this book in one and a half hour.	دس بك تك مي ون اور اند أ هاف / آي ريد دس بك ان ون اند أ هاف اور.
٥١. ساعدني .	Lend me a hand.	ليند مي أ هيند.
٥٢. إنه دائما يفي بوعده .	He always honours his word.	هي اولويز اونرس هز ورد.
٥٣. هل أنت تتجسس عليّ ؟	Are you spying on me?	آر يو اسباينغ أون مي؟
٥٤. إنك جئت بالعجائب؟	You have done wonders/marvels.	يو هيف دن وندرز/ مارفلز.
٥٥. إنها مجزاعة .	She is a touch-me-not.	شي از ايه تتش مي نوت.
٥٦. لماذا لا تسمع قولي؟	Why don't you listen to me?	واي دونت يولسن تو مي؟

(To Remember) للملاحظة

لأداء معنى Possessive case هناك طريقة سهلة في الإنجليزية وهي apostrophe (ابوستروفي) وs نحو . The boy destroyed the bird's nest. (د بواي دستروايد دَ بردز نست) خرّب الولد عش الطائر . والجدير بالملاحظة أنه إن كان آخر الكلمة "s" فتوضع علامة apostrophe فقط بدون s ولا تستعمل هذه العلامة مع الأشياء غير العاقلة فانه لأداء معنى possessive case يُستعمل preposition نحو . The doors of the gateway are made of iron. (مصراعا البوابة من الحديد) . ولكن توجد عدة مستثنيات من هذه القاعدة نحو : a week's leave, a hair's breadth, in my mind's eye, to their heart's content, a day's journey, a month's pay, sun's rays, a stone's throw. وغيرها. فاحفظها باستعمالها في الجمل .

59 th Day
اليوم التاسع والخمسون

٥٨. تعبيرات اصطلاحية (Idioms)

١. كل واحد في هذه الدنيا يريد أن يحقق هدفه الخاص .	In this world everybody wants to grind his own axe.	ان دس ورلد ايفري بدي وانتس تو غرايند هز أون ايكس.
٢. بالتمرن يصبح الواحد ماهراً .	Practice makes a man perfect.	بريكتس ميكس أ مان برفيكت.
٣. اصفح وانس الماضي، واحذر في المستقبل .	Let bygones be bygones, take care in future.	ليت باي غونز بي باي غونز، تيك كير ان فيوتشر.
٤. تبادلا كلمات حارّة .	They exchanged hot words.	ديه ايكس تشينجد هوت وردز.
٥. يبدو أنه لا يعقل .	It appears, he is off his wits.	ات ا بيرز هي ازاوف هز وتس.
٦. ضجت السماء بالهتافات .	The shouts rent the sky.	دَ شاوتس رنت دَ اسكاي.
٧. إثنيت عليه ثناءً عالياً .	I praised him to the skies.	آي بريزدهم تو دَ اسكايز.
٨. إنك في هذه الأيام في فرح و مرح .	Nowadays your bread is buttered.	ناو أ ديز يور بريد از بترد.
٩. إنه شخص مرح .	He is a jolly fellow.	هي از أ جولي فيلو.
١٠. اطو فراشك .	Pack up your bag and baggage.	بيك اب يور بيغ اند بيغج.
١١. بيني وبينك بعد المشرقين .	We are poles apart.	وي آر بولس ابارت.
١٢. إنك أرخيت لهذا الولد عنانه .	You have given a long rope to this boy.	يو هيف غيون ا لونغ روب تو دس بواي.
١٣. تباع التلفزيونات بكثرة في هذه الأيام .	Nowadays T.V. sets are selling like hot cakes.	ناو أ ديز تيفي ستس آر سيلنغ لايك هوت كيكس.
١٤. إن اللص غضنفر قد غيّر نهج حياته فاصبح صعلوكاً .	Ghadanfar dacoit turned over a new leaf and became a saint.	غضنفر ديكوايت ترند اوفر أ نيو ليف اند بيكيم أ سنت.
١٥. انتهز الفرصة تكن ناجحاً .	Take the time by the forelock and success is yours.	تيك دَ تايم باي د فورلوك اند سكسيس از يورز.
١٦. الانتها زيون لا يترددون في عبادة الشمس الطالعة .	Opportunists never hesitate to worship the rising sun.	ابورتشو نستس نيفر هيز يتيت تو ورشب د رايزنغ سن.
١٧. إنه في ابتهاج و مسرات في هذه الأيام .	He is making merry/ very happy these days.	هي از ميكنغ ميري/ ويري هيبي ديز دَيز.
١٨. حمزة لم يبلغ الأربعين من عمره .	Hamzah is on the right side of forty.	حمزه از أون دَرايت سايد أوف فورتي.
١٩. قبض على السارق وهو يسرق .	The thief was caught red-handed.	دَ ثيف واز كاوت ريد هيندد.
٢٠. الصبيّ تحت رعاية عمه .	The child is under his uncle's care.	دَ تشايلد از اندر هز انكلز كير.
٢١. المحطة قريبة من قريتي .	The station is within a stone's throw	دَ استيشن از ودن أ استونز ثرو

	from my village.	فروم ماي فليج.
٢٢. الولد يحبّه العميد .	The boy is in the good books of the principal.	دَ بواي از ان دَ غد بكس أوف د برنسبل.
٢٣. إنه محبوب عندي جداً .	He is an apple of my eye.	هي از اين ايبل أوف ماي آي.
٢٤. كل من يحبه الله يتوفاه عاجلاً .	Whom God loves die young.	هوم غود لوفز داي ينغ.
٢٥. يسعى رجل وينال آخر .	One beats the bush, another takes the bird.	ون بيتس د بش،اندرتيكس د برد.
٢٦. كلما يكبر الواحد يزدد جشعه .	The older the goose, the harder to pluck. .	دى اولد ردَ غوز،دَ هاردر تو بلك.

٥٩. الأمثال السائرة (Proverbs)

١. دُر مع الدهر كيف دار .	While in Rome do as Romans do.	وايل ان روم دو ايز رو منز دو.
٢. كما تدين تدان .	As you sow, so shall you reap.	ايز يو سو ،سو شيل يو ريب.
٣. لا يعرف قدر الجوهر إلا الملك .	A thing is valued where it belongs.	أ ثنغ از فيلود وير ات بلو نغز.
٤. الثريّ لا يعرف معاناة البؤسا .	To the good the world appears good.	تو د غد د ورلدابيرز غد.
٥. من الحلم السكوت ومن اللؤم الكلام .	An empty vessel makes much noise..	أن امبتي ويسل ميكس متش نوايز.
٦. الصحة كنز ثمين .	Health is wealth.	هيلث از ويلث.
٧. بدون الكدّ لا تكتسب المعالي .	No pain, no gain.	نو بين،نو غين.
٨. لا يعود الوقت الذي فات .	Time once lost cannot be regained.	تايم ونس لوست كان نوت بي ريغيند.
٩. المجتمع خير معلّم .	Society moulds man.	سو سايتي مولدز مان.
١٠. يد الله على الجماعة .	Union is strength.	يونين از استرينغث.
١١. لا يمدح إلا حمق إلّا الأحمق .	Fools praise fools.	فولز بريز فولز.
١٢. وللناس فيما يعشقون مذاهب .	Many heads, many minds.	ميني هيدز ، ميني مايندز.
١٣. الكلب النابح لا يعض.	Barking dogs seldom bite.	باركنغ دو غز سلدم بايت.
١٤. بناء القلعة في الهواء لا يفيد في شيء .	It is no use building castles in the air.	ات ازنو يوز بلدنغ كاسلز ان دَ اير.
١٥. الثمين مسموح والتافه ممنوع .	Penny wise pound foolish.	بيني وايز باو ند فولش.
١٦. القرض مقراض المحبة .	Give loan, enemy own.	غِف لون اينيمي اون.
١٧. الجنس يميل إلى الجنس .	Birds of a feather, flock together.	بردز أوف أ فيدر فلوك تو غيدر.
١٨. من جدّ وجد .	Where there is a will, there is a way.	وير دير از أ ول،دير از أ ويه.
١٩. النجار غير الماهر يتهم الأدوا ت .	A bad carpenter quarrels with his tools.	أ بيد كار بينتر كوارلز ود هز تولز.
٢٠. السكوت نصف الرضا .	Silence is half consent.	سايلينس از هاف كونسنت .
٢١. يشير إلى جهة ويذهب إلى جهة	Looking at Tokyo, going to London.	لكنغ ايت توكيو، غوئنغ تو لندن.
٢٢. قطرة ماء في مياه البحر الفائضة.	A drop int the ocean.	أ دروب اِن دَ اوسين.
٢٣. كلما تسرع في السير تنزلق .	The more haste, the worse speed.	دَ مور هيست دَ ورس اسبيد.
٢٤. من تلدغه الحية يخف الحبل .	A burnt child dreads the fire./	أ برنت تشايلد دريدس دَ فاير./

		Once bitten twice shy.	ونس بتن توايس شاى.
٢٥.	لسان عذب وقلب مُرّ.	A honey tongue, a heart of gall.	أ هني تنغ،أ هرت أوف غول.
٢٦.	قلة المعرفة مهلكة .	A little knowledge is a dangerous thing.	ألتل نولج از أ دينجرس ثنغ.
٢٧.	اعرف الأمور بعواقبها .	All's well that ends well.	آلز ويل ديت ايندز ويل.
٢٨.	المرءُ بزيّه .	Style makes the man.	استايل ميكس دَ مان.
٢٩.	الشرّ لا يُخلفُ إلا الشر.	One nail drives another.	ون نيل درايفز زاندر.
٣٠.	الصدق مثل اللؤلؤ يمكث في قعر البحر .	Truth lies at the bottom of a well.	ترث لايز ايت د بوتم أوف أ ويل.
٣١.	كل أمر مرهون بوقته .	There is a time for everything.	ديراز أ تايم فور ايفري ثنغ.
٣٢.	كذبة واحدة تؤدي إلى أكاذيب .	One lie leads to another.	ون لاي ليدز تو اندر.
٣٣.	الدنيا مملوءة بكل نوع من الكائنات .	It takes all sorts to make the world.	ات تيكس اول سورتس تو ميك دَ ورلد.
٣٤.	سببُ النزاع لا يكون طرفاً واحداً .	It takes two to make a quarrel.	ات تكس تو تو ميك أكوارل.
٣٥.	يختبر الصديق عند البلاء .	A friend in need is a friend indeed.	أ فريند ان نيد از أ فريند انديد.

للملاحظة (To Remember)

إذا أريد possessive case لكلمة جزء ها الأخير يبدأ بـ s وينتهي بـ s فتوضع علامة apostrophe (') فقط . نحو: Moses' laws are found in the Bible (موسز لاز آر فاؤند ان د بايبل) شريعة موسى موجودة في التوراة . ولكن الكلمة التي جزء ها الأخير ينتهي بـ s ولا يبدأ بـ s فحينئذ يستعمل كلا الشيئين : s و apostrophe . نحو. Porus's army was large (بورسز آرمى واز لارج) كان عسكر بورس كبيراً . وأحياناً نترك الاسم الثاني الذي استعمل له possessive نحو: . I stopped at my uncle's last night (آي استوبد ات ماي انكلز لاست نايت) بقيت في بيت عمي البارحة . ففي هذه الجملة معنى uncle's هو uncle's house .فتركنا house فيها .

60 اليوم الستون th Day

Test No.1

من اليوم ٥١ إلى ٥٥

على ١٦ فأكثر **very good** ، ١٢ فأكثر **fair**

في الجمل التالية أخطاء وهي بحروف مائلة (Italics) . إنك قرأت مثل هذه الجمل في السابق. فالآن اصلح الأخطاء بأهليتك. والكلمات الصحيحة مبينة أدناه .

1. Please do not trouble *myself*. 2. Please stay *for* little more. 3. Put up the notice *at* the notice board. 4. He is very proud *for* his promotion. 5. He was accused *for* murder. 6. He has been released *at* bail. 7. He was sentenced *for* death. 8. My radio *is* stopped. 9. Now switch *on* to The news channel. 10. Have you *weighted* the parcel? 11. You *can new* your driving licence from the transport office. 12. We have *loosed* our way. 13. Why did you *came* back? 14. the road is *close* for repair. 15. The train is due *on* half past eleven. 16. We were listening *at* music. 17. It was a very *interested* story. 18. Do not depend *on* others. 19. Do not spit *at* the floor. 20. Go for *an* walk in the morning and evening.

Test No.1 الكلمات الصحيحة

1. me 2. a 3. on 4. of 5. of 6. on 7. to 8. has 9. to 10. weighed 11. renew 12. lost 13. come 14. closed 15. at 16. to 17. interesting 18. upon 19. on 20. a.

من اليوم ٥٦ إلى ٥٩

Test No.2

على ١٦ فأكثر **very good** ، ١٢ فأكثر **fair**

مثل الجمل التي تلي قد قرأت في السابق. وهنا قد حدث فيها بعض التغييرات. والكلمات التي بحروف مائلة خاطئة. فاصلحها واختبر أهليتك . الكلمات الصحيحة مبينة أدناه .

1. Have the account *clear*? 2. Did you *got* your wages? 3. There is shortage *on* money. 4. How is he getting *at* with his work? 5. Honesty is *a* best policy. 6. The man is *the* slave to his stomach. 7. Your coat is cleaner *to* mine. 8. Will you speak to her if she *come*. 9. Will you please *borrow* me a pen? 10. Come home *behind* me. 11. The number of the students *are* decreasing. 12. I read this book in *a* hour and a half. 13. Ayesha and Zainab *is* coming here. 14. My mother gave me some good *advices*. 15. The unfortunate was *shoot* dead. 16. They will study German *beside* English. 17. The murderer was caught and *hung*. 18. A dog is a *wolf* in his lane. 19. All's well that *end* well. 20. A *crow* in hand is worth two in the bush.

Test No.2 الكلمات الصحيحة

1. cleared 2. get 3. of 4. on 5. the 6. a 7. than 8. comes 9. lend 10. after 11. is 12. an 13. are 14. advice 15. shot 16. besides 17. hanged 18. lion 19. ends 20. bird.

Test No.3

على ١٢ فأكثر **very good** ، ٨ فأكثر **fair**

يرتكب بعض الناس أخطاء قواعدية (Grammatical mistakes) . فيما يلي جمل تحتوي على أخطاء قواعدية . فاصلحها .

1. He *speak* English very well. 2. This film will be *played* shortly. 3. Your elder brother is five and a

half feet *high*. 4. The player plays very *good*. 5. Many *homes* have been built up. 6. She is *coward* girl. 7. We had a nice *play* of football. 8. I *have no any* mistakes in my dictation. 9. Strong *air* blew my clothes away. 10. I hurt a *finger* of my right foot. 11. She does't look *as* her brother. 12. I have a *plenty* work to do. 13. She spent *the rest day* at home. 14. His father was *miser*. 15. *After* they went home for dinner.

Test No.3 : الكلمات الصحيحة 1. speaks 2. released 3. tall 4. well 5. houses 6. a coward 7. game 8. have not any 9. wind 10. toe 11. like 12. lot of 13. the rest of the day 14. a miser 15. afterwards.

Test No.4

على ١٢ فأكثر **very good**، ٨ فأكثر **fair**

(i) املأ الفراغات بـ a , an أو the في الجمل التالية:

1... wheat grown in this area is of a good quality. 2. Is lead..... heavier than....iron? 3. I like to have/eat........apple daily. 4. This is ...cheque drawn on the Overseas Bank. 5. This is .... very fine picture. 6..... murderer has been hanged. 7. She is ...... honest lady. 8. All... letters have been stamped. 9. She'll wait for you at...cinema hall. 10. Make....habit of working hard.

Test No.4 : (i) (1) The (2) nil (3) an (4) a (5) a (6) the (7) an (8) the (9) the (10) a

(ii) املأ الفراغات في الجمل التالية بصيغة صحيحة للكلمات التي في الهلالين :

1. What is the cause of your.....(sad). 2. His....has turned grey though he is still young (hair). 3. This ...not enough(be).4. Ram.....not get leave(do). 5. Your watch....stopped(have). 6. There are more than a dozen.... in the zoo(deer). 7. Has he ...your salary (pay). 8. Let.... strike a bargain(we). 9. You can avoid ... mistakes (make). 10.Yesterday I.... the letter in an hour and a half (write).

Test No.4 (ii) (1) Sadness (2) hair (3) is (4) did (5) has (6) deer (7) paid (8) us (9) making (10) wrote

Test No.5

(i) املأ الفراغات بإحدى من الكلمات : *for, into, of, in, by, with, to, from, besides, after*

1. What was the judgement ... the case? 2. Billoo is fond........ cycling. 3. The road is closed ......repairs. 4. Do not quarrel... others. 5. I fell.... his trap. 6. I am not......money. 7. Right....... his childhood he has been very kind to others. 8. They'll study German...English. 9. Your coat is not similar...mine. 10. The letter is sent...post.

Test No. 5 (1) in (2) of (3) for (4) with (5) into (6) after (7) from (8) besides (9) to (10) by

(ii) أجب عن الأسئلة التالية بنفس الزمن الذي فيه السؤال .

نموذج : سؤال : When are you going home?

جواب : I am going around 6 o'clock.

(ii) 1. When will you go to office? 2. What will you be doing during the holidays? 3. How much money do you have? 4. Who will pay for the tickets tonight? 5. Are they leaving tomorrow? 6. When will you pay back the loan? 7. Have you written to her? 8. Do you like Delhi? 9. Will you please lend me some money? 10. Did he finish his work yesterday?

Test No.6

أتمم الجمل الناقصة التالية:

نموذج : Barking dogs (الجملة الناقصة)

Barking dogs seldom bite. (الجملة التامة)

1. Practice makes a man....2. .....is a freind indeed. 3. While in Rome........ 4. .....is strength. 5. As you so..... 6. ...no gains. 7. Penny wise...... 8. ....dreads the fire. 9. All's well...... 10. ....is wealth. 11. A little knowledge is a.... 12. Where there is a will..... 13. Barking dogs seldom..... 14. Time and tide wait..... 15. ...vessel makes much noise.

Test No.7

فيما يلي في كل رقم زوج من الجمل. إحداهما صحيحة والأخرى خاطئة . اختر الصحيحة منها :

1. (a) There were not three. (b) There were but three. 2. (a) His opinion was contrary to ours. (b) His opinion was contrary of ours. 3. (a) He acted in a couple school plays. (b) He has acted in a couple of school plays. 4. (a) He refused to except my excuse. (b) He refused to accept my excuse. 5. (a) I failed in English. (b) I was failed in English. 6. (a) Get into the room. (b) Get in the room. 7. (a) He is always into some mischief. (b) He is always up to some mischief. 8. (a) I made it a habit of reading. (b) I made a habit of reading. 9. (a) It will likely rain before night. (b) It is likely to rain before night. 10. (a) She needn't earn her living. (b) She needs not earn her living.

Correct sentences: 1.(b) 2. (a) 3.(b) 4.(b) 5(a) 6.(a) 7(b) 8.(b) 9.(b) 10.(a).

Test No.8

(a) بيّن معاني الكلمات التالية وبيّن الفرق في معانيها .

always, usually; never, rarely; addition, edition; ready, already; anxious, eager; both, each; breath, breathe; cease, seize; couple, pair; fair, fare; habit, custom; its, it's; legible, readable; whose, who's.

(إن لم تفهم المعاني جيدا فاستعن بالقاموس)

(b) فيما يلي جملتان في كل رقم وهناك فرق قليل فيما بينهما . تأمل كيف يتغير المعنى بهذا التغير اليسير:

1. (i) I don't try to speak loudly.
   (ii) I try not to speak loudly.

2. (i) The young men carry a white and a blue flag.
   (ii) The young men carry a white and blue flag.

3. (i) I alone can do it.
   (ii) I can do it alone.

4. (i) The mother loves Ahmed better than me.
   (ii) The mother loves Ahmed better than I.

5. (i) He forgot to do the exercise.
   (ii) He forgot how to do the exercise.

6. (i) She was tired with riding.
   (ii) She was tired of riding.

PRONUNCIATION

	Word		Pronunciation
(a)	a	-	أيه/أ
	an, am	-	أن، أم
	allow	-	الاو
	auntie	-	اونتي
	at, as	-	أت ، ايز
	any	-	اينى
	and	-	أند/ايند
	another	-	أندر
	agree	-	ايغري
	appear	-	اِبير
(b)	being	-	بينغ
	by, buy, bye	-	باي،باي باي
	boy	-	بواى
	bed	-	بيد
	bread	-	بريد
(c)	care	-	كِيَر
	chair	-	شِيَر
	congratulations	-	كونغريشو ليشنز
(d)	don't	-	دونت
(e)	eye	-	آي
	ear	-	اِيَر
	egg	-	اغ
	examination	-	اغزامنيشن
	expect	-	اكسبكت
	explain	-	اكسبلين
(f)	four	-	فور
	forty	-	فورتي
	for	-	فور
	far	-	فار
(h)	happy	-	هيبي
	hi	-	هاي
	high	-	هاي
	hot	-	هوت
	here	-	هير
	hand	-	هيند
	hello	-	هيلو
	how	-	هاو
(i)	I	-	آي
	I'm	-	آيم
	I'll	-	ايل
(l)	long	-	لونغ
(m)	Mrs	-	مسز
	many	-	ميني
(n)	now	-	ناو
	not	-	نوت
	near	-	نير
(o)	oh	-	أوه/ أو
	or	-	أور
	on	-	اون
	of	-	اوف
	oil	-	آيل
(p)	pair	-	بِير
	prepare	-	بري بير
	phases	-	فيزز
(s)	studying	-	استدينغ
(t)	to	-	تو
	two, too	-	تو، تو
	there	-	دير
	then	-	دين
	than	-	دين
(w)	where	-	وير
	wear	-	وير
	ware	-	وير
	why	-	واي
	while	-	وايل
	which	-	وتش
	when	-	وين
	wrong	-	رونغ
(y)	yes	-	يس
	yet	-	يت
	yesterday	-	يستردية
	year	-	اير
	your	-	يور

GENERAL : 'the' is pronounced (دي) before a vowel and (دَ) before a consonant.

Example: The egg (دِي اِغ) The cat (دَ كيت) 'F' in English is (ف) nothing else.
'S' after 'p', 'k', 't','f' is pronounced 'س'. After other sounds 'ز'.

Pronunciation of 'ed' in like 'interested' is (اِد) انترستد not (ايد) and words ending in 'es' like promises will end in 'از' not 'ايز'.

المحادثة في اللغة الإنجليزية (Conversation)

The Ways to be a Good Conversationist الطرق التي بمساعدتها تكون متحدثا بارعا

إنه مرَّ على معرفتك باللغة الإنجليزية ٦٠ يوماً. في هذه الستين يوماً حصلت على معلومات عن قواعد اللغة وكلماتها وجملها التي تستعمل بمختلف المناسبات وتعبيرات تشتمل على حسن الأدب والثقافة والأمثال السائرة وغيرها. وتمرنت على جميع المواد المدروسة بعد كل عشرة أيام منها. كما اختبرت أهليتك من خلال الفحوص خلالها.

نحن متأكدون من أنك قد استأنست بالإنجليزية وزال عنك التردد وحصل لك الاعتماد. فيجب أن تواصل جهودك وتحافظ على اعتمادك باتباع الخطوات التالية .

- تكلم بالإنجليزية بكل اعتماد أينما كنت من البيت أو المكتب أو بين الأصدقاء والزملاء.
- لا تخجل عند التكلم . لأن كثيرا من الأخطاء تقع بسبب قلة الاعتماد وليست بقلة المعرفة.
- لا تخف من الأخطاء . لأن التكلم لا يتحسن ولا يتطور إلاَّ تدريجيا .
- ابدأ بقصار الجمل أولاً كالتحية وتعبيرات التهذيب والثقافة وحسن الأدب والرجاء وغيرها.
- اتخذ لك زميلا وتكلم معه إمّا على التلفون أو وجها لوجه . وزد ٥ أو ١٠ جمل جديدة كل يوم بجانب إعادة ما تمرنت عليه قبله.

وإن لم تجد زميلا فاجلس أمام المرآة وتكلم بنفسك بصورة طبيعية واختر موضوعا جديداً للحوار .

ولجعل هذا الحوار سهلا وممتعا قدمنا لك جملاً نموذجية من الحوار اليومي حول المواضيع اللازمة . اقرأها وتمرن عليها . إذا تأملتها وجدت أن كثيرا من هذه الجمل تستعملها في حوارك اليومي .

ولمزيد من التمرن تبادل مع زميلك الدور. فمرة تكون صاحب المحل ويكون زميلك الزبون فكن أنت، في المرة الثانية، الزبون ليكون زميلك صاحب المحل وهلم جرا. فإذا تمرنت بهذه الطريقة تحصل لك فائدة قصوى من ذلك التمرن على التكلم .

واذكر دائما أن الإنجليزية لغة أجنبية فلا حاجة إلى الخجل والحياء لو أخطأت أو تأتأت . لأن كل واحد يتردد أحيانا عند التكلم حتى ولو كان ماهرا باللغة إذا لم يجد كلمة مناسبة. فافعل أنت أيضا ما يفعله الأذكياء في مثل هذه الظروف . وهو أن تستعمل كلمة غير إنجليزية مكان التي لا تجد كلمة إنجليزية لها. لأننا عندما نتكلم العربية نستعمل أحيانا في غضون الكلمات غير العربية. فلماذا نخجل باستعمال الكلمة العربية في غضون التكلم بالإنجليزية. إننا نرى في أيامنا هٰذه، أن الشباب في الكليات والجامعات يتبع هذه الطريقة المثالية ونسمع أيضا في الإذاعات التلفزيونية هذه اللغة المزيجة . في التكلم بهذه اللغة المزيجة يجب أن لا يتردد الواحد أبداً . بل عليه أن يستمرّ في التكلم ويحافظ على السلاسة والطلاقة . وانظر فيما يلي نماذج من ذلك :

[1]

Suad : Hi Zainab, what a lovely dress!

Zainab: Thank you!It's a birthday present.

Suad : Really!؟من أعطاك

Zainab: My uncle, he sent it from Dubai.

[2]

Sohail : اسمع لي Where is New Colony please?

Saeed : Go مستقيماً straight. You will see a gate كبيرة to your left. ادخلها That is New Colony.

Sohail : Thank you.

Saeed : You are welcome.

[3]

Mrs. Warda : Hello Mrs. Ayesha ؟ كيف حالك

Mrs. Ayesha : Fine, thank you.؟وكيف أنتِ

Mrs. Warda : ! طيّبة Coming from the market?

Mrs. Ayesah : !نعم Went to buy some حاجيات

Mrs. Warda : تفضلي come for a while.

Mrs. Ayesha : Thank you في وقت آخر. I am expecting some guests actually.

Mrs. Warda: Oh I see! مع السلامة Mrs. Ayesha.

وتُسمع أيضا مثل الجمل التالية من أفواه الشباب اليوم :

Let's do some المزاح والفكاهة	He is مزعج
Do it بسرعة	Everything is مقلوب here.

لاحظت في النماذج المتقدمة أنه كيف أدخلت كلمات عربية في الإنجليزية فامتزجت بها ولا تبدو غريبة . بل وهي تساعد في سلاسة الكلام.

إن العارفين باللغة وفن التكلم بينوا عدة طرق لجعل الكلام مؤثرا . نبينها لك لتستفيد بها في التكلم .

Dos (افعل)	Don'ts (لا تفعل)
1. تكلم بلطف دائما . (Always talk politely)	لا تصرّ على قولك أو رأيك . (Don't blow your own trumpet)
2. فكّر قبل أن تتكلم . (Think before you speak)	لا تجادل بلا ضرورة في شيء . (Don't argue unnecessarily)
3. اسمع حديث الشخص الآخر بعناية . (Listen to others carefully)	لا تعلق على أحد تعليقا شخصيا . (Avoid giving personal comments in public)
4. اضبط صوتك ومشاعرك عند التكلم مع الآخرين . (Keep your voice and facial expressions under control while talking)	تجنب استعمال اللغة البذيئة . (Avoid using obscene language)
	تجنب المبالغة . (Avoid exaggeration)
5. أظهر رغبتك في الآخرين . (Show interest in others)	لا تمتنع عن مدح الآخرين والثناء عليهم . (Never hesitate to praise and compliment others)
6. اسمع حديث غيرك بُوّد وعطف . (Listen to others sympathetically)	تجنب استعمال لغة التهكم والاستهزاء . (Avoid making sarcastic remarks)
7. عندما تتكلم حاول أن تتخذ أصدقاءً لا أعداءً . (Make freinds not enemies while you talk)	لا تستعمل اللغة العامية . (Avoid excessive use of slang)
8. راع آداب الثقافة والتهذيب عند الحوار . (Be mannered while talking)	تكلم بصوت واضح مسموع . (Avoid mumbling. Always speak clearly)
9. استعمل المزاح والفكاهة بدون جرح عواطف الآخرين . (Be humorous, without hurting others' emotions)	لا تحاول التودّد والألفة أكثر من الواجب . (Never try to be overintimate)
10. وعند التكلم مع الكبار راع الأدب والاحترام . (Always be respectful while talking to elders/ seniors.)	لا تستعمل أية كلمة لا تعرف معناها جيدا . (Never use a word without understanding meaning)

إن أردت أن تكون ناجحاً في التكلم فيجب عليك مراعاة الأمور المذكورة .

ونماذج الحوار التي تلي تم وضعها بالأخذ في الاعتبار الحاجات اليومية . وقد كتبنا مع كل جملة نطقها بالعربية . إننا متأكدون من أنك ستبدأ التكلم بالإنجليزية إذا عزمت على ذلك .

ونتمنى لك الخير والنجاح .

Introducing Self and Others (تقديم النفس والآخرين (انترو ديو سينغ سلف أند ادرس

(يتقابل سهيل و راشد في الحافلة لأول مرة فانظر كيف يتعارفان)

سهيل : اسمح لي، ممكن أن أجلس هنا ؟	**Suhail** : Excuse me, can I sit here please?	اكسكيوزمي ! كان آي سِت هير بليز؟
راشد : نعم، تفضل!	**Rashid** : Yes, please.	يس بليز.
سهيل : شكرا، أنا سهيل أحمد .	**Suhail** : Thank you. Hello, I am Suhail Ahmed.	ثينك يو هلو آي ايم سهيل احمد.
راشد : أنا راشد .	**Rashid** : I am Rashid.	آي ايم راشد .
سهيل : ماذا تفعل يا راشد؟	**Suhail** : What do you do Mr. Rashid?	وت دو يو دو مستر راشد؟
راشد : أنا بائع في محل أزياء الوطني .	**Rashid** : I am a salesman in National	آي ايم أ سيلز مان ان نيشنل
وأنت؟	Garments. What about you?	غارمينتس .وت اباوت يو.
سهيل : أنا محاسب في بنك الأمارات.	**Suhail** : I am an accountant in the	آي ايم اين اكاؤ نتينت ان دي
	Emirates Bank.	اميريتس بنك .
راشد : من أين أنت ؟	**Rashid** : Where are you from?	وير آر يو فروم؟
سهيل : أنا من البصرة . ولكن أسكن	**Suhail** : I am from Basra, but now	آي ايم فروم بصره بت ناو
في الشارقة . وأنت؟	I am settled in Sharjah. And you?	آي ايم سيتلد ان شارجه اند يو؟
راشد : أنا من سكان الشارقة .	**Rashid** : I am from Sharjah itself.	آي ايم فروم شارجه ات سيلف.
سهيل : قد جاءت محطتي فأستأذنك يا راشد .	**Suhail** : My stop. O.K. Bye Rashid.	ماي استوب او .كيه ! باي راشد.
راشد : إلى اللقاء!	**Rashid** : Bye.	باي!

(يتقابل سهيل و راشد في حفلة مرة ثانية ويقدم كل واحد منهما أسرته إلى الآخر)

راشد : مرحبا يا سهيل، كيف حالك؟	**Rashid** : Hello Suhail. How are you?	هلو سهيل! هاو آر يو ؟
سهيل : أنا بخير، شكرا . وكيف أنت؟	**Suhail** : Fine, thank you. And you?	فاين.ثينك يو.اند يو؟
راشد : قابل زوجتي عائشة . وهذا	**Rashid** : Fine. Here, meet my	فاين ! هير ميت ماي وايف
ولدي سعيد وهي بنتي سعاد .	wife Ayesha, my son	عائشه ،ماي سن
	Saeed and my daughter Suad.	سعيد اند ماي داوتر سعاد .
سهيل : مرحبا السيدة عائشة ، مرحبا يا أولاد.	**Suhail**: Hello, Mrs. Ayesha,	هلو مسز عائشه
وهذه زوجتي أسماء	hello children. My wife	!هلو تشلدرين ! ماي وايف
وهي بنتي أحلام .	Asma and my daughter Ahlam.	أسماء اند ماي داوتر أحلام.
راشد : مرحبا بكم جميعا!	**Rashid** : Hello!	هلو!
عائشة : سررت بلقاء كم.	**Ayesha** : Hello, nice meeting you.	هلو ! نا يس ميتنغ يو.
أسماء : وأنا كذلك .	**Asma** : Nice meeting you too.	نايس ميتنغ يو تو .
عائشة : هل أنت تشتغلين يا أسماء؟	**Ayesha** : Do you work Asma?	دو يو ورك اسماء؟
أسماء : لا، أنا ربة البيت .	**Asma** : No, I am a housewife.	نو آي ايم أ هاؤس وايف.
وأنت؟	What about you?	وت اباوت يو؟
عائشة : أنا أدرّس في مدرسة .	**Ayesha** : I teach in a school.	آي تيتش ان أ اسكول.
أسماء : في أية مدرسة ؟	**Asma** : Which school?	وتش اسكول؟

أُم هاني ببلك اسكول.	**Ayesha** : Umme Hani Public school.	عائشة : في مدرسة أم هانئ .
ويراز ديت؟	**Asam** : Where is that?	أسماء : أين تقع هي؟
إن كاسا بلانكا رود.	**Ayesha** : In Casablanca Road.	عائشة : في شارع كاسابلانكا .
وير دو يو ليف ؟	**Asma**: Where do you live?	أسماء : وأين تسكنين أنت ؟
وي آر ان	**Ayesha** : We are in	عائشة : أنا أسكن في شارع الجمهورية .
جمهورية استريت اند يو؟	Jumhuria Street. And you?	وأنت ؟
ان بياعين اوينيو	**Asam** : In Bayyaeen Avenue.	أسماء : أسكن في حيّ البياعين .
بليز دروب ان سم تايم.	Please drop in some time.	أرجوك أن تزورينا .
شيور، يو تو.	**Ayesha** : Sure, you too.	عائشة : إن شاء الله، وأنت أيضا .

Mother and Son (مدر اند سن) الأم والابن

غت اب ناصر. اتس فائيف او كلوك.	**Mother :** Get up Nassir. It's five o'clock.	الأم : قم يا ناصر. الساعة خامسة .
اتس تو ارلي ممّي.	**Nassir :** It's too early Mummy.	ناصر : هذا باكر يا أمي .
يو هيف يو ر ساينس اغزام تو ديه.	**Mother :** You have your science exam today.	الأم : عندك اختبار العلوم اليوم .
غيت اب اند ريوايز يور كو رس.	Get up and revise your course.	قم أعد دروسك .
اوكيه ممي، آي ول غت اب	**Nassir :** O.K. Mummy, I will get up	ناصر : طيّب سأ قوم في خلال دقيقتين .
ان تو منتس.	in two minutes.	
هري اب اند واش يورفيس .	**Mother :** Hurry up and wash your face.	الأم : عجّل واغسل وجهك .
مين وايل آيل غت ملك فور يو.	Meanwhile I'll get milk for you.	وفي تلك الأثناء أجلب لك الحليب .
اوكيه.	**Nassir :** O.K.	ناصر : طيّب .
دد يو تيك آوت	**Mother :** Did you take out	الأم : هل أخرجت ملابسك البارحة يا ناصر؟
يور كلوذز لاست نايت ناصر؟	your clothes last night Nassir?	
يس، آي دد.	**Nassir :** Yes, I did.	ناصر : نعم أخرجتها .
اند يور شوز؟دد يو بولش ديم؟	**Mother :** And your shoes? Did you polish them?	الأم : وحذاء ك ؟ هل مسحته؟
نو آي فور غوت تو بو لش د	**Nassir :** No, I forgot to polish the shoes.	ناصر : لا، نسيت أن أمسح الأحذية .
شوز. آي ول دو ات ناو.	I will do it now.	سأمسحها الآن .
دو ديت ليتر.	**Mother :** Do that later.	الأم : امسحها فيما بعد.
فرست فنش يور رويزن.	First finish your revision.	انته من إعادة الدروس أولاً .
هيفنت يو فنشد يت ناصر؟	**Mother :** Haven't you finished yet Nassir?	الأم : ألم تنته من الدراسة حتى الآن؟
يس، آي هيف.	**Nassir :** Yes, I have.	ناصر : بلىٰ قد انتهيت .
هيف يو ريفايزد ايفري ثنغ ويل؟	**Mother :** Have you revised everything well?	الأم : هل قرأت كل شيء وحفظت جيداً ؟
يس ممي آي ريممبر ايفري ثنغ.	**Nassir :** Yes Mummy, I remember everything.	ناصر : نعم يا أمّي. أنا حفظت كل شيء .
غد! ناوغيت ريدي	**Mother :** Good! Now get ready,	الأم : جيد، فتأهب الآن .
آيل بريبير بريك فاست فور يو .	I'll prepare breakfast for you.	إنّي أعدّ الفطور لك .
وات از دير فور بريك فاست؟	**Nassir :** What is there for breakfast?	ناصر : ماذا في الفطور .
اغز اند ملك .	**Mother :** Eggs and milk.	الأم : البيض والحليب .

ناصر : لا أريد البيض .	**Nassir :** I don't want eggs.	آي دونت وانت اغزس.
الأم : فماذا تريد؟ العيش والزبدة ؟	**Mother :** What do you want? Bread and butter?	وات دو يو وانت؟ بريد اند بتر؟
ناصر : والفول أيضا .	**Nassir :** And beans also.	اند بينس السو .
الأم : حسن، اذهب تأهب بسرعة،	**Mother :** Fine, go, get ready fast.	فاين ،غو غيت ريدي فاست .
الساعة ٧,٣٠ بالفعل .	It is 7.30 already.	ات از سيفن ثرتى اول ريدي.
ناصر : يلزم أن أمسح حذائي .	**Nassir :** I have yet to polish my shoes.	آي هيو يت تو بو لش ماي شوز .
و بعد ذلك سأذهب للاستحمام.	Then I'll go and have a bath.	دين آيل غو ايند هيو أ بات .
الأم : إنّي قد مسحت حذاء ك .	**Mother :** I have polished your shoes.	آي هيف بو لشد يور شوز.
ناصر : شكراً لك يا أمّي .	**Nassir :** Thank you, Mummy.	ثينك يو ممي.
الأم : والآن اذهب وأحضّر لك الفطور.	**Mother :** I'll go and prepare the breakfast	آيل غو اند بريبر د بريك فاست
وتأهب أنت يا ناصر بسرعة .	now. Get ready fast Nassir.	ناو. غيت ريدي فاست ناصر.
ناصر : نعم، يا امّي .	**Nassir :** Yes, Mummy.	يس ممی.
الأم : هيأ يا ناصر تناول الفطور.	**Mother :** Nassir come, have your breakfast.	ناصر كم هيو يور بريك فاست.
يحصل التأخير .	It is getting late.	ات از غيتنغ ليت.
ناصر : أنا مستعدّ ، يا أمي .	**Nassir :** I am ready, Mummy.	آي ايم ريدي ممّي .
الأم : هل صليت ؟	**Mother :** Did you pray to God?	دد يو بريه تو غود؟
ناصر : نعم، يا أمي.	**Nassir :** Yes mummy.	يس ممّي.
الأم : جيد، اقرأ ورقة الامتحان بعناية، واكتب	**Mother :** Very good! Read the paper	فيري غد ريدَ بيبر
الاجوبة في الموعد المحدد . ولا تنس أن	carefully son and finish it in time.	كيرفلي سن اند فنش ات ان تايم.
تعيد النظر قبل تسليمها إلى الاستاذ ، نعم؟	Don't forget to revise it before	دونت فور غيت تو ريفايزات بفور
	handing it to the teacher, O.K.?	هيندنغ ات تو د تيتشر او كيه؟
ناصر : أيّ نعم .	**Nassir :** O.K.	او ،كيه.
الأم : أين ساعتك ؟	**Mother :** Where is your watch?	وير از يور واتش؟
ناصر : هذه هي. وأنا لا أحمل معي	**Nassir :** Here it is. And, Mummy, no tiffin today.	هير ات از. اند ممي نو تفن تو ديه.
اليوم علبة طعام اليوم لأني سأعود مبكرا .	I will come back early.	آي ول كم بيك ارلي.
الأم : نعم أعرف ذلك . وانته من الأكل .	**Mother :** Yes I know. Now finish eating quickly.	يس آي نو. ناو فنش ايتنغ كويكلي.
ناصر : أنا ذاهب يا أمي.	**Nassir :** I'm going, Mummy.	آيم غوينغ ممّي.
الأم : مع السلامة . أتمنى لك النجاح والتوفيق .	**Mother :** O.K. son. Best of luck.	او كيه سن .بست اوف لك.
ناصر : شكرا يا أمي . إلى اللقاء .	**Nassir :** Thank you, Mummy, bye.	ثينك يو ممّي باي.

Talking to a Student (تاكنغ تو ايه استودينت) محادثة مع طالب

الرجل : ما اسمك؟	**Man :** What is your name?	وات از يور نيم؟
الولد : أنا حمدي .	**Boy :** I am Hamdi.	آي ايم حمدي.
الرجل : هل تدرس ؟	**Man :** Do you study?	دو يو استدي؟
الولد : نعم، يا عم .	**Boy :** Yes uncle.	يس انكل.
الرجل : في أيّ صف ؟	**Man :** In which class?	ان وتش كلاس؟

Boy : Twelfth.	تفيلفث	الولد : في الصف الثاني عشر .
Man : Are you a student of science or Arts?	آر يو ايه استو دنت اوف ساينس اور آرتس؟	الرجل : أنت طالب العلوم أوالفنون ؟
Boy : Science.	ساينس.	الولد : العلوم .
Man : Which is your favourite subject, Hamdi?	وتش از يور فيورت سبجيكت حمدى؟	الرجل : أي مادة تحبّ أكثر يا حمدي .؟
Boy : Physics.	فزكس.	الولد : الفيزياء .
Man : What do you want to be in life?	وات دو يووانت تو بى ان لايف؟	الرجل : ماذا تريد أن تكون في الحياة ؟
Boy : I want to be an electronics engineer.	آي وانت تو بي أن الكترونكس انجينير.	الولد : أريد أن أكون مهندساً للإلكترونيات .
Man : What does your father do?	وات دز يور فادر دو؟	الرجل : ماذا يعمل والدك؟
Boy : He is a chemist.	هي از أ كيمست.	الولد : هو عالم الكيمياء .
Man : And your mother?	اند يور مدر؟	الرجل : وأمُّك ؟
Boy : She is a teacher.	شي از أ تيتشر.	الولد : إنها معلّمة .
Man : Do you play any games?	دو يو بليه ايني غيمز؟	الرجل : هل تلعب أيّة لعبة؟
Boy : Yes, I play hockey and football.	يس، آي بليه هوكي اند فت بال.	الولد : نعم ألعب الهوكي وكرة القدم .
Man : Which is your favourite game?	وتش از يور فيفرت غيم؟	الرجل : أية لعبة تحّب أكثر ؟
Boy : Football.	فوت بال .	الولد : كرة القدم .
Man : And who is your favourite player?	اند هو از يو ر فيفرت بلير؟	الرجل : أيّ لاعب محبوب عندك؟
Boy : Zaidani.	زيداني.	الولد : زيداني .
Man : Do you like reading?	دو يو لايك ريدنغ؟	الرجل : هل تحب قراءة الكتب؟
Boy : Yes, I like reading mysteries and adventure books. I also read the newspaper regularly.	يس، آي لايك ريدنغ مستريزاند ادفنشر بكس . آي اولسو ريد دَنيوزبيبر ريغولرلى.	الولد : نعم أقرأ كتبا تحتوي على المواد السرية والمخاطرة . وأقرأ الجرائد اليومية بانتظام .
Man : That's very good. Do you like watching T.V?	ديتس فيري غد. دو يو لايك واتشنغ تي في؟	الرجل : جيّد . وهل تحب مشاهدة التلفزيون ؟
Boy : Oh yes! I love it.	او يس! آى لف ات.	الولد : نعم، أحب ذلك جدا .
Man : Which are your favourite channels?	وتش آر يور فيفرت تشينلز؟	الرجل : أية قنوات تحّب أكثر؟
Boy : Zee, Metro and Siticable. I also like Prime Sports.	زي، ميترو اندسيتى كيبل. آي اولسو لايك برايم اسبورتس.	الولد : زي، مترو، وسيتى كابل . وأحب برايم اسبورتس أيضا .
Man : What else do you do in your spare time?	وات ايلس دو يو دو ان يور اسبير تايم؟	الرجل : وأيّ أعمال تعمل في وقتك الفارغ؟
Boy : I play computer games.	آي بليه كمبيوتر غيمز.	الولد : ألعب اللعب الكمبيوترية .
Man : Do you learn computers at school?	دويو لرن كمبيو ترزات اسكول؟	الرجل : هل تتعلم الكمبيوتر في المدرسة؟
Boy : Yes, it's a part of our syllabus.	يس اتس أ بارت اوف اور سليبس.	الولد : نعم وهو جزء من منهجنا الدراسي .
Man : O.K. Hamdi. It was great talking to you. I wish you all the best in life!	او،كيه، حمدى. ات واز غريت تاكنغ تو يو. آي وش يو اول د بيست ان لايف.	الرجل : طيّب . يا حمدي . سررت بمحادثتك . أتمنى لك الخير والنجاح في الحياة.
Boy : Thank you uncle, bye.	ثينك يو انكل، باي.	الولد : شكرا يا عم ، إلى اللقاء .

Getting Ready to Go (غتنغ ريدى تو غو) استعداد للذهاب

آرنت يو غو ينغ تو آفس تو ديه؟	**Wife :** Aren't you going to office today?	الزوجة: ألا تذهب إلى المكتب اليوم ؟
اوف كو رس ،آي ايم. واتس دَ تايم؟	**Husband :** Of course, I am. What's the time?	الزوج : لماذا لا ، كم الساعة؟
غيت اب دين.اتس سيفن ثرتي.	**Wife :** Get up then. It's seven thirty.	الزوجة: انهض. الساعة سابعة ونصف .
او،نو.	**Husband :** Oh, no.	الزوج : يا سلام!
هري اب، ادر وايز يو ول	**Wife :** Hurry up, otherwise you will	الزوجة: عجّل وإلّا ستفوتك السيارة .
مس د بس .	miss the bus.	
(غيتنغ اب) رايت .هو از ان	**Husband :** *(Getting up)* Right. Who is in	الزوج : (يقوم) حسن. من في الحمّام؟
دَ بات روم؟	the bathroom?	
سعيد .	**Wife:** Saeed.	الزوجة: سعيد .
سعيد، هري اب .	**Husband :** Saeed, hurry up.	الزوج : عجّل يا سعيد .
آي ايم غيتنغ ليت.	I am getting late.	أنا أكون متأخرا .
كمنغ ،بابا	**Saeed :** Coming, Papa.	سعيد : سآتى يا أبي .
(تو وايف) زينب غف مي هوت واتر.	**Husband :** *(to wife)* Zainab give me hot water.	الزوج : (للزوجة) اعطينى ماءً ساخنا
آيل شيف ان د مين تايم.	I'll shave in the meantime.	يا زينب . وفي تلك الأثناء أقوم بحلق لحيتي .
وير از ماي تاول؟	Where is my towel?	أين منشفتي ؟
ديت از درتي تيك دس ون.	**Wife :** That is dirty. Take this one.	الزوجة: هي وسخة . خذ هذه الجديدة .
هيف ماي كلوذز بين آيرند؟	**Husband :** Have my clothes been ironed?	الزوج : هل تم كيّ ملابسي؟
يس ،آي هيف بت ديم إِن يور كبرد.	**Wife :** Yes, I have put them in your cupboard.	الزوجة: نعم، وقد وضعتها في دولابك.
آي كانت فايند ماي بلو سوكس	**Husband :** I can't find my blue socks.	الزوج : لا أجد جوربتيّ الزرقاوين .
زينب دد يو واش ديم يستر ديه.	Zainab, did you wash them yesterday?	هل غلستهما بالأمس يا زينب ؟
آي واشد ديم دَ ديه بفور.	**Wife :** I washed them the day before.	الزوجة: غسلتهما قبل أمس .
اول يور سوكس آر ان د	All your socks are in the	كل جواربك في الدرج الثاني
سيكند دراير اوف يور كبرد.	second drawer of your cupboard.	من دولابك .
ناو لت مي فنش ككنغ.	Now let me finish cooking.	والآن دعني احضّر الطعام.
يو كان غو انتو دَ بات روم بابا.	**Saeed :** You can go into the bathroom Papa.	سعيد : يمكنك أن تذهب إلى الحمّام يا أبي
ممّي وير از ماي يو نيفارم؟	Mummy, where is my uniform?	أين لباسي يا أمي؟
أون يور بيد. اند يور شوز	**Mother :** On your bed. And your shoes	الأم : على سريرك . وأحذيتك تحت الطاولة .
آر اندر د تيبل.	are under the table.	
او كيه ممي .	**Saeed :** O.K. Mummy.	سعيد : طيب أميّ .
زينب بليز كيب ماي بريك فاست	**Husband :** *(going into the bathroom)* Zainab,	الزوج : (وهو ذاهب إلى الحمام) يا زينب
اند د تفن ريدي.	please keep my breakfast and the tiffin ready,	جهّزي من فضلك فطوري
آيل بي بيك ان ففتين منتس.	I'll be back in fifteen minutes..	وعلبة طعامي . إنّي سآتي في خلال خمس عشرة دقيقة
دونت وري. ايفري ثنغ از ريدي.	**Wife :** Don't worry. Everything is ready.	الزوجة: لا تقلق . كل شيء جاهز . عجّل
سعيد،هري اب .يور بس مست	Saeed, hurry up.Your bus must	يا سعيد سيارتك ستأتي في أية لحظة .

بي كمنغ ايني مومنت . be coming any moment.

آي ايم ريدى، ممّي. **Saeed :** I am ready, Mummy.

سعيد : إنّي مستعد يا أمي .

هير درنك د ملك. **Mother :** Here, drink the milk.

الأم : اشرب هذا الحليب .

ويراز ماي لنتش بوكس؟ **Saeed :** Where is my lunch box?

سعيد : أين علبة غدائي؟

ان يور بيغ. اند دونت **Mother :** In your bag. And don't
فورغت دَ واتر بوتل. forget the water bottle.

الأم : في حقيبتك .
ولا تنس زجاجة الماء .

ممّي دونت فور غت دَ **Saeed :** Mummy don't forget the
بيرنت تيتشر س ميتنغ تو ديه. Parent-Teacher's Meeting today.

سعيد : يا أمي، لا تنسي اجتماع
الأساتذة والوالدين اليوم .

غد ،يو ريمايندد مي. **Mother :** Good, you reminded me.
ات هيد سلبد آوت اوف ماي مايند. It had slipped out of my mind.

الأم : أحسنت، أنك ذكّرتني، فقد نسيت ذلك .

ماي بس ،باي ممي. **Saeed :** My bus. Bye Mummy.

سعيد : سيارتي، إلى اللقاء يا أمي .

باي سن. **Mother :** Bye son.

الأم : في أمان الله يا بنيّ .

ماي بريك فاست زينب؟ **Husband :** My breakfast, Zainab?

الزوج : أين فطوري يا زينب؟

اتس أون د داييننغ تيبل . **Wife :** It's on the dining table.
اند دس از يور لنتش.لسن،دونت And this is your lunch. Listen,
فورغت تو بيه دى الكترى سيتى بل. don't forget to pay the electricity bill.
اند اولسو فون فور د غيس بليز. And also phone for the gas please.
ات كان فنش ايني تايم. It can finish any time.

الزوجة: هو على المائدة . وهذا غداء ك . واسمع،لا تنس
دفع رسوم الكهرباء . وأن تتصل بمحطة
الغاز لأن الغاز سينتهي في أيّ وقت .

يس،يس آي ول دو د يت زينب. **Husband :** Yes, yes I will do that. Zainab, please
بليز غت مي أ كلين هينكي. get me a clean hanky.

الزوج : سأقوم بكل ذلك حتميا .
يا زينب أعطيني منديلا نظيفا من فضلك .

هير ات از .اند اولسو يور واتش، **Wife :** Here it is. And also your watch.
يو اولويز فورغت ات ان د بات روم. You always forget it in the bathroom.

الزوجة: هو هذا . وهذه ساعتك أيضا .
أنت تنساها في الحمام كل يوم .

ثينك يو زينب ، **Husband :** Thank you Zainab.
آي هيف تو رش ناو ،باي. I have to rush now. Bye.

الزوج : شكرا يا زينب. يجب عليّ
أن أسرع الآن. إلى اللقاء .

Asking the Way (آسكنغ د ويه) معلومات عن الطريق

(ورد راشد حديثا إلى بغداد وهو يريد أن يذهب إلى المتحف)

اكسكيوز مي. **Rashid :** *(to a man)* Excuse me,
كديو تيل مي دَويه تو دَ could you tell me the way to the
ميوزيم بليز؟ museum please?

راشد : (لرجل) اسمح لي،
ممكن أن ترشد ني إلى المتحف .

يس،غو استريت.تيك **The man :** Yes, go straight, take the
دَفرست لفت ترن اند كيب واكِنغ. first left turn and keep walking.
يو ول ريتش ابن ماجه رود. You will reach Ibn Maja Road.
دَ ميوزيم از أون ديت.فيري رود. The museum is on that very road.

الرجل : نعم، اذهب مستقيما . وانحن أول منحنى
إلى اليسار وواصل المشي تصل إلى
شارع ابن ماجه . والمتحف واقع
في ذلك الشارع .

ثينك يو. **Rashid :** Thank you.

راشد : شكرا .

اكسكيوز مي ميدم. فروم وير **Rashid :** *(to a lady)* Excuse me, Madam!

راشد : (لامرأة) اسمحى ليَ يا ما دام .

أين أجد أوتوبيس لساحة أحمد؟	From where can I get a bus to Ahmed Square?	كان آي غت أ بس تو أحمد اسكواير؟
الامرأة: في المحطة التي بقرب الجسر .	**Lady :** From that bus stop near the bridge.	فروم ديت بس استوب نير د برج.
راشد : شكرا .	**Rashid :** Thank you.	ثينك يو.
راشد : (للكمسارى) هل تذهب هذه الأوتوبيس إلى ساحة أحمد؟	**Rashid :** *(to the conductor)* Is this bus going to Ahmed Square?	*(تو دكندكتر)* از دس بس غوينغ تو أحمد اسكواير؟
الكمسارى: نعم .	**Conductor :** Yes.	يس.
راشد : (لرجل) هل تخبرني عند الوصول إلى ساحة أحمد؟	**Rashid :** *(to a man)* Would you please tell me when shall we reach Ahmed Square?	وود يو بليز تيل مي وين شيل وي ريتش احمد اسكواير؟
الرجل : نعم أخبرك .	**The man :** Yes, I will.	يس ،آي ول.
راشد : هل أجد من هناك أوتو بيس للكاظمية .	**Rashid :** Can I get a bus to Kazimia from there?	كان آي غيت أ بس تو كاظمية فروم دير؟
الرجل : نعم بسهولة (ثم بعد قليل) هذا ساحة أحمد.	**The man :** Yes easily. *(after some time).* This is Ahmed Square.	يس ايزيلي.. دس از أحمد اسكواير.
راشد : شكرا .	**Rashid :** Thank you.	ثينك يو.

(نزل راشد وينتظر على المحطة ثم تأتي سيارة)

راشد : هل تذهب هذه الأوتوبيس إلى الكاظمية؟	**Rashid :** Is it going to Kazimia?	از ات غو ينغ تو كاظمية؟
الكمسارى: لا	**Conductor :** No.	نو.
راشد : الكاظمية؟	**Rashid :** Kazimia?	كاظمية؟
الكمسارى : نعم	**Conductor :** Yes.	يس.

(ينزل راشد إلى الكاظمية)

راشد : (لرجل) اسمح لي، أين تقع حارة المهندسين؟	**Rashid :** *(to a man)* Excuse me, which side is Hara Muhandisin?	اكسكيوز مي . وتش سايد ازحاره مهندسين؟
الزجل : آسف، أنا لا أعرف .	**Man :** Sorry, I don't know.	سوري ،آي دونت نو.
راشد : (لصاحب دكان) ممكن أن ترشدني إلى حارة المهندسين؟	**Rashid :** *(to a shopkeeper)* How to reach Hara Muhandisin, please?	هاو تو ريتش حاره مهندسين بليز؟
صاحب الدكان: امش مستقيماً، بعد قليل تجد في يسارك بوابة حديدية كبيرة . وهناك حارة المهندسين .	**Shopkeeper :** Go straight. After some time you' ll see a big iron gate on the left side. Go inside. That is Hara Muhandisin.	غو استريت . آفتر سم تايم يو يل سي ايه بغ آيرن غيت أون د ليفت سايد. غو أن سايد . ديت از حاره مهندسين.
راشد : (للحارس على الباب) أهذه حارة المهندسين؟	**Rashid :** Is this Hara Muhandisin?	از دس حاره مهندسين؟
الحارس : نعم يا سيدي .	**Gatekeeper :** Yes, sir.	يس سر.
راشد : أين يوجد بلوك سي؟	**Rashid :** Where is C-block?	ويراز سي بلوك؟
الحارس : ترى يا سيدي هناك حديقة .فحول تلك الحديقة بلوك سي .	**Gatekeeper :** Do you see that park? The area around is C-block.	دو يو سي ديت بارك؟ د ايريا اراوند از سي بلوك.

وتش سايد ول بي نمبر سيفن نايتى؟	**Rashid :** Which side will be number 790?	راشد : وأين يكون منزل ،رقم ٧٩٠؟
غو استريت اند ترن ليفت.	**Gatekeeper :** Go straight and turn left.	الحارس: امش أولاً مستقيماً ثم تحول
دين تيك د سكند رايت ترن.	Then take the second right turn.	إلى اليسار . وبعد ذلك تحول إلى اليمين .
سيفن نايتى شد بي ان	790 should be in that lane.	في ذلك الزقاق يكون منزل رقم ٧٩٠ .
ديت لين آي ثنك ات از نيكست تو	I think it is next to	إنّي أعتقد أنه يقع
أم هانئ اسكول.	Umm Hani School.	بعد مدرسة أمّ هانئ .
ثينك يو فيرى متش.	**Rashid :** Thank you very much.	راشد : شكراً، لك جزيلاً.

Inquiry About a Patient (انكوايرى أباوت أ بيشنت) معلومات حول مريض

هلو جعفر!هاو آر يو ؟	**Khalid :** Hello Jafar, how are you?	خالد: مرحبا يا جعفر، كيف حالك؟
آي ايم فاين بت ماي فادر	**Jafar :** I am fine, but my father	جعفر: أنا بخير ولكن والدي مريض .
ازنوت ويل.	is not well.	
او، آي ايم سوري تو هير ديت.	**Khalid :** Oh, I am sorry to hear that!	خالد: أوه يوسفني ذلك ماذا أصابه .
واتس رونغ؟	What's wrong?	
د دكتور سيز هز ليفر	**Jafar :** The doctor says his liver is not	جعفر: الطبيب يقول إن وظيفة كبده ليست سوية .
از نوت فنكشننغ برو برلي.	functioning properly.	
وتش دكتور هيف يو كنسلتد؟	**Khalid :** Which doctor have you consulted?	خالد: أيّ طبيب استشرت؟
داكتر هشام .هي هيد	**Jafar :** Doctor Hisham. He had	جعفر: الدكتور هشام . إنه أوصى
ركمندد سم تيستس.	recommended some tests.	بعدة فحوص .
هيف يو غوت د ريبورتس؟	**Khalid :** Have you got the reports?	خالد: هل وجدتم التقارير؟
يس ،اند د دكتور هيز	**Jafar :** Yes, and the doctor has	جعفر: نعم، والطبيب قد بدأ العلاج بالفعل .
اول ريدي استارتيد دَ تريتمينت	already started the treatment.	
او ،آي سي.	**Khalid :** Oh, I see.	خالد: طيب .
هيز د ير بين ايني امبرفمنت؟	Has there been any improvement?	هل هناك أيّ تحسّن في حالته؟
يس، بت د برو غريس از فيري سلو.	**Jafar :** Yes, but the progress is very slow.	جعفر: نعم، ولكن بصورة بطيئة جدا .
ددیو اسبيك	**Khalid :** Did you speak	خالد: هل تكلمت مع الطبيب في هذا ؟
تو د دكتور اباوت ات؟	to the doctor about it?	
يس آي دد .بت هي سيز	**Jafar :** Yes I did. But he says	جعفر: نعم تكلمت . إنه يقول يجب أن نصبر قليلاً .
وي هيف تو بي أ لتل بيشنت.	we have to be a little patient.	
ايني رسترکشنز اباوت دايت،	**Khalid :** Any restrictions about diet,	خالد: هل أوصى بأية حمية
فود ات سترا؟	food etc.?	أو محظورات من الأكل ؟
يس، د دكتور هيز ركمندد اونلى	**Jafar :** Yes, the doctor has recommended only	جعفر: نعم، إن الطبيب أوصى بالطعام
بو ايلدفود، لوتس اوف ليكويد	boiled food, lots of liquid	المغلى فقط وتناول المشروبات
اند نو تي اور كوفي.	and no tea or coffee.	كثيراً والامتناع عن الشاي والقهوة .
بليز بي كير فل اباوت د دايت.	**Khalid :** Please be careful about the diet.	خالد: فيلزم الاهتمام بالطعام
		والامتناع عن الأشياء المحظورة .

جعفر: أيّ نعم نحن نحاول ذلك بكل ما في وسعنا .	**Jafar :** Yes we are doing our best.	يس وي آر دوينغ اور بيست.
خالد: أيّ خدمة لي يا جعفر ؟	**Khalid :** Anything I can do Jafar?	ايني ثنغ آي كان دو جعفر؟
جعفر: لا شيء، شكرا، يا خالد، أرجوك أن تزور في وقت آخر.	**Jafar:** No thanks, Khalid. Just drop in some time.	نو ثينكس ،خالد . جست دروب ان سم تايم .
جعفر: نعم، حتميا، إلى اللقاء يا جعفر .	**Khalid** Yes, sure. Bye Jafar.	يس، شيور ،باي جعفر.

Talking to a Doctor (تا كنغ تو أ دكتور) محادثة مع الطبيب

المريض :صباح الخير يا سيدي.	**Patient :** Good Morning doctor.	غد مورننغ دكتور.
الطبيب: صباح النور، تفضل ، اجلس؟ نعم، ما المشكلة .	**Doctor :** Good Morning. Please sit down. Yes, what's the problem?	غد مورننغ ،بليز ست داون. واتس دَبروبلم؟
المريض : عندي حمى وألم في الحلق .	**Patient :** I have fever and sore throat.	آي هيف فيور اند سور ثروت.
الطبيب: دعني أرى ،افتح فمك من فضلك . نعم يوجد فساد . والحمى كم درجة ؟	**Doctor :** Let me see. Open your mouth please. Yes there is infection. How much is the fever?	ليت مي سي .اوبن يور ماوت بليز. يس دير از انفكشن . هاو متش از دَ فيفر؟
المريض :كانت ١٠١ درجة وقت مغادرتي البيت .	**Patient :** It was 101° when I started from home	ات واز ١٠١ دغرى وين آي استارتيد فروم هوم.
الطبيب: (وهو يقيس الحمى) نفس الدرجة حتى الساعة . هل تشعر بالبرد ؟	**Doctor :** It's the same even now. Are you feeling cold?	اتس د سيم ايون ناو. آر يو فيلنغ كولد؟
المريض :ليس كثيرا .	**Patient :** Not much.	نوت متش.
الطبيب: هل عندك سعال؟	**Doctor :** Do you have cough?	دو يو هيف كف؟
المريض :نعم، وبخاصة في الليل لا أستطيع أن أنام بسبب ذلك .	**Patient :** Yes, specially at night I can't sleep because of it.	يس. اسبيشلى ات نايت. آي كانت سليب بكاوز اوف ات.
الطبيب: أيّ مشكلة أخرى؟	**Doctor :** Any other problem?	ايني ادر بروبلم؟
المريض :عندي صداع .	**Patient :** I have a headache.	آي هيف أ هيدك.
الطبيب: ذلك بسبب الحمى . طيب . تناول هذه الكبسولات يوميا ثلاث مرات في اليوم وهذه الأقراص بعد فترة كل ٦ ساعات لثلاثة أيام .	**Doctor :** That's because of fever. O.K. Take these capsules thrice daily for five days and these tablets six hourly for three days.	ديتس بكاوز اوف فيفر.او كيه . تيك ديز كيبسولز ترايس ديلى فور فايف ديز اند ديز تيبليتس سكس آورلي فور ثري ديز.
المريض :كيف أتناول الدواء ؟	**Patient :** How to take the medicine?	هاو تو تيك دَ ميديسن؟
الطبيب: بماء فاتر اشرب مزيج السعال هذا بعد فترة كل ٦ ساعات.	**Doctor :** With warm water. Also take this cough mixture six hourly.	ود وارم واتر .اولسو تيك دس كف مكستشر سكس آورلى.
المريض :كم من المقدار؟	**Patient :** How much?	هاو متش؟
الطبيب: ملعقتي شاي. وأيضا أن الغرغرة بالماء الساخن ٤ أو ٥ مرات في يوم يساعدك كثيرا .	**Doctor :** Two teaspoons. Hot water gargles 4 to 5 times a day will help you a lot.	تو تي اسبونز. هو ت واتر غار غلس فور تو فايف. تايمس أ ديه ول هيلب يو أ لوت.
المريض :أيّ حظر حول المأكولات؟	**Patient :** Any restriction about food?	ايني رستر كشنز اباوت فود؟

Doctor : Don't eat oily or spicy food. Avoid cold water and cold drinks, that will irritate the throat. Take rest and you will be alright in two-three days.

دونت ايت آيلي اور اسبايسى فود. افايد كولد واتر اند كو لددرنكس ديت ول ارّيتيت د ثروت. تيك ريست اند يو وِل بي اول رايت ان تو ثرى ديز.

الطبيب: لا تأكل طعاماً دهنيا أو حارا بالتوابل وتجنب الحاجات الباردة أنها تسبب الالتهاب في الحلق . استرح وستكون صحيحا تماما في خلال يومين أو ثلاثة .

Patient : O.K. doctor, thank you very much.

او،كيه دكتور ثينك يو فيرى متش.

المريض : طيب يا دكتور ، شكراً لك جزيلاً .

At the General Store (ات د جنرل استور) في البقالة

Customer : I want two cakes of lux soap. How much?

آي وانت تو كيكس اوف لكس سوب، هاو متش؟

الزبونة : أريد قطعتين من لوكس . كم الثمن؟

Shopkeeper : Five dollars. What else?

فايف دولارز.وات السِ؟

صاحب البقالة: خمسة دولارات.وماذا تريدين كمان؟

Customer : Why five? Lux is two dollars a cake! Look, it is printed here!

واي فايف ؟لكس از تو دولارز أكيك.لك ات از برنتيد هير.

الزبونة : لماذا خمسة؟ قطعة واحدة بدولارين . انظر المطبوع هنا .

Shopkeeper : Alright pay four dollars. What else do you want?

اول رايت بيه فور دولارز. وات ايلس دو يو وانت؟

صاحب البقالة: طيب هاتي أربعة . وهل تريدين شيئا آخر؟

Customer : Do you have refined oil?

دو يو هيف ريفايند آيل؟

الزبونة :هل عندك زيت الطبخ؟

Shopkeeper : Yes, which one do you want?

يس، وتش ون دو يو وانت؟

صاحب البقالة: نعم، أيّ ماركة تريدين؟

Customer : Dhara one kg pack. and sugar one kg.

دارا ون كيه جي بيك. اند شوغر ون كيه جي.

الزبونة : أريد 'دارا' علبة كيلو وكيلو واحد من السكر.

Shopkeeper : This is Dhara one-kg but sugar is out of stock. You will get it tomorrow.

دس از دارا ون كيه جي .بت شوغر از آوت اوف استوك يو ول غت ات تو مورو.

صاحب البقالة: هذا هو دارا ولكن السكر ليس بموجود حالاً .يوجد غداً .

Customer : Give me a good shampoo also.

غف مي أ غد شيمبو اولسو.

الزبونة : هات لي شامبو جيد أيضا .

Shopkeeper : Which one do you want? Should I give this herbal shampoo?

وتش ون دو يو وانت؟ شد آي غف دس هربل شيمبو؟

صاحب البقالة : أيّ شامبو تريدين؟ هل أعطيك هذا الشامبو العشبى؟

Customer : What is the price?

وات از د برايس؟

الزبونة : كم سعره؟

Shopkeeper : Fifteen dollars. There is one. dollar discount on it. It will cost you fourteen dollars.

ففتين دولارز . دير از ون دولار دسكاونت أون ات. ات ول كوست يوفورتين دولارز.

صاحب البقالة: بخمسة عشر دولاراً . وعليه خصم دولار فيكون لك بأربعة عشر دولار .

Customer : Alright give me one. Which flour do you have?

اول رايت، غف مي ون . وتش فلور دو يو هيف؟

الزبونة : حسن، أعطني واحداً . وأيّ نوع من الدقيق يوجد عندك ؟

Shopkeeper : We have all–Sun brand, King and Mumtaz. Which one do you want?

وي هيف آل .سن براند، كنغ . اند ممتاز وتش ون دو يو وانت؟

صاحب البقالة: ؟ عندي كل من ماركة الشمس و ماركة الملك وماركة ممتاز، أيّ واحد تريدين ؟

Customer : Last time I used Sun brand. I didn't like it.

لاست تايم آي يو زد سن براند. آي ددنت لايك اِت.

الزبونة : اشتريت في المرة السابقة ماركة الشمس ولكن لم يعجبني .

صاحب البقالة: اختبري هذه المرة الدقيق ماركة	**Shopkeeper :** Try King brand this time.	تراى كنغ براند دس تايم.
الملك . إنه دقيق ذات الجودة	It is like the real homemade flour.	ات از لايك د ريل هوم ميد فلور
العالية وهو مثل الطحين المعد في البيت .		
الزبونة : فأعطني ١٠ كغ منه. وهل من الممكن أن يأخذه	**Customer :** Alright give me 10 kilos.	اول رايت ،غف مي تين كيلوز،
أحد عمالكم إلى بيتي؟	Do you have home delivery?	دو يو هيف هوم دليفري؟
صاحب البقالة: نعم ، ولكن إلى ٥ كيلو مترات فقط .	**Shopkeeper :** Yes, up to 5 kilometres.	يس ،اب تو فايف كلو ميترس.
الزبونة : اسكن قريباً من هنا .	**Customer :** I live close by.	آي لِف كلوز باى.
صاحب البقالة: عنوانكم؟	**Shopkeeper :** What is your address?	وات از يور ايدريس؟
الزبونة : ٩٥ ،سي، شارع أبي نواس .	**Customer :** C-95, Abu Nuwas Road.	سى-٩٥ ابو نواس رود .
صاحب البقالة: لا مشكلة، ادفعي الثمن	**Shopkeeper :** No problem. You make the	نو بروبلم. يو ميك د بيمنت.
سأرسل أحداً من العمال إلى بيتكم .	payment. I'll just send the	آيل جست سندد دليفري
	delivery boy to your house.	بواى تو يور هاوس.
الزبونة : شكراً .	**Customer :** Thank you.	ثينك يو.
صاحب البقالة: نحن في خدمتكم دائما، يا سيدتي ..	**Shopkeeper :** At your service, madam..	ات يو ر سرفيس ميدم.

Buying a Present (باينغ أ بريزنت) شراء هدية

صاحب المحل: أهلاً يا مادام، أيّ خدمة؟	**Shopkeeper :** Yes, can I help you madam?	يس،كان آي هيلب يو ميدم؟
السيدة: أريد ساعة ممتازة ؟	**Lady :** I want a nice watch?	آي وانت أ نايس واتش.
صاحب المحل: للرجال أو السيدات؟	**Shopkeeper :** Lady's or gent's?	ليديز اور جنتس؟
السيدة: للسيدات .	**Lady** : Lady's.	ليديز.
صاحب المحل: يوجد عندنا تشكيلة واسعة	**Shopkeeper :** We have a large variety.	وي هيف أ لارج ورايتى،بليز لك هير.
من فضلك انظري هنا في هذه	Please look here. In this showcase, we	ان دس شوكيس وي هيف تايتن،
الخزانة ساعات من تيتان وآلوين و	have Titan, Allwyn and H.M.T. In the next	آلون اند ايتش ايم تى.ان د نيكست
اتش ام تي . وفي الخزانة الثانية ،	one, we have imported	ون وي هيف امبورتيد
ساعات مستوردة من سويسرا .	Swiss watches.	سويس واتشز.
السيدة : من فضلك ارني هذه الثالثة	**Lady :** Please show me this one.	بليز شو مي دس ون .
من الصف الخامس .	The third in the fifth row.	د ثرد ان دَ ففت رو.
صاحب المحل: حسن، هذه من تيتان .	**Shopkeeper :** Yes, of course.	يس ، اوف كورس .
وهي ساعة ممتازة جدا .	This is a Titan, a very nice watch.	دس از أ تايتن،أ فيرى نايس واتش.
السيدة: وما سعرها ؟	**Lady :** What is the price?	وات از د برايس؟
صاحب المحل: السعر مكتوب على البطاقة .	**Shopkeeper :** It's here on the tag.	اتس هير أون د تيغ.
خمس مائة دولار .	Five hundred dollars.	فايف هندريد دولارز.
السيدة: لا، لا أريد غالية مثلها.	**Lady :** No, I don't want such	نو ،آي دونت وانت
	an expensive watch.	ستش أن اكسبنسيف واتش .
صاحب المحل: فانظري هذه .	**Shopkeeper :** Then look at this one,	دين لك ات دس ون.

تو هندرد دولارز اونلى .	two hundred dollars only.	هي بمائتي دولار فقط .
وتش براندازات؟	**Lady :** Which brand is it?	السيدة: من أيّ ماركة هذه؟
ايتش،ايم،تى فيرى ديو ريبل.	**Shopkeeper :** H.M.T., very durable.	صاحب المحل: من اتش ام تي . وهي متينة جدا .
نو،آى دونت لايك د ديزاين. وات	**Lady :** No, I don't like the design. What	السيدة: لا، لا يعجبني تصميمها . ممكن أن
اباوت ديت ون، دَ فورث ان د ثرد رو.	about that one, the fourth in the third row.	أرى تلك الرابعة في الصف الثالث .
دس ون .	**Shopkeeper :** This one?	صاحب المحل: هذه .
وات براند از ديت؟	**Lady :** Yes, what brand is that?	السيدة: أيوه، من أية ماركة؟
تمبل ات ازأ نيو كمبنى	**Shopkeeper :** Temple. It is a new company	صاحب المحل: تمبل . إنها شركة جديدة
ان كو لبريشن ود سيكو جابان.	in collaboration with Seiko Japan.	بالاشتراك مع سيكو اليابانية .
هاو ازات؟	**Lady :** How is it?	السيدة: كيف هي؟
اتس غد . ديه آر اولسو	**Shopkeeper :** It's good. They are also	صاحب المحل:إنها جيدة .
اوفرنغ تين برسنت دسكاونت.	offering 10% discount.	إنهم يقدمون أيضا خصما بـ ١٠ % عليها .
وات از د برايس؟	**Lady:** What is the price?	السيدة : وما سعرها؟
ثرى هندرد دولرز . بت آفتر ١٠%	**Shopkeeper :** Three hundred dollars.	صاحب المحل: ثلاث مائة دولار .
برسينت دسكاونت ات ول كوست	But after 10% discount, it will cost you	ولكنّها ستكلفك
يو تو هندريد اند سيفنتى اونلى.	two hundred and seventy only.	مائتين وسبعين دولارا بعد الخصم .
از ديراينى غارنتي؟	**Lady :** Is there any guarantee?	السيدة : هل معها أيّ ضمان؟
يس، تو ايرس.	**Shopkeeper :** Yes, two years.	صاحب المحل: نعم، ضمان سنتين .
وت دز دَ غارنتي انكلود؟	**Lady :** What does the guarantee include?	السيدة: وماذا يشمل الضمان؟
فرى ريبر اوف ماينر فولتس .	**Shopkeeper :** Free repair of minor faults	صاحب المحل : التصليح مجانًا لخلل صغير
فور تو ايرس اند فل ريبليس منت	for two years and full replacement,	لمدة سنتين وإذا كان عيب صناعي
اف ديراز أميجر مينو فيكشرنغ ديفكت.	if there is a major manufacturing defect.	كبير فتبديلها بأخرى .
اوكيه. آي ول باي دس ون.	**Lady :** O.K. I will buy this one.	السيدة: طيب . أنا اشتري هذه .
شيل آ ي غت أ كيس ود د واتش؟	Shall I get a case with the watch?	هل تعطيني العلبة مع الساعة؟
يس، أ بيوتيفل كيس.	**Shopkeeper :** Yes, a beautiful case.	صاحب المحل : نعم . وعلبتها أيضا جميلة .
بليز غت ات غفت ريبد.	**Lady :** Please get it gift wrapped.	السيدة: من فضلك عبّئها بتعبئة الهدية .
يس ميدم،بليز بيه ات ديت	**Shopkeeper :** Yes madam, please pay	صاحب المحل: أيّ نعم . وأرجوك أن تدفعي
كاو نتر. اند دس ازيور غارنتى	at that counter. And this is	الثمن على تلك المنضدة . وهذه بطاقة
كارد. بليز دونت لوزات.	your guarantee card. Please don't lose it.	الضمان لك . لا تضيعيها من فضلك .
يس ثينك يو.	**Lady :** Yes, Thank you.	السيدة: أيّ نعم . شكراً .

Entertainment : Discussing Movies & T.V. Programmes

متعة : حديث عن الأفلام والبرامج التلفزيونية (انتر تينمنت : دسكسنغ موفيز اند تي- في- بروغرامز)

(الصديقتان هناء و مديحة تتحدثان عن الأفلام والبرامج التلفزيونية)

هاي مديحة.	**Hana :** Hi Madeeha.	هناء : أهلًا يا مديحة .
هاي، هناء،هاو آر يو؟	**Madeeha :** Hi Hana. How are you?	مديحة : مرحبا يا هناء، كيف حالك؟

فاين، واتس غوينغ اون؟	**Hana:** Fine. What's going on?	هناء : أنا طيبة . ماذا يجري؟
نثنغ جست واتشنغ تي في.	**Madeeha :** Nothing, just watching T.V.	مديحة : لا شىء أشاهد التلفزيون فقط؟
وتش بروغرام؟	**Hana :** Which programme?	هناء : أيّ برنامج؟
فلبس توب تين.	**Madeeha :** Philips Top Ten.	مديحة : توب تن لفيليب .
آي جست لف د برو غرام	I just love the programme.	أنا أحب هذا البرنامج .
مي تو . آي اولسو لايك	**Hana :** Me too. I also like	هناء : أنا أيضا . وبجانب ذلك أحب أيضا
بروجرام أوف بويتري .	programme of poetry.	البرنامج الشعري .
سيم هير. وتش ت في سيريل	**Madeeha :** Same here.	مديحة : وأنا أيضا أحب ذلك .
دو يو لايك موست؟	Which T.V. serial do you like most?	وأيّ مسلسل تحبين أكثر؟
ويل آي لايك د تايم.	**Hana :** Well, I like 'The Time'.	هناء : أنا أحب مسلسل "على مرّ الزمن" يعجبني أيضا
اولسو آي لايك مستر اند مستريس	Also I like 'Mister and Mistress',	"السيد والسيدة" انه فكاهى
أ لفلي كوميدي، ازنت ات؟	a lovely comedy, isn't it?	من الدرجة الأولى . أليس كذلك ؟
ماي فيو ريتس آر جنون اند	**Madeeha :** My favourites are	مديحة : ويعجبني برنامج "الجنون" و "الاحترام"
احترام. آي اولسو لايك	'Junoon' and 'Ehtiran'. I also like	وأحب "دسكفري" وترننغ بواينت أيضا .
دسكفري اند ترننغ بوا ينت.	'Discovery' and 'Turning point'.	
آي لايك ديم تو مديحة هيف يو	**Hana:** I like them too. Madeeha	هناء : إنّي أحب هذه البرامج أيضا .
سين 'حب وزواج'؟	have you seen 'Hubb wa Zawaj'?	يا مديحة هل شاهدت فيلم "الحب والزواج"
او يس ترايس. اتس أ بيوتى فل	**Madeeha :** Oh yes, thrice. It's a beautiful	مديحة : نعم . شاهدته ثلاث مرات .
موفي، ازنت ات ؟احمد از سو	movie, isn't it? Ahmed is so	إنه فيلم رائع، أليس كذلك : ما أروع
كيوت اند ورده لكس سوبريتى	cute and Wardah looks so pretty.	دور أحمد وما اجمل الوردة .
ريلي! اند سميرا ز	**Hana :** Really! And Sameer is	هناء : ولا نظير للتمثيل الذي قام به سمير لا يوجد
سمبلى فنتاستك هي از د بيست	simply fantastic! He is the best	أيّ ممثل. فكاهي أفضل منه عندنا .
كو ميدين وي هيف.	comedian we have.	
يس! اوف كورس! يو نو د موفى	**Madeeha :** Yes, of course. You know,	مديحة : أي نعم، أنا أعرف . وهذا الفيلم
بيغد اول دايواردس دس اير ؟	the movie bagged all the awards this year?	قد فاز بجميع الجوائز . جائزة
د بيست موفى، بيست ايكتر	The best movie, best actor,	أحسن فيلم وأحسن غناء وكل شىء
بيست ايكترس بيست ميوزك،	best actress, best music,	أفضل من أيّ شىء آخر .
الموست ايوفري ثنغ.	almost everything.	
اند ديه ديزرفد ايفري	**Hana :** And they deserved every	هناء : وكلهم كانوا يستحقون ذلك . أليس كذلك ؟
بت اوف ات، ددنت ديه؟	bit of it, didn't they?	ولكن النزعة تتغيّر الآن . إنّي
ثينك غود د تريند از تشينجنغ.	Thank God the trend is changing.	مللت من هذه الأفلام المحتوية
آي ايم فداب ود موفيز	I am fed up with movies	على الجنس والعنف المفرطين .
فل اوف سيكس اند فايولنس.	full of sex and violence.	
ريلى، آي تو فايند ستش موفيز	**Madeeha :** Really, I too find such	مديحة : أي واه، إنّي أيضا سئمت من هذه
فيرى بورنغ. يو كانت ست	movies very boring. You can't sit	الأفلام لا يمكن مشاهدة
اند واتش ديم ود فيملي.	and watch them with family.	الفيلم مع أعضاء الأسرة .
دير از سونغس بروغرام أون	**Hana :** There is songs programme on	هناء : يعرض برنامج الأغاني هذه الساعة

تشينل ون دو يو وانت تو سي؟	Channel One. Do you want to see?	على القناة الأولىٰ . تريدين أن تشاهدي؟
او،كيه ليتس سي.	**Madeeha :** O.K. Let's see.	مديحة : لا مانع ، دعنا نشاهد .
سم تايمس ديه شو غد سونغز.	Sometimes they show good songs.	إنهم أحيانا يعرضون أغاني جيدة .

Entertaining a Guest (انترتيننغ أ غيست) إكرام الضيف

او هلو ،ويل كم بليزكم ان .	**Host :** Oh hello! Welcome, please come in.	المضيف : أهلاً وسهلاً، مرحبا،
ليت مي هيلب يو و د د لغيج.	Let me help you with the luggage.	أعطني الأحمال .
نو،نو اتس اول رايت.	**Guest :** No, no. It's alright.	الضيف : لا، لا،
ثينك يو فيري متش.	Thank you very much.	شكرا لك جزيلا.
بليز ميك يور سيلف كمفرتيبل.	**Host :** Please make yourself comfortable.	المضيف : اجلس واسترح،
هاو آر يو؟	How are you?	كيف حالك؟
آي ايم فاين اند يو؟	**Guest :** I am fine and you?	الضيف: أنا بخير . وكيف أنتم؟
آي ايم فاين تو .هاواز د فيملى؟	**Host :** I am fine too. How is the family?	المضيف :نحن أيضا بسلامة .
		وكيف أحوال أسرتكم؟
ايفري بدى از فاين. ثينك يو.	**Guest :** Everybody is fine. Thank you.	الضيف : كلهم بخير . شكرا .
هاو واز د جرنى؟	**Host :** How was the journey?	المضيف : كيف كان السفر؟
ات واز كمفرتيبل .نو بروبلمز.	**Guest :** It was comfortable. No problems.	الضيف :وصلت بكل راحة وسهولة .
		لم أواجه أيّ مشكلة
وات وود يو لايك تو هيف ؟	**Host :** What would you like to have?	المضيف : ماذا تريد أن تتناول؟
تي اور كوفي.	Tea or coffee.	الشاي أو القهوة ؟
آي وود لايك تو هيف بات فرست.	**Guest :** I would like to have bath first.	الضيف :أريد أن استحم أولا .
يس، اوف كورس .	**Host :** Yes, of course.	المضيف : نعم، حتميا .
ليت مي شو يو د باث روم.	Let me show you the bathroom.	تفضل أريك الحمام .
يس،ثينكس.	**Guest :** Yes, thanks.	الضيف : حسن، شكرًا .
دو يو نيد اينى ثنغ.	**Host :** Do you need anything?	المضيف : هل تريد شيئا .
نو ،ثينكس.	**Guest :** No, thanks.	الضيف :لا، شكرًا .

(بعد الاستحمام)

وات وود يو لايك تو هيف فور بريك فاست؟	**Host :** What would you like to have for breakfast?	المضيف : ماذا تحب أن تأخذ في الفطور؟
ايني ثنغ ول دو.	**Guest :** Anything will do.	الضيف :أيّ حاجة .
دو يو لايك فرايد بينز؟	**Host :** Do you like fried beans?	المضيف :هل تحب الفول المقلي؟
او يس !آي لايك ديم فيرى متش.	**Guest :** Oh yes! I like them very much.	الضيف :نعم أحبه جدا .
هير،بليزهيلف يور سيلف.	**Host :** Here, please help yourself.	المضيف :تفضل .
ثينك يو.	**Guest :** Thank you.	الضيف : شكرًا .

المضيف : هل تحب اللبن الزبادي .	**Host :** Do you like curd?	دو يو لايك كرد؟
الضيف : نعم سآخذ قليلا .	**Guest :** Yes, I'll take a little.	يس ،آيل تيك أ لتل.
المضيف :خذ قليلا من الزبدة أيضا .	**Host :** Please take some butter.	بليز تيك سم بتر.
الضيف : لا ، شكرا . لا آكل الزبدة .	**Guest :** No, thanks. I avoid that.	نو ثينكس ،آي افوايد ديت.
المضيف : ماذا تريد للشرب؟	**Host :** What would you like to drink?	وات وود يو لايك تو درنك؟
الضيف :الشاي .	**Guest :** Tea, please.	تي بليز.
المضيف :السكر ؟	**Host :** Sugar?	شوغر؟
الضيف :السكر لا ،من فضلك .	**Guest :** No sugar, please.	نو شوغر، بليز.
المضيف : لما؟ هل هناك أيّ مشكلة .	**Host :** Why, any problem?	واي ،اينى بروبلم؟
الضيف :لا شيء ، للخطوة الوقائية فقط .	**Guest :** No, just taking precautions.	نو،جست تيكنغ برى كوشنز.
المضيف :هذا جيد .	**Host :** That's good.	ديتس غد.
الضيف :الفول لذيذ جدا .	**Guest :** The beans are very good.	دَ بينس آر فيري غد .
المضيف :شكرا، خذ قليلا زيادة .	**Host :** Thank you, please have some more.	ثينك يو ، بليز هيف سم مور.
الضيف :لا، شكرًا، إنّي أكلت كثيرا .	**Guest :** No thanks. I have had enough.	نو ثينكس ،آي هيف هيد انف.
المضيف :فخذ قليلاً من الفواكه إذا .	**Host :** Take some fruit then.	تيك سم فروت دين.
الضيف :(يأخذ تفاحاً) أي نعم، شكرا .	**Guest :** (*takes an apple*) Yes, thanks.	يس ثينكس.
المضيف :ماذا برنامجك في اليوم؟	**Host :** What's your programme for the day?	واتس يور بروغرام فور دَ ديه؟
الضيف : سأتأهب الآن	**Guest :** I will get ready now and	آي ول غت ريدى ناو اند
واخرج لبعض الشغل .	go out for some work.	غو آوت فور سم ورك.
المضيف :في أيّ ساعة يُتوقع عودتكم ؟	**Host :** What time should we	وات تايم شد وي
	expect you back.	ايكسبيكت يو بيك.
الضيف : قد لا أحضر للغداء . ولكن في المساء	**Guest :** I won't be back for lunch. But in	آي وونت بى بيك فور لنتش. بت اِن
سأرجع قبل الساعة السابعة .	the evening, I'll come back before seven.	د ايفننغ آيل كم بيك بفور سيفن.
المضيف : ؟ ماذا تحب أن تأخذ في العشاء .	**Host :** What would you like for dinner?	وات وود يو لايك فور دنر؟
يعنى أيّ وجبة خاصة تحبّ .	I mean any special dish you prefer.	آي مين ايني اسبيشل دِش يو بريفر.
الضيف :أنا أحبّ كل شيء .	**Guest :** I like everything.	آي لايك ايفري ثنغ.
أرجوكم طعاماً بسيطا ساذجاً .	Please cook a simple meal.	بليزكك أ سمبل ميل.
المضيف :طيب، هل عندك معرفة	**Host :** O.K. Are you familiar	او كيه .آر يو فيميلير
بالطرق وأرقام الأوتوبيس .؟	with the bus routes?	وِد دَ بس روتس؟
الضيف :نعم، قليلا ، وإن كانت مشكلة	**Guest :** Yes, I know some. But in case of	يس،آى نو سم .بت ان كيس اوف
فسآخذ سيارة أجرة .	any problem, I will take a taxi. I think,	ايني بروبلم ، آي ول تيك أ تاكسى.
يجب أن أتأهب الآن .	I should get ready now.	آي ثنك ،آى شد غت ريدى ناو.

(في المساء)

المضيف :كيف كان يومك ؟	**Host :** How was your day?	هاو واز يور ديه؟
الضيف :كان جيداً ولكن كان متعباً .	**Guest :** It was good but hectic.	ات واز غد بت هكتك.
المضيف :لعلك تعبان ؟	**Host :** Tired?	تايرد؟

يس ، آيل غو تو بيد ارلى.	**Guest** : Yes, I'll go to bed early.	الضيف :أي واه . سأذهب للنوم مبكرا .
يس شيور،ليتس هيف دنر فرست.	**Host** : Yes sure. Let's have dinner first.	المضيف : أي نعم، تفضل دعنا نتعشى أولاً .

(على المائدة)

اتس أ ريل فيست. يو شدنت	**Guest** : It's a real feast. You (shouldn't)	الضيف:إنّك يا سيدي رتّبتَ مأدبة فاخرة .
هيف بريبيرد سو مينى دشز.	have prepared so many dishes.	كان يجب أن لا تجهّز هذه الألوان الكثيرة .
اتس نثنغ متش .	**host** : It's nothing much.	المضيف :ليس هذا بشيء كثير .
بليز هيلب يور سيلف.	Please help yourself.	تفضل خذ .
دَ تشكن لكس فيري ابيتايزنغ.	**Guest** : The chicken looks very appetizing.	الضيف :الدجاج يزيد الشهية للطعام .
تيك دال اند فجيتيبلس اولسو.	**Host** : Take dal and vegetables also.	المضيف :خذ العدس والخضر أيضا .
دويو لايك بورى اور تشباتي.	Do you like puri or chapati?	وماذا تفضّل، الخبز المقلي أو السائج؟
تشباتى بليز.	**Guest** : Chapati, please.	الضيف :الخبز السائج ؟
رايس؟	**Host** : Rice?	المضيف :والرز؟
آيل تيك رايس ليتر.	**Guest** : I'll take rice later.	الضيف :شكرا. سآخذه فيما بعد .
وودیو باس سم سالت بليز؟	Would you pass some salt please?	ممكن أن تعطيني الملح من فضلك .
هير يو آر .	**Host** : Here you are.	المضيف :تفضل .
بليز هيف سم مور تشكن.	Please have some more chicken.	خذ من فضلك مزيداً من الدجاج .
جست أ لتل بليز.	**Guest** : Just a little please.	الضيف :أعطني قليلاً جدا .
آر يو دايتنغ ؟	**Host** : Are you dieting?	المضيف :لعلك تنحمى؟
او نو! ايكتشويلى،آي هيف ايتن	**Guest** : Oh no! Actually, I have eaten very well.	الضيف :لا، بالمرة ، في الحقيقة
فيرى ويل . د فود از ريلى دليشيس.	The food is really delicious.	أكلت كثيرا .والطعام لذيذ حقا .
ثينك يو،تيك د دزرت.	**Host** : Thank you, take the dessert.	المضيف :شكرا . خذ الحلوى .
وات از ات؟	**Guest** : What is it?	الضيف :ما هي؟
آيس كريم .	**Host** : Ice cream.	المضيف :بوظة .
آيس كريم از ماي ويكنيس.	**Guest** : Ice cream is my weakness.	الضيف :البوظة من حلاوي المفضلة .
واى سو لتل؟ تيك سم مور.	**Host** : Why so little? Take some more.	المضيف :لماذا هذا القليل؟ خذ المزيد .
نو ثينكس . آي ايم ريلى فل.	**Guest** : No thanks, I am really full.	الضيف : لا، شكرا، أنا أكلت كثيرا
وود يو لايك سم تى اور كوفى؟	**Host** : Would you like some tea or coffee.	المضيف :تريد شاياً ، أو قهوة؟
نو، آي اوايد ديت ات نايت .	**Guest** : No, I avoid that at night.	الضيف :لا، لا أشرب . أيّ شي ء منهما في الليل
آي وونت بي ايبل تو سليب دين.	I won't be able to sleep then.	فلو شربت ذلك فلا يمكنني النوم طوال الليل .
او.كيه. يور بيد از ريدى	**Host** : O.K. Your bed is ready,	المضيف :طيب، إن فراشك جاهز .
إن كيس يو وانت توريست ناو.	in case you want to rest now.	فاذهب ، للاستراحة إن شئت الآن .
يس!آفتر أ شورت وايل.	**Guest** : Yes, after a short while.	الضيف :نعم، بعد قليل .

(قبل النوم)

دو يو نيد ايني ثنغ؟	**Host** : Do you need anything?	المضيف :هل تحتاج إلى شيء ما؟
نثنغ،ثينكس.	**Guest** : Nothing, thanks.	الضيف :لا يا سيدي، شكرا .

المضيف :طيب، فاستريح إذاً . **Host** : Alright, please take rest then. اول رايت،بليز تيك ريست دين،
تصبحون على خير Good night. غد نايت

احتفال بيوم الميلاد (أ برث ديه بارتي) At Birthday Party

(يحتفل السيد سعيد والسيدة مديحة بيوم ميلاد بنتهما ريم ويصل السيد راشد وزوجته ببنتهما مُنى)

مُنى :(وهي تقدّم الهدية) **Muna** : (*giving the gift*) Happy Birthday Reem! هيبى برث ديه ريم.
ميلادكِ مبروك يا ريم .

ريم : شكرا يا مُنى . **Reem** : Thank you Muna. ثينك يو مُنى.

زوجة راشد : أعاد الله مثل هذا اليوم عاماً بعد عام **Rashid's wife** : Many happy returns ميني هيبي ريترنز
وأنت سعيدة ومبتهجة . of the day Reem. اوف د ديه ريم .

ريم : شكرا لك يا عمتي . **Reem:** Thank you, auntie. ثينك يو آنتي.

زوجة راشد: تهانئ حارة عطرة . **Rashid's wife** : (*To saeed*) Congratulations! كونغريتشوليشنز.

سعيد : شكرا جزيلا . **Saeed** : Thank you very much, ثينك يو فيري متش،
تفضلوا بالجلوس . please be seated. بليز بى سيتد.

(يأتي الآخرون من الضيوف ويهنئون ريما وأبويها)

مديحة: (للضيوف) تفضلوا، **Madeeha** : (*to the guest's*)
تناولوا شيئا من الحاجة الباردة . Please have cold drinks. بليز هيف كولد درنكس.

ريم : قد أتت جميع صديقاتي يا أبي . **Reem** : Papa, all my friends have come. بابا! اول ماي فريندزهيف كم.
هل أقطع الكعكة الآن؟ Can I cut the cake now? كان آي كت د كيك ناو؟

سعيد : نعم، ادعى أمك و **Saeed:** All right. Call your Mummy and اول رايت .كول يور ممى اند
جميع الضيوف إلى المائدة all the guests to the table. اول دَ غيستس تو د تيبل.

ريم : أرجو الجميع أن يأتوا **Reem:** Everybody, please come to the table. ايفري بدي، بليز كم تو د تيبل.
إلى المائدة من فضلكم .

مديحة: ريم، تعالى هنا . خذي هذا السكين **Madeeha** : Reem come here, ريم كم هير،
واقطعي الكعكة بيدك . take this knife and cut the cake. تيك دس نايف اند كت دكيك.

(تقطع ريم الكعكة وكلهم يصفقون ويغنون أغنية يوم الميلاد)

سعيد : جيد جدا ، كلوا الآن هذا . **Saeed** : Very good, now eat this. فيري غد، ناو ايت دس.

مديحة :يا ريم وزّعي قطع الكعكة هذه بين الجميع؟ **Madeeha** : Reem give these cake ريم غف ديز كيك
pieces to everybody. بيسز تو ايفرى بدى.

ريم : أريد أن ألعب يا أبي . **Reem** : Papa, I want to play games now. بابا ، آي وانت تو بليه غيمز ناو.

سعيد : أيّ لعبة تريدين؟ **Saeed** : What games do you want to play? وت غيمز دو يو وانت تو بليه؟

ريم : الغمضية والكراسى الموسيقية . **Reem** : Hide and Seek and Musical Chairs. هايد اند سيك اند ميو زيكل تشيرز.

سعيد : طيب . اذهبوا . **Saeed** : All right. Let's go. اول رايت .لتس غو .

مديحة: وفي تلك الأثناء أضع **Madeeha** : I will lay the table in the meantime. آي ول ليه دَ تيبل ان د مين تايم.
الطعام على المائدة .

مديحة: تعالي ريم، ادعي الآن	**Madeeha :** Reem come. Call your friends	ريم كم، كو ل يور فريندز فور
صديقاتك للطعام .	for food now. (*To other guests*)	فود ناو.
(للضيوف الآخرين) تفضلوا، الطعام جاهز .	Please come for food.	بليز كم فور فود.

(تأتي ريم والأطفال الآخرون يهربون)

ريم : تمتعنا كثيرا يا أمي .	**Reem :** Mummy, we had a lot of fun.	ممّى، وي هيد أ لوت أوف فن.
مُنى : (لأمّها) يا أمّي إنّي فزت بالجائزة	**Muan :** (*to her mother*) Mummy I won the	ممّى،آى ون دَ
الأولى في الغمضية .	first prize in Hide and Seek.	فرست برايز ان هايد اند سيك.
الطفلة الأخرى: إنّي فزت بالجائزة الأولى في الكراسي	**Another child :** I won the first	آي ون د فرست
الموسيقية .	prize in the Musical Chairs.	برايز ان د ميو زيكل تشيئرز.
مديحة: عظيم . والآن تعالوا كلوا شيئاً .	**Madeeha :** Wonderful! Come and eat	وندر فل ! كم اند ايت
	something now.	سم ثنغ ناو.
السيدة عاتكة: هذا الملبن لذيذ جدا .	**Mrs. Atika :** Madeeha, this	مديحه،دِس
من أين جلبتم ؟	malban is very nice.	ملبن از فيري نايس .
	Where did you buy it from?	وير دد يو باي ات فروم؟
مديحة: من محل أبو حمزة .	**Madeeha :** From Abu Hamzah sweets.	فروم ابو حمزه سويتس.
السيدة حفصة: الشطيرة	**Mrs. Hafsa :** Your sandwiches are	يور سيندويتشزآر
عندكم أيضا لذيذة للغاية .	also very tasty.	اولسو فيرى تيستى.
مديحة: شكرا من فضلك خذي المزيد منها.	**Madeeha :** Thank you, please have some more.	ثينك يو ،بليز هيف سم مور.

(بعد انتهاء الحفلة)

زوجة غانم : شكرا يا سعيد	**Mrs. Ghanim :** Thank you Saeed. We really	ثينك يو سعيد. وي ريلي
تمتعنا جدا . والآن نستأذنكم .	enjoyed ourselves. O.K. bye.	انجوايد اور سلفز اوكيه باى.
سعيد : أشكركم على زيارتكم يا غانم .	**Saeed :** Thank you for coming	ثينك يو فور كمنغ
مع السلامة .	Mr. Ghanim. Bye.	مستر غانم. باى
مُنى : ريم، كانت حفلتكم جيدة .	**Muna :** Reem, your party was very	ريم يور بارتي واز فيري
والآن إنّي ذاهبة وإلى اللقاء .	nice. Bye.	نايس باي.
ريم : شكرا يا منى. مع السلامة!	**Reem :** Thank you Muna. Bye.	ثينك يو مُنى باي!
ريم : يا امّى ممكن أن أفتح الآن هداياي؟	**Reem :** Mummy, can I open my gifts now?	ممّى كان آي اوبن ماي غفتس ناو؟
مديحة: نعم افتحي .	**Madeeha :** Yes, you can.	يس،يو كان.
ريم : تفضل يا أبي دعنا نفتح الهدايا .	**Reem :** Come Papa, let's open the gifts.	كم بابا، ليتس اوبن د غفتس.

At the Bus Stop (ات د بس استوب) في موقف أوتوبيس

الشخص الأول : (للثاني) اسمح لي، من	**A Man :** (*to another*) Excuse me. Where can I	اكسكيوز مي ويركان آي
أين أجد أوتوبيس للبوابة الكبيرة؟	get a bus to Bawwaba Kabeera?	غت أ بس تو بوابة كبيرة؟
الشخص الثاني : انتظر هنا . كثير من أوتوبيسات	**Second Man :** Wait here. Many buses	ويت هير. ميني بسز

تذهب إلى البوابة الكبيرة من هنا .	from here go to Bawwaba Kabeera.	فروم هير غو تو بوابة كبيرة.
الشخص الأول: شكرا ، كم وقتا يُستغرق	**First Man :** Thank you, how long	ثينك يو . هاو لونغ
في الوصول إلى البوابة الكبيرة؟	does it take to reach Bawwaba Kabeera?	دز ات تيك تو ريتش بوابة كبيرة؟
الشخص الثاني: حوالى ١٥ دقيقة .	**Second Man :** About 15 minutes.	اباوت ففتين منتس.
الشخص الأول: متى تأتي الأوتوبيس المقبلة ؟	**First Man :** When will the next bus come?	وين ول د نيكست بس كم؟
الشخص الثاني: صعب أن أقول .	**Second Man :** Difficult to say. It may come	دفيكلت تو سيه .ات ميه كم ان
قد تأتي في خمس دقائق وقد لا تأتي	in five minutes or it may not come	فايف منتس اورات ميه نوت كم
في مدة خمس وعشرين دقيقة .	come for another twenty-five minutes.	فور اندر تونتي فايف منتس.
الشخص الأول: إنّ حالة المسافرين بالأوتوبيس	**First Man :** The condition of bus	د كنديشن اوف بس
في القاهرة سيئة جدا .	passengers in Cairo is very bad.	بسنجرس ان كيرو از فيرى بيد.
الشخص الثاني: صدقت، لا يراعي	**Second Man :** You are right. Here nobody	يو آر رايت. هير نو بدى
أحد قوانين المرور هنا . والسفر	cares for the traffic rules. Travelling	كيرز فور د تريفك رولز. تريفلنغ
بأوتوبيس يصبح أصعب يوماً فيوما .	by buses is getting harder day by day.	باي بسز ازغتنغ هاردر ديه باي ديه.
الشخص الأول: ولكن العامة	**First Man :** Yes, but common people	يس ، بت كومن بيبل
ليس لهم أيّ بديل آخر .	have no other alternative.	هيف نو ادر الترنيتيف.
الشخص الثاني: نعم، نحن مضطرون ولا مفرّ لنا.	**Second Man :** Yes, we are helpless.	يس ،وي آر هيلب ليس.
ولو أن عدد السيارات قد كثرفي الأيام	Although the number of buses has	الدو د نمبر اوف بسز
الأخيرة ولكن عدد المسافرين	increased in the past years, the number of	هيز انكريزد ان دَ باسٹ ايرز. د نمبر
أيضا ازداد أضعافا مضاعفة .	passengers has increased far more.	اوف بسنجرس هيز انكريزد فارمور.
لشخص الأول : وحادثات المرور أيضا تتزايد يوميا .	**First Man :** Road accidents	رود ايكسيدنتس آر
	are on the increase too.	أون د انكريز تو.
لشخص الثاني: كل واحد يسوق بصورة	**Second Man :** Everybody drives carelessly.	ايفري بدي درايفز كيرلسلي.
طائشة . والإنسان في شوارع المدن	Life is really insecure	لايف از ريلي انسكيور.
الكبيرة غير آمن .	on the roads in big cities.	أون د رودس ان بغ سيتيز.
لشخص الأول : أي واه، حقا. وهنا تأتي	**First Man :** Yes, that's true. A bus is coming.	يس، ديتس ترو. أ بس از كمنغ .
أوتوبيس . هل تذهب هي إلى البوابة الكبيرة .	Will it go to Bawwaba Kabeera?	ول ات غو تو بوابة كبيرة؟
لشخص الثاني: نعم، تذهب اركبها بسرعة .	**Second Man :** Yes, it will. Get in quickly.	يس ات ول .غت ان كويكلي.

At the Railway Station (ات د ريلويه استيشن) على محطة السكة الحديدية

لمسافر : في أيّ ساعة يصل القطار للقاهرة؟	**Passenger :** When does the Cairo Mail come?	وين دز د كيرو ميل كم؟
لكاتب : في الساعة السابعة.	**Clerk :** At seven o'clock.	ايت سيفن او كلوك.
لمسافر: ومتى يقوم للقاهرة؟	**Passenger :** When does it leave for Cairo?	وين دز ات ليف فور كيرو؟
لكاتب :في السابعة والنصف .	**Clerk :** At seven thirty.	ات سيفن ثرتي.
مسافر: من أيّ رصيف ؟	**Passenger :** From which platform please?	فروم وتش بلات فورم بليز؟
كاتب: من الرصيف رقم ٤	**Clerk :** Platform No. 4.	بلات فورم نمبر فور.
مسافر: من أين أجد التذكرة؟	**Passenger :** From where can I buy the ticket, please?	فروم وير كان آي باي د تكت بليز؟

الكاتب: من الشباك رقم ٣ — **Clerk :** From window number 3. — فروم وندو نمبر ٣.

المسافر: شكرا جدا. — **Passenger :** Thank you. — ثينك يو.

At the Ticket Window (ات د تكت وندو) على شباك التذاكر

المسافر: أعطني تذكرة للقاهرة من فضلك. — **Passenger :** A ticket to Cairo please. — أ تكت تو كيرو بليز.

الكاتب: من أيّ درجة ولأيّ قطار؟ — **Clerk :** Which class? What train? — وتش كلاس؟ وات ترين؟

المسافر: لقطار القاهرة من الدرجة الثانية. — **Passenger :** Second class, Cairo Mail. — سكند كلاس، كيرو ميل.

كم النول؟ — How much? — هاومتش؟

الكاتب: خمسة دولارات. — **Clerk :** Five dollars. — خمسة دولارات.

المسافر: شكرا. — **Passenger :** Thank you. — ثينك يو.

At the Platform (ات د بلات فورم) على الرصيف

المسافر الأول: (للثاني) كم الساعة؟ — **Passenger :** (*to another*) What is the time, please? — وات از د تايم بليز؟

المسافر الثاني: الساعة السابعة إلا الربع. — **Second Passenger :** 6 :45. — (٦:٤٥) سكس فورتي فايف.

المسافر الأول: بقيت خمس عشرة دقيقة. — **First Passenger :** Fifteen minutes left. — ففتين منتس ليفت.

هل القطار يأتي في الميعاد؟ — Is the train on time? — از دَ ترين أون تايم؟

المسافر الثاني: أعتقد إنه في الميعاد لأنه — **Second Passenger :** I think so. — آي ثنك سو.

لم يعلن أيّ شيء عن تأخيره؟ — They haven't announced any delay. — ديه هيفنت اناو نسد ايني دليه.

المسافر الأول: في أيّ ساعة يصل — **First passenger :** What time does — وات تايم دز

ذلك إلى القاهرة؟ — it reach Cairo? — ات ريتش كيرو؟

المسافر الثاني: في الساعة الخامسة والنصف — **Second Passenger :** 5:30 in the morning, — ٥:٣٠ ان د مورننغ، اف ات

صباحا، إذا كان في الميعاد. ولكنه كان — if it is on time. — از أون تايم. لاست تايم

متأخرا بست ساعات في المرة الأخيرة. — Last time it was six hours late. — ات واز سكس آورس ليت.

المسافر الأول: نعم، لا شيء مؤكد. — **First passenger :** Yes, you can never be sure. — يس يو كان نيفر بي شيور.

المسافر الثاني: ممكن أن تراقب أمتعتي؟ — **Second Passenger :** Could you please keep — كد يو بليز كيب أين آي أون ماي

أنا أذهب لشراء مجلة لقضاء — an eye on my luggage? I'll soon be back — لغيج؟ آيل سون بى بيك ود أ

الوقت في السفر وسأرجع بسرعة. — with a magazine to pass time in the journey. — ميغزن تو باس تايم ان د جرني.

المسافر الأول: نعم، لا مشكلة. — **First Passenger :** Yes, no problem. — يس، نو بروبلم.

In a Party (ان اَ بارتي) في حفلة

(هذه حفلة عرس لطارق وأبواه السيد هشام والسيدة ثروة يستقبلان الضيوف)

أحد الضيوف: تهانئ طيبة. — **A Guest :** Congratulations. — كونغريشوليشنز.

السيدة ثروة: شكرا. وأهلاً وسهلاً. — **Mrs. Tharwah :** Thank you and welcome. — ثينك يو، اند ويل كم.

الضيف الآخر: أين العروس والعريس؟ — **Another guest :** Where are the newly-weds? — وير آر د نيو لي ويدز؟

السيدة ثروة: هناك في القاعة. — **Mrs. Tharwah :** There, in the hall. — دير ان د هال.

كونغريتشو ليشنز طارق.	**A Lady :** Congratulations Tariq.	إحدى الضيوف: تهنئة عطرة يا طارق .
يور برايد از ريلى لفلى.	Your bride is really lovely.	عروسك جميلة حقًا .
ثينك يو اونتى.	**Tariq :** Thank you auntie.	طارق : شكراً يا عمتي .

(الضيوف يتحدثون فيما بينهم)

هلو مستر حسن . هاو آر يو ؟	**Mr. Jafar :** Hello, Mr. Hasan. How are you?	السيد جعفر: مرحبا السيد حسن. كيف حالكم؟
فاين، ثينك يو .	**Mr. Hasan :** Fine, thank you.	السيد حسن: طيب، شكراً .
مستر جعفر، اند يو؟	Mr. Jafar, and you ?	وكيف أنت السيد جعفر ؟
فاين . وير از مسز حسن؟	**Mr. Jafar :** Fine. Where is Mrs. Hasan?	السيد جعفر: أنا بخير. أين السيدة رقية؟
شي از نت ان تاون. شى هيز غون تو	**Mr. Hasan :** She isn't in town. She has gone	السيد حسن :إنها ليست هنا. ذهبت إلى
الكزند ريه تواتيند هر سسترز ويد نغ.	to Alexandria to attend her sister's wedding.	الإسكندرية لحضور زواج أختها .
ايفن آي ايم ليفنغ تو نايت.	Even I am leaving tonight.	إني أيضا مسافر الليلة .
او آي سى . يس دس از	**Mr. Jafar :** Oh I see.Yes, this is	السيد جعفر: نعم، هذه أيام الزواجات .
د ميرج سيزن	the marriage season.	
هلو هنا. لونغ تايم نو سى؟	**Muna :** Hello Hana. Long time no see?	مُنى : مرحباً يا هناء . لم أرك منذ طويل؟
لونغ تايم ريلى. هاو آر يو؟	**Hana** : Long time really. How are you?	هناء : أي واه، قد مرّ زمن، كيف أنت؟
فاين .وير آر سمير اند تشلدرن؟	**Muna :** Fine. Where are Sameer and children?	مُنى : أنا بخير. أين السيد سمير والأولاد.
سمير از اراوند بت دَ تشلدرن آر	**Hana :** Sameer is around but the children	هناء : هو موجود هنا . والأطفال
هيفنغ دير اغزامز.	are having their exams.	في البيت لأن امتحانهم قريب .
سو ديه آرات هوم.	So they are at home.	
او آي سى! وين ول دَ	**Muna :** Oh, I see! When will the	مُنى : طيب. ومتى ينتهي الامتحان؟
اغزامز بى اوفر؟	exams be over?	
او ن دَ توينتى فرست.	**Hana :** On the twenty first.	هناء : في اليوم الحادي والعشرين.
هاو از يور سن سعيد ؟	How is your son Saeed?	وكيف ابنكم سعيد؟ هل هو
هيزهى ادجستد ان د هوستل؟	Has he adjusted in the hostel?	كيّف نفسه في مهجع المدرسة؟
يس، هي هيز ادجستد فيرى ويل.	**Muna :** Yes, he has adjusted very well.	مُنى : نعم، وإنه فرح جدا هناك . ومع
بت هي فيلز أ لتل هوم سك ايت	But he feels a little homesick	ذلك إنه يذكر البيت أحيانا .
تايمز. آي تو مس هم فيرى متش.	at times. I too miss him very much.	وإنّي أيضا أذكره جدا .
ديتس بت نيتشورل.	**Hana :** That's but natural.	هناء : ذلك أمر طبيعي .
هلو هناء!	**A Lady :** Hello Hana.	إحدى السيدات : مرحباً يا هناء!
هاى أسماء! هاو آر يو ؟ هير، ميت	**Hana :** Hi Asma. How are you?	هناء : مرحباً يا أسماء .كيف حالك؟
مُنى كامل،اند مُنى،	Here, meet Muna Kamil. And Muna,	تعالي قابلي مُنى كامل .
دس از أسماء هادي.	this is Asma Hadi.	وهي أسماء هادي يا مُنىٰ.
هلو!	**Muna :** Hello!	مُنى : مرحباً.
هلو!	**Asma :** Hello!	سماء : مرحباً .
بيوتى فل نيكلس !	**Hana :** (*To* Asma) Beautiful necklace!	هناء : (لأسماء) ما أجمل العقد!

هل هو جديد؟	Is it new?	از ات نيو؟
أسماء : نعم إنه جديد أعطتنيه أمي.	**Asma :** Yes, my mother gave it to me.	يس ماي مدر غيف ات تو مي.
مُنىٰ : دعينا نجلس .	**Muna:** Come, let us sit down.	كم ليت اس ست داون.
هنا : أي واه، نذهب .	**Hana :** Yes, let's go.	يس، ليتس غو.
السيدة سكينة:(للنادل) عندي زكام .	**Mrs. Sakina :** (*to the waiter*) I have a cold.	آي هيف أكولد.
هل يوجد أيّ شيء حار؟ أيّ شوربة؟	Is there something hot? Some soup?	از دير سم ثنغ هوت؟سم سوب؟
النادل : نعم يا مادام .	**The waiter :** Yes madam,	يس ميدم ،
سأجلب لك الشوربة .	I'll get soup for you.	آيل غت سوب فور يو
السيد زبير : نعم، فيا شعيب كيف تجرى أعمالك؟	**Mr. Zubair :** So Shuaib, how is business?	سو شعيب هاو از بز نس؟
السيد شعيب : على ما يُرام .	**Mr. Shuaib :** Well, so-so.	ويل ،سو سو.
السيد زبير : هناك تنافس شديد في السوق .	**Mr. Zubair :** There is a cut throat	دير از اكت ثروت.
	competition in the market.	كمبتيشن ان دَ ماركيت .
السيد شعيب : نعم، قد وردت كثير	**Mr. Shuaib :** Yes, many new products have been	يس مينى نيو برودكتس هيف بين
من المنتجات الجديدة . ولكن مع ذلك إنَّ	launched. But quality still sells.	لانتشد بت كوايلتى استل سلز.
المستهلك يفضّل المنتوجات ذات الجودة .		
السيد زبير: أي نعم .	**Mr. Zubair :** Yes, of course.	يس ،اوف كورس.
السيد حسن : ماذا يعمل ابن السيد هشام؟	**Mr. Hasan :** What does Mr. Hisham's son do?	وت دز مستر هشامز سن دو؟
السيد زبير :هو محاسب قانوني .	**Mr. Zubair :** He is a Chartered Accountant.	هي از أ تشارترد اكا ونتينت.
السيد حسن: أين يشتغل؟	**Mr. Hasan :** Where does he work?	وير دز هي ورك؟
السيد زبير: في صناعات النيل ، كما أعتقد .	**Mr. Zubair :** In the Nile Industries, I think.	ان دَ نايل اندستريز آي ثنك.
السيد حسن:طيب. الولد ذكيّ حقاً .	**Mr. Hasan :** I see. The boy is really bright.	آي سى . د بواى از ريلى برايت.
السيد هشام : إنّي أعتقد أنكم تمتعون أنفسكم.	**Mr. Hisham :** (*to the guests*) Hope you	هوب يو آر انجوايننغ
خذوا من فضلكم مزيداً من	are enjoying yourselves.	يور سلفز. بليز هيف سم
المأكولات والمشروبات .	Please have some more drinks and snacks.	مور درنكس اند اسنيكس؟
السيد شعيب : شكراً . تناولنا كثيرا .	**Mr. Shuaib :** Thank you, we have had enough.	ثينك يو، وي هيف هيد انف .
إن ترتيباتكم جيدة جدا .	The arrangement is very good.	د ارنجمنت از فيرى غد.
السيدة ثروة :شكراً. أرجوكم أن	**Mrs. Tharwa :** Thank you very much. Nobody	ثينك يو فيرى متش. نو بدى
لاتغادروا بدون الأكل .	should go without having food please.	شد غو وداوت هيفنغ فود، بليز.

(على مائدة الطعام)

السيد خليل : الطعام لذيذ جداً .وخاصة	**Mr. Khalil :** The food is very nice. Specially	د فود از فيرى نايس .اسبيشلى
الألوان التي أعدّت باللحم .	the nonveg is superb.	د نون فيج از سوبرب .
يا ترى من هم الذين تولّوا تقديمه!	I wonder who are the caterers!	آي وندر هو آر د كيترزر.
السيد زبير: سأسأل السيد هشام إني أريد أن	**Mr. Zubair :** I will ask Mr. Hisham.	آي ول آسك مستر هشام . آي ود
أدعو هؤلاء الرجال	I would like to engage the same caterers for	لايك تو انغيج دَسيم كيترزز فور
بمناسبة زواج بنتي .	my daughter's wedding.	ماي داوترز ويدنغ.

وين از د ميرج؟	**Mr. Jafar :** When is the marriage?	السيد جعفر:ومتى موعد الزواج؟
أون دتوينتى ففت مارتش.	**Mr. Zubair :** On the 25th of March.	السيد زبير:يوم ٢٥ مارس .
ديرا ز استل انف تايم.	**Mr. Jafar :** There is still enough time.	السيد جعفر:فهناك وقت كاف .
يس بت ديز بيبل	**Mr. Zubair :** Yes, but these people are	السيد زبير:نعم هناك وقت، ولكن هولاء
آر بكد هيفيلى ان ادفانس.	booked heavily in advance.	الناس يتم الاكتتاب معهم سلفاً قبل الموعد بكثير .
ثينك يو.	**Mr. Hisham :** Thank you.	السيد هشام:شكراً .
	Mrs. Tharwa : (*to Mrs. Khalil*)	السيدة ثروة :(لزوجة السيد خليل)
دد يو هيف فود؟	Did you have food?	هل أكلتم الطعام؟
او يس، ات واز ديليشيس.	**Mrs. Khalil :** Oh yes, it was delicious!	زوجة السيد خليل:نعم . الطعام لذيذ جداً .
او كيه مستر هشام .	**Mr. Zubair :** O.K. Mr. Hisham.	السيد زبير:طيب ، مع السلامة
باي ،غد نايت	Bye, good night.	يا هشام، تصبحون على خير .
باي غد نايت.	**Mr. Hisham :** Bye, good night.	السيد هشام : إلى اللقاء، تصبحون على خير .

Talking on the Phone (تاكنغ أون د فون) محادثة على التلفون

(فى البيت)

هلو ! از ديت٧١٠٩٢١٢ .	**Muna :** Hello, is that 7109212?	مُنى : آلو ، هل هناك رقم ٧١٠٩٢١٢ .
يس!	**Suad :** Yes.	سُعاد : نعم!
ميه آي اسبيك تو نادية، بليز؟	**Muna :** May I speak to Nadia, please?	مُنى : ممكن أن أتكلم مع نادية؟
نادية ازنت اراوند.	**Suad :** Nadia isn't around.	سُعاد : نادية غير متواجدة في البيت .
هو از اسبيكنغ، بليز؟	Who is speaking, please?	من يتكلم ؟
مُنىٰ كامل.	**Muna :** Muna Kamil.	مُنى : مُنى كامل .
مُنى آيم سعاد ناديا ز سستر.	**Suad :** Muna, I'm Suad, Nadia's sister.	سُعاد : يا منى، أنا سعاد أخت نادية.
نادية از آوت شوبنغ ود ممّى.	Nadia is out shopping with Mummy.	ذهبت نادية مع الأم للتسوق .
كان آي تيك أ ميسيج فور هر؟	Can I take a message for her?	هل هناك أيّ رسالة لها؟
كد يو بليز آسك هرتو كول	**Muna :** Could you please ask her to call	مُنى : هل يمكنك أن تقولي لها،
مي ايز سون أيز شي از بيك.	me as soon as she is back?	عندما جاءت ، أن تتصل بي؟
او. كيه دز شي هيف يور نمبر؟	**Suad :** O.K. Does she have your number?	سُعاد : هل عندها رقم تلفونك؟
بليز نوت ات داون.	**Muna :** Please note it down.	مُنى : اكتبى من فضلك .
آي ايم كو لنغ فروم انكلز.	I am calling from Uncle's.	إنى أتكلم من بيت عمي .
جست أ مومنت ،يس بليز.	**Suad :** Just a moment, yes please.	سُعاد : دقيقة، نعم، قولي
ات از ٦٨٢١٥١٥ .	**Muna :** It is 6821515.	مُنى : ٦٨٢١٥١٥ .
ات از ٦٨٢١٥١٥ ، از ديت رايت؟	**Suad :** It is 6821515, is that right?	سُعاد : كتبت ٦٨٢١٥١٥ . صحيح؟
يس ثينك يو سعاد، باى.	**Muna :** Yes, thank you Suad, bye.	مُنى : نعم، شكراً يا سعاد . مع السلامة

(2)

هلو از ديت ٢٢٤١٢٩١ ؟	**Rashid :** Hello, is that 2241291?	راشد :آلو، هناك رقم ٢٢٤١٢٩١؟

سعيد : نعم، قل من فضلك من يتكلم؟	**Saeed :** Yes, who is speaking, please?	يس هو از اسبيكنغ بليز؟
راشد : أنا راشد، ممكن أن أتكلم مع سعيد؟	**Rashid :** Rashid. Can I speak to Saeed, please?	راشد. كان آي اسبيك تو سعيد بليز؟
سعيد : مرحباً يا راشد، أنا سعيد .	**Saeed :** Hi Rashid, Saeed here.	هاى راشد، سعيد هير.
راشد : أهلاً يا سعيد، ماذا يجري؟	**Rashid :** Hi Saeed, what's up?	هاى سعيد ،واتس اب؟
سعيد : لا شيء، إنّي في حالة الملل والسآمة . .	**Saeed :** Nothing much, just getting bored..	نثنغ متش ،جست غيتنغ بورد.
راشد :ما رأيك في مشاهدة فيلم؟	**Rashid :** What about going to a movie?	وات اباوت غوينغ تو أ موفى؟
سعيد : فكرة جيدة . أيّ فيلم؟	**Saeed :** Not a bad idea.Which one?	نوت أ بيد آيديا. وتش ون؟
راشد : هناك فيلم إنجليزي جديد على مسرح على بابا. يمكننا أن نشاهده .	**Rashid :** There is a new English movie at Ali Baba. We can see that.	دير از أ نيو انجلش موفى ات علي بابا، وي كان سى ديت.
سعيد : ولكن التذاكر؟	**Saeed :** But what about the tickets?	بت وات اباوت د تكتس؟
راشد : لا تقلق. سأجلب تذكرتين للمساء .	**Rashid :** Don't worry about that. I'll get the tickets for the afternoon show.	دونت ورى اباوت ديت. آيل غت دَ تكتس فور دَ آفتر نون شو.
سعيد : عظيم . فاين أقابلك ؟	**Saeed :** Great! Where should I meet you then?	غريت ! ويرشد آي ميت يو دين؟
راشد : في الردهة في الساعة الثالثة بالضبط .	**Rashid :** In the lobby, at 3 o'clock sharp.	ان د لوبى، أيت ثرى اوكلوك شارب.
سعيد : حتمياً ، سأكون هناك في الموعد .	**Saeed :** Sure, I'll be there on time.	شيور، آيل بى دير أون تايم.
راشد : طيّب نراكم، إلى اللقاء .	**Rashid :** See you then, bye.	سى يو دين ، باى.

(3)

(يرن جرس التلفون لمكتب شركة بنغازي للنسيج وتلتقط الكاتبة السماعة)

الشخص الذى اتصل : آلو، هل هناك برايم انترنا سيونال؟	**Caller :** Hello, is that Prime International?	هلو ،از ديت برايم انتر نيشنل؟
الكاتبة : آسفة ، نمرة غلط .	**Operator :** Sorry, wrong number.	سورى، رونغ نمبر.

(يتصل مدير المواد السيد سهيل على الهاتف الداخلي)

السيد سهيل : آلو ، نادية .	**Mr. Suhail :** Hello Nadiah.	هلو نادية.
الكاتبة : نعم، يا سيدي؟	**Operator :** Yes sir.	يس سير؟
السيد سهيل : اتصلي بشركة الرمادي للكيماويات أريد أن أتكلم مع مدير التسويق السيد صالح الكوتي .	**Mr. Suhail :** Please get me Ramadi Chemicals. I want to speak to the marketing manager, Saleh Alkuti.	بليز غت مي رمادى كيميكلز. آي وانت تو اسبيك تو دَ ماركتنغ مينجر صالح الكوتى.
الكاتبة :آلو، هل هناك الرمادي لكيماويات؟	**Operator :** Hello, is that Ramadi Chemicals?	هلو! از ديت رمادى كيميكلز؟
الموظف : نعم،	**Receptionist :** Yes please.	يس بليز.
الكاتبة :ممكن أن أتكلم مع مدير التسويق السيد صالح الكوتي .	**Operator :** Can I speak to Mr. Saleh Alkuti, the marketing manager, please?	كان آي اسبيك تو مستر صالح الكوتى د ماركيتنغ منيجربليز؟
الموظف: من فضلك تقولين من يريد أن يتكلم؟	**Receptionist :** May I know who is calling please.	ميه آي نو هو از كولنغ بليز؟
الكاتبة : السيد سهيل من شركة	**Operator :** Mr. Suhail from Benghazi Textiles.	مستر سهيل فروم

بنغازى تكستايلز.		بنغازي للنسيج.
بليز هولد اون(تو مستر صالح)	**Receptionist :** Please hold on.	الموظف : دقيقة من فضلك .(ويقول للسيد صالح)
سير مستر سهيل فروم بنغازى	(*to Mr. Saleh*) Sir, Mr. Suhail from	سيّدي، إن السيد سهيل من شركة
تكستا يلز. وانتس تو اسبيك تو يو.	Benghazi Textiles wants to speak to you.	بنغازي يريد أن يتكلم معك .
او كيه، بت هم ثرو.	**Mr.Saleh :** O.K. Put him through.	السيد صالح:طيب، وصّل .
هلو صالح، سهيل هير.	**Mr.Suhail :** Hello Saleh, Suhail here.	السيد سهيل : آلو، مرحباً يا صالح،
وات اباوت أور اوردر	What about our order	هنا سهيل .ماذا حصل
اوف كيميكلز اند دايز؟	of chemicals and dyes?	لطلبنا للكيماويات والأصباغ ؟
يو ول غت ديم تو مورو	**Mr.Saleh :** You will get them tomorrow,	السيد صالح :سيصل إليكم غداً حتماً .
ودآوت فيل.	without fail.	

(يرنّ الجرس مرة أخرى)

هلو! از ديت بنغازى تكستايلز؟	**Caller :** Hello, is that Benghazi Textiles?	شخص ما : آلو،هل هناك شركة بنغازي للنسيج؟
يس.	**Operator :** Yes.	الكاتبة : نعم.
كان آي اسبيك تو	**Caller :** Can I speak to	الشخص: ممكن أن أتكلم مع كاتب السر للمدير العام؟
د بى ايه تو جى ايم، بليز؟	the P.A. to G.M., please?	
هو از اسبيكنغ، بليز؟	**Operator :** Who is speaking, please?	الكاتبة : من فضلك تقول من يتكلم؟
احمد جاسم فروم اسبيس	**Caller :** Ahmed Jasim from Space	الشخص: أنا أحمد جاسم من
سوفت وير اندستريز .	Software Industries.	اسبيس سوفت وير اندستريز .
بليز هولد اون..	**Operator :** Please hold on. (*To the P.A.*)	الكاتبة : دقيقة من فضلك .
هلو، مستر شاكر، كو ل فور يو.	Hello, Mr. Shakir, call for you.	(لكاتب السر) آلو السيد شاكر، هاتف لكم .
هلو، شاكر هير.	**Mr. Shakir :** Hello, Shakir here.	السيد شاكر : آلو، هنا شاكر.
مستر شاكر غد مورننغ .	**Caller :** Mr.Shakir, good morning.	الشخص: صباح الخير السيد شاكر. أنا أحمد جاسم من
آي ايم احمد جاسم فروم اسبيس	I am Ahmed Jasim from	اسبيس سوفت وير اندستريز .أريد موعداً
سوفت ويراندستريز .آي وانت	Space Software Industries. I want an	مع السيد المدير العام .
ان ابواينت منت ود د جى ايم بليز.	appointment with the G.M., please.	
وين دو يو وانت تو سى هم؟	**Mr. Shakir :** When do you want to see him?	السيد شاكر :متى تريد أن تقابله؟
اف بوسيبل تومورو	**Caller :** If possible, tomorrow	الشخص:غداً، في الساعة الحادية
ايت اليفن ثر تى ان دَ مورننغ.	at 11:30 in the morning.	عشرة والنصف ، إذا أمكن .
سورى. تومورو د جى ايم از آوت	**Mr. Shakir :** Sorry.	السيد شاكر: آسف. إن المدير العام يكون
اوف تاون .ازتوينتى ففت	Tomorrow the G.M.is out of town.	خارج المدينة غدا . هل يناسب
ايت فور بى ايم او كيه.	Is 25th at 4 pm O.K.?	يوم ٢٥ في الساعة الرابعة مساء ؟
اول رايت ثينك يو مستر شاكر.	**Caller :** All right. Thank yor Mr. Shakir.	الشخص:طيب. مناسب . شكراً سيد شاكر .

(يرنّ الجرس مرة أخرى)

هلو، بنغازى تكستايلز، غد آفتر نون.	**Operator :** Hello Benghazi Textiles, good afternoon.	الكاتبة : آلو، هنا شركة بنغازي،
		مساء الخير.
غد آفتر نون .	**Caller :** Good afternoon.	الرجل : مساء النور ، ممكن أن أتكلم
كان آي اسبيك تو د جى ايم، بليز؟	Can I speak to the G.M., please?	مع المدير العام؟

الكاتبة : هل تقول من فضلك، من يتكلم؟	**Operator :** May I know who is speaking, please?	ميه آي نو هو از اسبيكنغ، بليز.
الرجل :م. أنور من شركة صباح انترناسيونال.	**Caller :** M. Anwar from Sabah International..	م. انور فروم صباح انتر نيشنل.
الكاتبة : متأسفة يا سيدي ، إن المدير	**Operator :** Sorry sir, the G.M.	سورى سير، د جى ايم
في اجتماع في هذه الساعة .اتصل من	is busy in a meeting right now.	از بزى ان أ ميتنغ رايت ناو.
فضلك بعد الساعة ٣ مساء .	Could you please call after 3 p.m.?	كد يو بليز كول آفتر ثرى بى ايم؟

(بعد الساعة الثالثة)

أنور : آلو شركة بنغازي؟	**Anwar :** Hello, is that Benghazi Textiles?	هلو، از ديت بنغازى تيكستايلز؟
الكاتبة : نعم، أيّ خدمة؟	**Operator :** Yes please, can I help you?	يس بليز،كان آي هيلب يو؟
أنور : ممكن أن أتكلم مع السيد المدير العام؟	**Anwar :** Can I speak to the G.M., please?	كان آي اسبيك تو د جى ايم، بليز؟
الكاتبة : من فضلك تقول من يتكلم؟	**Operator :** Who is speaking, please?	هو از اسبيكنغ، بليز؟
أنور :م .أنور من شركة صباح انترناسيونال.	**Anwar :** M. Anwar from Sabah International..	م .انور فروم صباح انتر نيشنل.
الكاتبة :دقيقة، (للمدير العام) يا سيدي،	**Operator :** Please hold on. *(To the G.M.)*	بليز هولد أون .
إن السيد م . أنور من شركة صباح	Sir, Mr. M. Anwar from Sabah	سير مستر م .انور فروم صباح
انترناسيونال يريد أن يتكلم معك .	International wants to speak to you.	انتر نيشنل وانتس تو اسبيك تو يو.
المدير العام: نعم وصّله .	**G.M. :** Yes. Put him through.	يس ،بت هم ثرو.
الكاتبة: السيد أنور،	**Operater :** Yes sir. Mr. Anwar, the G.M.	يس سير، مستر .أنور، دَ
إن المدير العام متواجد على الخط .	is on the line please.	جى ايم از أون د لاين، بليز.
أنور :آلو، مساء الخير يا سيدى.أنا أنور	**Anwar :** Hello, Good afternoon sir, Anwar here.	هلو غد آفتر نون سير، أنور هير.
المدير العام:مرحباً أنور، كيف حالكم؟	**G.M. :** Hello Anwar. How are you?	هلو انور،هاو آر يو؟
أنور : بخير، شكراً، أريد أن أحيطكم علما بأن الإرسالية	**Anwar :** Fine, thank you sir.	فاين، ثينك يو سير. آي وانت تو
من ألمانيا قد تم إرسالها .	I want to inform you that the consignment	انفورم يو ديت د كنسايمنينت فروم
وستصل هنا في حوالي ١٥ يوما .	from Germany has been sent.	جرمنى هيز بين سنت .ات شد بى
	It should be here in about 15 days time.	هير أن اباوت ففتين ديز تايم.
المدير العام: شكراً يا أنور.	**G.M. :** Thank you, Anwar. That's a good news.	ثينك يو انور. ديتس أ غد نيوز.
هذا خبر سار . ومتى نقابل؟	So when do I see you?	سو وين دوآي سى يو؟
أنور : هل آتي إليكم غدا صباحاً؟	**Anwar :** Can I come tomorrow morning?	كان آي كم تو مورو مورننغ؟
المدير العام:أفضل أن تأتي غدا	**G.M. :** 4 O'clock in	فور او كلوك ان
في الساعة الرابعة مساء .	the afternoon will be better.	د آفتر نون ول بى بيتر.
أنور : حسن ، سأصل هناك في الموعد .	**Anwar :** O.K. I will be there. Bye sir.	او كيه، آي ول بى دير ، باي سير
المدير العام:طيب، مع السلامة .	**G.M. :** Bye, see you.	باى، سى يو.

First Day at the Campus (فرست ديه ات د كيمبس) أول يوم في الجامعة

(نالت ريم القبول في السنة الأولى من بكالوريوس. وهذا أول يوم لها في الجامعة)

ريم : (لبنت) اسمحي، قولي من فضلك	**Reem :** *(To a girl)* Excuse me, where should	اكسكيوز مى، وير شد
أين يمكن أن أرى جدول المواعيد؟	I look for the time table, please?	آي لوك فور د دتايم تيبل، بليز؟

البنت : على لوحة الإعلانات في ذلك الرواق ..	**Girl :** On the notice board in that corridor..	أون د نوتس بورد ان ديت كو ريد ور.
ريم : شكرا .	**Reem :** Thank you.	ثينك يو.
ريم : (لصديقتها) مرحباً سعاد!	**Reem :** *(to her freind)* Hello, Suad!	هلو سعاد.
سعاد : مرحبا ريم، كيف أنت؟	**Suad :** Hi Reem. How are you?	هاى ريم! هاو آر يو ؟
ريم : بخير، وكيف أنت؟	**Reem :** Fine and you?	فاين اند يو؟
سعاد : أنا أيضا بخير، قابلي مريم .	**Suad :** Fine, here meet Meryam.	فاين هيرميت مريم.
و يا مريم، هذه ريم .	And Meryam, this is Reem.	اند مريم، دس از ريم.
مريم : مرحباً.	**Meryam :** Hi.	هاي!
ريم : مرحباً.	**Reem :** Hi.	هاي!
مريم : هل أنت في السنة الأولى يا ريم؟	**Meryam :** Are you also in the first year, Reem?	آر يو اولسو ان د فرست اير، ريم؟
ريم : نعم، وأنت أيّ منهج تتابعين؟	**Reem :** Yes, what course are you doing?	يس، وات كورس آر يو دوينغ؟
مريم : أنا أتابع منهج الاختصاص في الانجليزية..	**Meryam :** I am doing English Honours..	آي ايم دوينغ انجلش اونرز.
ريم : وأنت يا سعاد؟	**Reem :** And you Suad?	اند يو سعاد؟
سعاد : التجارة؟	**Suad :** Commerce. What about you?	كومرس. وات اباوت يو؟
ريم : أنا في بكالوريوس، منهج عام بمواد الإنجليزية والجغرافيا والتاريخ .	**Reem :** I am doing pass-course with English, Geography and History.	آي ايم دو ينغ باس كو رس ود انجلش ،جيوغريفى اند هسترى.
مريم : هل أنت كتبت جدول المواعيد؟	**Meryam :** Have you noted down the time table?	هيف يو نوتد داون د تايم تيبل؟
ريم : لا، كنت ذاهبة لذلك .	**Reem :** No, I was going to.	نو آي واز غوينغ تو.
سعاد : تعالي، نذهب معاً .	**Suad :** Come, let's go together.	كم،ليتس غو توغيدر.

(يلاحظن الجدول وأرقام فصولهن)

ريم : أنا في الجزء أيه . وحصتي الأولى في الغرفة رقم ٣.	**Reem :** I am in section A. And my first period is in room number three.	آي ايم ان سيكشن أيه . اند ماي فرست بيريد از ان روم نمبر ثرى.
سعاد : ولي في الغرفة رقم ١٠	**Suad :** Mine is in room number ten.	ماين از ان روم نمبر تين.
مريم : وحصتي الأولى فاضية .	**Meryam :** I'm free in the first period.	آي ايم فرى ان د فرست بيريد.
ريم : طيب . نقابل يا مريم فيما بعد، إلى اللقاء..	**Reem :** O.K. Meryam, see you later, bye..	او كيه مريم. سى يو ليتر. باى.
تعالي سعاد نمشي إلى فصولنا .	Come, Suad let's go to our classes.	كم سعاد ليتس غو تواور كلاسز.
سعاد : (لبنت) اسمحي، أين تكون الغرفة رقم ١٠.	**Suad :** *(to a girl)* Excuse me.	اكسكيوز مي .
	Where is the room number ten please?	ويراز د روم نمبر تين بليز؟
البنت : في الدور الأول .	**The girl :** It is on the first floor.	ات از أون د فرست فلور.
سعاد : شكراً.	**Suad :** Thank you.	ثينك يو.
ريم : وأين تكون الغرفة رقم ٣؟	**Reem :** And room number three please?	اند روم نمبر ثرى بليز؟
البنت : هناك، في الرواق .	**The girl :** There, in that verandah.	ديران ديت فيرانده.
ريم : شكرا .طيب يا سعاد .	**Reem :** Thank you. O.K. Suad.	ثينك يو . او كيه سعاد.
سعاد : مع السلامة، نراكم يا ريم .	**Suad :** Bye Reem, see you.	باي ريم، سى يو .
ريم : (على باب إحدى الغرف)	**Reem :** *(at the door)* May I come in Ma'am.	ميه آي كم إن مَيم؟

		ممكن أن أدخل يا سيدتي .
يس كم ان. واتس يور	**Lecturer :** Yes come in. What's your	المدرسة: نعم، ادخلي، مارقم جلوسك؟
رول نمبر بليز؟	Roll number please?	
ون فورتي فايف ميم.	**Reem :** One forty five ma'am.	ريم : مائة وخمسة وأربعون مادام .
ون فورتي فايف !	**Lecturer :** *(surprised)* One forty five.	المدرسة: (باستعجاب) مائة وخمسة وأربعون؟
وتش كلاس؟	Which class?	أيّ فصل؟
بى أيه فرست اير.	**Reem :** B.A.first year.	ريم : بي.أيه . السنة الأولى .
او! آي سى! بت دس	**Lecturer :** Oh, I see! But this	المدرسة: هذا هو الأمر .
از بى أيه فاينل .	is B.A.final.	ولكن هذا فصل السنة النهائية .
او آي ايم سورى ميم ! آي كيم	**Reem :** Oh, I am sorry ma'am. I came to the	ريم : آسفة .كنت على خطأ . جئت
تو د رونغ روم باي مستيك.	wrong room by mistake.	إلى الغرفة الأخرى .
نيفر مايند. وتش روم	**Lecturer :** Never mind. Which room	المدرسة: لا بأس . أيّ غرفة تريدين؟
نمبر آر يو لكنغ فور ؟	number are you looking for?	
روم نمبر ٣ .	**Reem :** Room No.3.	ريم : الغرفة رقم ٣ .
غو تو ثرد روم فروم د	**Lecturer :** Go to the third room from the	المدرسة: اذهبي إلى الغرفة الثالثة من الطرف
آدر اند اوف دس فيرانده .	other end of this verandah.	الآخر لهذا الرواق .
او ثينك يو ، فيرى متش ميم.	**Reem :** Oh thank you very much ma'am.	ريم : شكراً لك جزيلاً ما دام .

A Boy Talks to a Girl (أبواى تاكس تو أ غرل) حوار بين ولد و بنت

هاى ريم!	**Muna :** Hi Reem!	مُنى : مرحباً يا ريم!
هاى مُنى ! هاو آر يو؟	**Reem :** Hi Muna. How are you?	ريم : مرحباً، مُنى، كيف أنت؟
فاين.	**Muna :** Fine.	مُنى : طيبة .
هلو مُنى!	**Saeed :** Hello Muna.	سعيد : مرحبا منى!
هاى سعيد لونغ تايم نو سى.	**Muna :** Hi Saeed, long time no see.	مُنى : أهلاً يا سعيد . لم أركم منذ طويل .
يس ،آي واز آوت اوف استيشن.	**Saeed :** Yes, I was out of station.	سعيد : نعم.كنت خارج المدينة .
هاو از ايفرى ثنغ ؟	How is everything?	وكيف الأحوال ؟
فاين! هيرميت ماي فريند ريم.	**Muna :** Fine. Here meet my friend Reem.	مُنى : كل شيء على ما يُرام . وهذه صديقتي ريم.
هيلو!	**Saeed :** Hello.	سعيد : أهلاً يا ريم!
هاى!	**Reem :** Hi!	ريم : مرحبا .
آر يو نيو هير؟	**Saeed :** Are you new here?	سعيد : هل أنت حديثة هنا؟
يس،آي جوايند لاست ويك اونلى.	**Reem :** Yes, I joined last week only.	ريم : نعم دخلت في الأسبوع الماضي فقط .
ارلير آي واز ات عجمان .	Earlier I was at Ajman.	وقبل ذلك كنت في عجمان .

(ينادي أحد مُنى وهي تذهب)

اكسكيوز مى.	**Muna :** Excuse me.	مُنى : اسمحوا لي .
وات كورس آر يو دوينغ ريم؟	**Saeed :** What course are you doing Reem?	سعيد : أيّ منهج تعملين يا ريم؟

ريم : منهج عام. أنا في السنة الثانية .	**Reem :** Pass Course, I am in Second Year.	باس كورس،آى ايم ان سيكند اير.
سعيد : أيّ مواد تدرسين؟	**Saeed :** What are your subjects?	وت آر يو رسبجيكتس؟
ريم : الإنجليزية ، التاريخ، الاقتصاد	**Reem :** English, History and Economics.	انجلش ،هسترى اند ا كونومكس.
وماذا تفعل يا سعيد؟	What are you doing Saeed?	وات آر يو دوينغ سعيد؟
سعيد : أنا في السنة النهائية من بكالوريوس التجارة .	**Saeed :** I am in B.Com Final.	آي ايم ان بى كوم فاينل.
وكيف وجدت مدينة القاهرة يا ريم؟	How do you like Cairo, Reem?	هاو دو يو لايك كيرو ريم؟
ريم : مدينة جيدة ولكنها متعبة .	**Reem :** O.K. But a bit too hectic.	اوكيه بت أ بت تو هكتك.
سعيد : إنّي زرت عجمان .مدينة جيدة ولكنها بطيئة	**Saeed :** I have been to Ajman.	آي هيف بين تو عجمان .
شيئاً ما .	Nice city, but a little dull I think.	نايس سيتى بت أ لتل دل آي ثنك.
ريم : ولكن في القاهرة أجد الضجيج والجلبة	**Reem :** Well I find Cairo too noisy.	ويل آي فايند كيرو تونوايزى.
للغاية والحياة هنا سريعة جدا .	Life here is real fast.	لايف هير از ريلى فاست.
سعيد : ستتعودين على ذلك سريعاً .	**Saeed :** Soon you will get used to it.	سون يو ول غت يوزد تو ات.
ريم : نتوقع كذا (يدق الجرس) عندي فصل .	**Reem :** I hope so. (*the bell rings*) I have	آي هوب سو. آي هيف أ
إلى اللقاء يا سعيد .	a class. O.K. bye Saeed.	كلاس .اوكيه باي سعيد
سعيد : إلى اللقاء، نراكم .	**Saeed :** Bye, see you.	باى، سى يو.

(يلتقى سعيد و ريم مرة أخرى)

سعيد : مرحبا يا ريم!	**Saeed :** Hi Reem!	هاى ريم!
ريم : مرحبا ، كيف أنتم؟	**Reem :** Hi! How are you?	هاى! هاو آر يو؟
سعيد : بخير وكيف أنتم؟	**Saeed :** Fine and you?	فاين اند يو؟
ريم : أنا أيضا بخير، شكرا .	**Reem :** Fine, thanks.	فاين ،ثينكس.
سعيد : أين ذاهبة؟	**Saeed :** Where are you going?	وير آر يو غوينغ؟
ريم : في الحقيقة أنا فاضية في هذه الحصة .	**Reem :** Actually, I'm free in this period.	ايكتشويلى آيم فرى ان دس بيريد.
كنت أفكر ماذا أفعل؟	I was just wondering what to do?	آي واز جست وندرنغ وت تودو.
سعيد : أنا ذاهب إلى المطعم . تذهبين؟	**Saeed :** I was going to the canteen.	آي واز غوينغ تو د كينتين ؟
ريم : لا مانع .	**Reem :** O.K.	اوكيه.

(في المطعم)

سعيد : ماذا تفضلين ؟	**Saeed :** What do you like,	وت دو يو لايك،
الكوك أو شيء آخر ؟	coke or something else?	كوك اور سم ثنغ ايلس؟
ريم : الكوك جيد .	**Reem :** Coke is fine.	كوك از فاين.
سعيد : ها هو ذا .	**Saeed :** Here you are.	هير يو آر.
ريم : شكراً .	**Reem :** Thanks.	ثينكس .
سعيد : أين تسكنين يا ريم؟	**Saeed :** Where do you live Reem?	وير دو يو لف ريم؟
ريم : في شارع محمد علي . وأنت؟	**Reem :** In Mohd. Ali street. And you?	ان محمد على استريت اند يو؟
سعيد : في شارع النيل .هل تكونين فاضية في	**Saeed :** In Nile Road.	ان نايل رود. آر يو موستلى
الحصة الخامسة في معظم الأحيان؟	Are you mostly free in the fifth period?	فرى ان د ففت بيريد؟
ريم : نعم في معظم الأحيان إلا يوم	**Reem :** Yes mostly, except on Friday	يس موستلى !ايكسيبت أون

الجمعة . لأن هناك حصة الإنشاء والتمرين في يوم الجمعة . وإنّي أريد الذهاب الآن . وشكرا على كوك .

when we have tutorials. فراى ديه وين وي هيف

I have to go now. تيوتوريلز . آي هيف تو غو ناو.

Thanks for the coke Saeed. Bye. ثينكس فور د كوك سعيد، باى.

سعيد : إلى اللقاء . **Saeed :** Bye, see you. باي، سى يو.

(سعيد وريم أمام المكتبة)

سعيد : مرحبا يا ريم! هل تجيئين من المكتبة؟ **Saeed :** Hi Reem! Coming from the library? هاى ريم! كمنغ فروم دَ لا يبريرى؟

ريم : أي نعم، كيف حالك؟ **Reem :** Yes! How are you? يس ! هاو آر يو؟

سعيد : جيد، ماذا برنامجكم في يوم الأحد المقبل؟ **Saeed :** Fine. Reem, what are you doing this Sunday? فاين . ريم، وات آر يو دوينغ دس سنديه.

ريم : لا شيء مهم ، ولماذا تسأل؟ **Reem :** Nothing special, why? نتنغ اسبيشل، واى؟

سعيد : نحن الأصدقاء نفكر في مشاهدة الفيلم يوم الأحد . هل تريدين أن ترافقينا . **Saeed :** We friends are planning to see a movie this Sunday. Want to join us? وي فريندز آر بلاننغ تو سى أ موفى دس سنديه. وانت تو جواين اس؟

ريم : أيّ فيلم؟ **Reem :** Which movie? وتش موفى؟

سعيد : لم نحدّد بعد . من المحتمل أن يكون ذلك الفيلم الإنجليزي الجديد الذى يعرض على مسرح علي بابا . **Saeed :** We haven't decided yet. Maybe the new English movie on Ali Baba. وي هيفنت دسايدد يت. ميه بى د نيو انجلش موفى أون علي بابا.

ريم : كم شخصا سيذهبون؟ **Reem :** How many persons are there? هاو مينى برسنس آر دير؟

سعيد : خمسة أشخاص . ولدان اثنان وثلاث بنات . مُنى أيضا تذهب . **Saeed :** Five, two boys and three girls. Muna is also coming. فايف، تو بوايز اند ثرى غرلز. مُنى از اولسو كمنغ.

ريم : ممكن أن آخذ صديقة لي معي؟ **Reem :** O.K. Can I bring a friend along? اوكيه. كان آي برنغ أ فريند الو نغ؟

سعيد : بكل سرور . **Saeed :** Yes, of course. يس ،اوف كورس.

ريم : كم أدفع للتذاكر؟ **Reem :** How much for the ticket? هاو متش فور د تكت؟

سعيد : سآخذ النقود بعد شراء التذاكر . **Saeed :** I'll take the money after we buy the tickets. آيل تيك د منى آفتر وي باي د تكتس.

ريم : طيب . سوف نراكم ، إلى اللقاء . **Reem :** Fine. See you soon. Bye, Saeed. فاين -سى يو سون- باي سعيد

سعيد : مع السلامة يا ريم . **Saeed :** Bye, Reem. باي ،ريم.

Booking a Room in a Hotel (بكنغ أ روم ان أ هوتل) حجز غرفة في الفندق

زبير : صباح الخير! **Zubair:** Good morning! غد مورننغ!

الموظف: صباح النور يا سيدي! أيّ خدمة؟ **Receptionist :** Good morning, sir. What can I do for you? غد مورننغ،سير . وات كان آي دو فور يو؟

زبير : إنّي أريد غرفة . **Zubair :** I want a room. آي وانت أ روم.

الموظف : غرفة بسرير أو بسريرين؟ **Receptionist :** Single or double? سنغل اور دبل؟

زبير : ماهي أجرة الغرفة بسرير . **Zubair :** Single. What are your charges? سنغل .وات آر يور تشارجز؟

تو هندريد اند ففتى روبيز	**Receptionist :** Two hundred and fifty rupees	الموظف : مئتان وخمسون
بر ديه.	per day.	دولارا فقط يوميا .
يور ريتس آر فيرى هاى .اونلي	**Zubair :** Your rates are very high. Only	زبير : سعركم عال جدا .في الشهر الماضي
لاست منث آي بيد ون سيفنتي	last month I paid one seventy five	دفعت مائة وخمسة وسبعين
فايف فور أ سنغل روم.	for a single room.	دولارا لغرفة بسرير.
هاو مينى ديز	**Receptionist :** How many days	الموظف: كم يوما تريد أن تقيم يا سيدي؟
دويو وأنت تو استيه سير؟	do you want to stay, sir?	
تو ديز.	**Zubair :** Two days.	زبير : يومين .
اور رومز آر فيرى نايس، سير.	**Receptionist :** Our rooms are very nice, sir.	الموظف : إن غرفنا ممتازة .
اينى هاو، فور يو آيل ميك	Anyhow for you, I'll make	وعلى كل إنّي أجعلها مائتين
ات تو هندريد بر ديه.	it two hundred per day.	ليوم واحد خاصة لك .
اول رايت. وت از د تشيك آوت تايم.	**Zubair :** Alright. What is the check-out time?	زبير :طيب . ما موعد الخروج؟
تويلف او كلوك .	**Receptionist :** 12 o' clock.	الموظف: الساعة ١٢ ظهراً .
بليز فل ان يور برتى كولرز	Please fill in your particulars	من فضلك اكتب تفاصيل عنك
اون دس بيج اند ساين هير.	on this page and sign here.	على هذه الصفحة ووقّع عليها .
دو يو هيف روم سرفس؟	**Zubair :** Do you have room service?	زبير : هل عندكم الخدمة في الغرف؟
يس سير!	**Receptionist :** Yes sir!	الموظف : أي نعم يا سيدي .
اند كان يو ارينج	**Zubair :** And can you arrange	زبير : وهل تقومون بترتيبات الجولة والنزهة
ترانسبورت فور أ لوكل تور؟	transport for a local tour?	في المدينة .
يس سير وي آر ان تتش	**Receptionist :** Yes sir, we are in touch	الموظف : نعم. يوجد لنا اتصال بمختلف
ود مينى تو ر ايجنسيز. ديه اولسو	with many tour agencies.	الوكالات السياحية .إنّهم يعطون الخصم أيضا
غِف اور كلاينتس دسكاونت.	They also give our clients discounts.	لزبائننا .
او كيه كد يو بليز ويك مي اب	**Zubair :** O.K. Could you please	زبير : طيب . وهل من الممكن أن توقظوني في
ات سكس ان د مورننغ؟	wake me up at six in the morning?	الساعة السادسة صباحاً ؟
يس شيور ! يور كيز سير، روم	**Receptionist :** Yes sure. Your keys sir, room	الموظف : نعم حتميا . هذه مفاتيحك .
نمبر ايتى فايف أون دَ سكند فلور	number eighty five on the second floor.	وغرفتك رقم ٨٥ في الدور الثاني .
ثينك يو.	**Zubair :** Thank you.	زبير : شكراً .
هيف أ نايس استيه سير!	**Receptionist :** Have a nice stay sir!	الموظف : إقامتك سعيدة .

مقابلة مع ناظر المدرسة للقبول في المدرسة (ان انترويو فور د شايلدز ايدميسيون)
An Interview for the Child's Admission

(يدخل الوالدان مكتب الناظر ومعهما بنتهما)

غد مورننغ سير.	**Father :** Good morning, sir.	الوالد : صباح الخير ، ياسيدي .
غد مورننغ. بليز ست داون.	**Principal :** Good morning, please sit down.	الناظر : صباح النور، تفضل ، اجلس .
آي ايم احمد كامل. ماى وايف ليلىٰ	**Father :** I am Ahmed Kamil. My wife Laila.	الوالد : أنا أحمد كامل وهذه قرينتي ليلىٰ.

الناظر : ماذا تفعل ياسيد كامل؟	**Principal :** What do you do, Mr. Kamil?	وات دو يو دو مستر كامل؟
الوالد : أنا مدير مساعد في شركة المخصبات الوطنية .	**Father :** I am an assistant manager in National Fertilizers.	آي ايم أن اسستنت منيجر ان نيشنل فرتيلايزرز.
الناظر : ما هي مؤهلاتكم؟	**Principal :** What are your qualifications?	وات آر يور كوايلى فيكيشنز؟
الوالد : أنا ماجستير في الكيمياء .	**Father :** M.Sc. Chemistry.	ايم ايس سى كيمسترى.
الناظر : والسيدة ليلىٰ ماذا شغلك ؟	**Principal :** And you, Mrs. Laila, what do you do?	اند يو مسز ليلىٰ،وت دو يو دو؟
الوالدة: أنا ربة البيت .	**Mother :** I am a housewife.	آي ايم أ هاؤس وايف.
الناظر : ماهي مؤهلاتكِ؟	**Principal :** What are your qualifications?	وات آر يور كوايلى فيكيشنز؟
الوالدة: أنا بكالوريوس العلوم .	**Mother :** I am a B.Sc.	آي ايم أ بى ايس سى .
الناظر : من يدرّس البنت في البيت؟	**Principal :** Who teaches the child at home?	هو تيتشز د تشايلد ات هوم؟
الوالد : نحن كلينا .	**Father :** Both of us.	بوث اوف اس.
الناظر : كم وقتا تقضي يوميا مع البنت ، السيد كامل؟	**Principal :** How much time do you spend with the child Mr. Kamil.	هاو متش تايم دو يو اسبيند ود د تشايلد ،مستر كامل .
الوالد : ساعتين يوميا على الأقل . ارجع من المكتب في الساعة ٦ تقريباً فألعب مع مُنىٰ وأدرّسها من الساعة ٦:٣٠ إلى ٨:٣٠ .	**Father :** At least two hours daily. I come back from office around 6 o'clock in the evening. From 6:30 to 8:30 I play with Muna and teach her.	ات ليست تو اورس ديلى. آي كم بيك فروم اوفس اراوند سكس او كلوك ان د ايفننغ ،فروم سكس ثرتى تو ايت ثرتى آي بليه ود مُنىٰ اند تيتش هر.
الناظر :حسن، وأنت السيدة ليلىٰ؟ متى تدرّسينها؟	**Principal :** I see. And you Mrs. Laila, when do you teach her?	آي سى. اند يو مسز ليلىٰ وين دو يو تيتش هر؟
الوالدة: بعد الظهر في معظم الأحيان عندما أنتهي من أعمال البيت .	**Mother :** Mostly in the afternoon. After I'm free from the household chores.	موستلى ان د آفتر نون .آفتر آيم فرى فروم د هاوس هولد تشورز.
الناظر : لماذا تريدان قبول بنتكم في هذه المدرسة بالذات؟	**Principal :** Why do you want to admit your child here?	واى د ويو وانت تو ايدمت يور تشايلد هير؟
الوالدة: لأن سمعتها طيبة بجانب كونها قريبة من بيتنا .	**Mother :** This school has a very good reputation. Besides it is close to our house.	دس اسكول هيز أ فيرى غد ريو تيشن بسايدز ات از كلوز تو اور هاوس.

(يتكلم الناظر مع البنت مُنىٰ)

الناظر : ما اسمك يا بنت؟	**Principal :** What's your name child?	واتس يور نيم تشايلد؟
مُنىٰ : مُنى كامل.	**Muna :** Muna Kamil.	مُنىٰ كامل .
الناظر : وما اسم أبيك؟	**Principal :** And your father's name?	اند يور فادرز نيم؟
مُنىٰ : السيد أحمد كامل	**Muna :** Mr. Ahmed Kamil.	مستر احمد كامل.
الناظر : أين تسكنين؟	**Principal :** Where do you live?	ويردو يو لِف؟
مُنىٰ : رقم ٤٣، شارع أبو نواس .	**Muna :** 43, Abu Nuwas Road.	٤٣ انو نواس رود.
الناظر : هل تعرفين جداول الضرب ؟	**Principal :** Do you know tables?	دو يو نو تيبلز؟
مُنىٰ : نعم، من اثنين إلى عشرة .	**Muna :** Yes, two to ten.	يس، تو تو تين.
الناظر : هل تحفظين أيّ قصيدة شعرية؟	**Principal :** Do you know any nursery rhyme?	دو يونو اينى نرسرى رايم؟
مُنىٰ : نعم، كثيرا منها .	**Muna :** Yes, many.	يس، مينى.

لناظر : أسمعيني واحدة.	**Principal :** Recite one.	رسايت ون.

(تنشد البنت قصيدة للأطفال)

لناظر :(وهو يريها صورة) ما هذا؟	**Principal :** *(Showing a picture)* What is this?	وات از دس؟
نى : ايروبلين (طائرة) .	**Muna :** An aeroplane.	اين ايرو بلين.
لناظر : أتقولين لي كل حروف هجاء الكلمة؟	**Principal :** Can you spell the word?	كان يو اسبل د ورد؟
نى : نعم. (تقول البنت الحروف الهجائية)	**Muna :** Yes.	يس.
لناظر : قولي متى تلبسين الملابس الصوفية؟	**Principal :** O.K. tell me when do you wear woollen clothes?	او كيه تيل مي وين دو يو ويروولن كلودس؟
نى : في الشتاء.	**Muna :** In winter.	ان ونتر.
ناظر : ماذا تأخذين معك عندما تخرجين من البيت في المطر؟	**Principal :** What do you carry when you go out in rain?	وات دو يو كيرى وين يو غو آوت ان رين؟
نى : أمبريلا (مظلة)	**Muna :** Umbrella.	امبريلا.
ناظر : كم لونا لأضواء المرور؟	**Principal :** How many colours are there in a traffic light?	هاو مينى كلرز آر دير ان أ تريفك لايت ؟
نى : ثلاثة .	**Muna :** Three.	ثرى.
ناظر: ما هي ؟	**Principal :** Name them.	نيم ديم.
نى : أحمر و أصفر وأخضر؟	**Muna :** Green, yellow and red.	غرين ، يلو اند ريد.
ناظر : ماذا يعني اللون الأخضر لحركة المرور؟	**Principal :** What does green mean for traffic?	وات دز غرين مين فو تريفك؟
نى : امش .	**Muna:** Go.	غو.
ناظر : ماذا يعني اللون الأحمر؟	**Principal :** And the red.	اند دَ ريد؟
نى : قف .	**Muna :** Stop.	استوب.
ناظر : متى تعبرين الشارع؟	**Principal :** When do you cross the road?	وين دو يو كروس د رود؟
نى : عندما يكون الضوء الأحمر للمرور.	**Muna :** When the light is red.	وين د لايت از ريد.
ناظر : أين تمشين عند عبور الشارع؟	**Principal :** Where do you walk while crossing the road?	ويردو يو واك وايل كروسنغ د رود؟
نى : على المعبر الخاص بالمشاة .	**Muna :** On the zebra-crossing.	أون د زيبرا كروسنغ.
ناظر : جيد، إجاباتها صحيحة أيها السيد كامل . نحن نقبل بنتكم في مدرستنا .	**Principal :** Good! O.K. Mr. Kamil, we will admit your child?	غد! او كيه مستر كامل. وي ول ايدمت يور تشايلد ؟
الد : شكرا يا سيدي .	**Father :** Thank you, sir.	ثينك يو سير.

With the Class Teacher (ود د كلاس تيتشر) محادثة مع معلمة الصف

البنت : مساء الخير السيدة زينب. أنا حفصة أم أحلام . أحلام قالت لي إنك تريدين مقابلتي .	**Mother :** Good afternoon, Mrs. Zainab. I am Hafsa, Ahlam's mother. Ahlam told me, you wanted to see me.	غد آفتر نون مسز زينب. آي ايم حفصة، احلامس مدر. أحلام تو لد مي يو وانتيد تو سى مى.
علمة: نعم، تفضلي ، اجلسي ، هاهي	**Class Teacher :** Yes, please sit down.	يس، بليز ست داون . هير از

احلامس منثلى بروغريس ربورت.	Here is Ahlam's monthly progress report.	ذي نتيجة الفحص الشهري
شي هيز فيلد ان تو سبجكتس.	She has failed in two subjects.	لأحلام، إنها رسبت في مادتين .
يس، شي واز أن ويل	**Mother :** Yes, she was unwell	الأم : إنها كانت مريضة يوم
ديورنغ د ميتس تيست.	during the Maths test.	امتحان الرياضيات .
فاين. بت وت اباوت انجلش؟	**Class Teacher :** Fine, but what about English?	المعلمة:؟ حسن، ولكن ماذا حصل
شي غوت اونلى ثرى ماركس آوت	She got only three marks out	في الإنجليزية انها حصلت على
اوف تين. ان سو شل استديز اولسو،	of 10. In Social Studies also,	٣ من مجموع ١٠ علامات . وأيضا في
شي هيز بيرلي غوت باس ماركس.	she has barely got pass marks.	الدراسات الاجتماعية إنها نجحت بصعوبة .
يس، ايكتشويلى ايفن آيم كوايت	**Mother :** Yes. Actually, even I'm quite	الأم : نعم، وفي الحقيقة أنا أيضا قلقة عنها
وريد اباوت هر، احلام دزنت	worried about her. Ahlam doesn't	إنها لا ترغب في الدراسات .
تيك انترست ان استديز.	take interest in studies.	
آي ثنك شي از كوايت	**Class Teacher :** I think she is quite	المعلمة : أظن أنها ضعيفة جسما وصحتها
ويك فزيكلى.	weak physically.	ليست جيدة .
يس، يو آر رايت. شي اولسو	**Mother :** Yes, you are right. She also	الأم : نعم، صدقت . وهى كثيرا ما تشكو
كمبلينس اوف ا هيدك فيرى اوفن.	complains of a headache very often.	من الصداع .
بليز، غت هر آيز تيستد	**Class Teacher :** Please get her eyes tested	المعلمة : افحصي عيونها فاني لاحظت
آي هيف نوتسد ديت شي از انيبل	I have noticed that she is unable	أنها(أحيانا) لا تستطيع أن
تو ريد د بليك بورد بروبرلى.	to read the blackboard properly.	تقرأ ما يكتب على السبورة .
آي ول تيك هر تو أن آى اسبيشلست	**Mother :** I will take her to an eye	الأم : سأذهب بها اليوم بالذات إلى طبيب العيون
تو ديه ات سيلف. آيل اولسو كنسلت	specialist today itself. I'll also	وأستشيره حول صحتها العمومية أيضا .
دَ دكتور رغاردنغ هر جنرل هيلث.	consult the doctor regarding her general health.	
بسايدس احلام نيدس اكسترا	**Class Teacher :** Besides, Ahlam needs	المعلمة: وبجانب ذلك، أن هناك حاجة لتدريس
كوتشنغ ان ميتس اند انجلش.	extra coaching in Maths and English.	أحلام مادتي الرياضيات والإنجليزية
هو تيشز هر ات هوم؟	Who teaches her at home?	كتدريس خصوصى لها . من يدرّسها في البيت؟
آي دو. بت آي مست ايدمت ديت	**Mother :** I do. But I must admit that	الأم : أنا أدرّسها . ولكنى اعترف بأني
آي ايم نوت فيرى ريغولر.	I am not very regular.	لا أدرّسها بانتظام .
بليز بى ريغولر ان فيوتشر. احلامس	**Class Teacher :** Please be regular in future.	المعلمة: درسيها سيدتي، من اليوم بصفة
هيند رايتنغ ازفيرى بيد. شى	Ahlam's handwriting is very bad.	منتظمة . إن أحلام قبيحة الخط أيضا .
مست بريكتس هيند رايتنغ ات هوم.	She must practise handwriting at home.	يجب أن تتمرن على الخط في البيت .
يس آيل ديفنتلى	**Mother :** Yes, I'll definitely pay more	الأم : نعم، سأولى بها عنايتى الآن حتميا
بيه مور اتينشن تو هر ناو.	attention to her now.	أكثر من ذي قبل .
بليز دو ديت احلام از اين انتلى جينت	**Class Teacher :** Please do that. Ahlam is an	المعلمة: قومى بذلك من فضلك .إن أحلام
اند ويل بهيفد غرل ودأ لتل	intelligent and well-behaved girl . With a	بنت ذكية ومؤدبة.سوف يحصل
افورت شي ول ديفنتلى امبروف.	little effort, she will definitely improve.	التحسن في سير أحوالها بمحاولة يسيرة .
آي ول تراى ماي بست. ثينك يو	**Mother :** I will try my best. Thank you.	الأم : سأحاول بكل ما في وسعي ،
فيرى متش مسز زينب. بليز كيب	very much Mrs. Zainab. Please keep me	السيدة زينب. أشكرك جدا وأرجوك

أن تخبريني عن أحوالها في كل حين وآخر .	informed about her progress.	مي انفورمد اباوت هر بروغريس.
المعلمة: نعم، حتميا .	**Class Teacher :** Yes, of course.	يس ،اوف كورس.
الأم : طيب ، إلى اللقاء، السيدة زينب .	**Mother :** O.K. Bye Mrs. Zainab.	او كيه باي مسز زينب.

الشكاوى — Complaints (كمبلينتس)

انقطاع التيارالكهربائى — Electricity Failure (اليكتريستى فيليور)

السيد هاشم: (على الهاتف)هل ذلك قسم الشكاوى الكهربائية بالمنطقة الغربية؟	**Mr. Hashim :** (*On the phone*) Is that Electricity Complaints, West Block?	از ديت الكتريسيتى كمبلينتس، وست بلوك؟
الموظف :أي نعم .	**Clerk :** Yes.	يس.
السيد هاشم : صباح الخير، أتكلم من نيو كولوني . التيار الكهربائي منقطع في حارتنا منذ ١٠ ساعات ماضية .	**Mr. Hashim :** Good morning, I am speaking from New Colony. There is no electricity in our locality for the last ten hours.	غد مورننغ . آي ام اسبيكنغ فروم نيو كولونى.دير از نو الكتريستى ان اور لو كيلتى فور دَ لاست تن آورز.
الموظف : نعم، قد حدث تعطل ورجالنا مشغولون بالإصلاح .	**Clerk :** Yes, there has been a break down. Our men are at work.	يس ،دير هيز بين أ بريك داؤن. أور مين آر ايت ورك.
السيد هاشم: في كم مدة نتوقع الكهرباء .	**Mr. Hashim :** In how much time should we expect the electricity?	ان هاو متش تايم شد وي ايكسبكت د اليكتريستى؟
الموظف : في خلال مدة ساعة.	**Clerk :** In about an hour.	ان اباوت أن آور.
السيد هاشم : شكرا .	**Mr. Hashim :** Thank you.	ثينك يو.

عطل الهاتف — Telephone Disorder (تيليفون دس اوردر)

السيد علي : (على هاتف شعبي) هل ذلك قسم شكاوى تلفونية بمنطقة القائم؟	**Mr. Ali :** *(calling from P.C.O.)* Is that Telephone Complaints, Al Qaim?	از ديت تيليفون كمبلينتس ،القائم؟
الموظف : أي نعم .	**Clerk :** Yes.	يس.
السيد علي: أتكلم من بناية الحلبي إن هاتفتنا عاطل .	**Mr. Ali :** I am speaking from Halabi Building. Our telephone is out of order.	آي ام اسبكنغ فروم حلبى بلدنغ اور تيليفون از آوت اوف اوردر
لموظف : ما هو رقم هاتفتكم ؟	**Clerk :** What is your telephone number?	وت از يور تيليفون نمبر؟
لسيد علي: ٢٣٣٤٥٧٠٣ أتبيّن لي رقم الشكوى؟	**Mr. Ali :** 23345703. Could you give me complaint number, please?	٢٣٣٤٥٧٠٣ ،كد يو غِف مي كمبلينت نمبر، بليز؟
لموظف : رقمك دى-٧٦	**Clerk :** D-76.	دى -٧٦
لسيد علي : شكرا ، وأرجوك الإصلاح بسرعة.	**Mr. Ali :** Thank you. Please get it repaired fast.	ثينك يو. بليز غت ات ربيرد فاست
لموظف : نعم، نصلحه سريعا .	**Clerk :** Yes, it will be done soon.	يس ،ات ول بى دن سون.

شكوى حول الآلة المختلة — Complaining about a Faulty Gadget (كمبليننغ أباوت أ فالتي غادجت)

لبياع : (للزبونة) صباح الخير، ما دام، أيّ خدمة .	**Salesman :** *(to the customer)* Good morning, madam. Can I help you?	غد مورننغ ميدم كان آي هيلب يو؟
لزبونة : أتيت بشكوى .	**Customer :** Yes, I have a complaint.	يس، آي هيف أ كمبلينت.

يس، بليز.	**Salesman :** Yes, please.	البياع : قولي من فضلك .
آي باوت دس مكسرغرايندر	**Customer :** I bought this mixer-grinder last	الزبونة : اشتريت هذه الخلاطة في
لاست ويك فروم يور شوب.	week from your shop.	الأسبوع الماضي من محلكم
ات دزنت ورك بروبرلى.	It doesn't work properly.	إنها لا تشتغل سويا .
ليت مي سى.	**Salesman :** Let me see.	البياع : دعيني أشوف ما المشكلة؟
وت از دَ بروبلم، ميدم؟	What is the problem, madam?	
د غرايندر ميكس تو متش نوايز اند	**Customer :** The grinder makes too	الزبونة : إن الساحقة تحدث ضجة عالية
دزنت غراند اينى ثنغ فاين.	much noise and doesn't grind	ولا تسحق أيّ شيء دقيقا .
اند دَ بليندردزنت	anything fine. And the blender	والخلاطة أيضا لا تخلط
مكس اينى ثنغ بروبرلى.	doesn't mix anything properly.	أيّ شيء بصورة جيدة .
آي سى. دزات هيف أ غارنتى ؟	**Salesman :** I see. Does it have a guarantee?	البياع: حسن، هل معها ضمان؟
يس، ون اير.	**Customer :** Yes, one year.	الزبونة :نعم، سنة واحدة .
اول رايت، ميدم.	**Salesman :** Alright, madam. Leave the machine	البياع: طيب يا سيدتي اتركي
ليف د مشين وداس. آي ول سيند	with us. I will send it to the company's	الماكينة عندنا نرسلها
ات تو دَ كمبنيز ورك شوب فور ريير.	workshop for repair.	للتصليح إلى المعمل .
كانت يو تشينج د بيس	**Customer :** Can't you change the piece	الزبونة :أيمكنكم تغيير القطعة أو رد النقود؟
اور ريفند د منى؟	or refund the money?	
وي ول تشينج دبيس	**Salesman :** We will change the piece	البياع: نغير القطعة إن لم يمكن إصلاح الخلل
اف د فولت كانت بى ريبرد.	if the fault can't be repaired.	ولكن لا نرد النقود .
بت وي كانت ريفند د منى.	But we can't refund the money.	
وين شد آي كم بيك؟	**Customer :** When should I come back?	الزبونة : متى أجيء؟
نيكست ويك و ينز ديه.	**Salesman :** Next week, Wednesday.	البياع: يوم الأربعاء في الأسبوع المقبل .
اول رايت ،ثينك يو.	**Customer :** Alright. Thank you.	الزبونة : طيب .شكراً .

Complaining about Things in General (كمبليننغ أباوت ثنغس ان جنرل) شكوى عن الأمور العامة

هلو مسز مريم.	**Mrs. Sakina :** Hello Mrs. Meryam.	السيدة سكينة:أهلاً السيدة مريم .
هلو مسز سكينه.	**Mrs. Meryam :** Hello Mrs. Sakina.	السيدة مريم: مرحباً ، السيدة سكينة . كيف أنت؟
هاو آر يو؟	How are you?	
فاين .وير آر يوكمنغ فروم؟	**Mrs. Sakina :** Fine. Where are you coming from?	السيدة سكينة:طيبة . من أين تأتين؟
ماركيت. اند يو؟	**Mrs. Meryam :** Market. And you?	السيدة مريم : من السوق، وأنت؟
آي تو وينت تو ماركيت .غود!	**Mrs. Sakina :** I too went to market. God!	السيدة سكينة: أنا أيضا كنت ذهبت إلى السوق.
هاو ايكس بينسيف د ثنغس هيف بكم!	How expensive the things have become.	يا الله كم ارتفعت الأسعار .
اتس تيريبل ريلى .	**Mrs. Meryam :** It's terrible really.	السيدة مريم: أي نعم، إنه أمر مدهش .والأسعار ترتفع
دَبرايسِز آر شو تنغ اب ايفرى ديه.	The prices are shooting up everyday.	بصورة مستمرة .
اتس هارد تو سرفايف ديز ديز .	**Mrs. Sakina :** It's hard to survive these days.	السيدة سكينة: إن العيش هذه الأيام
هيز يو ر سرفينت ريترند؟	Has your servant returned?	أصبح صعبا . هل عادت خادمك؟
نو، شى از آسكنغ فور	**Mrs. Meryam :** No, she is asking for	السيدة مريم : لا إنها تطلب الزيادة

أ ريزاغين. لاست منث اونلى	a raise again. Last month only	في الأجرة مرة أخرى .
آي انكريزد هر سيلرى.	I increased her salary.	وقد زدت فيها في الشهر الماضي .
نو بدى وانتس تو ورك ديز ديز.	**Mrs. Sakina :** Nobody wants to work	السيدة سكينة: لا أحد يريد أن يعمل في هذه الأيام .
اول ديه وانت از تو	these days. All they want is to	وكلهم يريدون أن يتلقوا النقود أكثر فأكثر.
غت بيد مور اند مور.	get paid more and more.	
يو آر رايت.	**Mrs. Meryam :** You are right.	السيدة مريم :صحيح ما قلت .
او غود! هاو هوت ات از؟	Oh God! How hot it is?	ما أشد الحرّ!
يس! اند توب اوف ات ،	**Mrs. Sakina :** Yes, and on top of it,	السيدة سكينة : نعم . وفوق ذلك إن تيار الكهرباء
نو اليكتريسيتي ا ن اور كولونى.	no electricity in our colony.	منقطع في حارتنا .
ديز باور كتس آر أن بيريبل.	**Mrs. Meryam :** These power cuts are	السيدة مريم: إن انقطاع التيار هذا لا يتحمل . كنت
آي كالد د كمبلينتس	unbearable. I called the complaints	حاولت الاتصال بقسم الشكاوى ولكن
بت نو بدى از لفتنغ دفون	but nobody is lifting the phone.	لا يلتقط السماعة أحد .
ماي فون هيز بين آوت اوف اوردر	**Mrs. Sakina :** My phone has been out of order	السيدة سكينة: إن هاتفي عاطل منذ
فور دلاست ففتين ديز . ماي هسبيند	for the last fifteen days. My husband lodged	١٥ يوما ماضيا. وزوجي قد
لوجد دَكمبلينتس ثرى-فور تايمز	the complaints 3-4 times but there	سجّل الشكوى ثلاث أو
بت دير از نو ر سبونس.	is no response.	أربع مرات ولكن بدون جدوى
دير از كربشن ان اول دَ	**Mrs. Meryam :** There is corruption in	السيدة مريم : هناك في كل الدوائر.
ديبارتمينتس ايفرى بدى وانتس	all the departments. Everybody wants	كل واحد يريد الرشوة .
هز بالم تو بى غريزد.	his palm to be greased.	
يو آر رايت.	**Mrs. Sakina :** You are right. (*A car speeds by*)	السيدة سكينة: صدقتِ .(وفى تلك الأثناء
لك أيت دَ ويه هي از درايفنغ.ديرز	Look at the way he's driving. There's no	تمرّ سيارة بسرعة) انظري كيف
نو كنسدريشن فور د بيد ستر ينز.	consideration for the pedestrians.	يسوق. لا يراعي أحد المشاة .
دد يو سى دَ اماونت اوف اكزوست	**Mrs. Meryam :** Did you see the amount of exhaust	السيدة مريم : ولاحظت كم من
كمنغ آوت اوف د فيهيكل؟	coming out of the vehicle?	الكثافة تخرج من السيارة .
اول دس تاك اباوت تريفك اند	All this talk about traffic and	فلا فائدة لهذا الحديث عن التحكم
بولوشن كنترول هيز نو ميننغ.	pollution control has no meaning.	على نظام المرور والتلوث البيئي .
لايف أن بغ سيتيز از فل	**Mrs. Sakina :** Life in big cities is full	السيدة سكينة : الحياة في المدن الكبيرة
اوف هزاردس.	of hazards.	محفوفة بالمخاطر.
يس ، بت وي هيف	**Mrs. Meryam :** Yes, but we have	السيدة مريم : أي نعم. ولكن لا بديل
نو شوايس. او كيه مسز سكينه	no choice. O.K. Mrs. Sakina,	لدينا. طيب سيدة سكينة
بليز دروب ان سم تايم.	please drop in sometime.	أرجوكم أن تزورونا وقتاً ما.
يس .يو تو مسز مريم .	**Mrs. Sakina :** Yes, you too, Mrs. Meryam.	السيدة سكينة: نعم، وأنتم أيضاً
باي سى يو.	Bye, see you.	يا سيدة مريم .مع السلامة .

استخبار حول العريس المتوقع (انكوايرنغ اباوت د بروسبكتيف برايد غروم)

Inquiring About the Prospective Bridegroom

هلو مسترشكري، وت أ سربرايز!	**Mr. Jaudat :** Hello Mr. Shukri, what a surprise!	السيد جودت: أهلاً وسهلاً، مرحبا
بليزكم ان اند هيف أ سيت.	Please come in and have a seat.	يا سيد شكري تفضل، اجلس من فضلك.
ثينك يو مستر جودت.	**Mr. Shukri :** Thank you, Mr. Jaudat.	السيد شكري: شكراً يا سيد جودت.
سو' هاو از ايورى ثنغ؟	**Mr. Jaudat :** So, how is everything?	السيد جودت : ما الأخبار؟
فاين، هاو از يور هيلث ناو؟	**Mr. Shukri :** Fine, how is your health now?	السيد شكري : كل شيء على ما يرام .
		وكيف صحتك الآن ؟
متش بتر .ثينك يو . وات ود يو	**Mr. Jaudat :** Much better, thank you.	السيد جودت : صحتي أحسن من ذي قبل .
لايك تو هيف ، تي اور كوفي؟	What would you like to have, tea or coffee?	شكرا. ماذا تحب أن تشرب،
		الشاي أو القهوة؟
نثنغ ،ثينكس. ايكشويلي مستر جودت	**Mr. Shukri :** Nothing, thanks. Actually	السيد شكري : لا شيء، شكراً . في الحقيقة يا سيد
آي نيد يور هيلب ان سمتنغ	Mr. Jaudat, I need your help in something.	جودت أطلب مساعدتك في أمرمهم.
يس وت كان آي دو فور يو؟	**Mr. Jaudat :** Yes, what can I do for you?	السيد جودت : طيب. قل لي من فضلك أيّ خدمة.
دو يو نو مستر كامل ،	**Mr. Shukri :** Do you know Mr. Kamil,	السيد شكري : هل تعرف السيد كامل،
د اسستنت مينيجر ان يور اوفس؟	the Assistant Manager in your office?	المدير المساعد في مكتبكم؟
يس.	**Mr. Jaudat :** Yes.	السيد جودت : نعم، أعرفه.
اند اولسو دَ فيملي؟	**Mr. Shukri :** And also the family?	السيد شكري : وتعرف أسرته أيضاً؟
يس آي نو ديم.	**Mr. Jaudat:** Yes, I know them.	السيد جودت : نعم، أعرفهم جميعاً .
ايكشو يلي، وي آر كنسيدرنغ	**Mr. Shukri :** Actually, we are considering	السيد شكري: في الحقيقة نفكر في الزواج بين
أ ميتش بتوين مستركاملس سن	a match between Mr. Kamil's son	ابن السيد كامل وبنتي ريحانة.
اند ماي داوتر ريحانه.	and my daughter, Raihana.	
او! آي سي.	**Mr. Jaudat :** Oh! I see.	السيد جودت : حسن.
كد يو غِف مي سم انفورميشن	**Mr. Shukri :** Could you give me some	السيد شكري: أيمكنك أن تعطيني بعض
رغاردنغ د بواي اند د فيملي؟	information regarding the boy and the family?	المعلومات عن الولد وأسرته؟
ويل !د كاملز آر فيري	**Mr. Jaudat :** Well, the Kamil's are very	السيد جودت: أي نعم. إن أسرة السيد كامل
رسبيكتيبل بيبل. مستر كامل اولسو	respectable people. Mr. Kamil	أسرة محترمة. والسيد كامل شخص كريم
از أ نايس اند هيلب فل برسن.	also is a nice and helpful person.	و صاحب طبيعة ودية .
هاو ميني ممبرس آر	**Mr. Shukri :** How many members are	السيد شكري : كم عضواً في الأسرة ؟
دير ان د فيملي؟	there in the family?	
فايف .مستر اند مسز كامل،دير تو	**Mr. Jaudat :** Five. Mr. and Mrs. Kamil, their two	السيد جودت : خمسة .السيد كامل
شلدرن سهيل اند فريال اند مستركاملز	children Suhail and Faryal and	وزوجته وولداهما سهيل وفريال ووالدة
مدر هو اولسو استيز ود هم.	Mr. Kamil's mother, who also stays with him.	السيد كامل التي تسكن معه .
وات دز سهيل دو؟	**Mr. Shukri :** What does Suhail do?	السيد شكري : ماذا يفعل سهيل؟

هي از أ ماركتنغ اغز يكيوتيف ان	**Mr. Jaudat :** He is a marketing executive	السيد جودت : هو موظف التسويق
نيشنل اندستريز.	in National Industries.	في الصناعات الوطنية .
وير از هز اوفس؟	**Mr. Shukri :** Where is his office?	السيد شكري: أين مكتبه ؟
ان حلة .	**Mr. Jaudat :** In Hilla.	السيد جودت : في الحلّة .
وات مست بي هز ايج؟	**Mr. Shukri :** What must be his age?	السيد شكري: كم يكون عمره؟
اباوت تويتي سكس اور تويتي سيفن.	**Mr. Jaudat :** About 26 or 27.	السيد جودت : حوالي ٢٦ أو ٢٧ سنة .
وت مست بي هز ابرو كسميت سيلري؟	**Mr. Shukri :** What must be his approximate salary?	السيد شكري: وماذا يكون راتبه ؟
اراو ند فايف تاوزند آي ثنك.	**Mr. Jaudat :** Around 5000/- I think.	السيد جودت : حوالي ٥٠٠٠/ كما أعتقد .
كد يو تيل مي	**Mr. Shukri :** Could you tell me	السيد شكري: ممكن أن تبيّن لي، من فضلك، شيئاً عن
سم ثنغ اباوت هز نيشر؟	something about his nature?	طبيعته وعاداته؟
هي از أ نايس بواي فيري رسبيكت فل.	**Mr. Jaudat :** He is a nice boy. Very respectful.	السيد جودت :إنه ولد طيب ومؤدب ومهذب.
بليزتل مي سم ثنغ اباوت	**Mr. Shukri :** Please tell me something about	السيد شكري: قل لي من فضلك شيئاً عن
مستر كاملز فاينشيل استيتس.	Mr.Kamil's financial status.	مستوى المعيشة للسيد كامل .
آي ثنك ديه آر كوايت ويل تو دو.	**Mr. Jaudat :** I think they are quite well to do.	السيد جودت : أعتقد أنّ مستواهم رفيع .
مستر كاملس سيلري الون مست بي	Mr. Kamil's salary alone must be around 8000/-.	إن السيد كامل وحده
اراوند ايت تاوزند. ديه لف ان دير	They live in their	يتقاضى حوالي ٨٠٠٠/ . إنهم يسكنون
أون هاوس ان زياد اسكواير.	own house in Ziad Square.	في منزلهم الخاص في ساحة زياد .
از دير داوتر ميريد؟	**Mr. Shukri :** Is their daughter married?	السيد شكري: هل بنته متزوجة؟
نو، شي از ان كالج .	**Mr. Jaudat :** No, she is in college.	السيد جودت : لا، إنّها تدرس في الكلية .
شي از ينغر تو سهيل.	She is younger to Suhail.	هي أصغر من سهيل.
وت اباوت درنكنغ اند	**Mr. Shukri :** What about drinking and	السيد شكري: هل تعرف شيئاً عن الشرب
اسموكنغ ان د فيملي؟	smoking in the family?	والتدخين في الأسرة؟
ويل ،ايز فار ايز آي نو نايدر	**Mr. Jaudat :** Well, as far as I know, neither	السيد جودت : بقدر ما أنا أعرف، لا يدخّن
مستر كامل نو ر سهيل اسموكس.	Mr. Kamil nor Suhail smokes.	أحد منهما .لا السيد كامل ولا سهيل.
اباوت درنكنغ ،آي دونت نو.	About drinking, I don't know.	أما الشرب فلا أعرف عنه شيئاً .
يس، آي اندر استيند. جست ون	**Mr. Shukri :** Yes, I understand. Just one	السيد شكري : نعم، عرفت.
لاست كويسشن. دو يو ثنك ديه	last question. Do you think they	والآن عندي سؤال آخر، وهو
ول هيف هاي اكسبكتيشنز	will have high expectations	السؤال الأخير: هل تعتقد أن عندهم
ان دير سنز ميرج؟	in their son's marriage?	توقعات كبيرة في زواج ابنهم .
وت كان آي سيه اباوت ديت ؟	**Mr. Jaudat :** What can I say about that?	السيد جودت: كيف أقول ذلك. أفضل أن
ات ود بي بيتر اف يو آسك ديم	It would be better if you ask them	تتكلم بنسفك معهم .
يور سيلف.	yourself.	
يو آر رايت. ثينك يو فيري مش.	**Mr. Shukri :** You are right.	السيد شكري: صحيح .أشكركم جدا على مساعدتكم الكريمة
مسترجودت فور يور كايند هيلب	Thank you very much Mr.Jaudat for your kind help.	أيها السيد جودت .
يو آر ويلكم.	**Mr. Jaudat :** You are welcome.	السيد جودت: لا شكر على الواجب .
او كيه آيل تيك يور ليف ناو.	**Mr. Shukri :** O.K. I'll take your leave now.	السيد شكري: أستأذنكم الآن.

وأرجوك أن تزورنا وقتاً ما .	Please drop in some time.	بليز دروب ان سم تايم.
السيد جودت: نعم. حتمياً، مع السلامة،	**Mr. Jaudat :** Yes, sure. Bye, Mr. Shukri.	يس شيور. باي مسترشكري.
أيها السيد شكري.		

Marriage Negotiation (ميرج نغوسيايشن) مناقشة حول الزواج

أول لقاء بين أبوي الولد والبنت (فرست ميتنغ بتوين د بوايز اند د غرلز بارنتس)

First meeting between the boy's & the girl's parents

(يجيء السيد شكري، وزوجته إلى بيت السيد كامل لأول مرة للمناقشة حول زواج بنتهما من ابن السيد كامل ويفتح السيد كامل الباب.)

السيد شكري: صباح الخير، أنا عماد شكري ..	**Mr. Shukri :** Good morning. I am Imad Shukri.	غد مورنينغ. آي ايم عماد شكري .
السيد كامل: مرحباً يا سيد شكري، أنا سعيد كامل،	**Mr. Kamil :** Oh, Mr. Shukri!	او مستر شكرى !
تفضل ، ادخل.	I am Saeed Kamil. Please come in.	آي ايم سعيد كامل. بليز كم ان.
السيد شكري: وهذه قرينتي جميلة .	**Mr. Shukri :** Please meet my wife Jamila.	بليز ميت ماي وايف جميله.
السيد كامل: مرحباً. وهذه زوجتي ماهرة .	**Mr. Kamil :** Good morning. My wife Mahira.	غد مورنينغ. ماي وايف ماهره.
السيد شكري وزوجته : مرحباً .	**Mr. & Mrs. Shukri :** Good morning.	غد مورنينغ.
السيد كامل: تفضلوا، يا سادة، اجلسوا .	**Mrs. Kamil :** Good morning. Please sit down.	غد مورنينغ. بليز ست داون.

(يجلس الجميع)

السيد شكري: هل أنت من سكان القاهرة القدماء	**Mr. Shukri :** Do you originally	دو يو اور يجنلي
يا سيد كامل؟	belong to Cairo, Mr. Kamil?	بلونغ تو كيرو مستر كامل؟
السيد كامل : لا يا سيدي. نحن من	**Mr. Kamil :** Not originally. My parents belonged	نوت اوريجنلي. ماي بيرنتس بلونغد
فلسطين أصلاً. ولكن نعيش هنا منذ	to Palestine. But we have lived here for	تو بيليستاين بت وي هيف لِفد هير فور
عشرين سنة ماضية. وأنتم ؟	the last twenty years. What about you?	د لاست تو يتني ايرس. وت اباوت يو؟
السيد شكري: نحن من القاهرة . هاجر	**Mr. Shukri :** We belong to Cairo. My parents	وي بلونغ تو كيرو. ماي بيرنتس
أبواي بعد الحرب العالمية الثانية إلى هنا .	migrated here after 2nd World War.	مايغر يتد هير آفتر سكند ورلد وار
السيد كامل: طيب ؟	**Mr. Kamil :** I see.	آي سي .
وكيف تعرف السيد حسن؟	How do you know Mr. Hasan?	هاو دو يو نو مستر حسن؟
السيد شكري: نحن جيران. إنّي رجوت منه	**Mr. Shukri :** We are neighbours. Actually I	وي آر نيبرز. ايكشويلى آي ونس
مرة أن يقترح زوجاً مناسباً لبنتي ريحانة .	once asked him to suggest a	آسكد هم تو سجيست ايه ميتش فور
إنه مدح ابنكم كثيراً وكذلك	match for my daughter Raihana. He spoke	ماي داوتر ريحانه ./هي اسبوك فيري
أسرتكم جميعاً .	very highly of your son and your	هايلي اوف يور سن اند يور فيملي
وأعطاني أيضا رقم هاتفكم .	family and also gave me your phone number.	اند اولسو غيف مي يور فون نمبر
السيد كامل : أي واه. عملت أنا والسيد حسن معاً	**Mr. Kamil :** Yes, Hasan and I worked	يس، حسن اندآي وركد
لعشر سنوات. نحن صديقان حميمان .	together for ten years.	تو غيدر فورتين ايرس.
كيف هو؟	We are good friends. How is he?	وي آر غد فريندز. هاو از هي؟

فيري ويل .	**Mr. Shukri :** Very well.	السيد شكري: هو بخير.إنه يسلم عليك .
هي هيز سنت يوهز ريغاردز.	He has sent you his regards.	
بليز كنويه د	**Mr. Kamil :** Please convey the	السيد كامل: بلّغ إليه مني أيضاً تحياتي .
سيم أون ماي بيهاف.	same on my behalf.	

(تأتي زوجة السيد كامل بالشاي والمأكولات)

بليز هيف تي.	**Mr. Kamil :** Please have tea.	زوجة السيد كامل : تفضلوا، اشربوا الشاي .
ديرواز نو نيد فور	**Mrs. Shukri :** There was no need for	زوجة السيد شكري: لم تكن هناك
تيكنغ د تربل	taking the trouble.	حاجة إلى هذا التكليف .
نو تربل ات اول	**Mrs. Kamil :** No trouble at all.	السيد كامل: ليس فيه أيّ تكليف .
بليز هيف سم سالتي اسنيكس.	Please have some salty snacks.	تفضلوا .كلوا شيئاً من المأكولات المالحة .
ثينك يو . آر يو استل ود	**Mr. Shukri :** *(taking it)* Thank you. Are you still with	السيد شكري: (يأخذ شيئاً) شكراً.
فوزان اندستريز مستر كامل؟	Fauzan Industries, Mr. Kamil?	يا سيد كامل هل تعمل حتى الآن في صناعات فوزان؟
نو. آي ايم ود كرنك اندستريز	**Mr. Kamil :** No, I am with Karnak Industries	السيد كامل : لا، أنا أعمل في صناعات
ناو. آي ايم اسستنت مينجر د ير.	now. I am Assistant Manager there.	الكرنك الآن . أنا مدير مساعد هنا .
او، آي سي .	**Mr. Shukri :** Oh, I see!	السيد شكري: طيب .واحد من أصدقائي السيد جميل شاكر
ماي فريند مستر جميل شاكر	My friend, Mr. Jamil Shakir	أيضاً يعمل فيها .إنه في قسم المحاسبة .
از اولسو دير. هي از ان اكاونتس.	is also there. He is in accounts.	
يس، آي نو شاكر فيري ويل .	**Mr. Kamil :** Yes, I know Shakir very well.	السيد كامل : نعم .أعرف شاكر جيداً .
وت دو يو دو مستر شكري؟	What do you do Mr. Shukri?	وماذا تعمل يا سيد شكري ؟
آي ايم اكاونتس مينجر ان دَ	**Mr. Shukri :** I am Accounts Manager in the	السيد شكري:أنا مدير الحسابات
استيت بينك اوف ايجبت .ايز فور ماي	State Bank of Egypt. As for my family,	في البنك المصري.
فيملي وي هيف تو دا ترزاند ون سن.	we have two daughters and one son.	أما عائلتي فعندي بنتان وابن واحد .
اور ايلدر داوتراز اول ريدي ميريد.	Our elder daughter is already married.	إن أكبر بنتيّ متزوجة بالفعل وفريد هو
فريد ماي سن از د ينغيست.	Farid, my son is the youngest.	أصغرهم جميعاً .
اند وات از	**Mr. Kamil :** And what is	السيد كامل : وماذا تعمل البنت الصغرى؟
يورينغر داوتر دوينغ؟	your younger daughter doing?	
شي از استد ينغ ان بى أيه فاينل.شي	**Mr. Shukri :** She is studying in B.A. final.	السيد شكري: إنها تدرس في السنة النهائية
از اولسو دوينغ ايه كورس ان انتيرير	She is also doing a course in interior	من بكالوريوس. وبجانب ذلك
ديكوريشن ،ديز ديز .شي از فيئر،	decoration these days. She is fair,	تتابع منهجا في الزخرفة الداخلية.
بيوتي فل اندفيري سنسيبل غرل.	beautiful and very sensible girl.	إنها بيضاء اللون وجميلة وذكية .
اور سن سهيل اولسو ازايه فيري	**Mr. Kamil :** Our son, Suhail, is also a very	السيد كامل : إن ولدنا سهيل أيضاً ولد ذكي
انتيلي جنت اندسنسيبل بواى.	intelligent and sensible boy.	وسريع الفهم جداً .
وير ازسهيل	**Mr. Shukri :** Where is Suhail	السيد شكري: أين يعمل سهيل يا سيد كامل؟
وركنغ ،مستر كامل؟	working, Mr. Kamil.	
هي از أ ماركتنغ اغز يكيو تيف	**Mr. Kamil :** He is a Marketing Executive	السيد كامل :إنه موظف التسويق في

الصناعات الوطنية .	in National Industries.	ان نيشنل اندستريز.
السيد شكري: منذكم مدة أنه يعمل هناك ؟	**Mr. Shukri :** How long has he been	هاو لونغ هيز هي بين
	working there?	وركنغ دير؟
السيد كامل : منذ حوالي ثلاث سنوات .	**Mr. Kamil :** About three years.	اباوت ثري ايرس.
السيد شكري:أيّ شهادة يحمل سهيل؟	**Mr. Shukri :** What course has Suhail done?	وت كورس هيز سهيل دن؟
السيد كامل : عنده شهادة بكالوريس التجارة بالدرجة الأولى	**Mr. Kamil :** He is a first class	هي از ايه فرست كلاس كومرس
ثم إنه حصل على دبلوم في	commerce graduate. After that, he has done	غريجويت. آفتر ديت ، هي هيزدن
البيع والتسويق .	a diploma in sales and marketing.	أ دبلوما ان سيلز اند ماركتنغ.
السيد شكري: طيب .هل يتواجد سهيل هنا،	**Mr. Shukri :** Oh, I see. Is Suhail	او آي سي. از سهيل
يا سيد كامل؟	around Mr. Kamil?	اراوند مستر كامل؟
زوجة السيد كامل : نعم، هو هنا وسيأتي حالاً .	**Mrs. Kamil :** Yes, he is just coming.	يس هي از جست كمنغ.

(يأتي سهيل)

السيد كامل : ابني سهيل .	**Mr. Kamil :** My son, Suhail.	ماي سن سهيل.
سهيل : (يجلس) صباح الخير .	**Suhail :** *(sits down)* Good morning.	غد مورننغ.
السيد شكري: كيف الأحوال يا سهيل؟	**Mr. Shukri :** So Suhail, how is everything?	سو سهيل هاو از ايفري ثنغ؟
سهيل : جيد جداً، شكراً .	**Suhail :** Very well, thank you.	فيري ويل .ثينك يو.
السيد شكري: كيف طبيعة وظيفتك يا سهيل؟	**Mr. Shukri :** What is your job profile, Suhail?	وت از يور جوب بروفايل سهيل.
سهيل : إنّي أشرف على قسم سلع المستهلك وأعتني	**Suhail :** I look after sales, pricing,	آي لك آفتر سيلز ،برايسنغ،
بالمبيعات وأسعارها وإعلانها وتوزيعها .	distribution and advertising	دستريبيوشن اند ايد ور تايزنغ
	of our consumer goods.	اوف اور كنزيومر غدس.
السيد شكري: في أية مناطق؟	**Mr. Shukri :** Which areas do you cover?	وش ايرياز دو يو كفر؟
سهيل : في جميع منطقة صعيد مصر .	**Suhail :** All the Upper Egypt region.	اول د ابر اجبت ريجن .
السيد كامل : إن سهيل كفائته عالية. وإن	**Mr. Kamil :** Suhail is doing very well. His	سهيل از دو ينغ فيري ويل .هز
مجموع ما يتقاضاه سنوياً هو حوالي	annual package is about 70,000.	اينول بيكج اباوت از ٧٠٠٠٠
٧٠,٠٠٠٪ وإن الزيادة	And his next promotion is also	اند هز نيكست بروموشن ازاولسو
متوقعة في القريب العاجل .	expected very soon.	ايكسبيكتد فيري سون.
السيد شكري: جيد جداً.	**Mr. Shukri :** That's very good.	ديتس فيرى غد.
هل أنت كثيراً ما تسافر؟	Do you travel a lot, Suhail?	دويو تريول أ لوت سهيل؟
سهيل : نعم أكون لحوالي ١٠ أيام في السفر .	**Suhail :** Yes, about ten days a month.	يس،اباوت تين ديز أ منث.
السيد شكري: طيب .	**Mr. Shukri :** Oh! I see.	او آي سي .
كم يبعد مكتبك من هنا؟	How far is your office from here?	هاو فار از يور اوفس فروم هير؟
سهيل : حوالي عشرة كيلومترات.	**Suhail :** About ten kilometres.	اباوت تين كلو ميترس.
السيد شكري: ماذا برامجك للمستقبل؟	**Mr. Shukri :** What are your future plans, Suhail?	وت آر يور فيوشر بلانس سهيل؟
سهيل : حالياً أنا راض في الوطنية.	**Suhail :** For the time being, I am happy	فورد تايم بينغ ، آي ايم هيبي إن
ولكن أفكر دائماً	in National. But for better prospects .	نيشنل بت فور بيتر بروسبكتس

في التنقل بغية الرقي .	I can always consider a change.	آي كان اولويز كنسيدر أ شينج .
السيد شكري: (للسيد كامل) نعم، صحيح .	**Mr. Shukri :** *(to Mr. Kamil)* Yes, quite true.	يس كوايت ترو .
كانت هذه فرصة سعيدة حقاً .	It's a real pleasure meeting you all.	اتس أ ريل بليز ر ميتنغ يو اول .
ولنذهب الآن وهذا عنواني	We will make a move now. Here this is	وي ول ميك أ موف ناو. هير دس
ورقم هاتفي .وسأتصل بكم	my address and telephone number.	از ماي ايدريس اند تيليفون نمبر.
في القريب العاجل .	Soon I'll get in touch with you again.	سون آيل غت ان تش ود يو اغين.
السيد كامل: طيب .شكراً .	**Mr. Kamil :** O.K. Thank you.	او.كيه . ثينك يو.
السيد شكري وزوجته:(لزوجة السيد	**Mr. & Mrs. Shukri :** *(to Mrs. Kamil)* O.K.	او كيه غد باي.
كامل) طيب، إلى اللقاء .	Good bye.	
سهيل وزوجة السيد كامل : طيب مع السلامة .	**Suhail & Mrs. Kamil :** Good bye.	غد باي .

(يخرج السيد شكري وزوجته ويتحدثان)

السيد شكري: ماذا رأيك يا جميلة؟	**Mr. Shukri :** What do you think, Jamila?	وت دو يو ثنك ،جميله؟
زوجة شكري: كما يبدو أنّهم طيبون .	**Mrs. Shukri :** They seem to be O.K.	ديه سيم تو بي،او كيه .
ولكن يجب أن تتكلم مع جميل شاكر	But you must speak to Jamil Shakir	بت يو مست اسبيك تو جميل شاكر
قبل اتخاذ خطوة نهائية .	before finalising anything.	بفور فايناﻻ يزنغ ايني ثنغ.
السيد شكري: نعم، حتمياً .	**Mr. Shukri :** Oh yes, of course!	او يس. اوف كورس.

Marriage Negotiation (ميرج نغوسيايشن) حوار حول الزواج

The Boy meets the Girl (د بواى ميتس د غرل) مقابلة بين الولد والبنت

(يقدم كل من السيد كامل وزوجته ومعهما سهيل وفريال إلى منزل السيد شكري لرؤية بنته ريحانة)

السيد كامل: مساء الخير سيد شكري.	**Mr. Kamil :** Good evening,	غد ايوننغ
	Mr. Shukri.	مستر شكري.
السيد شكري: مساء النور .	**Mr. Shukri :** Good evening.	غد ايفننغ ،
أهلاً وسهلاً ، تفضلوا .	Welcome, please come in.	ويل كم بليزكم ان.
زوجةالسيد شكري: تفضلوا اجلسوا .	**Mrs. Shukri :** Welcome. Please be seated.	(ويلكم) بليز بى سيتد.

(كلهم يجلسون)

السيد كامل: هذه بنتي فريال .	**Mr. Kamil :** This is my daughter Faryal.	دس از ماي داوتر فريال.
فريال : مساء الخير.	**Faryal :** Good evening.	غد ايفننغ
السيد شكري: هذا ابني فريد .	**Mr. Shukri :** This is my son Farid.	دس از ماي سن فريد.
فريد : مساء الخير.	**Farid :** Good evening.	غد ايفننغ.

(يأتي الخادم بمشروب بارد)

السيد شكري: تناول من فضلك شيئاً	**Mr. Shukri :** Please have something cold.	بليز هيف سم ثنغ كولد.
من الحاجة الباردة .		

السيد كامل : وكيف الأحوال سيد شكري؟	**Mr. Kamil :** So, how is everything, Mr. Shukri?	سو،هاو از ايفري ثنغ مستر شكري؟
السيد شكري: كل شيء على ما يرام بفضل الله. شكرا .	**Mr. Shukri :** Fine, by God's grace. Thank you.	فاين باي غودس غريس. ثينك يو.
زوجة السيد كامل : أعتقد أن امتحانات ريحانة قد انتهت ؟	**Mrs. Kamil :** I think Raihana's exams are over.	آي ثنك ريحاناس اغزامز آر اوفر.
زوجة السيد شكري: نعم قد انتهت الامتحانات في العشرين من هذا الشهر .	**Mrs. Shukri :** Yes. They were over on the twentieth of this month.	يس ،ديه وَر اوفر أون دَ توينتيث اوف دس منث.

(يأتي الخادم بالشاي والمأكولات المالحة والحلوة)

زوجة السيد شكري: قدّم يا سهيل، الحلوى والمأكولات إلى الجميع .	**Mrs. Shukri :** Suhail, offer snacks and sweets to everyone.	سهيل اوفر اسنيكس اند سويتس تو ايفري ون.
فريال : (ترفض الشاي) لا، شكرا، لا أشرب الشاي يا عمتي .	**Faryal :** *(refuses tea)* No, thanks auntie, I don't take tea.	نو ثينكس آنتي . آي دونت تيك تي.
زوجة السيد شكري: فتناولي شيئا آخر .	**Mrs. Shukri :** Have something else then. Have some more coke.	هيف سم ثنغ ايلس دين . هيف سم مور كوك
فريال : لا، شكرا .	**Faryal :** No, thanks.	نو ،ثينكس.
زوجة السيد شكري: كلي شيئاً من الحلوى.	**Mrs. Shukri :** O.K. Have some sweet.	هيف سم سويت.
فريال : (تاخذ قطعة من الحلوى) شكرا .	**Faryal :** *(picks up one piece)* Thank you.	ثينك يو.
زوجة السيد كامل: أين ريحانة؟	**Mrs. Kamil :** Where is Raihana?	وير از ريحانه؟
زوجة السيد شكري: هي هنا، سأدعوها .	**Mrs. Shukri :** I'll call her.	آيل كال هر.

(وهي تذهب وتأتي بريحانة)

ريحانة: مساء الخير .	**Raihana :** Good morning.	غد مورننغ .
زوجة السيد كامل : تعالي ريحانة اجلسي بجواري. امتحاناتك قد انتهت؟	**Mrs. Kamil:** Raihana, come, sit near me. So, your exams are over?	ريحانه كم سِت نير مي. سو يور اغزامز آر اوفر؟
ريحانة: أي نعم .	**Raihana :** Yes.	يس.
زوجة السيد كامل:وماذا تفعلين هذه الأيام؟	**Mrs. Kamil :** What are you doing these days?	وت آر يو دوينغ ديز ديز.
ريحانة: إنّي أتابع منهجا قصيرا في الزخرفة الداخلية. وبجانب ذلك إني أرغب في الطبخ وتصميم الملابس أيضا .	**Raihana :** I am doing a short course in interior decoration. Besides, I like cooking and designing clothes also.	آي ايم دوينغ أ شورت كورس ان انتيرير ديكوريشن. بسايدز آي لايك ككنغ اند ديزايننغ كلوذز اولسو.
زوجة السيد شكري : ريحانة تطبخ طعاماً جيدا .إن معظم أعمال البيت من الطبخ وغيره تتولاها نفسها بصورة جيدة .	**Mrs. Shukri :** Raihana is a very good cook. Most of the cooking and household work is managed by her only.	ريحانه از أ فيري غد كك. موست اوف د ككنغ اند هاوس هولد ورك از منيجد باي هر اونلي.
زوجة السيد كامل : إنّه جيد. إنّه لازم لكل بنت أن تعرف جميع هذه الأشياء .	**Mrs. Kamil :** That's very good. For a girl, it is very important to know all this.	ديتس فيرى غد. فور أ غرل ات از فيري امبورتنت تو نو اول دس.
فريال : يا أمي لم لا ندع ريحانة والأخ سهيل يتكلمان فيما بينهما وحيدين لمدة قصيرة .	**Faryal :** Mummy, why don't we let Raihana and brother talk to each other alone for a while?	ممى واي دونت وي ليت ريحانه اند برودر تاك تو ايش ادر الون فور أ وايل.

آي ثنك ات	**Mrs. Kamil :** *(to Mrs.Shukri)*	زوجة السيد كامل : (لزوجة السيد شكري)
از أ غد آيديا .كان وي ست	I think it is a good idea. Can we sit	إنّه فكرة جيدة . يمكن أن نجلس في مكان
سم وير ايلس فور سم تايم؟	somewhere else for sometime?	آخر لفترة قصيرة.
يس، واي نوت.	**Mr. Shukri :** Yes, why not.	زوجة السيد شكري: نعم، لا مانع.
ليت مي شويو اراوند.	Let me show you around.	دعيني أريك المنزل كله .
دين وي كان ست ان د ادر روم.	Then we can sit in the other room.	ثم نجلس في غرفة أخرى .
كم،	**Mrs. Kamil :** *(to Mr. Kamil)* Come,	زوجة السيد كامل: (للسيد كامل) تفضل نذهب ونجلس
ليت اس ست ان د ادر روم. ليت	let us sit in the other room.	إلى غرفة أخرى .دع سهيل وريحانة
سهيل اند ريحانه تاك تو ايش ادر.	Let Suhail and Raihana talk to each other.	يتكلما فيما بينهما .
اول رايت.	**Mr. Kamil :** Alright.	السيد كامل : نعم، صحيح .

(كلهم يذهبون ويتكلم سهيل وريحانة فيما بينهما)

وش كولج دد يو اتند؟	**Suhail :** Which college did you attend?	سهيل : في أية كلية تدرسين؟
كيرو كولج.	**Raihana :** Cairo College.	ريحانة: في كلية القاهرة.
وت وير يور سبجيكتس؟	**Suhail :** What were your subjects?	سهيل : ماهي المواد التي تدرسين؟
هستري،اكونومكس اند انجلش.	**Raihana :** History, Economics and English.	ريحانة: التاريخ، والاقتصاد والإنجليزية .
وت آر يو ر هوبيز؟	**Suhail :** What are your hobbies?	سهيل : ماهي هوايتك؟
ككنغ اند ديزايننغ كلودز.	**Raihana :** Cooking and designing clothes.	ريحانة: الطهي وتصميم الملابس.
ان ماي اسبير تايم آي اولسو	In my spare time, I also	وأيضا في وقتي
ريد ناولز اند لسن تو ميو زك.	read novels and listen to music.	الفارغ أقرأ الروايات وأسمع الغناء .
وت تايب اوف ميوزك؟	**Suhail :** What type of music?	سهيل : أيّ نوع من الأغنية تحبين؟
لايت فلم سونغز اند غزلز.	**Raihana :** Light film songs and ghazals.	ريحانة: أغاني الأفلام البسيطة وشيئا من الغزل.
وت آر يور	**Suhail :** *(shyly)* What are your	سهيل : (وهو يستحيى) ماذا تتوقعين من زوجك؟
اكسبكتيشنز فروم أ هسبيند؟	expectations from a husband?	
هي شد بي لفينغ	**Raihana :** *(shyly)* He should be loving,	ريحانة: (وهي تستحيى) يجب أن يكون محبا
كيرنغ اند اندر استيندنغ.	caring and understanding.	لزوجته ويعتني بها ويكون متفاهما .
دو يو وانت تو ورك	**Suhail:** Do you want to work	سهيل : هل تريدين أن تعملي بعد الزواج أيضا؟
آفتر ميرج؟	after marriage?	
ديت د بندز أون ماي ان لوز اند	**Raihana :** That depends on my in-laws and	ريحانة: ذلك يتوقف على أهل بيتي و
د سركم استانسز آفتر ميرج.	the circumstances after marriage.	الظروف بعد الزواج .
ون لاست بت فيري امبورتنت	**Suhail :** One last but very important	سهيل : عندي سؤال أخير وهوالأهم جدا . بما
كوسشن .بينغ داونلى سن آيل	question. Being the only son,	أني ابن وحيد لأبويّ فإنيّ
آلويز استيه ود ماي بيرنتس.	I'll always stay with my parents.	سوف أسكن معهما دائما. هل يمكنك أن
كان يو ادجست ان د فيملي؟	Can you adjust in the family?	تعيشي وتكيّفي نفسك معهما؟
يس شيور.	**Raihana :** Yes, sure.	ريحانة: نعم، حتميا.
ناو يو تو كان آسك	**Suhail :** Now you too	سهيل : والآن، تستطيعين أن تسأليني أيّ شيء تريدين .
مي وت ايفر يو وانت.	can ask me whatever you want.	

ريحانة: أنا أيضا أريد أن أعرف ماذا تتوقع من زوجتك؟	**Raihana :** I would also like to know about your expectations from your wife.	آي ود اولسو لايك تو نو اباوت يور اكسبكتيشنز فروم يور وايف.
سهيل : إني أريد منها أن تكون لي رفيقة صادقة وشريكة مخلصة في الحياة .	**Suhail :** I want her to be my true friend and life partner.	آي وانت هر تو بي ماي ترو فريند اند لايف بارتنر.

(يعود والداهما)

زوجة السيد كامل: إن منزلكم واسع وفخم حقاً.	**Mrs. Kamil :** You have a nice and spacious house.	يو هيف أ نايس اند اسبيشيس هاوس
زوجة السيد شكري: شكرا .	**Mrs. Shukri :** Thank you.	ثينك يو.
زوجة السيد كامل: (لسهيل وريحانة) نعم، هل تحدثتما فيما بينكما؟	**Mr. Kamil :** *(to Suhail and Raihana)* Yes, did you talk to each other?	يس، دد يو تاك تو ايش ادر؟
زوجة السيد شكري: تفضلوا، اشربوا كوبا آخر من الشاي أو شيئا من حاجة باردة .	**Mrs. Shukri :** Please have another cup of tea or something cold.	بليزهيف أندر كب اوف تي اور سم ثنغ كولد.
السيد كامل : لا، شكرا .	**Mr. Kamil :** No, thanks.	نو ثينكس،
إني أعتقد أن نتحرك الآن .	I think we shall make a move now.	آي ثنك وي شيل ميك أ موف ناو.
أرجو أن نقابل قريباً مرة أخرى .	We hope to meet again soon.	وي هوب تو ميت اغين سون.
السيد شكري: هل عندكم رقم هاتفي؟	**Mr. Shukri :** You have my phone number, I hope.	يو هيف ماي فون نمبر آي هوب؟
السيد كامل : نعم، عندي موجود .	**Mr. Kamil :** Yes, I have.	يس آي هيف.
سهيل : (لريحانة) إلى اللقاء ، نراكم .	**Suhail :** (to Raihana) Bye. See you.	باي ،سي يو.
ريحانة: إلى اللقاء.	**Raihana** : Bye.	باي

Talking About Careers (تاكنغ اباوت كيريرز) حوار حول البرامج المستقبلة

Sales and Marketing (سيلز اند ماركيتنغ) البيع والتسويق

(يذهب نديم إلى عمه الأستاذ أحمد نجيب ليستشيره حول تعيين برامج حياته للمستقبل)

نديم : مساء الخير يا عمي .	**Nadeem :** Good evening uncle.	غد ايفننغ انكل.
الأستاذ نجيب : مساء النور، كيف حالك يا نديم؟	**Teacher Najib :** Good evening Nadeem. How are you?	غد ايفننغ نديم هاوآر يو؟
نديم : أنا بخير، شكرا ، إنّي أريد نصحكم يا عمي حُول شيء ذي خطورة	**Nadeem :** Fine, thank you. Uncle, I need your advice on something very important..	فاين ثينك يو انكل .آي نيد يور ايدوايس أون سم ثنغ فيري امبورتينت.
الأستاذ نجيب : نعم، ماهو يا نديم؟	**Teacher Najib :** Yes, Nadeem, what is it?	يس نديم وت از ات؟
نديم : تعرف يا عمي أنّي قدمت امتحان الثانوية العليا هذه السنة .ومن المتوقع أن تظهر النتيجة في الشهر القادم.هل تنصحني بأي منهج أختاره بعد الثانوية؟	**Nadeem :** You know uncle, I have appeared in the twelfth class examination this year. My result is expected next month. Could you please advise me on what career to choose after twelfth?	يو نو انكل .آي هيف ا بيبرد ان د تويلفث كلاس اغزامينيشن دس اير. ماي رزلت از اسبيكتد نيكست منث. كد يو بليز ايدفايز مي أون وات كيرير تو شوز آفتر تويلفث؟

الأستاذ نجيب : ماهي المواد التي كانت لك في الثانوية؟	**Teacher Najib :** What are your subjects?	وات آر يور سبجيكتس؟
نديم : التجارة .	**Nadeem :** Commerce.	كومرس.
الأستاذ نجيب : كيف كتبت أوراق الامتحان؟	**Teacher Najib :** How have you done your papers?	هاو هيف يو دن يور بيبرز؟
نديم : ليست جيدة جدا .لا أتوقع من العلامات أكثر من ستين بالمائة .	**Nadeem :** Not very well uncle. I don't expect to get more than sixty per cent marks.	نوت فيري ويل انكل .آي دونت ايكسبكت تو غت مور دين سكستي برسنت ماركس
الأستاذ نجيب : طيب .ماذا رأيك في بدء أيّ تجارة؟ هل فكرت في ذلك أبداً؟	**Teacher Najib :** I see. What about starting some business? Have you given it a thought?	آي سي . وت اباوت استارتنغ سم بز نس؟ هيف يو غِفن ات أ ثوت.
نديم : لا أجد نزعة لي إلى ذلك .إنّي أفضّل أن أتخذ منهجاً يؤدي إلى وظيفة جيدة .	**Nadeem :** I don't think I have an aptitude for that. I'll prefer doing some good job-oriented course.	آي دونت ثنك آي هيف اين ابيتى شيود فور ديت .آيل بريفر دوينغ سم غد جوب اوريتد كورس.
الأستاذ نجيب : فهمت. كيف أنتِ في الرياضيات يا نديم .	**Teacher Najib :** I see. How are you in Maths, Nadeem?	آي سي. هاو آر يو ان ميتس نديم؟
نديم : أعتقد إنّي جيد في الرياضيات إلى حد معقول .	**Nadeem :** I think I am reasonably good in Maths.	آي ثنك آي ايم ريز نيبلي غد ان ميتس.
الأستاذ نجيب : ففى تلك الصورة، يمكنك أن تعمل منهجا في إدارة التمويل أو منهجا في البيع والتسويق .	**Teacher Najib :** In that case, you can do a course in finance management or alternatively a course in sales and marketing.	أن ديت كيس، يو كان دو أ كورس ان فاينانس مينجمنت اور الترنيتيفلي أ كورس ان سيلز اند ماركتنغ.
نديم : ماهي مدة هذه المناهج يا عم؟	**Nadeem :** What is the duration of these courses, uncle?	وت از د ديوريشن اوف ديز كورسز انكل؟
الأستاذ نجيب : مدة إدارة التمويل سنة واحدة. ولكني اقترح لك أن تتولى مناهج مدتها سنتان أو ثلاث في البيع والتسويق. وبعد ذلك يمكنك أن تدرس منهجا في المحاسبة الكمبيوترية .	**Teacher Najib:** Finance management is a one year course. But I will suggest, you should go in for 2 or 3 years' courses in sales and marketing. Later, you can do a course in computer accountancy.	فاينينس مينجمنت از أ ون اير كورس بت آي ول سجيست، يو شد غو ان فور تو اور ثرى ايرس كورسيز ان سيلز اند ماركتنغ. ليتر يو كان دو أ كورس ان كمبيوتر اكاونتينسي.
نديم : هل هناك إمكانيات جيدة للوظيفة في هذه المناهج ؟	**Nadeem :** Do these courses have good job prospects?	دو ديز كورسيز هيف غد جوب بروسبكتس؟
الأستاذ نجيب : نعم، جيدة جدا .	**Teacher Najib :** Yes, quite good.	يس ،كوا يت غد.
نديم : هل ترشدني إلى أيّ معهد ؟	**Nadeem :** Could you suggest the names of some institutes?	كد يو سجيست د نيمز اوف سم انستي شيوتس؟
الأستاذ نجيب : إن المعهد الوطني للبيع يجري منهجا جيدا في البيع والتسويق. أما المحاسبة الكمبيوترية. فإن جميع المعاهد الكمبيوترية تعقد هذه الدروس.	**Teacher Najib :** National Institute of Sales offers a very good course in sales and marketing. As for computer accountancy, all the computer	نيشنل انستى شيوت اوف سيلز اوفرز أ فيري غد كورس ان سيلز اند ماركتنغ. ايز فور كمبيوتر اكاونتيسي اول د كمبيوتر انستي شيوتس

	institutes offer courses in that.	اوفر كورسيز ان ديت.
نديم : شكرا يا عم. إنك قمت بنصيحة غالية وإرشاد صائب .	**Nadeem :** Thank you very much, uncle. You have really given me valuable advice.	ثينك يو فيري مش انكل. يو هيف ريلي غِفن مي فيلويبل ادوايس.

الصحافة **Journalism** (جرنلزم)

(قدّم نديم امتحان السنة النهائية من بكالوريوس الفنون بالاختصاص في الإنجليزية وقد أتى إلى الأستاذ نجيب للاستشارة حول تعيين برامجه للمستقبل)

نديم : صباح الخير يا سيدي.	**Nadeem :** Good morning sir.	غد مورننغ سير.
الأستاذ نجيب : صباح النور يا نديم.	**Teacher Najib :** Good morning Nadeem.	غد مورننغ نديم.
ماذا تفعل هذه الأيام؟	What are you doing these days?	وات آر يو دو ينغ ديز ديز؟
نديم : أنتظر للنتيجة يا سيدى. إني جئت لاستشيركم حول مستقبلي، ماذا يجب أن أفعل بعد الانتهاء من بكالوريوس.	**Nadeem :** Waiting for the result, sir. Actually, I came to seek your advice on what career to take up after graduation.	ويتنغ فورد ريزلت سير. ايكشويلي، آي كيم توسيك يور ادوايس أون وت كيرير تو تيك اب آفتر غريجويشن.
الأستاذ نجيب : أنت تتابع منهج بكالوريوس الفنون بالاختصاص في الإنجليزية، أليس كذلك؟	**Teacher Najib :** You are doing English honours, isn't it?	يو آر دو ينغ انجلش اونرز ازنت ات؟
نديم : نعم يا سيدي. ولكني لا أرغب في الماجستر في الإنجليزية. هل ترشدني إلى أيّ منهج مهني يمكنني أن أتابعه بعد بكالوريوس؟	**Nadeem :** Yes sir, but I am not interested in M.A. English. Could you suggest me some professional course I can do after my graduation?	يس سير، بت آي ايم نوت انترستد ان ايم .ايه. انجلش. كد يو سجيست مي سم بروفيشنل كورس، آي كان دو آفتر ماي غريجويشن؟
الأستاذ نجيب : ماذا رأيك في الصحافة ؟	**Teacher Najib :** What about journalism?	وات اباوت جرنلزم ؟
أعتقد عندك نزعة إلى الإنشاء والكتابة .	I think you have a flair for writing.	آي ثنك يو هيف أ فلير فور رايتنغ .
نديم : نعم يا سيدي. كنت أيضا رئيس تحرير القسم الإنجليزى لمجلة كليتنا . وعدد من مقالاتى قد نشرت في الصحف والمجلات المحلية .	**Nadeem :** Yes sir, I have also been the editor of the English section of our college magazine. Some of my articles have also been published in local newspapers and magazines.	يس سير،آي هيف اولسو بين د ايديتر اوف دَ انجلش سيكشن اوف اوِر كالج ميغزين. سم اوف ماي آرتكلس هيف اولسو بين ببلشد ان لوكل نيوز بيبرز اند ميغزينز.
الأستاذ نجيب : نعم، في رأيي أن منهج الصحافة منهج جيد لك .	**Teacher Najib :** Well, in my opinion, journalism is a good course for you.	ول ان ماي اوبينين جرنلزم از أ غد كورس فور يو.
نديم : كم مدة يستغرق هذا المنهج؟	**Nadeem :** What is the duration of this course, sir?	وت از د ديوريشن اوف دس كورس سير؟
الأستاذ نجيب : سنتان. ولكن الصحافة فقط لا يكفى. أقترح لك أن تعمل بعضا من المناهج التخصصية في وسائل الإعلام المطبوعة والإعلان .	**Teacher Najib :** Two years. But simple journalism is not enough. I suggest you should go in for specialised courses in print media or advertising.	تو ايرز. بت سمبل جرنلزم ازنوت اينف. آي سجيست، يو شد غو ان فور اسبيشلايزد كورسز ان برنت ميديا اور ادورتايز نغ.
فإن كل هذه الفروع للصحافة فيها فرص عمل جيدة .	All these branches of journalism have very good job prospects.	اول ديز برانشز اوف جرنلزم هيف فيري غد جوب بروسبكتس.

وت كايند اوف جوب ول آي غت آفتر ديت؟	**Nadeem :** What kind of job will I get after that?	نديم : أيّ نوع من الوظيفة أجد بعد ذلك ؟
يو كان ورك فور ميغزينز اند نيوز بيبرز اور تي في. آفتر يو هيف غيند فايف۔ سكس ايرز اوف ايكسبيرينس يو كان اولسو ورك اندبيندينتلي ايز أكنسلتينت.	**Teacher Najib :** You can work for magazines and newspapers or T.V. After you have gained 5-6 years of experience, you can also work independently as a consultant.	الأستاذ نجيب : يمكن أن تعمل للمجلات والصحف والتلفزيون . وبعد أن تحصل على الخبرة لمدة خمس أوست سنوات يمكنك أن تعمل بصفة مستقلة كمستشار
وتش انستي شيوتس دو يو ر يكمند فور د كورس ؟	**Nadeem :** Which institutes do you recommend for the course?	نديم : ولمتابعة هذه المناهج بأيّ معاهد توصي؟
بوث د يونيفرستيز اوف كيرو رن ديز كورسز. نيشنل انستيتوت فور بروفيشنل كورسز هيز اولسو أ غد ريبوتيشن.	**Teacher Najib :** Both the Universities of Cairo run these courses. National Institute for Professional Courses has also a good reputation.	الأستاذ نجيب : إن كلتا الجامعتين في القاهرة تجريان هذه المناهج كما أن للمعهد الوطني للمناهج المهنية سمعة طيبة في البلاد .
ثينك يو فيري متش سير . آي ثنك جرنلزم از د رايت كيرير فورمي.	**Nadeem :** Thank you very much, sir. I think journalism is the right career for me.	نديم : شكراً لكم جدا. عرفت الآن أن الصحافة هو المنهج الأنسب لي . ويجب أن أختاره في المستقبل.

Computers (كمبوترز) الكمبيوترات

[قد جاء رقيب التلميذ في الصف الثاني عشر (زمرة العلوم) إلى الأستاذ نجيب يستشيره حول برامجه للمستقبل]

غد ايفننغ سير.	**Raquib :** Good evening sir.	رقيب : مساء الخير يا سيدي .
غد ايفننغ رقيب، هاوآر يو؟	**Teacher Najib :** Good evening Raquib, how are you?	الأستاذ نجيب : مساء النور، كيف حالك يا رقيب؟
فاين ثينك يو .سير آي نيد يور ادوايس أون وت كيرير تو تيك اب آفتر تويلفث.	**Raquib :** Fine, thank you. Sir, I need your advice on what career to take up after twelfth.	رقيب : أنا بخير، شكرا يا سيدي. إنّي في حاجة إلى إرشادك، ما المنهج يجب أن أختاره بعد الصف الثاني عشر .
وت آر يور سبجكتس؟	**Teacher Najib :** What are your subjects?	الأستاذ نجيب : ماهي موادك؟
ساينس .نون ميديكل.	**Raquib :** Science, non-medical.	رقيب : العلوم، غير الطبية .
دونت يو وانت تو بي أن انجينير؟	**Teacher Najib :** Don't you want to be an engineer?	الأستاذ نجيب : ألا تريد أن تكون مهندسا؟
ايكشويلي سير، آي ايم نوت ايكسبكتنغ فيري غد ماركس . ات ول بي دفيكلت فور مي تو غيت ايدميشن أن أن انجينيرنغ كولج.	**Raquib :** Actually sir, I am not expecting very good marks. It will be difficult for me to get admission in an Engineering College.	رقيب : في الحقيقة يا سيدي. لا أتوقع علامات جيدة جدا . وسيكون لي من الصعب أن أجد قبولا في أية كلية للهندسة.
وت اباوت بزنس؟ هيف يو غِفن ات أ ثوت؟	**Teacher Najib :** What about business? Have you given it a thought?	الأستاذ نجيب : ماذا رأيك عن التجارة؟ هل فكرت فيها أبداً ؟
نو سر، آي دونت ثنك آي هيف	**Raquib :** No sir, I don't think	رقيب : لا يا سيدي، لا أجد فيّ رغبة إلى التجارة .

أن ايبتي شيود فور بزنس.	I have an aptitude for business.	
آي سي . هيف يو دن	**Teacher Najib :** I see. Have you done	الأستاذ نجيب : طيب، وهل تعلمت شيئا عن
كمبيوترزات اسكول رقيب؟	computers at school, Raquib?	الكمبيوتر في مدرستك؟
يس سير ،	**Raquib :** Yes sir,	رقيب : نعم يا سيدي.
ات وازأ بارت اوف اور سليبس.	it was a part of our syllabus.	وكان جزءً من منهجنا .
آر يو انترستيد أن كمبيوترز؟	**Teacher Najib :** Are you interested in computers?	الأستاذ نجيب : هل عندك
		نزعة إلى الكمبيوترات؟
يس سير،آي فايند كمبيو ترز	**Raquib :** Yes sir, I find computers	رقيب : نعم، يا سيدي .إني أرغب في الكمبيوترات
كوايت انترستنغ.	quite interesting.	رغبة شديدة .
ان ديت كيس يو كان غو	**Teacher Najib :** In that case, you can go	الأستاذ نجيب : ففي تلك الصورة يمكن لك أن
ان فور أ كيرير ان كمبيوترز.	in for a career in computers.	تختار الكمبيوتر لمستقبلك تدرسه وتتخذه مهنة .
كد يو سجيست مي	**Raquib :** Could you suggest me	رقيب : هل تتفضل
سم كورس سير؟	some course, sir?	بالتوصية بأيّ منهج خاص في الكمبيوتر؟
دير آر أ ورا يتي اوف كمبيوتر	**Teacher Najib :** There are a variety of	الأستاذ نجيب : تقدّم جامعة القاهرة والمعاهد
كورسيز آفرد باي كيرو	computer courses offered by Cairo	التعليمية الأخرى مختلف المناهج في تعليم
يو نيفرسيتي اند ويريس ادر	University and various other	الكمبيوتر . يمكنك أن تدرس الدبلوم
كمبيوتر انستي شيوتس. يو كد غو	computer institutes.	في برمجة الكمبيوتر وإلاَّ فيمكنك
ان فور أ دبلوما كورس ان	You could go in for a diploma course	أن تختار مناهج اختصاص
كمبيوتر بروغرامنغ اوراوبت فور	in computer programming or opt for	في الكمبيوتر كمنهج سكرتاري
اسبيشلا يزدكورسيز لا يك	specialised courses like	أو منهج في دراسة أجزاء
سكريتيريل اور هارد وير كورسيز.	secretarial or hardware courses.	وتركيب الكمبيوتر.
وت از د ديوريشن	**Raquib :** What is the duration	رقيب : كم مدة هذه المناهج يا سيدي؟
اوف ديز كورسز سير؟	of these courses, sir?	
دبلوما كورسز آر موستلي اوف	**Teacher Najib :** Diploma courses are	الأستاذ نجيب : إن مناهج الدبلوم
تو تو ثرى ايرز ديور يشن .	mostly of 2 to 3 years' duration.	مدتها عادة سنتان أو ثلاث سنوات .
بت ان كيس اوف شورت ترم	But in case of short-term	ولٰكن المناهج قصيرة الأجل
جوب اورينتدكورسز د ديوريشن	job-oriented courses,	فان مدتها تختلف في مختلف المعاهد .
ميه فيري انستي شيوت وايز.	the duration may vary institute-wise.	
كد يو سجست د نيمز	**Raquib :** Could you suggest the names	رقيب : هل تتفضل أن تقول لي أسماء بعض
اوف سم انستي شيوتس سير؟	of some institute, sir?	المعاهد يا سيدي ؟
اول ميجر يونيفرستيز اوفر كورسز	**Teacher Najib :** All major universities	الأستاذ نجيب : إن جميع الجامعات الكبيرة تقدّم
ان ويريس برانشز اوف كمبيوترز.	offer courses in various branches of	مناهج في مختلف فروع العلوم
امنغ د برايويت انستي شيوتس	computers. Among the private institutes,	الكمبيوترية. ومن بين المعاهد
اين آي آي تي هيز فيري غد نيم.	N.I.I.T. has very good name.	الخاصة إن لمعهد أن آي آي تي شهرة كبيرة .
بسايدس ا بتيك، ابترون اند بريلينت	Besides, Aptech, Uptron and Brilliant	وبجانب ذلك إن معاهد ابتيك وابترون
اولسو اوفر دبلوما كورسز	also offer diploma courses	وبريلينت أيضا تدرّس مناهج الدبلوم

التي تساعد في الحصول على الوظائف .	with good job prospects.	ود غدجوب بروسبكتس.
رقيب : يا سيدي . إنّي جيد في الرسم. هل هناك أيّ	**Raquib :** Sir, I can draw very well.	سير آي كان دراو فيرى ويل .
منهج يمكن فيه استغلال اهليتي هذه؟	Is there a computer course where	از دير أ كمبيوتر كورس، وير دس
	this ability of mine can be utilised?	ابيليتي اوف ماين كان بي يوتيلايزد؟
الأستاذ نجيب : نعم، يمكنك أن تتابع منهج	**Teacher Najib :** Yes, of course. You can do	يس اوف كورس. يو كان دو أ
الرسم والتخطيط بالكمبيوتر أو منهج	a diploma in Graphics and Animation.	دبلوما ان غرافكس اند انيميشن.
إعداد الرسوم المتحركة بالكمبيوتر .		
رقيب : شكرا لكم يا سيدي على إرشادكم.	**Raquib :** Thank you very much for	ثينك يو فيري متش فور يور
ففي رأيي يجب أن ألتحق	your guidance, sir. I think, I should	غايدنس سير. آي ثنك ،آي شد
بمنهج في الكمبيوتر.	join a computer course.	جواين أ كمبيورتر كورس.

Talking to a Property Dealer for Renting a Flat

محادثة مع عميل العقارات لاستئجار شقة (تاكنغ توأ بروبرتي ديلر فور رينتنغ أ فليت)يث)

الزبون : صباح الخير.	**Customer :** Good morning.	غد مورننغ.
عميل العقارات :صباح النور. تفضل يا سيدي.	**Property dealer :** Good morning, sir.	غد مورننغ سير. بليز هيف أسيت.
نعم، أيّ خدمة؟	Please have a seat. Yes, what can I do for you?	وت كان آي دو فوريو.
الزبون :أريد استئجار شقة .	**Customer :** I want to rent a flat.	آي وانت تو رينت أ فليت.
عميل العقارات : في أية ناحية؟	**Property dealer :** In which area, sir?	ان وتش ايريا سير.
الزبون : في المنطقة الغربية .	**Customer :** In Western Area.	ان ويسترن ايريا.
عميل العقارات : ماذا اسمك الكريم؟	**Property dealer :** May I know your name, sir?	ميه آي نو يور نيم سير؟
الزبون :أحمد عباس	**Customer :** Ahmed Abbas.	أحمد عباس.
عميل العقارات : ماذا تعمل يا سيدي؟	**Property dealer :** What do you do, sir?	وت دو يو دو سير؟
الزبون :أنا مدير مساعد في	**Customer :** I am an Assistant Manager	آي ايم أن اسستنت مينجر
صناعات أن .بي.	in N.P. Industries.	ان اين بي اندستريز .
عميل العقارات : أيّ نوع من الشقق تريد؟	**Property dealer :** What type of flat do you want?	وت تايب اوف فليت دو يو وانت؟
الزبون :أريد شقة فيها غرفتان للنوم	**Customer :** A two-bedroom flat with drawing,	أ تو بيد روم فليت ود دراينغ ،
وغرفة للاستقبال وغرفة للطعام	dining and kitchen. I want two toilets and	داينن اند كيشن ،آي وانت
ومطبخ ويجب أن يكون فيها مرحاضان وأيضا شرفة جيدة .	also a good balcony.	تو توايليتس اند اولسو أ غد بالكنى.
عميل العقارات : كم يمكنك أن تدفع من الأجرة؟	**Property dealer :** What is your budget?	وت از يور بجت؟
الزبون : حوالى =/٢٥٠٠ شهريا .	**Customer :** About 2,500/- per month.	اباوت تو تاوزند فايف هندريد بر منث.
عميل العقارات : أيّ طابق تريد؟	**Property dealer :** Which floor do you want?	وش فلور دو يو وانت؟
الزبون :أفضل الطابق الأول . ويجب أن يكون المنزل	**Customer :** Preferably, first floor.	بريفريبلي فرست فلور.
ذا هواء طلق ومواجها للشمس	I want an airy and sun-facing house	آي وانت أن ايري اند سن فيسنغ

وجواره جيد .	in a good neighbourhood.	هاوس ان أ غد نيبر هود.
عميل العقارات : متى تريد أن تنظر الشقة؟	**Property dealer :** When do you want	وين دويو وانت
	to see the flat?	تو سي د فليت؟
الزبون : بأسرع ما يمكنك أن	**Customer :** As soon as you can show me.	ايز سون ايز يو كان شو مي. يو سي،
تريني. لأنه يلزم أن انتقل إلى المنزل	You see, I have to shift positively	آي هيف تو شفت بوزي تيفلي
الجديد إلى نهاية هذا الشهر حتميا .	by the end of this month.	باي دَ اند اوف دس منث.
عميل العقارات : حسن، فإني أريد	**Property dealer :** Oh! I see. Let me note down	او آي سي .ليت مي نوت داون
عنوانك ورقم هاتفك .	your address and telephone number?	يور ايدريس اند تيليفون نمبر.
الزبون : سي- ٨٩٤، حارة الأحرار.	**Customer :** C-894, Ahrar Square. And my	٨٩٤-سي احرار اسكواير. اند ماي
ورقم هاتفي: ٧٥١٣٤٥٠.	telephone number is 7513450.	تيليفون نمبر از ٧٥١٣٤٥٠.
عميل العقارات : طيب: مهّلني قليلا يا سيد أحمد عباس.	**Property dealer :** O.K., Mr. Abbas.	او كيه مستر عباس.
فإنّي سأبحث لك شقة ممتازة .	Give me some time.	غف مي سم تايم .
	I will find a nice flat for you.	آي ول فايندأ نايس فليت فور يو.
الزبون : كم وقتا يستغرق ذلك؟	**Customer :** How much time will you take?	هاو متش تايم ول يو تيك؟
عميل العقارات : سأتصل بك في يوم أو يومين.	**Property dealer :** I'll get back to	آي ول غت بيك تو
	you in a day or two.	يو ان أ ديه اور تو.
الزبون : طيب. وما تكون عمولتك؟	**Customer :** O.K. What is your commission?	او كيه . وات از يور كميشن؟
عميل العقارات : أجرة شهرين.	**Property dealer :** Two months' rent, sir.	تو منتس رينت، سير.
الزبون : طيب. لا بأس به .	**Customer :** Alright.	اول رايت.
ولكن أريد السرعة .	Please do something quickly.	بليز دو سم ثنغ كويكلي.
عميل العقارات : نعم، لا داعي إلى القلق.	**Property dealer :** Yes, yes. Don't worry at all.	يس، يس. دو نت وري ات آل.
مع السلامة .	Bye, sir.	باي، سير.

An Interview for a Job (ان انترفيو فور أ جوب) مقابلة للوظيفة

سامية : ممكن أن أدخل يا سيدي؟	**Samia :** May I come in, sir?	ميه آي كم ان سير؟
المدير : نعم تفضلي .	**Manager :** Yes please!	يس بليز!
سامية : صباح الخير.	**Samia :** Good morning sir.	غد مورننغ سير.
المدير : صباح النور،اجلسي من فضلك .	**Manager :** Good morning, please sit down.	غد مورننغ ،بليز ست داون.
سامية : شكراً .	**Samia :** Thank you.	ثينك يو.
المدير : ما اسمك؟	**Manager :** What is your name?	وات از يور نيم؟
سامية : سامية عباس .	**Samia :** Samia Abbas.	ساميه عباس.
المدير : هل أنت متزوجة أو غير متزوجة؟	**Manager :** Married or unmarried?	ميريد او ر أن ميريد؟
سامية : متزوجة.	**Samia :** Married.	ميريد.
المدير : إنك قدمت الطلب لوظيفة كاتبة السر؟	**Manager :** You have applied for the	يوهيف ابلايد فور د بوست
	post of a personal assistant. Right?	اوف أ برسنل اسستنت ،رايت؟

سامية :	نعم يا سيدي .	**Samia :** Yes sir.	يس سير.
المدير :	ما هي مؤهلاتك ؟	**Manager :** What are your qualifications?	وات آر يور كواليفكيشنز؟
سامية :	بكالوريوس العلوم، وإلى جانب ذلك حصلت على دبلوم في الاختزال والطباعة على الآلة وتابعت منهجا يتعلق بالمهنة السكرتارية في المعهد الحكومي المتعدد الطرق.	**Samia :** I am B.Sc. I have also done a diploma in typing and shorthand and a secretarial course from the Govt. Polytechnic.	آي ايم .بي اس سي. آى هيف اولسو دن أدبلوما ان تايبنغ اندشورت هيند اند أ سكريتيريل كورس فروم د غورنمنت بولى تيكنك .
المدير :	كم السرعة لك في الطباعة والاختزال؟	**Manager :** What is your speed in typing and shorthand?	وات از يور اسبيد ان تايبنغ اند شورت هيند؟
سامية :	سبعون كلمة في دقيقة.	**Samia :** Seventy words per minute.	سيفنتي وردز بر منتس.
المدير :	هل يمكنك أن تعملي على الكمبيوتر؟	**Manager :** Can you work on a computer?	كان يو ورك أون أ كمبيوتر؟
سامية :	نعم،أستطيع أن أقوم بمعالجة الكلمات على الكمبيوتر.	**Seema :** Yes, I can do the word processing on it.	يس،آي كان دو د ورد بروسيسنغ أون ات.
المدير :	هل عملت في أيّ مكتب من قبل؟	**Manager :** Have you worked in an office before?	هيف يو وركد ان أن اوفس بفور؟
سامية :	نعم،عملت في صناعات جيه. كيه.ككا تبة السر للمدير.	**Samia :** Yes, I have worked as a P.A. to the manager in J.K. Industries.	يس آي هيف وركد ايزأ بي أيه تو د منيجر ان جيه كيه اندستريز .
المدير :	هل تركت الوظيفة هناك؟	**Manager :** Have you left them?	هيف يو ليفت ديم؟
سامية :	لا، ولكنني أريد أن أنتقل من هناك.	**Samia :** No, but I am looking for a change now.	نو، بت آي ايم لكنغ فور أ شينج ناو؟
المدير :	لماذا؟	**Manager :** Why?	واي؟
سامية :	إن مكان العمل بعيد جدا. والراتب أيضا قليل .	**Samia :** The place is very far. Besides, the salary is not enough.	د بليس از فيري فار. بسايدس د سيلري از نوت اينف.
المدير :	كم راتبك الشهرى حاليا؟	**Manager :** What is your present salary per month?	وت از يور بريزنت سيلري ؟
سامية :	تسعمائة دولارشهريا.	**Samia :** Nine hundred dollars per month.	ناين هندرد دولرس بر منث.
المدير :	وكم من الراتب تتو قعين ؟	**Manager :** What salary do you expect?	وت سيلري دو يو اكسبكت؟
سامية :	حوالي ألف دولار.	**Samia :** Around 1,000/-.	اراوند ١٠٠٠.
المدير :	هل تستطعين التكلم والحوارفي الإنكليزية بطلاقة؟	**Manager :** Can you communicate in English fluently?	كان يو كميونكيت ان انجلش فلوينتلي؟
سامية :	نعم،بكل طلاقة.	**Samia :** Of course, I can.	اوف كورس ،آي كان.
المدير :	عندي سؤال أخير ولكنه هامّ جداً. إن كاتبا للسر يمكث في المكتب إلى الساعات المتأخرة أحيانا. فهل يمكنك ذلك؟	**Manager :** One last but very important question. A personal assistant may have to stay back late in office sometimes. Can you do that?	ون لاست بت فيري امبورتينت كويسشن . أ برسنل اسستنت ميه هيف تو استيه بيك ليت ان اوفس سم تايمز. كان يو دو ديت؟
سامية :	يمكنني ذلك في القليل النادر ولكنني لا أستطيع ذلك دائما. لأن عندي طفلاً صغيراً .	**Samia :** Only once in a while sir, not always. I have a small baby.	اونلي ونس ان أ وايل سير، نوت اولويز. آي هيف أ اسمول بيبي.

المدير : طيب. السيدة سامية عباس، إنّه يكفي. أنا نشعرك سريعا.

Manager : All right, Mrs. Samia Abbas. That will do. We will let you know soon.

اول رايت مسز ساميه عباس. ديت ول دو. وي ول ليت يو نو سون.

سامية : شكرا يا سيدي.

Samia : Thank you sir.

ثينك يو سير.

Door-to-Door Selling (دور تو دور سيلنغ) البيع في المنازل

(تدقّ جرس منزل بنت بائعة وتفتح امرأة الباب)

المرأة : نعم، ما الخبر؟

Housewife : Yes, what's it?

يس، وتس ات؟

البائعة : (بابتسامة) صباح الخير يا سيدتي. أنا عفيفة ناصر من شركة هيلدي هارتس. أن شركتنا قد أنتجت وجبة حبوب للفطور. إنها مغذية جدا وشهية وجيدة للقلب.

Salesgirl : *(smiling pleasantly)* Good morning madam. I am Afifa Nasir from Healthy Hearts. Our company had brought out a breakfast cereal. It's very nourishing, delicious and good for heart.

غد مورننغ ميدم. آي ايم عفيفه ناصر فروم هيلدي هارتس. اور كمبني، هيد بروت آوت أ بريك فاست سيريل . اتس فيري نرشنغ ،ديلشس اند غد فور هارت.

المرأة : انظرى إنني مشغولة جدا هذا الوقت .

Housewife : Look, I am very busy right now.

لك ،آي ا يم فيري بيزى رايت ناو.

البائعة : إنّي عرفت يا مادام . ولكن آخذ لحظة من وقتك . انظري، إننا لترويج منتوجنا نأخذ منكم ثمنا قليلا جدا . إنكم تجدون علبة ٧٥٠ غرام بثمن ٥٠٠ غرام فقط . ومعها هذه العلبة السدودة للهواء نعطيكم مجانا.

Salesgirl : I appreciate that, madam. But just spare a moment and please look here. For the product's promotion, we are offering a bargain price. You will get 750 grams for the price of 500 grams. Besides, this airtight container comes free with the 750 grams pack.

آي ابري شيت ديت ميدم . بت جست اسبير أ مومنت اند بليز لُك هير. فور د برودكتس بروموشن وي آر اوفرنغ أ بار غين برايس. يو ول غت ٧٥٠ غرامز فور دَ برايس اوف ٥٠٠ غرامز. بسايدس دس اير تايت كنتينر كمز فري ود د ٧٥٠ غرامز بيك.

المرأة : ماسعرها؟

Housewife : What is the price?

وت از د برايس ؟

البائعة : أربعة دولارات فقط . وتباع نفس العلبة في المحل بخمسة دولارات.

Salesgirl : Four dollars only. At the counter, the same pack is selling for five dollars.

فور دولرس اونلي .ات د كاونترَ سيم بيك از سيلنغ فور فائيف دولرس.

المرأة : أربعة دولارات كثيرة.

Housewife : Four dollars is too much.

فور دولرس از تو متش.

البائعة : ثقي بي يا مادام إنها عبوة اقتصادية لنا . وإن اشتريت حالا سأعطيك هذه الأقلام الجافة الملونة كهدية لك.

Salesgirl : Believe me, madam, it is our economy pack. And if you buy now, I will give these colourful ballpens as extra gifts to you.

بليف مي ميدم.ات از اور اكونومي بيك. اند اف يو باي ناو، آي ول غِف ديز كلرفل بول بينس ايز اكسترا غفتس تو يو.

المرأة : نعم، ولكنني ماستعملته أبدا من قبل.

Housewife : Well, I have never tried it before.

ويل، آي هيف نيفر ترايد ات بفور.

البائعة : خذي يامادام ذوقيه . إنه سيعجب كل أعضاء أسرتكم إنّي بعت ٢٠ علبة في حارتكم

Salesgirl : Here please, taste it. Your family will love the taste. It is really very good. I have

هير بليز تيست ات . يور فيملي ول لف د تيست . ات از ريلي فيري غد. آي هيف اول ريدي

سولد توينتي بيكس ان دَ كولوني.	already sold 20 packs in the colony.	بالفعل.
اول رايت،آيل تيك ات.	**Housewife :** Alright, I'll take it.	المرأة : طيب .أشتري .
هاو ميني بيكس ميدم.	**Salesgirl :** How many packs, madam?	البائعة : كم علبة؟
جست ون.	**Housewife :** Just one.	المرأة : علبة واحدة .
شيور ميدم ،يور نيم بليز؟	**Salesgirl :** Sure, madam.Your name please?	البائعة : طيب . اسمك من فضلك .
مُنى سهيل ، ليت مِي غت د مني.	**Housewife :** Muna Suhail. Let me get the money.	المرأة : مُنى سهيل.سآتي بالنقود.
ثينك يو .	**Salesgirl :** Thank you.	البائعة : شكرا .
هيف أ غد ديه ميدم، باي.	Have a good day, madam. Bye.	يومك سعيد يا مادام ، إلى اللقاء .

Selling in Offices (سيلنغ ان او فسيز) البيع في المكتب

غد آفتر نون ميدم. آي ايم	**Salesman :** *(to receptionist)* Good afternoon	البائع : (لموظفة الاستقبال) مساء الخير .
كمال جابر فروم نيو لك استيشنرز	madam. I am Kamal Jabir from	يا مادام أنا كمال جابر من شركة
اند برنترز . آي وانت تو سي	Newlook Stationers and Printers. I want	نيو لوك لأدوات الكتابة والطباعة .
د برشيز منيجر، بليز.	to see the Purchase Manager, please.	أريد أن أقابل مدير المشتريات .
دو يو هيف أن ابوانيت منت؟	**Receptionist :** Do you have an appointment?	الموظفة: هل عندك موعد معه؟
يس، ميدم.	**Salesman :** Yes, madam.	البائع: نعم،يا مادام .
سير ،مستر كمال جابر	**Receptionist :** *(on the intercom)* Sir,	الموظفة: (على التلفون الداخلي)ياسيدي.
فروم نيو لك استيشنرز اند	Mr. Kamal Jabir from Newlook Stationers	جاء واحد كمال جابر من شركة
برنترزوانتس تو سي يو.	and Printers wants to see you.	نيو لوك لأدوات الكتابة والطباعة يريد مقابلتكم.
اول رايت، سيند هم ان.	**Manager :** Alright, send him in.	المدير : طيب أرسليه .
	Receptionist : *(to the salesman)*	الموظفة: (للبائع) تفضل اذهب إليه .
يو كان غوان، بليز.	You can go in, please.	
وتش ويه ان دَ اوفس ميدم؟	**Salesman :** Which way in the office, madam?	البائع : في أيّ جهة غرفته يامادام ؟
غو استريت.	**Receptionist :** Go straight.	الموظفة : اذهب إلى الأمام، الغرفة الثالثة
ثرد روم أون د ليفت.	Third room on the left.	على اليسار.
ثينك يو.	**Salesman :** Thank you.	البائع : شكرا .
	Salesman : *(to the Purchase Manager)*	البائع : (لمدير المشتريات)
غد آفتر نون سير	Good afternoon sir.	مساء الخير يا سيدي.
غد آفتر نو ن ،بليز ست داون.	**Manager :** Good afternoon, please sit down.	المدير : مساء النور.تفضل ،اجلس .
سير،آي ايم كمال جابر فروم	**Salesman :** Sir, I am Kamal Jabir	البائع : أنا كمال جابر من شركة نيو لوك
نيو لك استيشنرز اند برنترز.	from Newlook Stationers and Printers.	لأدوات الكتابة والطباعة . نحن
وي بروفايداول كايند ز اوف	We provide all kinds of stationery	نزوّد جميع الأنواع لأدوات
استيشنري اند برنتنغ سر فيسز.	and printing services.	الكتابة ونقدم خدمات الطباعة من كل نوع.
هيف يو بروت ايني سيمبلس؟	**Manager :** Have you brought any samples?	المدير : هل جئت بالعينات؟
يس سير، ديز آر سم استيشنري	**Salesman :** Yes sir, these are some stationery	البائع : نعم،ياسيدي .هذه عدة قطع

	من أدوات الكتابة. وهي بعض من	items and these are some cards and	آيتمز اند ديز آر سم كاردز اند
	البطاقات والكتيبات التي قمنابطباعتها.	brochures printed by us.	بروشرز برنتد باي اس .
	وأرجوك أن تنظر إلى نوعية وجودة الطباعة	Kindly look at the quality of print	كايندلي لك ايت د كوليتي اوف
	وأيضا الورق الذي استعملناه .	and the paper used by us.	برنت اند د بيبر يوزد باي اس.
المدير :	ماهي الأسعار؟	**Manager :** What are the rates?	وات آر د ريتس؟
البائع:	هذه قائمة الأسعار.	**Salesman :** This is the rate list, sir.	دس از دَ ريت لست سير.
المدير :	وما ذا تقدمون من الخصم ؟	**Manager :** What is the discount?	وت از د دسكاونت؟
البائع :	نقدم الخصم بـ ١٠% على شراء	**Salesman :** We offer 10% discount, sir, on	وي اوفر تين برسينت دسكاونت
	١٠٠٠ قطعة. وأقدم لكم الخصم	a purchase of 1000 items.	سير،اون أ برشيز اوف 1000أيتمز.
	بـ ١٠ % على اسعا ر الطبع	I can also offer you 10%	آي كان اولسو اوفر يو تين برسينت
	أيضا.	discount on the printing rates, sir.	دسكاونت اون د برنتينغ ريتس سير.
المدير :	ولكن أسعاركم عالية جدا.	**Manager :** Your rates are quite high.	يور ريتس آر كوايت هاي.
البائع :	نحن نقدم جميع البضائع من النوع الجيد	**Salesman :** We offer quality items	وي اوفر كوالتي آيتمز اند سرفيس
	كما ونقدم للزبائن خدمات ممتازة .إنا	and service, sir. We use steel tabs	سير. وي يوز استيل تيبزان بليس
	نستعمل العرى من الصلب بينما الشركات	in place of iron ones used by other	اوف آيرن ونز يوزد باي ادر كمبنيز
	الأخرى تستعمل العرى الحديدية .	companies. We use 'A' grade plastic	وي يوز "ايه" غريد بلاستك ان اور
	ونستعمل البلا ستيك من درجة "أيه" في	in our files, offering a large variety	فايلز، اوفرنغ أ لارج ورايتى
	صنع الملفات بجانب تقديم تشكيلة كبيرة	in colours. Besides, the paper we	ان كلرز. بسايدز د بيبر وي
	من الألوان . إضافة إلى ذلك إن الورق	use is 80 G.S.M. instead of 70 G.S.M.	يوزاز ايتي جي أيس ايم انستيد
	الذي نستعمل هو ٨٠ جي. أس. أم. وليس ٧٠ جي. أس. ام.	commonly used	اوف سيفنتي جى ايس ايم
	الذي تستعمله الشركات الأخرى عادة.	by others.	كومنلي يوزد باي ادرز.
المدير :	مع ذلك يبدولي أن أسعاركم عالية جدا.	**Manager :** Still I find the rates very high.	استل،آى فايند د ريتس فيري هاي.
البائع :	إننا نرغب بشدة في المعاملة مع	**Salesman :** Sir, actually we	سير، ايكشويلي وي آر فيري كين
	شركتكم يا سيدي .	are very keen on doing business with	أون دوينغ بزنس ود يوركمبنى. آي
	فلذلك أستطيع أن أقدم لكم	your company. I can, therefore, offer an	كان ديرفور،اوفرأن اديشنل فايف
	خصما إضافيا بـ ٥ % خاصة لكم.	additional 5% discount specially for you.	برسنت دسكاونت اسبيشلي فوريو.
المدير :	طيب، ممكن أن تترك العينات	**Manager :** Alright, you can leave your	اول رايت. يو كان ليف يور
	والكتيبات هنا وتتصل بي	brochures and samples here	بروشرزاند سيمبلزهير
	في الأسبوع المقبل؟	and call me next week.	اند كول مي نيكست ويك.
البائع :	نعم، شكرا جدا . يومك سعيد	**Salesman :** Fine sir, thank you	فاين، سير ثينك يو
	ياسيدي .	very much and good day sir.	فيري متش اند غد ديه سير.

Kitty Party (كتي بارتي) حفلة كتي (القرعة)

(هناك حفلة في منزل السيدة ماهرة . وقد أتت إلى منزلها كل من السيدة مديحة والسيدة عظمىٰ وغادة و خنساء وعاتكة.)

ماهرة :	(للضيوف) مرحبا، تفضلوا،	**Mahira :** *(to the guests)* Hello,	هلو ويلكم !

اجلسوا من فضلكم.	Welcome! Please be seated.	بليز بى سيتد.

(تأتي وردة صديقة ماهرة معها سعيدة)

وردة : أهلًا يا ماهرة !كيف حالك ؟	**Warda :** Hi Mahira! How are you?	هاى ماهرة ،هاو آر يو؟
ماهرة : مرحبا . أنا طيبة. وكيف أنت؟	**Mahira :** Hi! I am fine, and you?	هاى ! آي ايم فاين اند يو ؟
وردة : أنا بخير. قابلي هاتين سعيدة	**Warda :** Fine. Here meet Saeeda	فاين. هير ميت سعيدة ماهر
ماهر ونادية حسن .	Mahir and Nadia Hasan,	اند ناديه حسن،
هما عضوتان جديدتان في جماعتنا.	our new members.	اور نيو ممبرز.
ماهرة : أهلا وسهلا مرحبا.	**Mahira :** Hello and welcome!	هلو اند ويلكم.

(تأتي نسوة أخريات ويجلسن)

السيدة فائزة : (للسيدة عظمى) فستانك جميل	**Mrs. Faiza :** (*to Mrs. Uzma*)Your gown	يور غاون
جدا السيدة عظمى.	is very beautiful, Mrs. Uzma.	از فيري بيوتي فل مسز عظمىٰ.
السيدة عظمى : شكرا .	**Mrs. Uzma :** Thank you.	ثينكيو.
السيدة فائزة : من أين اشتريته؟	**Mrs. Faiza :** Where did you buy it from?	ويردد يو باي ات فروم؟
السيدة عظمى: من محل	**Mrs. Uzma :** From Alawi Dress House,	فروم علاوي دريس هاؤس،
أزياء العلاوي بشارع أبي حازم.	Abi Hazim Road.	ابي حازم رود.
السيدة فائزة : وكم ثمنه ؟	**Mrs. Faiza :** What is the price?	وات از د برايس.
السيدة عظمى: مائة دولار .	**Mrs. Uzma :** One hundred dollars.	ون هندرد دولرز.
سعاد : (لوردة) مرحبا، يا وردة.	**Suad :** *(to Warda)* Hello,	هلو،
تظهرين أنيقة حقا.	Wardah, looking very smart!	وردة لكنغ فيري اسمارت!
وردة : شكرا.	**Warda :** Thank you.	ثينك يو.
سعاد : هذا الطراز الجديد للشعر يروق	**Suad :** This new hair style is suiting you	دس نيو هير استايل از سوتنغ
بك جدا. أين تذهبين للتزيين ؟	very much. Where do you go for cutting?	يو فيري متش.ويردو يو غو فور كتنغ؟
وردة : إلى شاهدة.	**Warda :** At Shahida's.	ات شاهداز.
سعاد : أليست أسعارها غالية؟	**Suad :** Isn't she expensive?	ازنت شي ا يكس بينسيف؟
وردة : نعم، ولكنها ماهرة جدا .	**Warda :** Yes, but she is good.	يس ،بت شي از غد.
سعاد : أي واه، صحيح .	**Suad :** Yes, that's true.	يس ،ديتس ترو.
السيدة مديحة : أظن أنه قد حضرالجميع.	**Mrs. Madiha :** I think we all are here.	آي ثنك وي آل آر هير .
فلنبدأ الآن .	Let us start.	لت ا س استارت.
وردة : إن السيدة ثروة لم تحضر	**Warda :** Mrs. Sarwa hasn't come, but	مسز ثروة هيزنت كم ، بت شي
ولكنها قدأرسلت نصيبها من النقود .	she has sent her contribution.	هيز سينت هر كنتري بيوشن.
السيدة مديحة: طيب . هل تجمعين التبرعات	**Mrs. Madiha :** Alright. Suad, are you	اول رايت.
يا سعاد؟	making the collection?	سعاد آر يو ميكنغ د كلكشن؟
سعاد : نعم. نحن عشرون عضوا. ومن	**Suad :** Yes I am. We are twenty members.	يس آي ايم .وي آر توينتي ممبرز .
كل عضو خمس مائة. فهذه	Five hundred each makes ten thousand.	فايف هندرد ايتش ميكس تن تاو زند.
عشرة آلاف. خذي يا مديحة هذه النقود.	Here Madiha, take the money.	هير مديحة، تيك د مني.

ثينك يو، بليز اكسكيوز مي.	**Madiha :** Thank you. Please excuse me.	مديحة : شكرا. اسمحوا لي من فضلكم .

(تذهب إلى الداخل)

سعاد هو هيز غوت د نكست كتي؟	**Mrs. Madiha :** Suad who has got the next kitty?	السيدة مديحة : من نالت القرعة يا سعاد؟
مسز بهجة. ليديز اتنشن بليز. د نيكست بارتي از ات مسز بهجاس هاوس.	**Suad :** Mrs. Bahja. Ladies! attention please. The next party is at Mrs. Bahja's house.	سعاد : السيدة بهجة. أيها السيدات، الحفلة المقبلة ستعقد في منزل السيدة بهجة .
ليت اس بليه تمبولا ناو.	**Warda :** Let us play Tambola now.	وردة : تعالين نلعب تمبولا الآن.
اول رايت. ليديز بليز كنتري بيوت توينتي روبيز ايتش فور تمبولا.	**Suad :** All right. Ladies, please contribute twenty rupees each for Tambola.	سعاد : أيها السيدات لتتبرع كل واحدة ٢٠ دولارا لتمبولا.

(بعد انتهاء اللعب)

ليديز بليزكم فور لنش.	**Mahira :** Ladies, please come for lunch.	ماهرة : تفضلن أيها السيدات تناولن الغداء.
يور بيكد ويجي تيبل از فيري تيستي ماهره.	**Suad :** Your baked vegetable is very tasty, Mahira.	سعاد : إن الخضرالمحمصة لك لذيذة جدا ياماهرة.
ثينك يو،آي لايكد دَ استفد توميتوز فيري مش ات يور بليس.	**Mahira :** Thank you, I liked the stuffed tomatoes very much at your place.	ماهرة: شكرا لك . وكذلك اعجبنى عندكم طعام الطماطم المحشو جدا .
وي ول ايكسشينج دَ ريسا يبز.	**Suad :** We will exchange the recipes.	سعاد : فلنتبادل طرق الطهي فيما بيننا.
يس شيور . بليز هيف سم مور.	**Mahira :** Yes sure. *(to guests)* Please have some more.	ماهرة : أي واه. (وتقول للضيوف) تفضلن ياسيدات تناولن المزيد .
لكنغ فيري سلم فريال.	**Mrs. Khansa :** *(to Faryal)* Looking very slim, Faryal.	السيدة خنساء : (لفريال) تبدين هزيلة يا فريال.
ثينك يو.	**Faryal :** Thank you.	فريال : أشكرك.
هيف يو بين دايتنغ ؟	**Mrs. Khansa :** Have you been dieting?	السيدة خنساء : لعلك تنحمين ؟
نوت ريلي. بت آي هيف استارتيد سم اكسرسايز.	**Faryal :** Not really. But I have started some exercise.	فريال : لا، ولكننى أقوم بالرياضة البدنية هذه الأيام.
يس ، ديت از فيري افكتيف.	**Mrs. Khansa :** Yes, that is very effective.	السيدة خنساء : نعم، إن ذلك مفيد جدا .
دو يو نو سليمز اور نيبرز.	**Mrs. Madiha :** *(to Mrs. Faiza)* Do you know Salims, our neighbours.	السيدة مديحة: (للسيدةفائزة) أنت تعرفين جارنا السيد سليم وأسرته جيدا؟
يس، واي؟	**Mrs. Faiza :** Yes, why?	السيدة فائزة : نعم،أعرفهم جميعا . ولما ذاتسئلين ؟
دير واز أ بغ سين ايت دير بليس لاست نايت.	**Mrs. Madiha :** There was a big scene at their place last night.	السيدة مديحة : كان في بيتهم البارحة منظر غريب جدا .
واي، وت هيبند؟	**Mrs. Faiza :** Why, what happened?	السيدة فائزة : ماذاحصل ؟
وي هيد هاردلي غون تو سليب ، وين وي هرد لاود وايسز مستر اند مسز سليم وير	**Mrs. Madiha :** We had hardly gone to sleep, when we heard loud voices. Mr. and Mrs. Salim were	السيدة مديحة : لم نكن ننام حتى سمعنا أصواتا عالية جدا. ثم تبين أن سليما وزوجته يشاجران ويقاتلان

فايتنغ اند شاوتنغ ات ايش ادر.	fighting and shouting at each other.	بشدة ويصرخان بأصوات عالية جدا.
وات واز د ميتر؟	**Mrs. Faiza :** What was the matter?	السيدة فائزة : ماكان الأمر؟
غود نوز بت ديتس فيري	**Mrs. Madiha :** God knows, but	السيدة مديحة: الله أعلم، ولكنه عيب كبير.
بيد، ازنت ات؟	that's very bad, isn't it?	أليس كذلك؟
يس ،اوف كورس.	**Mrs. Faiza :** Yes, of course.	السيدة فائزة : نعم، طبعا
وات آر يو	**Warda :** *(to Mahira)* What are you	وردة : (لماهرة) ماذا تريدين أن تشتري
غوينغ تو باي ود د كتي مني؟	going to buy with the kitty money.	بالنقود التي حصلت عليها من القرعة؟
آي هيفنت ثوت يت.	**Mahira :** I haven't thought yet.	ماهرة : لم أفكرفيه بعد. وماذا كنت
وات دد يو باي؟	What did you buy?	اشتريت بها؟
واشنغ مشين.	**Warda :** Washing machine.	وردة : غسالة.
وتش ون؟	**Mahira :** Which one?	ماهرة : أيّ ماركة؟
فيديو كون.	**Warda :** Videocon.	وردة : ماركة فيديوكون.
از ات وركنغ ويل؟	**Mahira :** Is it working well?	ماهرة : هل هي تشتغل جيدا؟
يس فيري ويل.	**Warda :** Yes, very well.	وردة : نعم جيداجدا.
آي ول كم تو سي ات.	**Mahira :** I will come to see it.	ماهرة : سآتيك لرؤيتها.
يس شيور. كم تومورو	**Warda :** Yes, sure. Come tomorrow.	وردة : بكل سرور . آتي غدا.
او ،كيه.	**Mahira :** O.K.	ماهرة : طيب . سآتي غدا .
او، كيه ماهرة وي هيد أ فيري.	**Mrs. Khansa :** O.K. Mahira.	السيدة خنساء : يا ماهرة . تمتعنا كثيرا.
نايس تايم ، باي.	We had a very nice time, bye.	والآن استأذنكم.
ثينكيو بليز كم اغين.	**Mahira :** Thank you, please come again.	ماهرة : شكراً . زورونا مرة أخرى .
او كيه ماهرة .	**Suad :** O.K. Mahira,	سعاد : طيب شكرا على الغداء الشهيّ .
ثينك يو فور د نايس لنش،باي .	thank you for the nice lunch, bye.	ونستأذنكم الآن .
ثينكس فور كمنغ ،باي.	**Mahira :** Thanks for coming, bye.	ماهرة : وأشكركم على قدومكم. مع السلامة .
او، كيه ماهرة آي تو ول ليف ناو.	**Warda :** O.K. Mahira, I too will leave now.	وردة : طيب . يا ماهرة .إنّي أيضا أذهب .
واي؟ استيه فور سم تايم.	**Mahira :** Why? Stay for sometime.	ماهرة : لماذا؟ ابقى مزيداً في الوقت .
نو تشلدرن مست بي بيك فروم	**Warda :** No, children must be back from tuition.	وردة : لا يا أختي يكون الأولاد
تيوشن .سي يو تومورو.	See you tomorrow.	قد عادوا من الدراسة .
او ،كيه .باي سي يو.	**Mahira :** O.K. Bye	ماهرة : طيب. مع السلامة . إلى اللقاء .

At the Bank (ايت د بينك) في البنك

اكسكيوز مي .آي وانت تو	**Customer :** Excuse me.	الزبون: اسمح لي. أريد أن أفتح
اوبن أن اكاونت هير.	I want to open an account here.	حسابا هنا في هذا البنك .
بليز غو تو ديت كيبن.	**Bank employee :** Please go to that cabin..	موظف البنك : امش إلى تلك الغرفة من فضلك.
ميه آي كم ان؟	**Customer :** May I come in?	الزبون: ممكن أن أدخل؟

يس بليز وت كان	**Bank officer :** Yes, please.	ضابط البنك: تفضل . أيّ خدمة ؟
آي دو فور يو؟	What can I do for you?	
آي وانت تو اوبن أن اكاونت هير.	**Customer :** I want to open an account here.	الزبون: أريد أن أفتح حسابا هنا.
وت از د منمم د بوزت فور	What is the minimum deposit for	ماهو المبلغ الأقل يجب أن يودع
أ سيفنغس اكاونت؟	a savings account?	لحساب الادّخار؟
يو كان اوبن أن آرديزي سيفنغس	**Bank officer :** You can open an ordinary	الضابط: يمكنك أن تفتح حساب ادخار عادي
اكاونت ود أ منمم د بوزت	savings account with a minimum deposit	بإيداع مبلغ مائتين وخمسين دولارا
اوف تو هندرد اند ففتي دولرز.	of two hundred and fifty dollars.	وهو الحد الأدنى .ولكن إذا اردت دفتر
بت فور أ شيك بك اكاونت ون نيدز	But for a cheque book account, one	الشيكات أيضا فيجب أن تودع
تو دبوزت فايف هندرد دولرس.	needs to deposit five hundred dollars.	خمسمائة دولار على الأقل.
هاو ميني تايمز أ ويك	**Customer :** How many times a week	الزبون: كم مرة في أسبوع يمكننا
كان وي ود درا مني؟	can we withdraw money?	أن نسحب النقود؟
ان اور بينك نوت مور دين	**Bank officer :** In our bank, not	الضابط: في بنكنا ليس أكثر من مرتين في أسبوع .
توايس أ ويك.	more than twice a week.	
وات از د ريت اوف انترست اون.	**Customer :** What is the rate of interest on	الزبون: ماهو سعر الفائدة في
أ سيفنغس اكاونت.	a savings account?	حساب الادّخار؟
فايف برسنت.	**Bank officer :** Five per cent.	الضابط: خمسة بالمائة .
اول رايت. آي وانت	**Customer :** Alright.	الزبون: حسن . أريد فتح الحساب هنا .
أن اكاونت هير.	I want an account here.	
اوكيه فل اب دس فورم بليز	**Bank officer :** O.K. Fill up this form, please.	الضابط : طيب . املأ هذه الاستمارة
دو يو وانت ات سنغل اور جواينت.	Do you want it single or joint?	من فضلك .هل تريد حسابا فرديا أو مشتركا؟
آي وانت ات ان أ جواينت نيم	**Customer :** I want it in a joint name	الزبون: أريد مشتركا مع اسم حليلتي.
ود ماي وايف.	with my wife.	
ان ديت كيس يو بوث هيف	**Bank officer :** In that case, you both have	الضابط : فيلزمكما أن توقعا هنا .
تو ساين هير. دو يو نو سم بدي	to sign here. Do you know somebody	هل تعرف شخصا يمكنه أن يوقع
تو ساين ايز وتنس.	to sign as witness?	كشاهد؟
يس ماي نيبر مستر خالد هيز	**Customer :** Yes, my neighbour, Mr. Khalid	الزبون: نعم، إن جاري السيد خالد عنده
أن اكاونت ان دس بينك.	has an account in this bank.	حساب في هذا البنك .
فاين . بليز آسك هم	**Bank officer :** Fine, please ask him	الضابط: حسن ، فارجُ منه أن يوقع هنا .
تو ساين هير.	to sign here.	
اند آفتر ديت؟	**Customer :** And after that?	الزبون: وبعد ذلك؟
دبوزت دَ اماونت وِد دَ كيشير	**Bank officer :** Deposit the amount with the	الضابط: أودع المبلغ عند الصراف .
آفتر ديت يو ول غت يور اكاونت	cashier. After that you will get your account	وبعد ذلك تجد رقم حسابك .
نمبر اند د باس بك.	number and the passbook.	ودفتر الشيكات .
ثينك يو فيري مش.	**Customer :** Thank you very much.	الزبون: شكرا جزيلا.
آي وانت أ درافت بليز.	**Another customer :** I want a draft, please.	زبون آخر: أنا أريد حوالة، من فضلك .

بليز غو تو	**Bank officer :** Please go to	الضابط : امش من فضلك
كاونتر نمبر ثري.	counter number three.	إلى المنضدة رقم ٣ .
	Customer : *(at the counter)*	الزبون : (على المنضدة) أريد حوالة من فضلك.
آي وانت أ درافت بليز.	I want a draft, please.	
دو يو هيف أن اكاونت هير؟	**Bank officer :** Do you have an account here?	موظف البنك : هل عندك حساب هنا؟
نو.	**Customer :** No.	الزبون : لا .
فل اب دس فورم اند دبوزت	**Bank officer :** Fill up this form and deposit	الموظف : املأ هذه الاستمارة وأودع
دَ مني ات كاونتر نمبر سكس.	the money at counter number six.	النقود على المنضدة رقم ٦ .
هاو مش تايم ول ات تيك؟	**Customer :** How much time will it take?	الزبون: كم يستغرق من الوقت فيه؟
اباوت تو اورز.	**Bank officer :** About two hours.	الموظف : حوالي ساعتين .
بليز تراى تو ميك ات ارلي.	**Customer :** Please try to make it early.	الزبون: أرجوك السرعة من فضلك .
آي ول تراي.	**Bank officer :** I will try.	الموظف :سأحاول ذلك .
آي وانت تو اينكيش	**Another customer :** I want to encash	زبون آخر:أريد صرف هذا الشيك .
دس شيك بليز	this cheque, please.	
كاونتر نمبر سكس بليز.	**Bank officer :** Counter number six, please.	الموظف: امش إلى المنضدة رقم ٦ من فضلك.
ثينك يو.	**Customer :** Thank you.	الزبون : شكرا .
آي وانت أ	**Another customer :** I want a	زبون آخر: أريد حسابا للوديعة الثابتة .
فكسد دبوزت اكاونت.	fixed deposit account.	
فور وت اماونت؟	**Officer :** For what amount?	الموظف : لكم مبلغ ؟
فور تين تاوزند دولرس.	**Customer :** For ten thousand dollars.	الزبون: لعشرة آلاف دولار .
اند فور هاو ميني ايرز؟	**Officer :** And for how many years?	الموظف : لكم مدة ؟
فور ثري ايرز . وات از دَ انترست؟	**Customer :** For three years. What is the interest?	الزبون: لثلاث سنوات .
بليز استدي دس شارت.	**Officer :** Please study this chart.	الموظف : من فضلك اقرأ جدول اللوائح هذا .
از دير كمباوند انترست	**Customer :** Is there compound interest for	الزبون: هل هناك فائدة مركبة على الودائع
فور د ريكرنغ دبوزت؟	the recurring deposit?	في الحساب الجاري؟
ات از دير ان د شارت بليز.	**Officer :** It is there in the chart, please.	لموظف : إنه أيضا يحتويه جدول اللوائح .

Boss & Secretary (بوس اند سكريترى) المدير وكا تبة السر

غد مورننغ سير.	**Secretary :** Good morning sir.	اتبة السر: صباح الخير ، يا سيدي.
غد مورننغ طاهرة .بليز تيك داون	**Boss :** Good morning Tahira. Please take down	لمدير : صباح النور يا طاهرة. اكتبي
دس ليتر اند فيكس ات امجيئيتلي.	this letter and fax it immediately.	هذه الرسالة وأرسليها بالفاكس بسرعة .
او،كيه،سير!يو هيف أن ابواينت منت	**Secretary :** O.K. sir, you have	اتبة السر: طيب يا سيدي، عندك موعد
ود مستر محمود اوف ان. كيه.	an appointment with Mr. Mahmood of	مع السيد محمود من صناعات أن .كيه
اندستريزات اليفن ثرتي توديه.	N.K. Industries at 11.30 today.	اليوم في الساعة ١١/٣٠ .
اول رايت. ريمايند مي اباوت	**Boss :** Alright, remind me about	لمدير : نعم، ذكّرني بذلك

ات أت اليفن او كلوك.	it at eleven o' clock.	في الساعة الحادية عشرة .
يس سير، دس از دَ	**Secretary :** Yes, sir. This is the	**كاتبة السر:** نعم، هذه الرسالة التي
ليتر فروم دير كمبنى اند دي كوبي	letter from their company and the copy of	وصلتنا من شِركتهم وهي نسخة
اوف د ربلاي سينت باي اس.	the reply sent by us.	من الرد الذي أرسلنا .
اول رايت، سيند مي كنسرند فايل.	**Boss :** Alright, send me the concerned file.	**المدير :** طيب، أرسلي إليّ الملف المختص.
ديز آر تو ابلي كيشنز. مستر سهيل	**Secretary :** These are two applications. Mr. Suhail	**كاتبة السر:** وهذان طلبان . الأول
هيزربو رتيد سك اند مسز عائشه هيز	has reported sick and Mrs. Ayesha has	من السيد سهيل أنه مريض
ابلايد فور أن اكستنشن	applied for an extension	والثاني من السيدة عائشة.
اوف هر ليف.	of her leave.	إنها طلبت التمديد في إجازتها .
فور هاو ميني ديز؟	**Boss :** For how many days?	**المدير :** لكم يوم ؟
ثري ديز توينتي ففت تو توينتي ايت	**Secretary :** Three days, 25th to 28th April.	**كاتبة السر:** لثلاثة أيام . من ٢٥ إلى ٢٨
ابريل.دس ازدَ الكتريشينز بل .اند	This is the electrician's bill. And also,	أبريل . وهذه فاتورة من الكهربي.
اولسو، آي هيف سينت فورد بلمبر. د	I've sent for the plumber. The toilet	وإني أرسلت إلى السباك لأن
توايلت فلش از نوت وركنغ اغين.	flush is not working again.	ثجاج المرحاض لا يشتغل سويا .
او كيه هيف يوسينت د ريمايندر	**Boss :** O.K. Have you sent the reminder	**المدير :** طيب. وهل أرسلت مذكرة إلى شركة
تو معراج ايند سنز؟	to Meraj and Sons?	معراج وأولاده ؟

(يرن جرس التلفون)

يس سير.	**Secretary :** Yes, sir.	**كاتبة السر:** نعم، يا سيدي.
هلو، اقبال اندستريز. بليز هولد اون.	**Secretary :** Hello, Iqbal Industries. Please	**كاتبة السر:** آلو، صناعات إقبال .أرجوكم
سير،دس از مسزدي سوزا فروم	hold on. Sir, this is Mrs. D'souza from	الانتظار لدقيقة .يا سيدي هناك
استيندرد ببليشرز. شي وانتس	Standard Publishers. She wants an	السيدة دي سوزا من منشورات استاندرد .
أن ابواينمنت دس آفتر نون.	appointment this afternoon.	إنها تريد موعداً اليوم بعد الظهر.
از دير ايني ادر ابواينتمنت	**Boss :** Is there any other appointment?	**المدير :** هل هناك أيّ موعد آخر؟
نو ، سير.	**Secretary :** No sir.	**كاتبة السر:** لا يا سيدي .
اول رايت. كال هرات فور اوكلوك.	**Boss :** Alright. Call her at four o'clock.	**المدير :** طيب .ادعيها في الساعة الرابعة .
او كيه مسز دي سوزا يو كان كم	**Secretary :** O.K. Mrs. D'souza, you can come	**كاتبة السر:** طيب. أيها السيدة دي سوزا،
ات فور او كلوك دس آفتر نون.	at four o'clock this afternoon.	يمكنك أن تأتي في الساعة الرابعة اليوم بعد الظهر .
هيف اور نيو بروشرز ارايفد؟	**Boss :** Have our new brochures arrived?	**المدير :** هل وصلت كتيبا تنا الجديدة .
يس سير، دس از د لست اوف د	**Secretary :** Yes, sir. This is the list of the	**كاتبة السر:** نعم يا سيدي . وهذه قائمة
كمبنيز وي آر سيندنغ ديم تو.	companies we are sending them to.	الشركات التي نرسلها إليها .
او كيه سيند اول د بروشرز	**Boss :** O.K. send all the brochures	**المدير :** أرسلي جميع الكتيبات
تو ديه ودآوت فيل .اولسو سيند	today without fail. Also send	اليوم حتميا. وأرسلي
دس بيكت باي كو رير.	this packet by courier.	هذا الطرد بالبريد السريع .
يس سير.	**Secretary :** Yes sir.	**كاتبة السر:** حسن، يا سيدي.

The Salesman Reporting to His Boss (د سيلزمان ربو رتنغ تو هز بوس) تقرير من البائع إلى مديره

غدايفننغ سير.	**Salesman :** Good evening sir.	البائع: مساء الخير يا سيدي.
غد ايفننغ عزيز.	**Boss :** Good evening Aziz.	المدير : مساء الخير يا عزيز.
هاو واز د ديه تو ديه؟	How was the day today?	كيف كان نهارك اليوم .
كوايت غد سير. آي وزيتداول دَ	**Salesman :** Quite good, sir. I visited all the	البائع: كان حسنا. زرت جميع الشركات
كمبنيز اند اوفسز شيدولد فور تو ديه.	companies and offices scheduled for today.	والمكاتب التي حددت لليوم.
دد يو ميت مستر رحمان	**Boss :** Did you meet Mr. Rahman in	المدير : هل قابلت السيد رحمٰن
ان سلمان انتر برايزز؟	Salman Enterprises?	في شركة سلمان؟
يس سير.	**Salesman :** Yes, sir.	البائع: نعم قابلته. وذكرت له اسمكم أيضا .
آي غيف هم يو ر ريفرينس.	I gave him your reference.	
هاو واز هز رسبونس؟	**Boss :** How was his response?	المدير : فكيف كان استجابته؟
فيري بو زيتيف. هي آسكد مي	**Salesman :** Very positive. He asked me to	البائع: كان إيجابيا تماما. إنه طلب منّي
تو ليف د سيمبلز اند بروشرز	leave the samples and brochures	أن أترك عنده العينات والكتيبات
اند تو كونتيكت هم نيكست ويك .	and to contact him next week.	وأن أتصل به في الأسبوع الآتي .
هي هيز اشيورد مي ديت هيل بليس	He has assured me that he'll place	إنه أكّدني أنه سيقوم بطلب
أن اوردر باي د اند اوف دس منث.	an order by the end of this month.	إلى نهاية هذا الشهر .
ميك ات أ بواينت تو سي	**Boss :** Make it a point to see	المدير : لابد أن تقابل السيد رحمٰن في
مستر رحمان نيكست ويك.	Mr. Rahman next week.	الأسبوع المقبل.
ديفنتلي سير . سير وي غوت	**Salesman :** Definitely sir. Sir, we got	البائع: نعم، سأقابله حتميا. ويا سيدي
ان اوردر اوف ففتي تاوزند فروم	an order of fifty thousand from	استلمنا طلبا بقيمة خمسين ألفا من
رشيد اندستريز. بت ديه وانت	Rasheed Industries. But they want	صناعات رشيد. ولكنهم يريدون
د ليفري ودن سيفن ديز.	delivery within seven days.	التسليم في خلال سبعة أيام.
ديت كان بي ارينجد. وت اباوت	**Boss :** That can be arranged. What about	المدير : نعم، يمكننا ذلك. وما ذا حصل
اين كيه انتر برايزز.	N.K. Enterprises?	عن شركة ان. كيه ؟
دير ريسبونس واز أ لتل	**Salesman :** Their response was a little	البائع: لم تكن استجابتهم حارّة،
ليوك وارم، سير.	lukewarm, sir.	يا سيدي .
واي؟	**Boss :** Why?	بوس : لما ؟
ديه كمبليند ديت لاست تايم	**Salesman :** They complained that last	البائع : إنهم يتذمرون أن التسليم
ديليفري واز نت أون تايم. ديه اولسو	time the delivery wasn't on time.	لم يكن في الميعاد في المرة السابقة .
سيمد تو بي دس سيتسفايد	They also seemed to be dissatisfied	لعلهم لم يقتنعوا بنوعية ورقنا .
ود د كوالتي اوف اور بيبر.	with the quality of our paper.	
ددنت يو تراي تو كنونس ديم؟	**Boss :** Didn't you try to convince them?	المدير : ألم تحاول إقناعهم ؟
يس سير آي دد. آي برومزد ديم	**Salesman :** Yes, sir. I did. I promised them	البائع: نعم يا سيدي .حاولت. وعدتهم

بالتسليم في الميعاد في المستقبل.	on-time delivery in future. I also told them	اون تايم ديليفري ان فيوشر. آي
وقلت لهم أيضا إن نوعية الورق	that we are offering better quality	اولسو تولد ديم ديت وي آر اوفرنغ
لنا الآن أحسن من ذي قبل .أنا	paper now. I spoke to the purchase	بيتر كوالتي بيبر ناو. آي اسبوك
تكلمت مع مدير المشتريات بنفسي شخصيا .	manager myself.	تو د برشيز منيجر ماي سيلف.
المدير : فماذا قال؟	**Boss :** Then?	دين؟
البائع : قال إنّه يفكر في ذلك .	**Salesman :** He said he would think about it.	هي سيد هي ود ثنك اباوت ات.
المدير : طيب. اذهب إليهم غدا بالعينات	**Boss :** Alright, you go to them tomorrow	اول رايت. يو غو توديم تو مورو ود
الجديدة من النوعية الأفضل	with the new samples of the improved quality	دَ نيو سيمبلز اوف د امبروفد كوالتي
للورق وأدوات الكتابة . وأرسل	of paper and stationery. Also send them a	اوف بيبر اند استيشنري. اولسو
إليهم الاعتذار التحريري أنه سوف	written apology, that they won't have	سيند ديم أ رتن ابولوجي. ديت ديه
لايكون لهم أيّ شكوى في المستقبل .	any complaints in future.	وونت هيف ايني كمبليتنس ان فيوشر.
البائع: حسن، سأفعل ذلك.	**Salesman :** Alright, I will do that.	اول رايت، آي ول دو ديت.
المدير : وأية شركات أخرى زرتها اليوم ؟	**Boss :** Which other companies	وش ادر كمبنيز
	did you visit today?	دد يو وزت توديه؟
البائع: ذهبت إلى شركة ريّان	**Salesman :** I went to Rayyan Enterprises and	آي وينت تو ريّان انتر برايزز اند
وصناعات المهدي .ووجدت	Mahdi Industries. I have also got an	مهدي اندستريز. آي هيف اولسو
موعدا مع مدير المشتريات	appointment with the purchase manager of	غوت أن ابواينت منت ود دَ برشيز
لشركة نوال في حيّ العابدين	Nawal Industries, Abideen Place, tomorrow.	منيجر اوف نوال اندستريز
لمقابلته غدا. وهذه تفاصيل	These are the details of	عابدين بليس تومورو. ديز آر دَ
عن الأمكنة التي ذهبت إليها اليوم	all the places I visited today	ديتيلس اوف آل دَبليسز آي وزتيد
والطلبات التي حصلت عليها .	and the orders I have secured.	توديه اند د اوردرز آي هيف سيكورد.
المدير : (وهو ينظر إلى الورقة)مرحى.	**Boss :** (*looking at the paper*) Well done.	ويل دن.
وأيّ مناطق ستزورها غدا.	Which areas will you cover tomorrow.	وش ايريازول يو كفر تومورو؟
البائع: حيّ العابدين والناحية الشرقية.	**Salesman :** Abideen Place	عابدين بليس
	and Eastern side, sir.	اند ايسترن سايد، سير.
المدير : ولا بد أن تذهب غدا إلى	**Boss :** Make it a point to visit	ميك ات أ بواينت تو وزت محسن
شركة محسن أيضا .	Mohsin Enterprises tomorrow.	انتر برايزز تومورو.
وخذ مني رسالة للسيد	Also take from me the reference	اولسو تيك فروم مي د ريفرينس
راشد محسن.	letter for Mr. Rashid Mohsin.	ليتر فور مستر راشد محسن.
البائع: كيف تعرفه يا سيدي؟	**Salesman :** In what capacity do you know him, sir.	ان وات كيبيستي دو يو نو هم سير؟
المدير : توجد بيننا علاقات تجارية	**Boss :** We have old business relations.	وي هيف اولد بزنس رليشنز.
قديمة .وإنه صديق لي أيضا .	Besides he is a personal friend.	بسايدس هي از أ بر سنل فريند. هي
سيعطينا حتميا طلبا .	He will definitely give us business.	ول ديفي نيتلي غِف اس بزنس.
البائع: طيب . أستأذنكم . مع السلامة .	**Salesman :** Alright sir. Good night.	آل رايت سير. غد نايت.

(APPENDIX-I) الملحق - ١

بنية الكلمات الإنكليزية

WORD-BUILDING IN ENGLISH

1. إذا ألحق بالفعل أية من لاحقات *ance* أو *ence* فيتكوّن بذلك (Abstract Noun)

Admit (v.)	(آدمت)	يقبل	(+ance)	Admittance (n.)	(أدميتانس)	قبول
Utter (v.)	(أتر)	يلفظ	(+ance)	Utterance (n.)	(اترانس)	كلام
Grieve (v.)	(غريف)	يحزن	(+ance)	Grievance (n.)	(غريفانس)	شكوى
Guide (v.)	(غائد)	يهدي	(+ance)	Guidance (n.)	(غائيدينس)	هداية
Interfere (v.)	(انترفير)	يتدخّل	(+ence)	Interference (n.)	(انترفيرينس)	تدخّل
Differ (v.)	(دفر)	يختلف	(+ence)	Difference (n.)	(دفرينس)	اختلاف
Prefer (v.)	(بريفر)	يفضّل	(+ence)	Preference (n.)	(بريفرينس)	تفضيل
Occur (v.)	(اوكر)	يقع	(+ence)	Occurrence (n.)	(اوكرينس)	وقوع

والآن ألحق أنت اللاحقات بكلمات: endure, insure, contrive, observe, depend, reside, indulge, refer تضاف بالأربع الأولى (ence+) وبالأربع الأخيرة (ance+)

2. وفي بعض الأحيان، لتكوين Abstract Noun تضاف لاحقة ment+ مثل: improvement من improve

فكوّن أنت الكلمات الجديدة بإلحاق ment+ بالأفعال التالية وانظر معانيها في القاموس.

Achieve	(أشيف)	يحقّق، ينجز	Announce	(أناونس)	يعلن
Amuse	(اميوز)	يسلّي	State	(استيت)	بيّن
Postpone	(بوست بون)	يؤجّل	Settle	(سيتل)	يسوّي (الخلاف)
Move	(موف)	يتحرّك	Measure	(ميزر)	يقيس
Advertise	(ادورتايز)	يعلن	Excite	(اكسائت)	يثير

N.B. : في الكلمات المذكورة تلحق ment مثل achieve + ment = achievement

المستثنيات (Exception)1- اذا ألحق ment بالأفعال التالية يحذف حرف E الذي في نهاية الكلمة Argue + ment = Argument

3. إن كان حرف Y في نهاية الكلمة وتلحق بها اللاحقة فهو يتحول إلى i كما في الأفعال التالية :

Ally (v.)	(الاي)	يتحالف	(+ance)	Alliance (n.)	(ألاينس)	تحالف
Carry (v.)	(كيري)	يحمل	(+age)	Carriage (n.)	(كيرج)	شاحنة
Marry (v.)	(ميري)	يتزوج	(+age)	Marriage (n.)	(ميرج)	زواج
Envy (v.)	(انوي)	يحسد	(+ous)	Envious (n.)	(انويَس)	حاسد
Apply (v.)	(ايبلاي)	يقدم الطلب	(+cation)	Application (n.)	(ابليكيشن)	طلب
Qualify (v.)	(كواليفاي)	يؤهّل	(+cation)	Qualification (n.)	(كوالفكيشن)	أهليّة
Try (v.)	(تراي)	يحاول	(+al)	Trial (n.)	(ترايل)	محاولة
Deny (v.)	(ديناي)	ينكر	(+al)	Denial (n.)	(دنايل)	إنكار

but ولكن

betray (v.) يخون، يخدع (بتريه)

betrayal (n.) خيانة، خداع (بتريال)

4. في بعض الأحيان يبنى Abstract Noun بإضافة لاحقة al (Suffix) + كمثل refuse + al = refusal (رفض) وإن كان في نهاية الكلمة e فهو يحذف كما في refusal.

أضف أنت اللاحقة al + إلى الكلمات التالية ثم انظر معاني تلك الكلمات في القاموس: approve (يوافق على) ، arrive (يصل)، dispose (يبيع)، propose (يقترح) ، betray (يخون، يخدع).

5. وأحيانا تكوّن أسماء الصفة أيضا بإضافة اللاحقة al (Suffix) + مثل centre + al = central (حذف e هنا أيضا)

كوّن أسماء الصفة بإلحاق al + بالكلمات التالية ثم انظر معانيها في القاموس.

continue (يواصل، يستمرّ) ، fate (القضاء والقدر) ، nature (الطبيعة) ، universe (الكون) ، practice (عمل، عادة)

6. إذا كان في نهاية الكلمة Y وأضفتَ اللاحقة بها فيتبدّل y ب i.

Adj.		صفت	Adv.	حال	Noun	اسم
Busy	(بزي)	مشغول	busily	باشتغال	business	عمل، اشتغال
Easy	(ايزي)	سهل	easily	بسهولة	easiness	سهولة
Heavy	(هيوي)	ضخم، ثقيل	heavily	على نحو ثقيل	heaviness	ثقل
Happy	(هيبي)	فرح	happily	بفرح	happiness	فرحة
Lucky	(لكي)	سعيد	luckily	بحسن الحظ	luckiness	حسن الحظ
Ready	(ريدي)	مستعد	readily	مستعداً	readiness	استعداد
Steady	(استيدي)	راسخ	steadily	بمثابرة	steadiness	رسوخ، مثابرة

والآن، عند ما عرفت تكوين اسم المعنى(Noun) وصيغة الحال (Adv.) من اسم الصفة فيمكنك تكوين اسم المعنى من أسماء الصفة الأخرى بنفسك مستقلا.

7 . حاول بناء الكلمات الجديدة بإضافة البوادئ (Prefix) التالية وابحث عن معانيها ثم اكتبها .

in (=غير)	dependent	independent
	dependence	independence
	definite	indefinite
	justice	injustice
im (=غير)	practicable	impracticable
	possible	impossible
	proper	improper
	patience	impatience
	moral	immoral
	mortal	immortal
irr (=غير)	reversible	irreversible
	responsible	irresponsible
	removable	irremovable
il (+غير)	legible	illegible
mis (=سوء)	deed	misdeed
	conduct	misconduct
	management	mismanagement

PUNCTUATION AND CAPITAL LETTERS

علامات الترقيم والحروف الكبيرة

كان رئيس بلدية ما يفتش إحدى مدارس المدينة ووصل إلى فصل يدرّس فيه موضوع علامات الترقيم واستعمال الحروف كبيرة. فزعل الرئيس من ذلك وقال لا يدرّس هذا الموضوع غير النافع سوى من كان أحمق. سمع المدرّس ذلك ولم يقل شيئاً كتب على السبورة هذه العبارة. "The Mayor says, "The teacher is a fool ومعناها يقول الرئيس: إن المدرّس أحمق. رح بذلك الرئيس. ثم قال المدرّس: سأغيّر الآن علامات الترقيم والحروف الكبيرة في الجملة وكتب العبارة هكذا:

"The Mayor", says the teacher, "is a fool فأصبح معنى العبارة الآن يقول المدرّس إن الرئيس أحمق. فخجل رئيس عندما رأى المعنى المعكوس لنفس العبارة واعترف بأهمية علامات الترقيم والحروف الكبيرة. فعلينا أيضا أن نعرفها. إن لامات الترقيم الشائعة الاستعمال مبينة فيما يلي:

Full sto.... توضع في نهاية جملة assertive أو imperative وبعد المختصرات والحروف الاستهلالية مثل:

(i) Napoleon invaded Egypt.
(ii) Sit down.
(iii) Mr. S.M. Kamil is a prominent M.P. from Tanta.

Question Ma.... توضع في نهاية كل جملة interrogative مثل: Have you seen the Sphinx?

Exclamation Ma.... بعد كل جملة exclamatory مثل: What a marvel the newspaper is!

Semicolo.... إنها تشير إلى نصف مدة الوقف التي لـ full stop مثل:

Her mind was still untouched by any doubt as to what she ought to do; and she felt at rest in th assurance that Nala still loved her better than his own soul.

Col.... إنها تدل على وقف مدته أطول من semicolon وتستعمل عند بداية العدد مثل:

These are important cities of Iraq:
Baghdad, Basrah, Tikrit, Ramadi and Mosul.

Quotations or Inverted Comm.... لنقل كلام القائل مثل : The teacher says, "Ali writes well."

Apostrop.... لغرض missing letter/letters او Possession مثل: Ali doesn't sit on his father's chair.

Comr.... لها استعمالات عديدة كمثل:

(i) Yes, I know him.
(ii) Monday, 15th January. January 20, 1939.
(iii) Koran, the book of Allah, has mentioned this story, the story of Noah.
(iv) Najeeb, get me a glass of water. (لفصل اسم المخاطب عن بقية الجملة)
(v) In the eastern part of Saudi Arabia, Dhahran, Dammam and Qateef are big cities. (لفصل الكلمات التي متشابه بعضها لبعض ولم ترتبط بـ and)
(vi) Light and fresh air are in abundance in villages, but they are shut out from the hous (صل coordinate clauses التي تربط بـ Conjunction)
(vii) The teacher said, "Ice floats on water."
"Help me to get the golden fleece," said Jason to Medra. (صل Direct speech عن main verb)
(viii) When he doesn't have any work in the off season, he idles away his time. (صل adverb clause التي في بداية الجملة):
(ix) Damayanti, that was the name of the princess, entered the pavilion with a garland her hands.

(لفصل الكلمات التي بين الهلالين Parenthetical)

(x) The time being favourable, Buddha quietly slipped away from the palace.

(لفصل nominative absolute)

(xi) The evil spirit, who had only been seen by Nala, disappeared from sight.

(لفصل adjective clause عن main clause)

(xii) Believing the words of the fox, the goat jumped into the well.

(لفصل phrases التي تخدم كـ Participle أو adjective):

Capitals أي الحروف الكبيرة، فاستعمالاتها كما يلي:

(i) لبدء الجملة مثل: Syria has produced many great men and women.

(ii) لاسم العلم — It takes two hours to reach Cairo by train.

(iii) لإيضاح لقب — Napoleon, the Great invaded Egypt.

(iv) للحروف الاستهلالية لاسم مًا. — This article is from the pen of H.G. Wells.

(v) لأسماء الله تعالى وصفاته وكل ضمير يرجع إليه. — My God and king, to thee I bow my head.

(vi) آي (I) لضمير المتكلم (أنا). — It was over nine years ago, when I visited Jerusalem.

(vii) في بدء كل سطر من الشعر. — Now is the time to study hard; work will bring its own reward.
Then work, work, work!

(vii) لبدء الجملة في داخل علامتي الاقتباس (أي الهلالين): — I said to you, "I want your help."

مختصرات
(ABBREVIATIONS)

bbr.	abbreviated abbreviation
dj.	adjective, adjourned, adjustment
dvt.	Advertisement
.M.	*ante meridiem* (before noon)
mt.	amount
ns.	answer
pr.	April
ug.	August
.A.	Bachelor of Arts
.B.C.	British Broadcasting Corporation
.C.	Before Christ
.Com.	Bachelor of Commerce
.Sc.	Bachelor of Science
.P.	Blood Pressure
.O.A.C.	British Overseas Airways Corporation
apt.	Captain
f.	Confer,
Chap.	chapter
Chq.	cheque
C.I.D.	Criminal Investigation Department
cm.	centimetre(s)
Co.	company
c/o	care of
cp.	compare
D.	dollar
Dec.	December
deg.	degree(s)
dft.	draft
dict.	dictionary
dis.	discount, discoverer
D.Litt.	Doctor of Literature
D.L.O.	Dead Letter Office
do	ditto (the same as aforesaid)
D.Phil.	Doctor of Philosophy
deptt.	department
Dr.	debtor, doctor
D.C.	direct current, deputy commissioner

E.	East
E. and O.E.	errors and omissions excepted
Ed.	editor, education
Eng.	England, English
Engr.	engineer
esp.	especially
Esq./Esqr.	esquire
Estd.	established
E.T.	English Translation
etc.	*et cetera* (and the other)
ex.	example
F. (Fahr)	Fahrenheit
f.	following
fam.	family
Feb.	February
fem.	feminine
ff.	folios (pl.), following
Fig.	figure
f.o.r.	free on rail
ft.	foot, feet, fort
g.	gram
gaz.	gazette, gazetteer
Gen.	General
gen.	gender
G.P.O.	General Post Office
Gr.	Greek
H.	Hydrogen
h., hr.	hour
Hon.	Honourable
H.Q.	headquarters
I.A.	Indian Army, Indian Airlines
ib.	*ibid., ibidem* (in the same place)
id.	idem (the same)
i.e.	*id. est.* (that is)
I.G.	Inspector General
inst.	instant (the present month)
int.	interest, interior, interpreter
intro, introd.	introduction
inv.	invoice
ital.	italic
J.	Judge, Justice
Jan.	January
junc.	junction
kc.	kilocycle
kg.	kilogram
km.	kilometre
kw.	kilowatts

Lat.	Latin
lat.	latitude
lab.	laboratory
lang.	language
Lb.	libra, pound
Lt.	Lieutenant
Lt.-Gen.	Lieutenant-General
Ltd.	Limited
Lt.-Gov.	Lieutenant-Governor
mag.	magazine
Maj.	Major
Mar.	March
marg.	margin, marginal
mas., masc.	masculine
M.B.	*Medicinae Baccalaureus* (bachelor of medicine)
M.D.	*Medicinae Doctor* (Doctor of Medicine)
med.	Medical, medicine, mediaeval
Messrs.	*Messieurs* (Fr.) Sirs, (used as plural of Mr.)
min.	minimum, minute
misc.	miscellaneous
ml.	millilitre
M.L.A.	Member of Legislative Assembly
M.L.C.	Member of Legislative Council
mm.	millimetre(s)
M.O.	Medical officer, money order
morn.	morning
M.P.	Member of Parliament
m.p.h.	miles per hour
Mr.	Master, Mister
Mrs.	Mistress
M.S.	Manuscript(s), Master of Surgery
mth.	month
N.	North, Northern
n.	name, noun
N.B., n.b.	*nota bene* (note well or take notice)
n.d.	no date, not dated
neg.	negative
No., no	*numero*, (in number)
Nos. nos.	numbers (pl.)
Nov.	November
O	Oxygen
ob.	obituary (died)
obj.	object, objective
Oct.	October
off.	official
O.K.	*Ol Korrect* (All correct)
o.p.	out of print

ɔp.	opposite
'd.	order, ordinary, ordinance
z.	ounce(s)
	page, pp. pages (pl.)
C.	post-card
r cent	*per centum* (by the hundred)
ı.D.	Doctor of Philosophy
ı., plur.	plural
M.	*post meridiem* (afternoon)
O.	Post Office
T.	physical training
T.O.	please turn over
W.D.	Public Works Department
	query, question
	queue
	quarter
	quantity
.	road
.	Rupee
:d.	received
:pt.	receipt
.	reference
p.	representative, report, reporter
d.	retired, returned
gt.	Regiment
.	Rupees
;.V.P.	*repondez s'll vous plait* (Fr.) reply, if you please
	South, seconds
, Sat.	Saturday
.	small capital
	sine die (without a day fixed)
ATO	South-East Asia Treaty Organisation
:., Secy.	Secretary
.	second
)., Sept.	September
	signature
}.	singular
, sq.	square
St.	Street, Saint
st.	stone
sub., subj.	subject
T.B.	tuberculosis
tech.	technical, technology
tel.	telegraph
T.O.	turn over
tr.	translator, transpose
T.V.	television
U.S.A.	United States of America
U.S.S.R.	Union of Soviet Socialist Republic
U.	uranium, universal
U.D.C.	upper division clerk
U.K.	United Kingdom
U.P.	United Provinces, Uttar Pradesh
vs.	versus (against)
vb.	verb
vid.	*vide* (see)
viz.	*videlicet* (namely)
V.I.P.	Very Important Person
V.P.	Vice President
vt.	verb transitive
W.	West
Wed.	Wednesday
w.e.f.	with effect from
w.f.	wrong font
W.H.O	World Health Organisation
wt.	weight
X.	Roman numeral for ten
X., Xt.	Christ
Xm., Xmas.	Christmas
Y., yr.	year
Y.M.C.A.	Young Men's Christian Association
Zn.	Zinc
&	*et* (and)

أعداد (NUMERALS)

عربي رقما	عربي لفظا	إنكليزي لفظا	إنكليزي رقما	إنكليزي نطقا	عدد روماني
١	واحد	One	1	ون	I
٢	اثنان	Two	2	تو	II
٣	ثلاثة	Three	3	ثري	III
٤	أربعة	Four	4	فور	IV
٥	خمسة	Five	5	فايف	V
٦	ستة	Six	6	سكس	VI
٧	سبعة	Seven	7	سيفن	VII
٨	ثمانية	Eight	8	ايت	VIII
٩	تسعة	Nine	9	ناين	IX
١٠	عشرة	Ten	10	تن	X
١١	أحد عشر	Eleven	11	اليفن	XI
١٢	اثناعشر	Twelve	12	تويلف	XII
١٣	ثلاثة عشر	Thirteen	13	ثرتين	XIII
١٤	أربعة عشر	Fourteen	14	فورتين	XIV
١٥	خمسة عشر	Fifteen	15	ففتين	XV
١٦	ستة عشر	Sixteen	16	سكستين	XVI
١٧	سبعة عشر	Seventeen	17	سيفنتين	XVII
١٨	ثمانية عشر	Eighteen	18	ايتين	XVIII
١٩	تسعة عشر	Nineteen	19	ناينتين	XIX
٢٠	عشرون	Twenty	20	تونتي	XX
٢١	واحد وعشرون	Twenty one	21	تونتي ون	XXI
٢٢	اثنان وعشرون	Twenty two	22	تونتي تو	XXII
٢٣	ثلاثة وعشرون	Twenty three	23	تونتي ثري	XXIII
٢٤	أربعة وعشرون	Twenty four	24	تونتي فور	XXIV
٢٥	خمسة وعشرون	Twenty five	25	تونتي فايف	XXV
٢٦	ستة وعشرون	Twenty six	26	تونتي سكس	XXVI
٢٧	سبعة وعشرون	Twenty seven	27	توبتت سيون	XXVII
٢٨	ثمانية وعشرون	Twenty eight	28	تونتي ايت	XXVIII
٢٩	تسعة وعشرون	Twenty nine	29	تونتي ناين	XXIX
٣٠	ثلاثون	Thirty	30	ثرتي	XXX
٣١	أحد وثلاثون	Thirty one	31	ثرتي ون	XXXI
٣٢	اثنان وثلاثون	Thirty two	32	ثرتي تو	XXXII
٣٣	ثلاثة وثلاثون	Thirty three	33	ثرتي ثري	XXXIII
٣٤	أربعة وثلاثون	Thirty four	34	ثرتي فور	XXXIV
٣٥	خمسة وثلاثون	Thirty five	35	ثرتي فايف	XXXV
٣٦	ستة وثلاثون	Thirty six	36	ثرتي سكس	XXXVI
٣٧	سبعة وثلاثون	Thirty seven	37	ثرتي سيفن	XXXVII
٣٨	ثمانية وثلاثون	Thirty eight	38	ثرتي ايت	XXXVIII
٣٩	تسعة وثلاثون	Thirty nine	39	ثرتي ناين	XXXIX
٤٠	أربعون	Forty	40	فورتي	XL
٤١	واحد وأربعون	Forty one	41	فورتي ون	XLI
٤٢	اثنان وأربعون	Forty two	42	فورتي تو	XLII
٤٣	ثلاثة وأربعون	Forty three	43	فورتي ثري	XLIII
٤٤	أربعة وأربعون	Forty four	44	فورتي فور	XLIV
٤٥	خمسة وأربعون	Forty five	45	فورتي فايف	XLV
٤٦	ستة وأربعون	Forty six	46	فورتي سكس	XLVI
٤٧	سبعة وأربعون	Forty seven	47	فورتي سيفن	XLVII
٤٨	ثمانية وأربعون	Forty eight	48	فورتي ايت	XLVIII
٤٩	تسعة وأربعون	Forty nine	49	فورتي ناين	XLIX
٥٠	خمسون	Fifty	50	ففتي	L

عربي رقما	عربي لفظا	إنكليزي لفظا	إنكليزي رقما	إنكليزي نطقا	عدد روماني
٥١	واحد وخمسون	Fifty one	51	ففتي ون	LI
٥٢	اثنان وخمسون	Fifty two	52	ففتي تو	LII
٥٣	ثلاثة وخمسون	Fifty three	53	ففتي ثري	LIII
٥٤	أربعة وخمسون	Fifty four	54	ففتي فور	LIV
٥٥	خمسة وخمسون	Fifty five	55	ففتي فايف	LV
٥٦	ستة وخمسون	Fifty six	56	ففتي سكس	LVI
٥٧	سبعة وخمسون	Fifty seven	57	ففتي سيفن	LVII
٥٨	ثمانيةوخمسون	Fifty eight	58	ففتي ايت	LVIII
٥٩	تسعة وخمسون	Fifty nine	59	ففتي ناين	LIX
٦٠	ستون	Sixty	60	سكستي	LX
٦١	واحدوستون	Sixty one	61	سكستي ون	LXI
٦٢	اثنان وستون	Sixty two	62	سكستي تو	LXII
٦٣	ثلاثة وستون	Sixty three	63	سكستي ثري	LXIII
٦٤	أربعة وستون	Sixty four	64	سكستي فور	LXIV
٦٥	خمسة وستون	Sixty five	65	سكستي فايف	LXV
٦٦	ستة وستون	Sixty six	66	سكستي سكس	LXVI
٦٧	سبعة وستون	Sixty seven	67	سكستي سيفن	LXVII
٦٨	ثمانية وستون	Sixty eight	68	سكستي ايت	LXVIII
٦٩	تسعة وستون	Sixty nine	69	سكستي ناين	LXIX
٧٠	سبعون	Seventy	70	سيفنتي	LXX
٧١	واحد وسبعون	Seventy one	71	سيفنتي ون	LXXI
٧٢	اثنان وسبعون	Seventy two	72	سيفنتي تو	LXXII
٧٣	ثلاثة وسبعون	Seventy three	73	سيفنتي ثري	LXXIII
٧٤	أربعة وسبعون	Seventy four	74	سيفنتي فور	LXXIV
٧٥	خمسة وسبعون	Seventy five	75	سيفنتي فايف	LXXV
٧٦	ستة وسبعون	Seventy six	76	سيفنتي سكس	LXXVI
٧٧	سبعة وسبعون	Seventy seven	77	سيفنتي سيون	LXXVII
٧٨	ثمانية وسبعون	Seventy eight	78	سيفنتي ايت	LXXVIII
٧٩	تسعة وسبعون	Seventy nine	79	سيفنتي ناين	LXXIX
٨٠	ثمانون	Eighty	80	ايتي	LXXX
٨١	واحد وثمانون	Eighty one	81	ايتي ون	LXXXI
٨٢	اثنان وثمانون	Eighty two	82	ايتي تو	LXXXII
٨٣	ثلاثة وثمانون	Eighty three	83	ايتي ثري	LXXXIII
٨٤	أربعة وثمانون	Eighty four	84	ايتي فور	LXXXIV
٨٥	خمسة وثمانون	Eighty five	85	ايتي فايف	LXXXV
٨٦	ستة و ثمانون	Eighty six	86	ايتي سكس	LXXXVI
٨٧	سبعة وثمانون	Eighty seven	87	ايتي سيفن	LXXXVII
٨٨	ثمانية وثمانون	Eighty eight	88	ايتي ايت	LXXXVIII
٨٩	تسعة وثمانون	Eighty nine	89	ايتي ناين	LXXXIX
٩٠	تسعون	Ninety	90	ناينتي	XC
٩١	واحد وتسعون	Ninety one	91	ناينتي ون	XCI
٩٢	اثنان وتسعون	Ninety two	92	ناينتي تو	XCII
٩٣	ثلاثة وتسعون	Ninety three	93	ناينتي ثري	XCIII
٩٤	أربعة وتسعون	Ninety four	94	ناينتي فور	XCIV
٩٥	خمسة وتسعون	Ninety five	95	ناينتي فايف	XCV
٩٦	ستة وتسعون	Ninety six	96	ناينتي سكس	XCVI
٩٧	سبعة وتسعون	Ninety seven	97	ناينتي سيفن	XCVII
٩٨	ثمانية وتسعون	Ninety eight	98	ناينتي ايت	XCVIII
٩٩	تسعة وتسعون	Ninety nine	99	ناينتي ناين	XCIX
١٠٠	مائة	Hundred	100	هندرد	C

الرقم العربي	العددالعربي	العددالإنكليزي	الرقم الإنكليزي	النطق	الرقم الروماني
٢٠٠	مائتان	Two Hundred	200	تو هندرد	CC
٣٠٠	ثلاث مائة	Three Hundred	300	ثري هندرد	CCC
٤٠٠	أربع مائة	Four Hundred	400	فور هندرد	CD
٥٠٠	خمس مائة	Five Hundred	500	فايف هندرد	D
٦٠٠	ست مائة	Six Hundred	600	سكس هندرد	DC
٧٠٠	سبع مائة	Seven Hundred	700	سيفن هندرد	DCC
٨٠٠	ثماني مائة	Eight Hundred	800	ايت هندرد	DCCC
٩٠٠	تسع مائة	Nine Hundred	900	ناين هندرد	CM
١٠٠٠	ألف	Thousand	1,000	تاؤزند	M
١٠٠٠٠	عشرة آلاف	Ten Thousand	10,000	تن تاؤزند	I
١٠٠٠٠٠	مائة ألف	Hundred Thousand	1,00,000	هندرد تاؤزند	X
١٠٠٠٠٠٠	مليون	Million	10,00,000	مليون	M
١٠٠٠٠٠٠٠	عشرة ملايين	Ten Million	1,00,00,000	تن مليون	-
١٠٠٠٠٠٠٠٠	مائة مليون	Hundred Million	10,00,00,000	هندرد مليون	-
١٠٠٠٠٠٠٠٠٠	ألف مليون	Thousand Million	1,00,00,00,000	تاؤزند مليون	-
١٠٠٠٠٠٠٠٠٠٠	مليار	Billion	10,00,00,00,000	بليون	-

العددالترتيبي

أول	First	(فرست)	سادس	Sixth	(سكسث)
ثان	Second	(سكند)	سابع	Seventh	(سيفنث)
ثالث	Third	(ثرد)	ثامن	Eighth	(ايتث)
رابع	Fourth	(فورث)	تاسع	Ninth	(ناينث)
خامس	Fifth	(ففث)	عاشر	Tenth	(تنث)

العددالمضاعف

مفرد	Single	سنغل	مضاعف ست مرات	Six fold	سكس فولد
مضاعف	Double	دبل	مضاعف سبع مرات	Seven fold	سيفن فولد
مضاعف ثلاث مرات	Triple	تريبل	مضاعف ثماني مرات	Eight fold	ايت فولد
مضاعف اربع مرات	Four fold	فور فولد	مضاعف تسع مرات	Nine fold	ناين فولد
مضاعف خمس مرات	Five fold	فايف فولد	مضاعف عشرمرات	Ten fold	تن فولد

العددالكسري

٢/١	نصف	1/2 Half	(هاف)	١/٦	سُدس	1/6 One sixth	(ون سكسث)
٤/٣	ثلاثة أرباع	3/4 Three fourth	(ثري فورث)	١/٧	سُبع	1/7 One seventh	(ون سيفنث)
٣/٢	ثلثان	2/3 Two third	(تو ثرد)	١/٨	ثُمن	1/8 One eighth	(ون ايتث)
٤/١	ربع	1/4 One fourth	(ون فورث)	١/٩	تُسع	1/9 One ninth	(ون ناينث)
٥/١	خمس	1/5 One fifth	(ون ففث)	١/١٠	عُشر	1/10 One tenth	(ون تنث)

الكلام المباشر وغير المباشر

(DIRECT & INDIRECT SPEECH)

"I don't know how to swim," said the monkey. هذه الجملة أخذناها من قصة القرد والتمساح. وهي الجملة بالذات التي قالها القرد، ونقلت هنا كما هي بوضع علامتى الاقتباس. يسمى مثل هذا الكلام direct speech ويعرف بعلامتى الاقتباس الشولتين أو الهلالين: inverted commas أو quotation marks .

ويمكن أداء هذا المعنى بأسلوب آخر وهو:.The monkey said that he didn't know how to swim. ويسمى مثل هذا الكلام indirect speech والآن لاحظ الجمل التالية .

1. Hamid said to me, "I am going to help you." 2. Hamid said to you, "I am going to help you."
3. Hamid said to Ahmed, "I am going to help you."

الجمل التي بين علامتى الاقتباس من قبيل الكلام المباشر. فإن حاولنا تحويلها إلى الكلام غير المباشر نقول هكذا :

1. Hamid told me that he was going to help me. 2. Hamid told you that he was going to help you. 3. Hamid told Ahmed that he (Hamid) was going to help him (Ahmed).

فليعرف، عند تحويل الكلام إلى indirect speech، نقوم بالأشياء التالية:

(1) صيغة person الفاعل subject التي في داخل quotation marks نجعلها كمثل التي في الجملة التي خارج quotation marks ففي الجملة الأولى أعلاه، إن حامد هو third person فحولنا "I" إلى he في indirect speech

(2) صيغة person المفعول object التي كانت في خارج quotation marks ستكون هي نفسها في داخل quotation marks ففي الجملة الأولى "I" صيغة المتكلم. فحولناها إلى me وكذلك في الجملة ٢ بقى you, you ، وفي الجملة ٣ تحوّل you إلى he .

(3) إذا كان الفعل الذى خارج quotation marks فعلا ماضيا (past tense) فيتحوّل present or future tense الذي في الداخل إلى past tense ويتحوّل said to الذي في الخارج إلى told فحوّلنا am going to help وهو present continuous إلى was going to help فظهر من ذلك كله أنه إذا كان الكلام في past tense فيجب مراعاة الأمور التالية :

(١) أن subject في الخارج يكون هو نفسه في داخل الهلالين quotation marks كما حوّلنا 'I' إلى he في الجملة الأولى ولمعرفة الاستثناء أنظر (i) في السطور التالية .

(٢) أن object في الخارج سيكون هو نفسه في الداخل كما في الجملة (1) تحول you إلى me وفي (2) you إلى you وفي (3) you إلى him ولمعرفة الاستثناء انظر (ii) في السطور التالية. (٣) الفعل الحال أو المستقبل في الداخل present tense or future tense نحوّله إلى corresponding past tense كما تحوّل am going to help إلى was going to help . (٤) said من الخارج يتحوّل إلى told . (٥) يبقى said الخارج على شكله كما هو.

لاحظ الجمل التالية :

1. Hamid says, "I met the teacher on the way."
2. Romana says, "Saeed writes well."
3. Ali says, "The train will arrive soon."
4. The teacher will say, "There is no school tomorrow."
5. My father will say to me, "You upset my plan."
6. The Government will say, "Exploitation in any form whatsoever shall be punishable."

ظهر من الجمل التي أعلاه أنه إذا كان الفعل في الخارج (reporting verb) فعلا حالا present tense أو مستقبلا future tense فعند تحويل الكلام إلى indirect speech نراعي الأمور التالية:

(i) الفاعل في الخارج هو نفسه في الداخل فحوّلنا 'I' في الجملة (1) إلى he .

(ii) إذا كان الفاعل subject في الداخل you فنحوّله مثل subject في الخارج. ونجعل صيغة المفعول object في الداخل كمثل object الذي في الخارج ويستثنى منه إذا كان الفاعل you فنغيره حسب object الذي في الخارج كما في الجملة (٥) غيرنا you إلى "I".

(iii) لا تغيّر في زمن الفعل الداخل.

فجملة My teacher said, "The earth is round." ولجعلها إلى indirect speech نقول هكذا My teacher said that the earth is round. وكذلك عندما يكون الحديث عن الحقائق الطبعية فلا نحول (tense) في مثل هذه الجمل،ولكن قاعدة person تطبق.

الأشكال الثلاثة لِعدة أفعال مختارة

(3 FORMS OF SOME SELECTED VERBS)

للفعل، في الإنكليزية، ثلاثة أشكال (forms) وهي تتعلق بالأزمان (Tenses) ويستعمل في كل Tense ، شكل (form) مختلف. ولغرض سهولتك نذكر، فيما يلي الأشكال الثلاثة لعدة أفعال مختارة.

1. يوجد في الإنكليزية عدة أفعال يساوي فيها الشكل الثاني والثالث كمثل allow فان شكله الثاني والثالث allowed.وقد ذكرنا مثل هذه الأفعال في هذه الفئة:

	I form Present Tense, Pronunciation & Meaning			II form Past Tense	III form Past Participle
1.	allow	(ألاو)	يسمح	allowed	allowed
2.	appear	(أيبير)	يظهر	appeared	appeared
3.	build	(بلد)	يبني	built	built
4.	borrow	(بورو)	يستقرض	borrowed	borrowed
5.	boil	(بوايل)	يغلى	boiled	boiled
6.	burn	(برن)	يحرق، يحترق	burnt	burnt
7.	catch	(كيتش)	يقبض، يمسك	caught	caught
8.	copy	(كوبي)	ينقل	copied	copied
9.	carry	(كاري)	يحمل	carried	carried
10.	clean	(كلين)	ينظّف	cleaned	cleaned
11.	climb	(كلائم)	يصعد	climbed	climbed
12.	close	(كلوز)	يغلق	closed	closed
13.	cook	(كُك)	يطبخ	cooked	cooked
14.	care	(كيَر)	يهتم، يعتنى ب، يبالى ب،	cared	cared
15.	cross	(كروس)	يعبر، يجتاز	crossed	crossed
16.	complete	(كمبليت)	يكمل،يتم	completed	completed
17.	dig	(دِغ)	يحفر	dug	dug
18.	deceive	(دسيف)	يخدع	deceived	deceived
19.	decorate	(ديكوريت)	يزخرف،يزيّن	decorated	decorated
20.	die	(داي)	يموت	died	died
21.	divide	(دِوايد)	يقسّم	divided	divided
22.	earn	(ارن)	يكسب	earned	earned
23.	enter	(اينتر)	يدخل	entered	entered
24.	fight	(فايت)	يقاتل	fought	fought
25.	find	(فايند)	يجد	found	found

26.	feed	(فيد)	يطعم	fed	fed
27.	finish	(فنيش)	يُنهي	finished	finished
28.	fear	(فير)	يخاف، يخشى	feared	feared
29.	hang	(هينغ)	يعلق، يتعلق	hung	hung
30.	hang	(هينغ)	يشنق	hanged	hanged
31.	hold	(هولد)	يمسك، يقبض، يملك	held	held
32.	hire	(هاير)	يستاجر	hired	hired
33.	hunt	(هنت)	يصيد	hunted	hunted
34.	iron	(آيرن)	يكوي	ironed	ironed
35.	invite	(انوايت)	يدعو	invited	invited
36.	jump	(جمب)	يقفز	jumped	jumped
37.	knock	(نوك)	يطرق، يقرع	knocked	knocked
38.	kick	(كِك)	يرفس، يركل	kicked	kicked
39.	lend	(ليند)	يقرض، يعير	lent	lent
40.	lose	(لوز)	يخسر، يفقد	lost	lost
41.	light	(لايت)	يوقد، يُشعل	lighted/lit	lighted/lit
42.	learn	(ليرن)	يتعلّم، يستفيد	learnt/learned	learnt/learned
43.	marry	(ماري)	يزوّج، يتزوّج	married	married
44.	move	(موف)	يتحرك	moved	moved
45.	open	(أوبن)	يفتح	opened	opened
46.	obey	(أوبيه)	يمتثل للأمر	obeyed	obeyed
47.	order	(اوردر)	يأمر	ordered	ordered
48.	pick	(بك)	يلتقط، يختار	picked	picked
49.	pray	(بريه)	يرجو، يلتمس، يتضرع	prayed	prayed
50.	pull	(بُل)	يجذب، يجرّ	pulled	pulled
51.	punish	(بنش)	يعاقب	punished	punished
52.	prepare	(بريبير)	يُعِدّ	prepared	prepared
53.	plough	(بلو)	يحرث	ploughed	ploughed
54.	please	(بليز)	يَسُرّ	pleased	pleased
55.	push	(بُش)	يدفع	pushed	pushed
56.	quarrel	(كوارل)	يشاجر، ينازع	quarrelled	quarrelled
57.	rain	(رين)	يمطر	rained	rained
58.	reach	(ريتش)	يصل	reached	reached
59.	refuse	(رِفيوز)	يرفض	refused	refused
60.	ruin	(روين)	يُدمّر، يُخرّب	ruined	ruined
61.	shine	(شائن)	يلمع، يشرق	shone	shone
62.	sell	(سَيل)	يبيع	sold	sold
63.	shoot	(شوت)	يطلق (الرصاص)	shot	shot
64.	sleep	(سليب)	ينام	slept	slept
65.	sweep	(سويب)	يكنس	swept	swept
66.	smell	(اسمل)	يشمّ	smelt/smelled	smelt/smelled

67.	spend	(اسبند)	يُنفق	spent	spent
68.	thank	(ثينك)	يشكر	thanked	thanked
69.	tie	(تاي)	يربط	tied	tied
70.	test	(تيست)	يفحص	tested	tested
71.	wait	(ويت)	ينتظر	waited	waited
72.	work	(ورك)	يعمل	worked	worked
73.	wish	(وش)	يريد، يبتغي	wished	wished
74.	win	(ون)	يفوز	won	won
75.	wind	(وايند)	يدير، يُدوِّرُ	wound	wound
76.	weep	(ويب)	يبكي	wept	wept
77.	weigh	(ويه)	يزن	weighed	weighed
78.	wring	(رِنغ)	يعصر	wrung	wrung
79.	yield	(ييلد)	يستسلم	yielded	yielded
80.	yoke	(يوك)	يربط، يجمع	yoked	yoked

2 . هناك أفعال شكلها الثالث يختلف من شّكلها الثاني . وعند بناء الشكل الثاني يضاف إلى الصيغة الأصلية 'en' أو 'n' كفعل: 'arise' فشكله الثاني 'arose' والثالث arisen . وتكوّن أشكالها الثالثة على منوال: bitten, broken, beaten وغيرها.

81.	arise	(أرايز)	ينشأ، يثور	arose	arisen
82.	beat	(بيت)	يضرب	beat	beaten
83.	break	(بريك)	يكسر، ينكسر	broke	broken
84.	bite	(بايت)	يعض، يلدغ	bit	bitten
85.	bear	(بِيَر)	يلد	bore	born
86.	bear	(بِيَر)	يتحمل	bore	borne
87.	be (is, am, are)	(بي)	يكون	was, were	been
88.	choose	(شوز)	يختار	chose	chosen
89.	drive	(درائيف)	يسوق	drove	driven
90.	draw	(دراو)	يسحب	drew	drawn
91.	forget	(فورجت)	ينسى	forgot	forgotten
92.	fall	(فال)	يسقط	fell	fallen
93.	freeze	(فريز)	يجمد	froze	frozen
94.	fly	(فلاي)	يطير	flew	flown
95.	give	(غِف)	يعطي	gave	given
96.	grow	(غرو)	ينبت، ينمو	grew	grown
97.	hide	(هايد)	يخبئ، يختبئ	hid	hidden
98.	know	(نو)	يعرف	knew	known
99.	lie	(لاي)	يضطجع، يستلقي	lay	lain
100.	ride	(رايد)	يركب	rode	ridden
101.	rise	(رايز)	يرتفع	rose	risen
102.	see	(سي)	يرى	saw	seen
103.	shake	(شيك)	يهزّ	shook	shaken
104.	steal	(استيل)	يسرق	stole	stolen
105.	speak	(اسبيك)	يتكلّم	spoke	spoken

106.	swear	(سويَر)	يحلف	swore	sworn
107.	tear	(تِيَر)	يمزّق	tore	torn
108.	take	(تيك)	يأخذ	took	taken
109.	throw	(ثرو)	يقذف	threw	thrown
110.	wake	(ويك)	يستيقظ	woke	woken
111.	wear	(وير)	يلبس	wore	worn
112.	weave	(ويف)	ينسج	wove	woven
113.	write	(رايت)	يكتب	wrote	written

3. هناك أفعال شكلها الثالث يختلف عن شكلها الثاني ولكن شكلها الثالث يبنى عادة بتحويل a إلى u مثل rang, drank فان الشكل الثالث لهما drunk و rung وما إلى ذلك .

114.	begin	(بيجن)	يبدأ	began	begun
115.	drink	(دِرنك)	يشرب	drank	drunk
116.	ring	(رِنج)	يرنّ الجرس، يدق الجرس	rang	rung
117.	run	(رَن)	يجري	ran	run
118.	sink	(سِنك)	يغرق	sank	sunk
119.	sing	(سِنج)	يغنّي	sang	sung
120.	spring	(اسبرنج)	يطفر، يرتدّ	sprang	sprung
121.	swim	(سوِم)	يسبح	swam	swum
122.	shrink	(شِرِنك)	يتقلص	shrank	shrunk

4 . وهناك أفعال أشكالها الثلاثة (forms) سواء. انظرها ومعانيها فيما يلي:

(i) You bet now. أنت تراهن الآن.

(ii) You bet yesterday. أنت راهنت بالأمس.

(iii) You have bet. أنت قد راهنت.

فاحفظ هذه الأفعال خاصّة لئلا تستعملها بصورة خاطئة ويضحك عليك الناس .

123.	bet	(بت)	يراهن	bet	bet
124.	bid	(بد)	يعرض(سِعرا)	bid	bid
125.	burst	(بَرست)	يتفجر	burst	burst
126.	cut	(كت)	يقطع	cut	cut
127.	cast	(كاست)	يلقي، يرمي، يدلي	cast	cast
128.	cost	(كوست)	يكلّف	cost	cost
129.	hit	(هت)	يضرب	hit	hit
130.	hurt	(هرت)	يجرح	hurt	hurt
131.	knit	(نت)	يغزل، ينسج	knit	knit
132.	put	(بُت)	يضع	put	put
133.	rid	(رِد)	يتخلص	rid	rid
134.	read*	(ريد)	يقرأ	read*	read*
135.	spit	(اسبت)	يبصق	spit	spit

*إن الأشكال الثلاثة لفعل read سواء فلذلك وضعناه في هذه الفئة. ولكن نطق الشكل الأول : رِيد ونطق الشكلين الأخيرين رد، رد.

٢٥ كلمة هامة تدلّ على المجموعة
(25 IMPORTANT COLLECTIVE PHRASES)

لكل لغة طريقة معينة ومميزة لاستعمال الكلمات لمعاني معيّنة ولا يصح استعمال كلمة أخرى مكانها حتى ولو كانت مرادفة في المعني. وهكذا في الإنجليزية. فمثلا لا نقول 'a bouquet of grapes' مكان 'a bunch of grapes' وهلم جرّاً. وفيما يلي طائفة من مثل تلك الكلمات فاحفظها واستعملها في مواضعها.

1.	مجموعة المفاتيح	A *bunch* (بنش) of keys.
2.	عنقود العنب	A *bunch* (بنش) of grapes.
3.	باقة أزهار	A *bouquet* (بوكيه) of flowers.
4.	حزمة حطب	A *bundle* (بندل) of sticks.
5.	ازدحام الناس	A *crowd* (كراود) of people.
6.	سلسلة الجبال	A *chain* (تشين) of mountains.
7.	قطيع الغنم	A *flock* (فلوك) of sheep.
8.	سرب الطيور	A *flight* (فلايت) of birds.
9.	مجموعة جزر (ارخبيل)	A *group* (غروب) of islands.
10.	مجرة النجوم	A *galaxy* (جيليكسى) of stars.
11.	مجموعة أشجار	A *grove* (غروف) of trees.
12.	عصابة عمال	A *gang* (غانغ) of labourers.
13.	قطيع الغزلان	A *herd* (هرد) of deer.
14.	قطيع الخنازير	A *herd* (هرد) of swine.
15.	قفير النحل / خلية النحل	A *hive* (هايف) of bees.
16.	قطيع الماشية	A *herd* (هرد) of cattle.
17.	كومة النفاية	A *heap* (هيب) of rubbish.
18.	ركام الحجارة	A *heap* (هيب) of stones or sand.
19.	فريق كلاب الصيد	A *pack* (بيك) of hounds.
20.	زوج من الأحذية	A *pair* (بير) of shoes.
21.	فوج من الشرطيين	A *regiment* (رجمنت) of soldiers.
22.	سلسلة الجروف	A *range* (رينج) of cliffs
23.	خشرم أوجماعة الذباب	A *swarm* (سوارم) of flies.
24.	سلسلة الأحداث	A *series* (سيريز) of events.
25.	جماعة الخيل	A *troop* (تروب) of horses.

أسماء صغار بعض الحيوان (YOUNG ONES OF SOME ANIMALS)

صغير الحيوان		الحيوان		
(كولت)	colt	حصان	(هورس)	horse
(كد)	kid	ماعز	(غوت)	goat
(لام)	lamb	نعجة	(شيب)	sheep
(كب)	cub	ذئب	(وولف)	wolf
(كب)	cub	أسد	(لائن)	lion
(كب)	cub	نمر	(تايغر)	tiger

صغير الحيوان		الحيوان		
(فول)	foal	حمار	(ايس)	ass
(كاف)	calf	بقر	(كاو)	cow
(ببى)	puppy	كلب	(دوج)	dog
(شكن)	chicken	دجاج	(هين)	hen
(كب)	cub	دُب	(بير)	bear
(كتن)	kitten	قط	(كيت)	cat
(تادبول)	tadpole	ضفدع	(فروغ)	frog

٤٠ كلمة هامة تدل على أصوات الحيوان

(40 IMPORTANT WORDS DENOTING THE CRIES OF ANIMALS)

كما أن في العربية كلمات خاصة لأصوات مختلف الحيوان كمثل ينهق، يطن، يغرد وغيرها فإن في الإنجليزية أيضا كذلك وفيما يلي طائفة من مثل تلك الكلمات لمختلف أصوات الحيوان فاحفظها.

١.	الحمارينهق.	Asses bray.	(ايسس بريه)
٢.	الدب يهدر.	Bears growl.	(بيرس غراول)
٣.	النحل يطن، يهمهم.	Bees hum.	(بيزهم)
٤.	الطيورتغرد.	Birds chirp.	(بردس شرب)
٥.	الجمل يشقشق، يهدر.	Camels grunt.	(كيملس غرنت)
٦.	القط يموء.	Cats mew.	(كاتس ميو)
٧.	الماشية(البقر) يخور.	Cattle low.	(كيتل لو)
٨.	الديك يصيح.	Cocks crow.	(كو كس كرو)
٩.	الغراب ينعب.	Crows caw.	(كروز كاو)
١٠.	الكلب ينبح.	Dogs bark.	(دو غس بارك)
١١.	اليمام يسجع، يهدل.	Doves coo.	(دفس كو)
١٢.	البط يبطبط.	Ducks quack.	(دكس كواك)
١٣.	الفيل يقبع.	Elephants trumpet.	(ايليفنت ترمبت)
١٤.	الذباب يئز، يطن.	Flies buzz.	(فلايز بز)
١٥.	الضفدع ينق.	Frogs croak.	(فروغس كروك)
١٦.	الأوز يقوقئ.	Geese cackle.	(غيزكاكل)
١٧.	الصقر يصيح، يصوّت.	Hawks scream.	(هاكس اسكريم)
١٨.	الدجاج يقوقئ.	Hens cackle.	(هينس كاكل)
١٩.	الحصان يصهل.	Horses neigh.	(هورسز نيه)
٢٠.	ابن آوى يعوي.	Jackals howl.	(جا كلس هاول)
٢١.	صغير الهرة(الهريرة) يموء.	Kittens mew.	(كتنس ميو)
٢٢.	الحمل يثغو.	Lambs bleat.	(لامس بليت)
٢٣.	الأسد يزئر.	Lions roar.	(لاينس رور)
٢٤.	الفاريصرّ، يصى.	Mice squeak.	(مايس اسكويك)
٢٥.	القرد يصوّت، يثريثر.	Monkeys chatter.	(منكيس شاتر)
٢٦.	العندليب يهدل، يسجع.	Nightingales sing.	(نايتنغلس سينغ)
٢٧.	البوم ينعب.	Owls hoot.	(آولس هوت)
٢٨.	الثوريخور.	Oxen low.	(آكسن لو)
٢٩.	الببغاء يهدر، يتكلم.	Parrots talk.	(باروتس تاك)
٣٠.	الحمام يسجع.	Pigeons coo.	(بيجيونس كو)
٣١.	الخنزير يقبع.	Pigs grunt.	(بيغس غرنت)
٣٢.	جروالكلب يعوي.	Puppies yelp.	(ببيز يلب)
٣٣.	الغنم يثغو.	Sheep bleat.	(شيب بليت)
٣٤.	الثعبان يهسهس.	Snakes hiss.	(اسنيكس هس)
٣٥.	العصفور يسقسق.	Sparrows chirp.	(اسباروس شرب)
٣٦.	السنونو يسقسق.	Swallows twitter.	(سوالوس تويتر)

٣٧. الأوز يقوقئ.	Swans cry.	(سوانس كراى)
٣٨. النمر يزئر.	Tigers roar.	(تايغرس رور)
٣٩. النسر يصيح.	Vultures scream.	(ولتشرز اسكريم)
٤٠. الذئب يعوي.	Wolves yell.	(ولوز يل)

كلمات يتكلم بها الناس كثيراً ولا يفهمونها جيداً
(WORDS MOSTLY HEARD BUT NOT MOSTLY KNOWN)

إن أردت أن تُدعى مثقفا، سواء كنت في الريف أو المدينة، فعليك، قبل كل شيء أن تصير مثقفا باللغة جيدا. فهناك ناس يسمعون يوميا كلمات كثيرة ويستعملونها في حديثهم مع الناس ولا يعلمون معانيها الأصلية. فينبغي لك أن تعرف معنى كل كلمة قبل أن تتكلم بها. فيما يلي طائفة من الكلمات من مختلف مجالات الحياة فاحفظها واحفظ معانيها. فإذا تكلمت بعد ذلك عرفك الناس مثقفا وتأثروا بكلامك وأعجبوا بمعلوماتك.

عشر كلمات من مجال العلم (Ten words about spheres of knowledge)

١. علم الإنسان : علم يبحث في أصل الجنس البشري وتطوره وعاداته ومعتقداته	Anthropology	(انثروبولوجي)
٢. علم الآثار القديمة	Archaeology	(آركيولوجي)
٣. علم التنجيم	Astrology	(استرولوجي)
٤. علم الحشرات	Entomology	(انتومولوجي)
٥. دراسة تعنى بأصل الكلمات وتاريخها	Etymology	(اتيمولوجي)
٦. علم طبقات الأرض	Geology	(جيو لوجي)
٧. فقه اللغة التاريخي والمقارن	Philology	(فلو لوجي)
٨. علم النفس	Psychology	(سايكو لوجي)
٩. الطب الاشعاعي : علم استخدام الطاقة الإشعاعية في الطب	Radiology	(راديولوجي)
١٠. علم الاجتماع : علم يبحث عن تطور وتنظيم ونشاطات وتنوع المجتعات البشرية	Sociology	(سو شيو لوجي)

عشر كلمات تبيّن خواصّ الإنسان الشخصية (Ten words showing personality)

إن الكلمات التالية تبيّن وتظهر وجها من شخصية الإنسان. وفي معارفك أشخاص توجد عندهم هذه الخواص. ولابد أن قد سمعت هذه الكلمات فلماذا لا تحفظها.

١. سئم من الملذات ،لامُبال	Blase	(بليز)
٢. جازم برأيه أوفعله أوعقيدته	Dogmatic	(دوغماتك)
٣. غير واثق من نفسه، خجول	Diffident	(ديفيدنت)
٤. انبساطى، شخص يتجه انتباهه نحو ماهو خارج عن ذاته.	Extrovert	(اكستروورت)
٥. نزّاع إلى العيش مع أبناء جنسه.	Gregarious	(غريغاريوس)
٦. عي، شخص يعاني من العقدة النفسيه لا يستطيع بذلك القيام بالتعبير عن النفس أو العمل أو النشاط الآخر.	Inhibited	(انهبيتد)
٧. المنطوي : من يركّز أفكاره على ذاته على نحو انطوائي.	Introvert	(انتروورت)
٨. وهمي، غير عملي.	Quixotic	(كوئيكسوتك)
٩. من يتلذذ بتعذيب الآخر، من يبتهج بالقسوة.	Sadistic	(سادستك)
١٠. وحشي، ضار، قاس، والذي يحب الخصام والقتال.	Truculent	(تروكولنت)

نظريات حول الحياة والفن والفلسفة (Theories about life, art & philosophy)

فيما يلي أسماء عدة نظريات(ism) لعلك قد عرفت بعضا منها. إنها مفيدة فاعرفها وزد في معلوماتك.

١. إيثار الإنسان غيره على نفسه.	Altruism	(التروازم)
٢. الإلحاد: إنكاروجودالله.	Atheism	(اتى ازم)
٣. الغلوّ في الوطنية.	Chauvinism	(شافنزم)
٤. المحافظة،مقاومةالتجديد أوالتغيّر.	Conservatism	(كنزرفاتزم)
٥. التحررية.	Liberalism	(لبرلزم)
٦. التشددية،طريقة التشدد والتطرف في كل شيء وخاصة في السياسة.	Radicalism	(راديكلزم)
٧. الواقعية: مواجهة الحقائق وإغفال العواطف.	Realism	(ريلزم)
٨. الرومانتيكية: عقيدة تؤكد على الخيال والعاطفة والنزعة إلى تصوير الطبيعةصورة خيالية.	Romanticism	(رومانتسزم)
٩. الشكوكية: مذهب يقول بأن المعرفة في أيّ مجال غير محققة أومؤكدة.	Skepticism	(اسكيبتسزم)
١٠. الديكتاتورية: الاستبدادية،الكليانية: عقيدة بأن كل فردخاضع للدولة، وللدولة سيطرة كاملة على جميع مظاهرحياةالأمة وطاقاتها المنتجة:	Totalitarianism	(توتا لِتارينزم)

عشر كلمات للأحوال الشاذة للعقل (Ten abnormal conditions of mind)

إذا كنت جالسا بصحبة أشخاص مثقفين وعقلاء فان الكلمات التالية تزين كلامك معهم.

١. اضطراب ذهني يؤدي إلى العجزعن القراء ة	Alexia	(الكسيا)
٢. فقدالذاكرة	Amnesia	(امنيسيا)
٣. فقدالقدرة على الكلام	Aphasia	(افاسيا)
٤. خبل،جنون	Dementia	(ديمنسيا)
٥. الكحال،الرغبة الشديدة للأشربة الكحولية	Dipsomania	(دبسومانيا)
٦. توسوس المرء على صحته وخاصة التوهم بوجود مرض جسماني	Hypochondria	(هيبوكندريا)
٧. الأرق	Insomnia	(انسو منيا)
٨. الدغر،هوس السرقة أوالاختلاس	Kleptomania	(كلبتومانيا)
٩. اعتقادالمرء(خاطئا) بأنه شخصية عظيمة	Megalomania	(ميغالومانيا)
١٠. ملنخوليا،الحزن والكآبة الملا زمان بقلب المرء بصفة دائمة	Melancholia	(ميلنكوليا)

عشر كلمات تخص بمهنة الطب (Ten words about doctors' profession)

إذا أردت أن تستشير طبيباً إخصائيا. فيلزم عليك أن تعرف أسماء أمراض معينة والأطباء الإخصائيين لها. فالكلمات التالية، مع أنها تبدو غريبة، فإنها تساعدك في التكلم مع الطبيب وبذلك تؤثر بها على غيرك.

١. إخصائي أمراض الجلد	Dermatologist	(درماتولوجست)
٢. إخصائي أمراض النساء	Gynaecologist	(غائنيكولوجست)
٣. إخصائي الأمراض الباطنية	Internist	(انترنست)
٤. إخصائي القبالة	Obstetrician	(اوبستتريشيان)
٥. إخصائي أمراض العيون	Ophthalmologist	(اوفتلمولوجست)
٦. الطبيب المقوّم للأسنان المعوّجة	Orthodontist	(اورتودونتست)

٧. الإخصائي في علم الأمراض. Pathologist (باتولوجست)

٨. الإخصائي في طب الأطفال. Paediatrician (بيدياتريشيان)

٩. ماهر في أمراض القدم ومعالجتها. Podiatrist (بودياتسرست)

١٠. إخصائي الأمراض النفسية. Psychiatrist (سائيكيا ترست)

٧٥ كلمة مفردة لمعاني كثيرة
(75 ONE-WORD SUBSTITUTES)

يقول شَكسبير"الإيجاز روح العقل" وهو صادق في مجال اللغة أيضاً. فعندما يمكن التعبير عن معاني كثيرة بألفاظ قليلة وكلمات وجيزة فلا حاجة إلى الإطناب واستعمال الجمل الطويلة. توجد في اللغة كلمات تؤدي معاني كثيرة فلنستعملها كبديلة لجمل طويلة. فيما يلي ٧٥ كلمة من تلك الكلمات.

1. Abdicate (ابدى كيت) ..... To give up a throne voluntarily. ١. تنازل عن الحق أوالمنصب
2. Autobiography (اوتو بايو غرافى) ..... Life story of a man written by himself. ٢. سيرة ذاتية لشخص
3. Aggressor (ايغريسور)..... A person who attacks first. ٣. المتعدي، المبادئ بالعدوان
4. Amateur (اماتيور) ..... One who pursues some art or sport as hobby. ٤. الهاوي،من يعمل عملا بهوايته بدون احترافه
5. Arbitrator (آربتراتور) ..... One appointed by two parties to settle disputes between them. ٥. الحكم يعيّنه الفريقان للفصل في قضية ما
6. Adolescence (ادوليسنس) ..... Stage between boyhood/girlhood and youth. ٦. سن المراهقة
7. Bibliophile (ببليوفايل) ..... A great lover of books. ٧. محبّ للكتب
8. Botany (بوطانى) ..... The science of plant life. ٨. علم النبات
9. Bilingual (باي لنغوال) ..... People who speak two languages. ٩. ثنائيّ اللغة
10. Catalogue (كتالوج) ..... A list of books. ١٠. فهرس الكتب
11. Centenary (سنتينارى) ..... Celebration of a hundredth year. ١١. ذكرى مئوية
12. Colleague (كو ليغ) ..... A co-worker or a fellow-worker in the same institution. ١٢. زميل في العمل
13. Contemporaries (كونتمبوراريز) ..... Persons living in the same age. ١٣. معاصرين / متعاصرين
14. Credulous (كريدولس) ..... A person who readily believes in whatever is told to him. ١٤ سريع التصديق
15. Callous (كالس) ..... A man devoid of kind feeling and sympathy. ١٥. قاسي الفؤاد
16. Cosmopolitan (كوسمو بوليتان)..... A man who is broad and international in outlook. ١٦. عالمي،متحرّر من الأحقاد القومية أوالمحلية
17. Celibacy (سيليباسي) ..... To abstain from sex. ١٧. عزوبة،امتناع عن الزواج
18. Deteriorate (دتير يو رات) ..... To go from bad to worse. ١٨. فساد، تدهور الوضع من السيّء إلى أسوأ
19. Democracy (ديموكراسي) ..... Government of the people, for the people, by the people. ١٩. الجمهورية، الديمقراطية،حكم الشعب
20. Monarchy (مونارکي) ..... Government by one. ٢٠. دولة أو حكومة ملكية

21. Drawn (دران) ..... A game or battle in which neither party wins. — المتعادل، مباراة لا ناجح فيها
22. Egotist (ايجوتست) ..... A person who always thinks of himself. — الأناني، المغرور
23. Epidemic (ايبيديميك) ..... A disease mainly contagious which spreads over huge area. — آفة، وباء
24. Extempore (اكستمبور) ..... A speech made without previous preparation. — مرتجل
25. Etiquette (ايتي كويت) ..... Established manner or rules of conduct. — آداب المعاشرة
26. Epicure (ايبي كيور) ..... A person fond of refined enjoyment. — شخص ذوذوق مرهف
27. Exonerate (اكزونرات) ..... To free a person of all blames in a case. — يُبرّئ عن التهمة
28. Eradicate (اراديكيت) ..... To root out an evil or a bad practice etc. — يزيل، يستاصل، يمحو
29. Fastidious (فاستي ديس) ..... A person difficult to please. — نيق، صعب إرضاؤه
30. Fatalist (فيتليست) ..... A person who believes that all events are predetermined or subject to fate. — الجبري، المؤمن بالقضاء والقدر
31. Honorary (اونريري) ..... A post which doesn't carry any salary. — شرفي، عمل بدون أجرة
32. Hostility (هوستيلتي) ..... State of antagonism. — عِداء، خصومة
33. Illegal (اليغل) ..... That which is against law. — غير شرعي، غير قانوني
34. Illiterate (التريت) ..... A person who cannot read or write. — أمّي، جاهل
35. Incorrigible (انكوريجبل) ..... That which is past correction. — شخص أو عمل غير سوي أو عادة سيئة غير قابل/قابلة للإصلاح.
36. Irritable (اري تيبل) ..... A man who is easily irritated. — سريع الغضب أو الانفعال
37. Irrelevant (ارليونت) ..... Not to the point. — غير متصل بالموضوع
38. Invisible (ان ويزيبل) ..... That which cannot be seen. — خفيّ، غير منظور
39. Inaudible (ان اوديبل) ..... That which cannot be heard. — غير مسموع
40. Incredible (انكريديبل) ..... That which cannot be believed. — غير قابل للتصديق
41. Irreadable (اريديبل) ..... That which cannot be read. — غير مقروء
42. Impracticable (امبريكتيكيبل) ..... That which cannot be practised. — غير قابل للعمل به
43. Invincible (ان ونسيبل) ..... That which cannot be conquered. — غير قابل للتغلب عليه
44. Indispensable (ان دسبنسيبل) ..... That which cannot be ignored. — لا مفرّ منه، لا غنى عنه
45. Inevitable (ان ايفتيبل) ..... That which cannot be avoided. — محتوم، متعذر اجتنابه
46. Irrevocable (ارّي ووكيبل) ..... That which cannot be changed. — غير قابل للنسخ أو الإلغاء
47. Illicit (اليّست) ..... A trade which is prohibited. — محظور، غير مشروع
48. Insoluble (انسوليوبل).. A problem which cannot be solved. — قضيه لا تحل
49. Inflammable (انفلاميبل) ..... Liable to catch fire easily. — سريع الالتهاب

0. Infanticide (انفانتي ساید) .. The murderer of infants or killing of infants. ٥٠. قاتل أطفال

1. Matricide (ماتري ساید) ..... The murder or murderer of one's own mother. ٥١. قاتل الأم

2. Patricide (باتري ساید).....The murder or murderer of one's own father. ٥٢. قاتل الأب

3. Kidnap (كدناب) ..... To carry away a person forcibly. ٥٣. يخطف شخصاً (طمعاً في فدية)

4. Medieval (ميديفال) ..... Belonging to the middle ages. ٥٤. متعلق بالقرون الوسطى

5. Matinee (ماتني) ..... A cinema show which is held in the afternoon. ٥٥. فيلم يعرض بعد الظهر

6. Notorious (نوتوريوس) ..... A man with evil reputation. ٥٦. مشهّر رديء السمعة

7. Manuscript (مانو سكربت).....Handwritten pages of a literary work. ٥٧. المخطوطة

8. Namesake (نيم سيك) ..... Person having the same name. ٥٨. السميّ: الذى سمّي باسم شخص آخر

9. Novice (نووِس)..... One who is new to some trade or profession. ٥٩. المبتدئ في عمل ما

0. Omnipotent (اومني بوتنت) ..... One who is all powerful. ٦٠. كلّي السلطة أو القدرة

1. Omnipresent (اومني بريزنت) ..... One who is present everywhere. ٦١. كلّي الوجود. من يكون موجوداً في كل مكان في كل وقت.

2. Optimist (اوبتمست) ..... One who looks at the bright side of the thing. ٦٢. المتفائل

3. Panacea (بانيسيا) ..... A remedy for all diseases. ٦٣. الدواء العام، دواء لجميع الأمراض

4. Polyandry (بوليا ندري) ..... Practice of having more than one husband at a time. ٦٤. تعدّد الأزواج (لامرأة واحدة)

5. Polygamy (بولي غامي).....Practice of having more than one wife at a time. ٦٥. تعدد الزوجات (لرجل واحد)

6. Postmortem (بوست مورتم)... Medical examination of a body held after death. ٦٦. فحص الجثة الطبي بعد الوفاة (لتحديد سبب الموت وغيره)

7. Pessimist (بيسي مست) .....One who looks at the dark side of things. ٦٧. المتشائم

8. Postscript (بوست اسكربت) ... Anything written in the letter after it has been signed. ٦٨. ملحق ما يحرر بعد التوقيع

. Red-tapism (رد تابزم) ..... Too much official formality. ٦٩. كثرة الإجراءات الرسمية والمكتبية

. Synonyms (سنونيمز) ..... Words which have the same meaning. ٧٠. المترادفات

. Smuggler (اسمغلر) ... The importer or exporter of goods without paying customs duty. ٧١. المهرّب

. Vegetarian (فاجتيرين) ..... One who eats vegetables only. ٧٢. نباتي (رجل غذاؤه الخضر دون اللحم وغيره)

. Venial (فينيال) ..... A pardonable fault. ٧٣. خطأ يمكن اغتفاره

. Veteran (فيترن) ..... A person possessing long experience of military service or of any occupation. ٧٤. محنّك في السياسية أو غيرها، محارب مجرّب وماهر

Zoology (زولو جي) ..... The science dealing with the life of animals. ٧٥. علم الحيوان

المعاني الرمزية لأسماء الحيوان
(IDIOMATIC USE OF ANIMAL NAMES)

في الإنجليزية تستعار أسماء الحيوان لمعان رمزية أيضاً. وفيما يلي عدة استعمالات رمزية لأسماء الحيوان. معرفتها تفيد لكل من يرغب في تعلم الإنجليزية.

المعنى الأصلي Literal Meaning	المعنى الرمزي Idiomatic Meaning	الكلمة الإنجليزية ونطقها Phrases with Pronunciation	
دُبّ	شخص فظّ، غير مهذب	A bear	(أ بير)
قط	امرأة قبيحة وخبيثة	A cat	(أ كات)
ذكرالنحل	شخص عاطل وكسلان	A drone	(أ درون)
زقزاق	شخص مغفّل	A dotterel	(أ دوتيريل)
كلب	شخص تافه أوحقير	A dog	(أ دوغ)
ثعلب ذكر	شخص ماكر	A fox	(أ فوكس)
اوزّة	شخص ساذج أوأحمق	A goose	(أ غوز)
زمّج الماء	شخص بسيط	A gull	(أ غل)
حمَل	شخص ضعيف، وديع، غير مؤذ	A lamb	(أ لام)
قرد	من يحاكي الآخرين	A monkey	(أ منكي)
ببغاء	من يحفظ الحديث و ينقله	A parrot	(أ باروت)
خنزير	شخص شره وأكّال	A pig	(أ بغ)
عقرب	شخص موذٍ وخطِر	A scorpion	(أ اسكوربيَون)
حية	الخبيث، الغادر	A viper	(أ فائبر)
أنثى الثعلب	امرأة مشاكة وطرارة	A vixen	(أ فكسن)

إن هناك كلمات مشتقة من صفات وخصائص الحيوان تستعمل للتشبيه فاعرفها.

دموع كاذبة	crocodile-tears	(كروكودايل تيرس)
رخيص جداً	dirt-cheap	(درت شيب)
ضحك صاخب	horse-laugh	(هورس لاف)
خاضع دائماً لزوجته	hen-pecked	(هين بيكد)
أحمق	pig-headed	(بغ هيديد)
جبان	chicken-hearted	(شكن هارتد)

كلمات معاكسة المعاني
(ANTONYMS)

إن معرفة الكلمات معاكسة المعاني ـ بحيث معنى احدى الكلمتين يكون معاكسا تماما لمعنى الكلمة الأخرى ـ ضرورية جداً. هناك عدة كلمات تؤدي معاني معاكسة بإضافة بادئة، وأخرى ليست كذلك. فيما يلي نذكر عديداً من تلك الكلمات التي تؤدي معاني معاكسة بإضافة بادئة.

المعنى Meaning	الكلمة Words	النطق Pronunciation	المعنى المعاكس Meaning	الكلمة Words	النطق Pronunciation
أهلية	ability	(ايبلتي)	عدم الأهلية	inability	(إن ايبلتي)
سرور	happy	(هيبي)	حزين	unhappy	(أن هيبي)

استيراد	import	(امبورت)	تصدير	export	(اكسبورت)
داخلي	Interior	(انتيرير)	خارجي	exterior	(اكستيريور)
الحد الأعلى	maximum	(مكسي مم)	الحد الأدنى	minimum	(منمم)
يشمل	include	(انكلود)	يُبعد،يُقصي	exclude	(اكسكلود)
أصغر	junior	(جونير)	أكبر	senior	(سينير)
الأكثرية	majority	(ماجورتي)	الأقلية	minority	(مائنوريتي)
متفائل	optimist	(اوبتيمست)	متشائم	pessimist	(بسيمست)
أعلى	superior	(سوبيرير)	أسفل،أدنى	inferior	(انفيريور)

وهناك كلمات إذا أردنا معانيها المعاكسة أتينا بكلمات أخرى جديدة وهي كما يلي:

فوق	above	(أيف)	تحت	below	(بيلو)
يوافق،يعتمد،يقبل	accept	(اكسبت)	يرفض	refuse	(رفيوز)
يقتني،يحصل على	acquire	(اكواير)	يضيع،يفقد	lose	(لوز)
قديم	ancient	(انشنت)	جديد	modern	(مودرن)
يوافق	agree	(أغري)	يخالف	differ	(ديفر)
حيّ	alive	(ألايف)	ميّت	dead	(ديد)
يمدح	admire	(ادماير)	يزدري	despise	(دسبايز)
عقيم	barren	(بارن)	خصِب	fertile	(فرتايل)
كبير	big	(بيج)	صغير	small	(اسمال)
كليل	blunt	(بلنت)	حاد	sharp	(شارب)
جريء	bold	(بولد)	جبان	timid	(تمد)
فاتح،مشرق	bright	(برايت)	ضئيل	dim	(دم)
واسع	broad	(برود)	ضيق	narrow	(نارو)
متحضر،متمدن	civilised	(سيفيلايزد)	وحشي،همجي،جلف	savage	(ساويج)
عناية	care	(كير)	لامبالاة، تهاون	neglect	(نغلكت)
نظيف	clean	(كلين)	قذر	dirty	(درتي)
يعترف، يقرّ	confess	(كونفيس)	ينكر،يرفض	deny	(دناي)
بارد	cool	(كول)	ساخن،دافئ	warm	(وارم)
ظالم،قاس	cruel	(كرويل)	رؤوف،رحيم	merciful/kind	(مرسي فل/كائند)
أهلي،أليف	domestic	(دوميستك)	وحشي	wild	(وايلد)
صعب	difficult	(ديفيكلت)	سهل	easy	(ايزي)
خطر	danger	(دانجر)	أمان	safety	(سيفتي)
مظلم،داكن	dark	(دارك)	مُشرق	bright	(برايت)
موت	death	(دث)	ولادة	birth	(برث)
الجانب المدين	debit	(دبيت)	الجانب الدائن	credit	(كريدت)
مبكراً	early	(ارلي)	متأخراً	late	(ليت)
يكسب	earn	(ارن)	ينفق	spend	(اسبيند)
فارغ	empty	(ايمبتي)	ملآن	full	(فل)
يتمتع،يستمع	enjoy	(انجواي)	يعاني	suffer	(سفر)
حرية	freedom	(فريدم)	عبودية	slavery	(سليفري)
ضار،عنيف	fierce	(فيَرس)	لطيف،كريم	gentle	(جينتل)
كاذب	false	(فالس)	صادق	true	(ترو)

سمين	fat	(فيت)	هزيل	thin	(ثن)
رائع، رفيع،ناعم	fine	(فاين)	رديء،خشن	coarse	(كورس)
أحمق	foolish	(فولش)	عاقل	wise	(وايز)
طازج	fresh	(فريش)	بائت	stale	(استيل)
خوف	fear	(فير)	الجراء ة	courage	(كوريج)
مجرم،جان	guilty	(غلتى)	بريئ	innocent	(انوسنت)
ربح	gain	(غين)	ضرر،خسارة	loss	(لوس)
جيد	good	(غود)	قبيح،	bad	(بيد)
يرشد	guide	(غايد)	يضلّل	misguide	(مسغايد)
جميل	handsome	(هيندسم)	قبيح،بشع	ugly	(اغلي)
عال	high	(هاي)	منخفض	low	(لو)
متواضع	humble	(همبل)	فخور،متغطرس	proud/arrogant	(براود/اروغانت)
يكرم،يشرف	honour	(اونر)	يُهين،يزدري	dishonour	(دس اونر)
سرور،بهجة	joy	(جواي)	حزن،أسف	sorrow	(سورو)
معرفة	knowledge	(نوليج)	جهالة	ignorance	(اغنورانس)
كريم،شفيق	kind	(كائند)	قاس،ظالم	cruel	(كرويل)
الكذب	lie	(لا ي)	الصدق	truth	(تروث)
قليل	little	(لتل)	كثير	much	(متش)
المذكرّ	masculine	(ماسكولين)	المؤنث	feminine	(فامينين)
يصنع،يبني	make	(ميك)	يفسد،يشوه	mar	(مار)
طبيعي	natural	(ناشورل)	اصطناعي	artificial	(ارتيفيشيال)
الضجيج	noise	(نوايز)	الصمت	silence	(سايلنس)
شفهي	oral	(اورل)	تحريري	written	(رتن)
العجب،التكبر	pride/arrogance	(برايد،اروغانس)	التواضع	humility	(هيوميليتي)
الدائم	permanent	(برمانِنت)	موقت	temporary	(تمبوراري)
حضور،تواجد	presence	(بريزنس)	غياب	absence	(ابسنس)
ربح	profit	(بروفت)	ضرر،خسارة	loss	(لوس)
النثر	prose	(بروز)	النظم	poetry	(بويترى)
سريع	quick	(كويك)	بطيء	slow	(سلو)
يستلم	receive	(ريسيف)	يمنح	give	(غف)
يرفض	reject	(ريجكت)	يقبل	accept	(اكسبت)
ناضج	ripe	(رايب)	فج،خام	raw	(راو)
خشن	rough	(رف)	أملس	smooth	(اسموث)
يذكر	remember	(ريممبر)	ينسى	forget	(فورغت)
غنيّ	rich	(رتش)	فقير	poor	(بور)
أعلى	superior	(سوبيرير)	أدنى،اسفل	inferior	(انفيريور)
حاد	sharp	(شارب)	كليل	dull	(دل)
سميك،ثخين	thick	(ثك)	رقيق	thin	(ثن)
مأساة	tragedy	(تراجيدي)	الملهاة،الهزل	comedy	(كوميدي)
عام،شامل	universal	(يونيفيرسال)	خاص،معين	particular	(برتيكولر)
انتصار	victory	(فيكتري)	هزيمة	defeat	(ديفيت)
بري	wild	(وايلد)	أهلي،أليف	tame/domestic	(تيم/دوميستك)

ضعيف	weak	(ويك)	قوي	strong	(استرونغ)
العقل	wisdom	(وزدم)	سفاهة	folly	(فولي)
شاب	youthful	(يوث فل)	كهل	aged	(ايجد)

كلمات تدل على الجنسية
(WORDS DENOTING NATIONALITY)

في العربية نبنى الكلمة التي تظهر جنسية أيّ شخص بإضافة ياء النسبة إلى وطنه كمثل صيني وبورمي وأمريكي وباكستاني لسكان الصين وبورما وأمريكا وباكستان على التوالي . ولكن في الإنجليزية هناك طرق وأشكال مختلفة. فيما يلي نبيّن عدداً من مثل تلك الكلمات التي تظهر الجنسية .

Countries	البلد	Inhabitants	المواطن	Countries	البلد	Inhabitants	المواطن
America	أمريكا	American	أمريكي	Ireland	آيرلندا	Irish	آيرلندي
Argentina	الأرجنتين	Argentine	أرجنتيني	Israel	إسرائيل	Israeli	إسرائيلي
Belgium	بلجيكا	Belgian	بلجيكى	Italy	إيطاليا	Italian	إيطالي
Bhutan	بوتان	Bhutanese	بوتاني	Kuwait	الكويت	Kuwaiti	كويتي
Burma	بورما	Burmese	بورمي	Morocco	المغرب	Moroccan	مغربي
Canada	كندا	Canadian	كندي	Nepal	النيبال	Nepalese	نيبالي
China	الصين	Chinese	صيني	Pakistan	باكستان	Pakistani	باكستاني
Egypt	مصر	Egyptian	مصري	Poland	بولنده	Pole	بولندي
France	فرنسا	French	فرنسي	Russia	روسيا	Russian	روسي
Greece	اليونان	Greek	يوناني	Sri Lanka	سري لنكا	Sri Lankan	سرى لنكي
India	الهند	Indian	هندي	Sweden	سويد،أسوج	Swede	سويدي،أسوجي
Iraq	العراق	Iraqi	عراقي	Turkey	تركيا	Turk	تركي
				Yugoslavia	يوغوسلافيا	Yugoslav	يوغوسلافي

عدة تعبيرات هامة
(SOME IMPORTANT PHRASES)

إن هناك تعبيرات تستعمل كما هي بكل كلماتها. ولا يمكننا تبديل أية كلمة منها لأنها أصبحت مصطلحة ومتكاملة. واستعمال مثل هذه التعبيرات يزيد في قيمة البيان وجمال التعبير . وفيما يلي عديد منها:

1. **Again and again** (اغين اند اغين)
   We shouldn't commit mistakes *again and again.*

   ١. مرة بعد مرة .
   يجب أن لا نرتكب الخطأ مرة بعد مرة .

2. **Now and again** (ناو اند اغين)
   Now and again, a genius is born.

   ٢. أحيانا
   لا يولد العبقري إلاّ أحيانا .

3. **All in all** (آل إن آل)
   On his sister's marriage, Nassir was *all in all.*

   ٣. كل شيء
   كان ناصر كل شيء أيام زواج أخته.

4. **All and sundry** (آل اند سندري) ٤. قاطبة، بلا استثناء
All and sundry came to the meeting. حضر الناس الاجتماع جميعاً بلا استثناء .

5. **Back and belly** (بيك اند بيلي) ٥. كفاف يومه
The days have gone when the problems of a labourer concerned only *back and belly.* قضت الأيام التي كان العمال فيها يطلبون فقط كفاف يومهم.

6. **Bag and baggage** (بيغ اند بيغيج) ٦. بطيّ البساط
The British left Asian countries *bag and baggage.* ذهبت الإنكليز من بلدان آسيا بطيّ بساطهم.

7. **Before and behind** (بيفور اند بهايند) ٧. ببسالة
In World War II our soldiers fought *before and behind.* في الحرب العالمية الثانية حاربت جنودنا ببسالة.

8. **Betwixt and between** (بتوِكست اند بتوين) ٨. إنصافاً، سوياً
Whatever they earn, they will share *betwixt and between.* كل ما يكسبان سيوزعان بينهما سوياً .

9. **Bread and butter** (بريد اند بتر) ٩. كفاف، رزق
One should be satisfied if one gets *bread and butter* these days. في هذه الأيام إذا كسب الواحد رزق يومه فيجب أن يقتنع به .

10. **Fetch and carry** (فتش اند كيري) ١٠. عمل (منصب) متواضع
I'm content to *fetch and carry,* for uneasy lies the head that wears a crown. أنا مقتنع بمنصبي المتواضع لأن من يلبس التاج لا يعيش بهدوء .

11. **Goods and chattel** (غدس اند شاتل) ١١. العقار، الملك المتقول
We bought *goods and chattel* when we migrated to America. اشترينا أملاكاً منقولة عندما هاجرنا إلى أمريكا.

12. **Chock-a-block** (شوك أبلوك) ١٢. مكتظ، مزدحم
Chock-a-block houses have made Cairo ugly. أصحبت مدينة القاهرة مكتظة بالأبنية والمنازل.

13. **Pick and choose** (بِك اند شوز) ١٣. الاختيار بصورة حكيمة
We must *pick and choose* our career before it is too late. يجب أن نختار برامجنا للمستقبل قبل فؤات الأوان.

14. **Every now and again** (افري ناو اند اغين) ١٤. في كل حين وآخر/من حين إلى حين
She comes *every now and again.* إنها تزور من حين إلى حين .

15. **See eye to eye** (سي آي تو آي) ١٥. الاتفاق الكلي
He didn't *see eye to eye* with me on many issues. إنه لم يتفق معي كليا في كثير من القضايا.

16. **Face to face** (فيس تو فيس) ١٦. وجهاً لوجه
We have had a *face to face* talk, so now we can understand each other's point of view. قد تحدثنا وجهالوجه فالآن يفهم كل منا وجهة نظرالآخر.

17. **Fair and square** (فير اند اسكواير) ١٧. بأمانة، باستقامة
Let all our actions be *fair and square.* يجب أن يكون جميع أعمالنا مستقيمة.

18. **Fee-faw-fum** (في- فا- فم) ١٨. الصيحات التي تحدث للترويع والتخويف
We are self-confident, we don't fear the *fee-faw-fum* of the enemy. إننانعتمدعلى أنفسنا ولانخاف من الصيحات التي يحدثهاعدونا لتخويفنا.

19. **Flux and reflux** (فلكس اند ريفلكس)
There was a great *flux and reflux* in the drawing room.

١٩. المناقشة الحادة
كانت في حجرة الاستقبال مناقشة حادة.

20. **Give and take** (غِف اند تيك)
It's always *give and take* in life.

٢٠. اخذ وعطاء(تفاهم وتنازل متبادل)
إن في الحياة دائماً اخذاً وعطاء.

21. **Goody-goody** (غودي غودي)
The world is full of *goody-goody* people but hardly a good man.

٢١. الشخص الذي يكون جيداً بتكلف
الدنيا مملوءة بالأشخاص الذين يتظاهرون بكونهم جيدين ولكن الأشخاص الجيدين قليلون جداً.

22. **Hand in hand** (هيند ان هيند)
They walked *hand in hand.*

٢٢. اليد في اليد، باتحاد وتعاون
هما مشيا ويد أحدهما في يدالآخر.

23. **Haves and have-nots** (هيفس اند هيف نو تس)
There has always been a conflict between the *haves* and *have-nots.*

٢٣. الغني والفقير
إن هناك صراعا دائماً بين الأغنياء والفقراء.

24. **Hodge podge** (هوج -بوج)**/ Hotch potch** (هوتش بوتش)
While trying his hand at cooking for the first time, he made a *hodge podge.*

٢٤. خليط، مزيج من أشياء بدون تنسيق
حاول إعداد الطعام لأول مرة فصنع خليطا من عدة أشياء.

25. **Humpty-dumpty** (همبتي -دمبتي)
Capitalism is *humpty-dumpty these days.*

٢٥. شيء على وشك الانهيار والزوال
إن نظام الرأسمالية على وشك الزوال الآن.

26. **Ins and outs** (انس اند آو تس)
He knows all the *ins and outs* of this profession.

٢٦. تفاصيل شيء
هو يعرف جميع تفاصيل هذه المهنة.

27. **Law and order** (لا اند آردر)
There cannot be any democracy without *law and order.*

٢٧. القانون والنظام
لا يمكن تحقيق الجمهورية بدون القانون والنظام.

28. **Off and on** (اوف اند آردر)
He comes to your shop *off and on.*

٢٨. على نحو متقطع، بين فترة وأخرى
إنه يجيء إلى محلكم بين فترة وأخرى.

29. **Rain or shine** (رين اور شاين)
Rain or shine, we must attend to our duties.

٢٩. كيفما كان الجوّ
يجب أن نؤدي واجباتنا كيفما كان الجوّ.

30. **Really and truly** (ريلي اند ترولي)
Really and truly, I'll do your work.

٣٠. حقاً
سأقوم بعملكم حقاً.

31. **Tit for tat** (تت فور تيت)
Tit for tat cannot end a dispute.

٣١. ضربة بضربة، ثأر
إذا أراد كل فريق أخذ الثأر فلا ينتهي الخصام.

32. **Tittle-tattle** (تيتل، تاتل)
We just waste time in *tittle-tattle.*

٣٢. قيل وقال
نحن نضيّع وقتنا في قيل وقال.

33. **Ups and downs** (ابس اند داؤنس)
The great men rise through the *ups and downs* of life.

٣٣. صروف الدهر، سعود الحياة ونحوسها
لا يكبر الرجال في الحياة إلاّ بعد أن يواجهوا سعود الحياة ونحوسها.

كلماتُ كثيراً ما يقع في معانيها الارتباك
(WORDS WHICH COMMONLY CONFUSE)

من المهم، في كل لغة استعمال الكلمات المناسبة لبيان المراد. وذلك يتطلب الاجتهاد والتمرن. ويلزم أن نعرف معاني الكلمات الصحيحة قبل استعمالها. فهناك كلمات تتقارب معانيها بعضها من بعض. فيجب التمييز بينها ومعرفة مواضع كل منها جيداً.

١. **admit** (ادمت) يعترف بـ، يقبل في
confess (كونفيس) يقرّ بـ

(a) I *admit* that you are abler than I am.
أعترف بأنك أكثر أهلية مني.

(b) He *confessed* his guilt before the judge.
إنه أقرّ بجريمته أمام القاضي.

٢. **among** (امنغ) بين أكثر من اثنين
between (بتوين) بين اثنين

(a) The property was divided *among* four children. قسم العقار فيما بين أربعة أولاد.

(b) The property was divided *between* two children. قسم العقار بين ولدين اثنين.

٣. **amount** (اماونت) مقدار، مبلغ
number (نمبر) عدد، رقم

(a) A large *amount* of rice was delivered to the store-house. أرسل مقدار كبير من الرز للمخازن.

(b) A large *number* of bags of rice was delivered. أرسل عدد كبير من أكياس الرز.

٤. **anxious** (اينكشس) قلق البال
eager (ايجر) توّاق

(a) We were *anxious* about his health.
إننا قلقون حول صحته.

(b) We are *eager* to see him healthy again.
نحن نشتاق أن نراه صحيحاً مرة أخرى.

٥. **apt** (ايبت) *(adjective)* ميّال إلى، ملائم
liable (لائيبل) *(adjective)* مسئول قانونيا، عرضة لـ

(a) He is *apt* to get into mischief.
هو ميّال إلى الشر والفساد.

(b) If you drive rashly, you are *liable* to a heavy fine.. إن تسق السيارة مسرعا، تكن عرضة للغرامة الهائلة.

٦. **artisan** (ارتيزن) صانع
artist (آرتست) فنان

(a) That carpenter is a good *artisan*.
النجار صانع ماهر.

(b) Kamil was a good *artist*.
كان كامل فنانا بارعا.

٧. **as** (ايز) ك، مثل (حرف ربط)
like (لايك) مثل (حرف جر)

(a) Do *as* I do, not *as* I say.
اِفعل كما أفعلُ ولا كما أقول.

(b) Try not to behave *like* a child.
لا تعمل مثل الطفل.

٨. **audience** (اودينس) المستمعون
spectators (اسبكتيترس) المشاهدون

(a) The speaker bored the *audience* with his long speech.
أملّ الخطيب المستمعين بخطبته الطويلة.

(b) The slow hockey game bored the *spectators*. أملّ اللعب البطيء المشاهدين لهوكي.

٩. **better** (بيتر) افضل، أحسن
well (ويل) جيد، صيح

(a) She is *better* today than she was a week ago. إنها أحسن اليوم منها قبل أسبوع.

(b) In a month or two she will be quite *well*.
وفي مدة شهرين ستكون هي صحيحة تماماً.

١٠. **both** (بوث) كلا، كلتا
each (ايتش) كل واحد/واحدة

(a) *Both* the sisters are beautiful.
كلتا الأختين جميلتان.

(b) *Each* girl has a new book.
عند كل بنت كتاب جديد.

١١. **bring** (برنغ) يجئ بـ

take (تيك) يأخذ مع

(a) *Bring* a bread from the bazaar.

جئ بخبز من السوق.

(b) *Take* your breakfast with you when you go to the school.

خذ معك فطورك عندما تذهب إلى المدرسة.

١٢. **can** (كان) يستطيع

may (ميه) يمكنه،يسمح له

(a) She is so weak that she *cannot* walk.

إنها ضعيفة حتى أنها لا تستطيع أن تمشي.

(b) *May* I come in.

ممكن أن أدخل؟

١٣. **climate** (كلايميت) مناخ،هواء

weather (ويدر) جوّ،طقس

(a) I like the *climate* of Cairo more than that of Alexandria.

أحب مناخ القاهرة أكثر من الإسكندرية.

(b) The *weather* was stormy.

كان الجوّعاصفاً.

١٤. **couple** (كبل) الزوجان(متزوجان)

pair (بير) زوج، شيئان من جنس

(a) Two *couples* remained on dance floor.

بقي زوجان على منصة الرقص.

(b) I have a new *pair* of shoes.

عندي زوج من الأحذية جديد.

١٥. **despise** (دسبايس)يحتقر، يزدري

detest (ديتست) يكره

(a) Some people *despise* the poor.

بعض من الناس يحتقر الفقراء.

(b) I *detest* hot weather.

أكره الجوّالحار.

١٦. **each other** (ايتش ادر) فيما بينهما ،أحدهما الآخر.

one another (ون آنادر) بعضهم البعض.

(a) Salma and Suad have known *each other* for ten years.

سلمى وسعاد متعارفتان فيما بينهما منذ عشر سنوات.

(b) These four girls have known *one another for* ten years.

هؤلاء البنات الأربع يعرف بعضهن البعض منذ عشر سنوات.

١٧. **former** (فورمر) الأول

latter (ليتر) الآخر

(a) The *former* half of the film was dull.

كان النصف الأول من الفيلم مملا.

(b) The *latter* half of the film was interesting.

كان النصف الآخر من الفيلم ممتعا.

١٨. **habit** (هيبت) عادة

custom (كستم) طريقة، عُرف

(a) Gambling is a *habit* with him.

عنده عادة القمار.

(b) It is a *custom* among Hindus to cremate the dead.

عند الهندوس عُرف تحريق موتاهم.

١٩. **if** (اف) إن

whether (ويدر) ما إذا،هل

(a) She'll get through the examination *if* she works hard.

إنها ستنجح في الامتحان إن اجتهدت.

(b) She asked me *whether* I intended to go to cinema.

سألتني هل أريد أن أذهب إلى السينما.

٢٠. **if it was** (اف ات واز) إن كان كذا

if it were (اف ات ور) لو كان كذا

(a) *If it was* there in the morning, it should be there now.

إن كان هناك صباحا فيجب أن يكون هناك هذاالوقت.

(b) *If I were* the Prime Minister, I would have removed poverty.

لو كنت رئيس الوزراء لمحوت الفقر.

٢١. **in** (ان) في (بدون الحركة)

into (ان تو) في، إلى (يوجد فيه حركة)

(a) The papers are *in* my drawer.

الأوراق (موضوعة) في دُرجي.

(b) You put the papers *into* my drawer.

وضعت الأوراق في دُرجي.

٢٢. **learn** (لرن) يتعلم

teach (تيش) يُعلم، يدرّس

(a) They *learn* to read English.

هم يتعلمون قراءة الإنكليزية.

(b) They *teach* English.

هم يدرّسون الإنكليزية.

٢٣. **leave** (ليف) يترك، يغادر،(فعل مستقل)

let (لت) يسمح، يدع (معاون الفعل)

(a) *Leave* this room at once.

اترك هذه الغرفة حالاً.

(b) *Let* me go now. دعني أذهب الآن.

٢٤. **legible** (ليجيبل) مقروء، واضح

readable (ريدايبل) قابل للقراء ة، ممتع

(a) Your handwriting is not *legible*.

خطك غير واضح.

(b) This book being on technical subject is not *readable*.

بما أن هذا لكتاب على موضوع فني فانه ليس بممتع.

٢٥. **many** (ميني) كثير (عدداً)

much (متش) كثير(كمية)

(a) There were *many* students in the class.

كان في الفصل كثير من الطلبة.

(b) We haven't *much* milk.

ليس عندنا لبن كثير.

٢٦. **may** (ميه) يمكن (في الزمن الحاضر)

might (مايت) يمكن (في الزمن الماضي)

(a) He *may* come today.

يمكن أن يأتي اليوم.

(b) He *might* have come if you had written a letter. لو كنت كتبت إليه الرسالة لحضر.

٢٧. **patron** (باترن) من يرعى أو يناصر أو يقدّر.

customer (كستومر) زبون

(a) The artist thanked his *patrons* who eagerly awaited his paintings.

شكر الفنان للأشخاص الذين ينتظرون وكانوا من مادحي رسومه ومقدّريها.

(b) The shopkeeper attended his *customers*.

استجاب صاحب المحل لزبائنه (أعطاهم ماطلبوه)

٢٨. **people** (بيو بل) شعب

persons (برسنز) أشخاص

(a) The *people* of Egypt were poor.

كان الشعب المصري فقيرا.

(b) Only thirteen *persons* remained in the cinema-hall after the interval.

لم يبق في قاعة السنيما بعد فترة الاستراحة إلاّ ١٣ شخصاً.

٢٩. **recruitment** (ريكروتمنت) تجنيد (noun)

employment (ايمبلويمنت) تعيين في وظيفة(noun)

(a) The *recruitment* of soldiers is going on.

يجري حالياً تجنيد الشرطيين.

(b) Salman is in search of *employment*.

سلمان يبحث عن وظيفة.

٣٠. **rob** (روب) يسلب

steal (استيل) يسرق، يختلس

(a) The robbers *rob* wayfarers usually at night.

اللصوص يسلبون المسافرين في الليل عادة.

(b) Bad boys *steal* books of their class-fellows.

الطلبة الأشرار يسرقون كتب زملائهم.

٣١. **shall** (شال) فعل مساعد يستعمل مع I, we ويجعل الفعل خاصا بالمستقبل مثل: I *shall*, We *shall*

will (ول) فعل مساعد يستعمل مع كل من he, she, it, they, you مثل: he *will*, they *will* وإذا أريد الارادة الجازمة فيقلب الاستعمال.

(a) I *will* reach in time. سأصل في الميعاد حتميا.

(b) You *shall* not reach in time.

لاتصل أبدا في الميعاد.

٣٢. **state** (استيت) يعلن، يصرّح

say (سيه) يقول، يلفظ، يزعم

(a) Egyptian ambassador *stated* the terms for a ceasefire agreement.

أعلن السفير المصري شروط اتفاقية وقف إطلاق النار.

(b) You *say* that you won't complete the job.

تقول إنك لا تكمل العمل.

٣٣. **stay** (استيه) يقيم

stop (استوب) يوقف

(a) We *stayed* at the hotel for two days only.

أقمنا في الفندق ليومين فقط.

(b) We *stopped* the work and returned home.

أوقفنا العمل ورجعنا إلى البيت.

٣٤. **tender** (تيندر) يعرض،يقدّم

give (غف) يمنح، يعطي، يقدّم

(a) On the orders of his boss, he *tendered* an apology for his misbehaviour.

بأمر من المدير إنّه قدّم الاعتذار لسوء سلوكه.

(b) He *gave* readily enough to the poor.

إنه منح بسرعة عطايا كثيرة للفقراء.

٣٥. **testimony** (تستي مني) شهادة شفهية

evidence (ايفيدينس) بينة تحريرية

(a) He gave *testimony* before the jury.

إنه قدم الشهادة أمام هيئة التحكيم.

(b) The defendant presented written *evidence* to prove that he was not present at the scene.

قدّم المدعى عليه بينة تحريرية لإثبات أنه لم يكن موجوداً عند حدوث الحادثة.

٣٦. **win** (ون) يفوز

beat (بيت) يهزم

(a) Hurrah! We *won* the match.

هوراه ،نحن فزنا في المباراة.

(b) I *beat* you while playing cards.

إني أهزمك عند لعب الأوراق.

توجد في الإنجليزية كلمات نطق بعضها لبعض سواء بينما يكون في معانيها اختلاف. ويخطئ في استعمالها كثير من المثقففين أيضا. فإذا أخطأ الواحد في استعال مثل هذه الكلمات يسبّب ذلك سوء السمعة وأثرا سيّئا. فيجب معرفة تلك الكلمات وفهم الفرق والاختلاف في معانيها.

٣٧. **accept** (اكسيبت) يقبل (verb)

except (ايكسيبت) سوى،إلّا (prep)

(a) He *accepted* my advice in this matter.

إنه قبل نصحي في هذا الأمر.

(b) The entire staff *except* juniors has been called.

أُستدعى جميع الموظفين سوى العمال الصغار.

٣٨. **access** (اكسس) حرية أو وسيلة الوصول إلى (noun)

excess (اكسس) زيادة، كثرة (noun)

(a) He was a poor man and had no *access* to the higher authorities.

كان رجلاً فقيراً ولم تكن له أيّ وسيلة للوصول إلى السلطات العليا.

(b) *Excess* of everything is bad.

الكثرة (الإكثار) من كل شيء قبيح.

٣٩. **adapt** (ادابت) يتكيّف (verb)

adopt (ادو بت) يتخذ، يتبنى (verb)

adept (ادبت) ماهر، خبير

(a) One must learn to *adapt* oneself to circumstances.

يجب أن يتعلم الواحد التكيف مع الظروف.

(b) He *adopted* a child from orphanage.

إنه تبنى ولداً من دار الأيتام.

(c) He is an *adept* carpenter. إنه تجار ماهر.

٤٠. **addition** (اديشن)إضافة (noun)

edition (ايديشن) طبعة (noun)

(a) Some alterations and *additions* have been made in this book.

أجرى على هذا الكتاب عدة إضافات وتغييرات.

(b) Third and latest *edition* of the Kitab-e-Aqdas has been published.

قد نشرت الطبعة الثالثة والأخيرة للكتاب الأقدس.

٤١. **adverse** (ادورس) غير ملائم أو مؤات (adjective)

averse (اورس) كاره،نفور (adjective)

(a) True friends never leave in *adverse* conditions.

الأصدقاء المخلصون لا يخذلون في الأحوال غير المؤاتية.

(b) In modern time, most of the students are *averse* to hard work.

في هذه الأيام معظم الطلبة نفورون من الاجتهاد.

٤٢. **affect** (افكت) يؤثرعلى (verb)

effect (ايفكت) أثر (noun)

effect (ايفكت) نافذ المفعول (verb)

(a) Your behaviour should *affect* others.

يجب أن يؤثر سلوكك على الآخرين.

(b) His speech didn't produce any *effect* on the audience.

ما كان أيّ أثرعلى المستمعين لخطابه.

(c) The old rule is still in *effect*.

القانون القديم نافذ المفعول حتى الآن.

٤٣. **all ready** (آل ريدى) الكل مستعدّ

already (آل ريدى) مسبّقاً، بالفعل

(a) We were *all ready* to go when the class-teacher arrived.

كنا مستعدين جميعا للذهاب عندما وصل الاستاذ.

(b) We had *already* begun writing when the class-teacher arrived.

كنا بدأنا الكتابة مسبقا متى وصل الاستاذ.

٤٤. **all together** (آل تو غيدر) مجتمعاً

altogether (آل توغيدر) كليا ،تماما

(a) The boys and girls sang *all together*.

غنى الأولاد والبنات الغناء مجتمعين.

(b) This was *altogether* strange for a person of my type.

كان ذلك الأمر غريبا تماما لشخص كمثلي أنا.

٤٥. **all ways** (آل ويز) من كل وجوه

always (الويز) دائماً

(a) The scheme was in *all ways* acceptable to the masses.

كان المشروع مقبولا عند الناس من كل وجوه.

(b) *Always* help the poor. ساعد الفقراء دائماً.

٤٦. **altar** (آلتر) مذبح في معبد (noun)

alter (آلتر) يغيّر،يبدّل (verb)

(a) He knelt before the *altar* and took a vow not to touch wine all his life.

انحنى هو أمام المذبح وتعهد بأنه لا يمس الخمر طوال حياته.

(b) I can't *alter* my plans now.

لا يمكنني أن أغيّر برامجي الآن.

٤٧. **amend** (امند) يعدّل، يحسّن (verb)

emend (ايمند) ينقح ،يصحح (verb)

(a) You must *amend* your ways.

يجب أن تحسّن طرقك.

(b) Before publication, first part of the book had to be *emended*.

كان من الضرورى تنقيح الجزء الأول من الكتاب قبل الطبع.

٤٨. **alternate** (الترنيت) متناوب (adjective)

alternative (الترنيتف) بديل (noun)

(a) The doctor comes to see him on every *alternate* day.. يزوره الطبيب لفحصه كل يوم ثالث

(b) There was no other *alternative*, so I agreed to the terms.

لم يكن هناك بديل فوافقت على شروطه.

٤٩. **bazaar** (بازار) سوق (noun)

bizarre (بزار) غريب، شاذ (noun)

(a) She went to *bazaar* for shopping.

ذهبت إلى السوق لشراء البضائع.

(b) She dresses in a *bizarre* manner.

إنها تلبس لباسا غريباً.

٥٠. **berth** (برث) مضجع (noun)

birth (برث) ولادة (noun)

(a) She got a *berth* reserved for herself in the Express Train. حجزت مضجعا لها في القطار السريع.

(b) What's your date of *birth*? ماذا تاريخ ميلادك؟

٥١. **beside** (بسايد) بجوار، بجنب (preposition)

besides (بسايدس) بجانب ذلك (adverb)

(a) He was sitting *beside* me. كان جالسا بجنبي.

(b) The agents get commission *besides* their salary. يتلقى الوكلاء عمولة بجانب رواتبهم.

٥٢. **boar** (بور) الخنزير البري (noun)

bore (بور) يثقب، يحفر (verb)

(a) The hunter shot a wild *boar*.

اطلق الصياد بندقية على خنزير برّي.

(b) They *bore* a hole in the soil to take out oil.

هم يحفرون ثقبا في الأرض لاستخراج الزيت.

٥٣. **born** (بورن) يولد (verb)

borne (بورن) يتحمل (verb)

(a) I don't know when I was *born*.

لا أعرف متى ولدت.

(b) We have *borne* our burdens with patience.

تحملنا أعبائنا بكل صبر.

٥٤. **breath** (برث) نفس (noun)

breathe (بريد) يتنفس (verb)

breadth (بردث) العرض (noun)

(a) Before you dive in, take a deep *breath*.

قبل أن تغوص في الماء تنفس نفسا طويلا.

(b) *Breathe* deeply in open air.

تنفس طويلا في الهواء الطلق.

(c) In a square, the *breadth* is equal to the length.

يكون الطول والعرض سويا في الشكل المربع.

٥٥. **canvas** (كنواس) القماس الثخين (noun)

canvass (كنويس) يلتمس أصوات الناخبين (verb)

(a) *Canvas* bags are very strong.

الحقائب المصنوعة من القماش الثخين (قماش القنب) متينة جدا.

(b) Students were *canvassing* for the Congress candidate.

كان الطلبة يطوفون بالمدينة لالتماس الأصوات لمرشحهم.

٥٦. **cease** (سيز) إيقاف، توقف (verb)

seize (سيز) يستولى على، يعتقل يصادر (verb)

(a) At last the war has *ceased*.

ونهائيا، أن الحرب قد توقفت.

(b) The policemen *seized* the stolen articles.

صادرت الشرطة البضائع المسروقة.

٥٧. **cent** (سنت) سنت (عملة)، فلس (noun)

scent (سنت) عطر (noun)

(a) *Cent* is a small coin of America.

سنت عملة نقدية صغيرة في أمريكا.

(b) The *scent* of flowers is very pleasant.

عطر الزهور لطيف جدا.

٥٨. **childish** (شائلدش) صبياني، سخيف

childlike (شائلدلائك) طفلي، بريّ، بسيط

(a) You have *childish* habits and are not yet mature.

عاداتك صبيانية سخيفة، لم تدرك النضج والرشد حتى الآن.

(b) We like his *childlike* habits.

نحب عاداته البسيطة مثل الصبيان.

٥٩. **choose** (شوز) ينتخب، ينتقي، يختار (verb)

chose (شوز) الماضي من choose (verb)

(a) *Choose* what you want. انتخب ما تريد.

(b) I finally *chose* singing for a career.

اخترت في النهاية الغناء كمهنة.

٦٠. **cite** (سايت) يقتبس (verb)

sight (سايت) منظر (noun)

site (سايت) محل، موقع (noun)

(a) He was fond of *citing* from the Holy Qur'an.

إنه كان يحب الاقتباس من القرآن الكريم.

(b) The Taj presents a pleasant *sight* in full moon.

يقدّم تاج محل، منظرا جميلا في ليلة البدر.

(c) His father is looking for a *site* for his new shop.

إنه والده يبحث عن مكان لدكانه الجديد.

٦١. **comic** (كومك) فكاهي (adjective)

comical (كوميكال) مضحك (adjective)

(a) *Comic* scenes are put in a drama.

يوضع عنصر فكاهي في مسرحية.

(b) The peculiar dress she wore gave her a *comical* appearance.

اللباس الغريب الذي لبست هي، جعل مظهرها مضحكا.

٦٢. **complement** (كومبليمنت) الجزء التكميلي (noun)

compliment (كومبليمنت) المدح والثناء (noun)

compliments (كومبليمنتس) تحية (noun)

(a) This book is a *complement* to that one.

هذا الكتاب متمّم لذلك الكتاب.

(b) Her husband paid her a *compliment*.

زوجها أثنى عليها.

(c) Pay my *compliments* to your parents.

بلّغ تحياتي إلى أبويك.

.٦٦ **conscience** (كونشنس) ضمير (noun)

cautious (كاوشس) حذر (adjective)

conscious (كانشس) علىٰ علم (adjective)

(a) One should have a clear *conscience*.

جب أن يكون ضمير الواحد صافيا.

(b) One should be extremely *cautious* while driving.

جب على سائق السيارة أن يكون حذراً محترساً.

(c) He was *conscious* that he was being followed. ان يعلم أن أحداً يتعقبه.

.٦٤ **consistently** (كنسِستنتلى) بثبات (adverb)

constantly (كونستانتلى) باستمرار (adverb)

(a) If you want to give advice to others, first act *consistently* with that yourself.

ن أردت أن تنصح الآخرين، فاعمل بتلك النصيحة أوّلا لاستقامة وثبات العزم.

(b) He *constantly* argued with me.

ظل يناقشني ويجادلني باستمرار.

continual (كونتى نول)بصفة متواترة(adjective)

continuous (كونتى نُوَس)بصفة مستمرة (adjective)

(a) The teacher gave the class *continual* warning. ذرالأستاد الفصل بصفة متواترة.

(b) We had *continuous* rain yesterday for many hours.

ن عندنا مطر بالأمس بصفة مستمرة لعدة ساعات .

contract (كونتراكت) اتفاقية، عقد (noun)

contract (كونتراكت) يتقلص (verb)

(a) He has signed a *contract* for going abroac

وقّع على عقد للذهاب إلى الخارج.

(b) All metals *contract* on cooling.

ك معادن تتقلص عند ماتبرد.

course (كورس) منهج دراسي (noun)

coarse (كورس) خشن، رديء (adjective)

(a) What is the *course* of your studies.

هو منهج دراستك؟

(b) This cloth is very *coarse*.

القماش من النوع الردئ جداً.

.٦٨ **credible** (كريديبل) قابل للتصديق (adjective)

creditable (كريدى تيبل) قابل للمدح (adjective)

credulous (كريدولس) سريع التصديق (adjective)

(a) The story does not appear *credible*.

ليست هذه القصة مما يصدق.

(b) His success in the examination is *creditable*.

إن نجاحه في الامتحان قابل للمدح والثناء.

(c) Laila is very *credulous*. She believes in what she is told.

السيدة ليلىٰ سريعة التصديق،إنها تؤمن وتعتقد بكل مايقال لها.

.٦٩ **decease** (ديسيز) وفاة (noun)

disease (ديزيز) مرض، داء (noun)

(a) The *deceased* person has been taken from the hospital.

نُقلت جثة الميت من المستشفى.

(b) That man died of an incurable *disease*.

كان حتفه بسبب داء عُضال.

.٧٠ **deference** (ديفيرنس) احترام (noun)

difference (دفيرينس) اختلاف (noun)

(a) In *deference* to his father's memory, we we did not play yesterday.

لم نلعب بالأمس احتراما لذكرى (وفاة) والده.

(b) There is a *difference* of opinion on this subject.

هناك اختلاف الآراء في هذا الموضوع.

.٧١ **desert** (دزرت) صحراء (noun)

desert (دزرت) يهجر (verb)

dessert (دزرت) الحلوى وغيرها يختم بها الطعام (noun)

(a) Saudi Arabia is mostly a *desert*.

معظم البلاد السعودية صحراء.

(b) An ideal husband must not *desert* his wife.

لا ينبغى لزوج مثالي أن يهجر زوجته.

(c) The party was served with apples and fruit-cream as *dessert*.

قُدّم للضيوف التفاح وَالكريم مع الفواكه عند نهاية الأكل.

.٧٢ **disinterested** (دس انترستد) غيرمتحيز

(adjective)

uninterested (ان انترستد) لايرغب في

(adjective)

(a) The judge must always be a *disinterested* party in a trial.

يجب أن يكون القاضي طرفاً غير متحيز في القضية.

(b) I was *uninterested* in games, so I returned home early.

ماكنت راغبا في الألعاب فلذلك رجعت إلى البيت مبكراً.

٧٣. **dual** (دوئل) مزدوج (adjective)

duel (دويل) قتال (noun)

(a) Some persons have a *dual* personality. They say something and do otherwise.

إن هناك أشخاصا لهم شخصية مزدوجة. يقولون شيئا ويفعلون شيئاً.

(b) They fought a *duel* and one person was severely injured.

قاما بالقتال فيما بينهما وجرح أحدهما شديداً.

٧٤. **eligible** (اليجيبل) مؤهل (adjective)

illegible (الّيجيبل) غير مقروء (adjective)

(a) Only a graduate is *eligible* for this post.

لاأحد مؤهل لهذه الوظيفة إلا من يحمل شهادة بكالوريوس.

(b) Your handwriting is *illegible*.

خطك غيرمقروء.

٧٥. **expand** (اكسباند) يوسّع (verb)

expend (اكسبيند) ينفق (verb)

(a) As the work increases, we shall have to *expand* our office space.

كلما يزداد عملنا، فلابد أن نوسّع في مكان مكتبنا.

(b) We shouldn't *expend* beyond our limit.

يجب أن لا ننفق أكثر من حدنا.

٧٦. **fair** (فير) مهرجان، معرض (noun)

fair (فير) بصورة عادلة (adjective)

fair (فير) لون فاتح (adjective)

(a) Many people attend the National Book *Fair*.

كثير من الناس يزورون معرض الكتاب الوطني.

(b) We must always play a *fair* game.

يجب أن نلعب لعبة عادلة طبقاً للقواعد.

(c) She is *fair*-complexioned and *fair*-haired.

إنها فاتحة اللون شقراء الشعر.

٧٧. **fare** (فير) النول (noun)

fare (فير) تقدم (verb)

(a) What is the rail *fare* from Kufa to Basra?

ماهو النول من الكوفة إلى البصرة بالقطار؟

(b) How did you *fare* in your examination?

كيف كان تقدمك في امتحانك؟

٧٨. **farther** (فاردر) أبعد (adverb)

further (فردر) مزيداً (adverb)

(a) America is *farther* from Arabia than Europe.

أمريكا أكثر بعداً عن البلدان العربية من أوروبا.

(b) Proceed *further*, please.

تحرك/ تقدم مزيداً من فضلك.

٧٩. **feel good** (فيل غد) يفرح (verb)

feel well (فيل ول) يستعيد الصحة (verb)

(a) She *feels very good* amidst her friends.

إنها تفرح في زميلاتها.

(b) She is *feeling well* now. إنها الآن بصحة كاملة.

٨٠. **fewer** (فيور) أقل عدداً أو كمية (adjective)

less (لس) أقل عدداً (adjective)

(a) The doctor attended *fewer* patients than last week.

فحص الطبيب المرضى أقلّ عدداً منهم في الأسبوع الماضي.

(b) I have *less* money in my pocket than you have. النقود في جيبي أقل منها في جيبك.

٨١. **floor** (فلور) أرضية (noun)

flour (فلور) دقيق (noun)

(a) She is sitting on the *floor*.

إنها جالسة على الأرضية.

(b) We make chapaties (bread) of *flour*.

نحن نصنع الخبز من الدقيق.

٨٢. **formally** (فورملي) رسمياً، شكلياً (adverb)

formerly (فورمرلي) في السابق (adverb)

(a) The letter was written *formally* by me.

إن الرسالة كتبتها رسميًا.

(b) He was *formerly* a minister.

كان وزيراً في السابق.

٨٣. **forth** (فورث) إلى الأمام (adverb)

fourth (فورث) الرابع (adjective)

(a) They went *forth* like an ancient warrior.

تقدموا إلى الأمام مثل المحارب القديم.

(b) The *fourth* of every month is our pay day.

إن الرابع من كل شهر هو يوم استلام راتبنا.

٨٤. **hair** (هير) الشعر (noun)

heir (اير) الوارث (noun)

hare (هير) الأرنب (noun)

(a) The colour of Laila's *hair* is golden.

لون شعر ليلىٰ ذهبي.

(b) The eldest prince is the *heir* to the throne.

إن الأمير الأكبر هوالوارث للعرش.

(c) The *hare* runs very fast. تجرى الأرنب سريعاً.

٨٥. **hanged** (هينغد) يعلق، يشنق (verb)

hung (هنغ) يعلّق (verb)

(a) The prisoner was *hanged* at dawn.

شُنق السجين وقت الفجر.

(b) The picture was *hung* on the wall.

كان الرسم معلقاً على الحائط.

٨٦. **holy** (هو لي) مقدسا، مبارك (adjective)

wholly (هلّي) كليا، كاملا (adverb)

(a) Ramadan is the holy month of Islamic calendar.

شهر رمضان شهر مقدس من التقويم الإسلامي.

(b) I *wholly* agree with your decision.

أنا موافق كليا على قرارك.

٨٧. **however** (هاو ايور) لكن، مع ذلك

how ever (هاو ايور) كيفما

(a) I don't recommend this book *however*, you can read it.

لا أوصيك بدراسة هذا الكتاب مع ذلك تستطيع أن تقرأه.

(b) I am certain that, *how ever*, you decide to work, you will succeed.

أنا متأكد من أنك ستنجح كيفما تقرّر أن تعمل.

٨٨. **its** (اتس) له (pronoun)

it's (اتس) هو ذا

(a) The shed lost *its* roof.

قد سقط سقف السقيفة.

(b) *It's* an old house.

إنه بيت قديم.

٨٩. **last** (لاست) النهائي (adjective)

latest (ليتست) الأخير (adjective)

(a) *Last* date of admission is near. So we should hurry up.

إن التاريخ النهائي للقبول قريب جداً فلنسرع.

(b) The *latest* edition of the book is under print.

إن الطبعة الأخيرة للكتاب قيد الطبع.

٩٠. **least** (ليست) الأقل، الأقصر (adjective)

less (ليس) أقل من (adjective)

(a) He walked the *least* distance of all.

إنه مشى لأقل مسافة.

(b) Tea is *less* desirable for me than milk.

إني راغب في الشاي أقل منه في الحليب/ الشاي عندي أقل رغبة من الحليب.

٩١. **lightening** (لايتيننغ) يخفّف (verb)

lightning (لايتننغ) برق في السماء (noun)

lighting (لايتينغ) ترتيبات الإنارة والإضاءة (noun)

(a) He is *lightening* my burden.

إنه يخفّف من عبْئى.

(b) Last night there was flash of *lightning* in the sky.

البارحة كان البرق يلمع في السماء.

(c) There was good *lighting* arrangement at the marriage.

كانت ترتيبات الإنارة والإضاءة جيدة في حفلة العرس.

٩٢. **loan** (لون) القرض، التسليف (noun)

lend (لند) يقرض (verb)

(a) The bank granted him a *loan* of five thousand dollars.

اعتمد البنك له تسليف خمسة آلاف دولار.

(b) *Lend* me some money. أقرضني شيئاً من النقود.

٩٣. **moral** (مورال) خُلق، سيرة (noun)

morale (موريل) معنوية (noun)

(a) He is a man of good *moral*.

إنّه صاحب خُلق جيد.

(b) The *morale* of the troops on the front is very high.

إنّ معنوية جنودنا على الجبهة عالية جداً.

٩٤. **most** (موست) الأكثر، الأكبر (adjective)

almost (الموست) تقريباً (adjective)

(a) Bukhari was the *most* honest and truthful boy in the boat.

كان البخاري ولدا أصدق وأكثر امانة في السفينة كلها.

(b) It's *almost* time to go for a walk.

قد اقترب وقت النزهة.

٩٥. **notable** (نو تيبل) ذو شهرة (adjective)

notorious (نو تو ريوس) مُشهر، ذو سمعة سيئة (adjective)

(a) August 15, 1947 is a *notable* day in the history of India.

يوم ١٥ أغسطس ١٩٤٧ يوم هام في تاريخ الهند.

(b) He is a *notorious* gambler.

إنّه مقامر مشهّر.

٩٦. **once** (ونس) مرةً (adverb)

one's (ونس) للواحد، له (pronoun)

(a) I have been there *once*.

ذهبت هناك مرة.

(b) One should obey *one's* conscience.

يجب أن يتبع الإنسان ضميره.

٩٧. **ordinance** (اوردينانس) أمر رسمي، مرسوم (noun)

ordnance (اورد نانس) الأسلحة (noun)

(a) The president has issued an *ordinance* today.

أصدر الرئيس اليوم أمرا رسميا.

(b) He is employed in the *ordnance* department.

إنّه موظف في قسم الأسلحة.

٩٨. **passed** (باسد) الذي قد مضىٰ وانقضىٰ (الشكل الثاني والثالث لفعل Pass) (verb)

past (باست) الماضي (adjective)

(a) The month *passed* away very soon.

انقضى الشهر بسرعة جداً.

(b) The *past* month was very enjoyable.

كان الشهر الماضي ممتعا جداً.

٩٩. **peace** (بيس) الأمن، السلام (noun)

piece (بيس) قطعة (noun)

(a) A treaty of *peace* was signed between two countries.

تم توقيع اتفاقية للسلام بين البلدين.

(b) The teacher asked for a *piece* of chalk.

طلب الأستاذ قطعة طباشير.

١٠٠. **persecute** (برسيكيوت) يضطهد، يضايق (verb)

prosecute (برو سيكيوت) يحاكم، يقاضى، إقامة الدعوى (verb)

(a) The jews were *persecuted* in Nazi Germany.

أُضطهدت اليهود في ألمانيا النازية.

(b) Trespassers will be *prosecuted*.

سيحاكم كل من يدخل هنا (بدون الإذن).

١٠١. **personal** (برسنل) شخصي (adjective)

personnel (برسونل) عُمّال (noun)

(a) It is my *personal* matter. Please don't interfere.

هذا شأني الشخصى. لا تتدخل فيه من فضلك.

(b) The officer maintained the morale of the *personnel* in his division.

حافظ الموظف على معنوية العمال في شعبته.

١٠٢. **physic** (فزك) دوا (noun) (old use)

physique (فزيك) بنية الجسد (noun)

(a) No *physic* can cure the patient if he is careless.

إن كان المريض غير مبال فلا يفيده أيّ دواء.

(b) He has a fine *physique*.

إن بنية جسده رائعة.

١٠٣. **pore** (بو ر) مسام الجسم (noun)

pour (بور) يلقي، يسكب (verb)

(a) Sweat comes out from the *pores* of the skin.

العرق يخرج من مسام الجسم.

(b) *Pour* some water in my glass.

ألق قليلا من الماء في كوبي.

١٠٤. **portable** (بورتيبل) قابل للنقل (noun)

potable (بوتيبل) قابل للشرب (adjective)

(a) She has brought a *portable* television from Germany.

إنها جاءت بتلفزيون قابل للنقل من ألمانيا.

(b) Pond water is not *potable.*

ماء البركة ليس قابلا للشرب.

١٠٥. **prescribe** (براسكرايب) يصف دواء (verb)

proscribe (بروسكرايب) يحرم من حماية القانون، ينفى (verb)

(a) The doctor *prescribed* a very costly medicine. قد وصف الطبيب دواءً غاليا جداً.

(b) That man has been *proscribed* by law.

ذلك الرجل قدحرم من الحماية القانونية.

١٠٦. **president** (بريسيدنت) رئيس (noun)

precedent (بريسى دنت)حادثة سابقة مماثلة، مثال (noun)

(a) The *president* of Egypt has gone to England for two weeks.

ذهب الرئيس المصري إلى إنجلترا لمدة أسبوعين.

(b) She has set a good *precedent* for others to follow.

إنها وضعت مثالا جيداً للذين يأتون بعدها.

١٠٧. **price** (برايس) ثمن، سعر (noun)

prize (برايز) جائزة (noun)

(a) The *price* of paper has gone up.

قد ارتفع سعر الورق.

(b) Ali got the first *prize* in the race.

نال علي جائزة أولى في مسابقة الجري.

١٠٨. **principal** (برنسيبال) عميد الكلية (noun)

principle (برنسيبل) مبدأ (noun)

(a) Who is the *principal* of your college?

من هو عميد كليتك؟

(b) My uncle was a man of *principle.*

كان عمي صاحب مبادئ.

١٠٩. **propose** (بروبوز) يقترح (verb)

purpose (بربز) الهدف، الغرض (noun)

(a) Let them *propose* the subject for the debate.

دعهم يقترحوا موضوع المنا قشة.

(b) I had come with a *purpose* to see you.

جئت لغرض مقابلتكم .

١١٠. **rain** (رين) ينزل المطر (verb)

reign (رين) يحكم (verb)

rein (رين) لجام،عنان (noun)

(a) It's *raining.* المطر ينزل.

(b) The queen *reigned* over England.

حكمت الملكة على إنجلترا.

(c) When the *reins* were pulled tightly the horse stopped.

عندما شدّ اللجام بقوة توقف الحصان.

١١١. **recollect** (ريكلكت) يتذكر (verb)

remember (ريممبر) يحفظ (verb)

(a) I often *recollect* my childhood and feel amused.

أتذكر أحياناً أيام طفولتي واستمتع بها.

(b) I *remember* my lesson everyday.

أحفظ درسي كل يوم.

١١٢. **respectable** (رسبكتيبل) محترم (adjective)

respectful (رسبكتفُل) مؤدب،بارّ (adjective)

respective (رسبكتيف) خاص بكل

(a) Our boss is a *respectable* gentleman.

إن مديرنا رجل محترم.

(b) You should be *respectful* to your parents.

يجب أن تكون باراً بوالديك.

(c) After the lecture was over, the students returned to their *respective* classes.

بعد انتهاء الخطبة عاد الطلبة إلى فصولهم المختصة .

١١٣. **root** (روت) أصل،جذر،رأس (noun)

route (روت) طريق (noun)

(a) Love of money is the *root* of all evils.

حب المال رأس الآفات.

(b) What is the railway *route* between Cairo and Alexandria.

ماهو طريق السكة الحديد ية بين القاهرة والإسكندرية؟

١١٤. **rout** (راوت) هزيمة (noun)

riot (رايت) شغب (noun)

(a) The morale of the enemy was very low because of its *rout.*

كانت معنويات العدو ضئيلة بسبب انهزامه.

(b) There is a great disturbance in the town because of the Hindu-Sikh *riot.*

هناك اضطراب شديد في المدينة بسبب الشغب بين طائفتين.

١١٥. **shoot** (شوت) فرع جديد (noun)

shoot (شوت) يطلق الرصاص،يصيد (verb)

(a) A *shoot* has sprung up from the plant.

قد طلع فرع جديد في النبات.

(b) That man has gone to *shoot* duck.

ذلك الرجل قد ذهب ليصيد البط .

١١٦. **sole** (سول) نعل،اخمص القدم (noun)

soul (سول) نفس، روح (noun)

(a) Get the *sole* of the shoe changed.

بدّل نعل الحذاء.

(b) A good *soul* goes to heaven.

مصير النفس الطيبة هي الجنة .

١١٧. **stationary** (استيشنرى) ثابت (adjective)

stationery (استيشنرى) أدوات الكتابة (noun)

(a) The sun is *stationary.* الشمس ثابتة.

(b) He deals in *stationery.*

إنه يبيع أدوات الكتابة .

١١٨. **table** (تابل) طاولة (noun)

table (تابل) قائمة (noun)

(a) There is a book on the *table.*

على الطاولة كتاب.

(b) There is a *table* in chapter six of this book.

في الباب السادس من هذا الكتاب قائمة .

١١٩. **tasteful** (تيست فل) حسن الذوق (adjective)

tasty (تيستى) لذيذ (adjective)

(a) The house of our madam was decorated in a *tasteful* manner.

كان بيت سيدتنا مرتّبا بطريقة تدل على حسن ذوقها.

(b) Our madam served us very *tasty* meals.

سيدتنا قدمت لنا طعاماً شهياً جداً.

١٢٠. **two** (تو) اثنان (adjective)

to (تو) إلى (*preposition*)

too (تو) أيضا،إلى حد،حتى أن (adverb)

(a) There are *two* sides of everything.

لكل شيء وجهان اثنان.

(b) Come *to* me, I'll advise you.

تفضل بالقدوم إليّ سأوصيك بعدة أمور.

(c) She is *too* weak to walk.

إنّها ضعيفة، حتى أنّها لا تستطيع أن تمشي .

١٢١. **uninterested** (ان انترستد) لا يرغب في (adjective)

disinterested (دس انترستد)نزيه، غيرمتحيز (adjective)

(a) I am *uninterested* in inactive games.

أنا لا أرغب في الألعاب غير الرياضية .

(b) Let us ask any *disinterested* man to settle our dispute.

دعنا نطلب شخصا نزيها أن يفصل في نزاعنا.

١٢٢. **valuable** (فاليوابيل) ثمين (adjective)

invaluable (انفاليو ابيل) نفيس، قيمته لا تقدّر (adjective)

(a) This is a *valuable* manuscript.

إن هذه مخطوطة ثمينة .

(b) Kohinoor is an *invaluable* diamond.

كوه نور جوهرة نفيسة لاتُثمن.

١٢٣. **whose** (هو ز) لمن؟

who's (هوز) من ذا ؟ (who is)

(a) *Whose* pen is this?

لمن هذا القلم؟

(b) *Who's* at the door?

من على الباب؟

الأخطاء العامة في استعمال بعض الكلمات

(COMMON ERRORS IN THE USE OF WORDS)

عند التكلم بالإنجليزية، نخطئ في استعمال الكلمات سواء كان أحدنا موظفا عاديا أو كبيراً، طالباً أو تاجراً وما إلى ذلك. قد بيّنا فيما يلي عدة جمل تقع فيها الأخطاء وبإزائها صحيحة. قارنها واحفظها.

	Incorrect جمل خاطئة	Correct جمل صحيحة
1.	My ***hairs*** are black.	My ***hair*** is black.
2.	I need a ***blotting.***	I need a ***blotting paper.***
3.	He works better than ***I.***	He works better than ***me.***
4.	I ***availed*** of the opportunity.	I ***availed myself*** of the opportunity.
5.	The two brothers are quarrelling with ***one another.***	The two brothers are quarrelling with ***each other.***
6.	He is guilty. Isn't ***it***?	He is guilty. Isn't ***he***?
7.	I beg ***you*** leave.	I beg ***leave*** of you.
8.	He is more ***cleverer*** than his brother.	He is ***cleverer*** than his brother.
9.	***The*** Gold is a precious metal.	Gold is a precious metal.
10.	She has ***got*** headache.	She has got ***a*** headache.
11.	Stop ***to write.***	Stop ***writing.***
12.	It is ***raining*** for four hours.	It ***has been raining*** for four hours.
13.	I live ***in*** Jabal Ali ***at*** Dubai.	I live ***at*** Jabal Ali ***in*** Dubai.
14.	Work hard lest you ***may not*** fail.	Work hard lest you ***should*** fail.
15.	The boy is ***neither*** fool ***or*** lazy.	The boy is ***neither*** fool ***nor*** lazy.

في العمود الذي على اليسار جمل خاطئة وبإزائها جمل صحيحة. تأمل الجمل الخاطئة أولاً، يظهر لك أنها صحيحة. لكنك إذا قرأت الجمل التي على اليمين عرفت أنها هي الصحيحة. ومع ذلك يصعب عليك أن تعيّن أسباب الخطأ. في الحقيقة إن تعلم اللغة الصحيحة من الأمور الصعبة جداً. ولكنك إذا عزمت واجتهدت فإنّك ناجح.

والآن نتقدم إلى الأمام و نعرف كيف نعيّن الأخطاء.

أخطاء في استعمال الاسم

(ERRORS IN THE USE OF NOUNS)

١) إن الكلمات التالية تستعمل دائما بصيغة المفرد . (singular form)

(a) Scenery, issue, hair, furniture, machinery, fruit (b) poor, rich, bread, work

	Incorrect جمل خاطئة	Correct جمل صحيحة
1.	The ***sceneries*** of Beirut ***are*** very charming.	The ***scenery*** of Beirut ***is*** very charming.
2.	Humera has no ***issues.***	Humera has no ***issue.***
3.	She had gone to buy ***fruits.***	She had gone to buy ***fruit.***

4. Her ***hairs are*** jet black.	Her ***hair*** is jet black.
5. The mother feeds the ***poors***.	The mother feeds the ***poor***.
6. I told ***these news*** to my father.	I told ***this news*** to my father.
7. The fleet ***were*** destroyed by the enemy.	The fleet ***was*** destroyed by the enemy.
8. These buildings are made of ***bricks*** and ***stones***.	These buildings are made of ***brick*** and ***stone***.
9. I have no more ***breads*** to give to the beggars.	I have no more ***bread*** to give to the beggars.
10. I'll go to the town ***on feet***.	I'll go to the town ***on foot***.
11. All her ***furnitures have*** been sold.	All her ***furniture has*** been sold.
12. The ***machineries*** are not functioning properly.	The ***machinery*** is not functioning properly.
13. I have ***many works*** to do.	I have ***much work*** to do.

(٢) إن كلمات advice, mischief, abuse, alphabet تبقى مفردة في الجملة وإذا أريد الكثير منها يقال هكذا — Pieces of advice وهلم جراً.

14. The teacher gave us many ***advices***.	The teacher gave us many ***pieces of advice***.
15. My younger brother did many ***mischiefs***.	My younger brother did many ***acts of mischief***.
16. The boys were shouting ***abuses***.	The boys were shouting ***words of abuse***.
17. I have learnt the ***alphabets***.	I have learnt the ***letters of the alphabet***.

(٣) إن كلمات rupee, dozen, mile, year, foot عند ما استعملت للعدد (numeral) تبقى دائماً مفردة (singular) فنقول five rupee note ولا نقول five rupees note وهلم جرّاً.

18. I have a ***five rupees*** note.	I have a ***five rupee*** note.
19. We bought two ***dozens*** pencils.	We bought two ***dozen*** pencils.
20. He ran in a two ***miles*** race.	He ran in a two ***mile*** race.
21. Abida is a ten ***years*** old girl.	Abida is a ten ***year*** old girl.
22. It's a three ***feet*** rule.	It's a three ***foot*** rule.

(٤) إن كلمات vegetables (خضر)، spectacles (نظارة)، trousers (سروال، بنطلون) Himalayas (جبال هملايا)، people (شعب)، orders (أوامر)، repairs (تصليح) تستعمل دائماً جمعاً لا مفرداً.

23. I had gone to buy ***vegetable***.	I had gone to buy ***vegetables***.
24. The road is closed for ***repair***.	The road is closed for ***repairs***.
25. The judge passed ***order*** for his release.	The judge passed ***orders*** for his release.
26. Very few ***peoples*** are hard-working.	Very few ***people*** are hard-working.
27. His ***spectacle*** is very expensive.	His ***spectacles*** are very expensive.
28. The ***scissor*** is blunt.	The ***scissors*** are blunt.
29. Your ***trouser*** is not loose.	Your ***trousers*** are not loose.
30. The ***Himalaya*** is the highest ***mountain***.	The ***Himalayas*** are the highest ***mountains***.

(٥) إن كلمات Fish (السمك)، deer (الغزال)، sheep (خروف)، cattle (ماشية) تستعمل مفردة ولو أريد بها الجمع.

31.	The fisherman catches many ***fishes*** in the pond.	The fisherman catches many ***fish*** in the pond.
32.	I saw many ***sheeps*** and ***deers*** in the jungle.	I saw many ***sheep*** and ***deer*** in the jungle.
33.	The ***cattles*** are returning to the village.	The ***cattle*** is returning to the village.

(٦) Gentry (الطبقة العليا) لا تستعمل هذه الكلمة للواحد أبداً.

34.	The ***gentry*** of the town ***has*** been invited.	The ***gentry*** of the town ***have*** been invited.

إن هناك كلمات مركبة ولكن الناس أحيانا يستعملونها ناقصة. عليك أن تتجنب مثل هذه الأخطاء.

35.	This is not my ***copy***.	This is not my ***copy-book***.
36.	Bring some ***blotting*** from the office.	Bring some ***blotting paper*** from the office.
37.	She lives in the ***boarding***.	She lives in the ***boarding house***.
38.	Please put your ***sign*** here.	Please put your ***signature*** here.

كما أنه من الضروري أن نتجنب استعمال الكلمات الناقصة فكذلك علينا أن لا نستعمل كلمات غير لازمة.

39.	Your servant is a ***coward boy***.	Your servant is a ***coward***.
40.	She is my ***cousin sister***.	She is my ***cousin***.

أخطاء في استعمال الضمائر
(ERRORS IN THE USE OF PRONOUNS)

	Incorrect جمل خاطئة	**Correct** جمل صحيحة
41.	It is ***me***.	It is ***I***.
42.	***I, you*** and ***he*** will go to ***Baghdad*** tomorrow.	***You, he*** and ***I*** will go to ***Baghdad*** tomorrow.
43.	You are wiser than ***I***.	You are wiser than ***me***.
44.	Let her and ***I*** do this work.	Let her and ***me*** do this work.
45.	One should do ***his*** duty.	One should do ***one's*** duty.
46.	Everyone must do ***their*** best.	Everyone must do ***his*** best.
47.	Every man and boy is busy with ***their*** work.	Every man and boy is busy with ***his*** work.
48.	These two sisters love ***one another***.	These two sisters love ***each other***.
49.	These three sisters love ***each other***.	These three sisters love ***one another***.
50.	***Neither*** Atika ***nor*** Alia ***are*** in the class.	Neither Atika nor Alia ***is*** in the class.
51.	Neither ***you nor I are*** lucky.	Neither ***of us is*** lucky.
52.	She has studied ***neither*** of these ten books.	She has studied ***none*** of these ten books.
53.	***Who*** is this for?	***For whom*** is this?
54.	***Who*** are you expecting now?	***Whom*** are you expecting now?
55.	Say ***whom*** you think will get the prize.	Say ***who*** you think will get the prize.
56.	***Who*** do you think we met?	***Whom*** do you think we met?
57.	I am enjoying now.	I am enjoying ***myself*** now.
58.	Zainab hid behind the wall.	Zainab hid ***herself*** behind the wall.

	Incorrect	Correct
59.	They resigned to the will of God.	They resigned ***themselves*** to the will of God.
60.	We applied heart and soul to the task before us.	We applied ***our*** heart and soul to the task before us.
61.	***Which*** is cleverer, Rashid or Kashif?	***Who*** is cleverer, Rashid or Kashif?
62.	Please bring ***mine*** pen.	Please bring ***my*** pen.
63.	This pen is ***my***.	This pen is ***mine***.
64.	I do not like ***any*** of these two books.	I do not like ***either*** of these two books.
65.	I like ***not any*** of these two books.	I like ***neither*** of these two books.

(1) إذا اجتمعت الضمائر فنأتي أولا بالضمير الذي للمخاطب (you) ثم للغائب (he) ثم للمتكلم (I).

(2) الضمائر (Pronoun) التي تستعمل مع let هي him, her و me ولا he, she, I .

(3) بعد كلمتي everyone, every man نستعمل her, his لا their ، ولكن بعد one نستعمل one's لا his, her أو their.

(4) إن كان هناك رجلان فتستعمل each other وإن كان أكثر من ذلك فـ one another .

(5) إن كلمتي Neither—nor تستعملان لاثنين و تستعمل معهما is .

(6) لأداء معنى نفي الكل تستعمل كلمة none ولا تستعمل neither .

(7) بعد أفعال enjoy, hid, resign, apply, avail, absent تستعمل himself, herself, themself, yourself, myself, ourselves وغيرها.

(8) إن معنى كل من My, mine لي ومعنى your, yours لك و our, ours لنا ولكن هناك فرق بين كلا النوعين وهو (a) يستعمل كل من my, your, our إذا كان بعدها اسم (noun) نحو: my pen, your father, our mother . (b) ويستعمل كل من mine, yours, ours إن لم يكن بعدها اسم.

أخطاء في استعمال أسماء الصفة

(ERRORS IN THE USE OF ADJECTIVES)

	Incorrect جمل خاطئة	**Correct** جمل صحيحة
66.	You are ***more*** stronger than I.	You ***are*** stronger than I.
67.	She is growing ***weak*** and ***weak*** everyday.	She is growing ***weaker*** and ***weaker*** everyday.
68.	Mohammed is ***elder*** than Salim.	Mohammed is ***older*** than Salim.
69.	Babylon is ***older*** than other cities in Iraq.	Babylon is the ***oldest*** city in Iraq.
70.	Basrah is ***further*** from Baghdad than Kufah.	Basrah is ***farther*** from Baghdad than Kufah.
71.	Have you ***any*** ink?	Do you have ***some*** ink?
72.	Have she ***much*** books?	Does she have ***many*** books?
73.	Laila was her ***oldest*** daughter.	Laila was her ***eldest*** daughter.
74.	Laila was the ***eldest*** of the two sisters.	Laila was the ***elder*** of the two sisters.
75.	He is the ***youngest*** and ***most*** intelligent of my two sons.	He is ***younger*** and ***more*** intelligent of my two sons.
76.	I visited many worth seeing places.	I visited many places worth seeing.
77.	I told you the ***last*** news.	I told you the ***latest*** news.

78. You are junior than ***I***.	You are junior to ***me***.
79. I have ***less*** worries than Mohsin.	I have ***fewer*** worries than Mohsin.
80. No ***less*** than fifty persons died of cholera.	No ***fewer*** than fifty persons died of cholera.
81. This is the ***worst*** of the two.	This is ***worse*** of the two.
82. After lunch we had no ***farther*** talk.	After lunch we had no ***further*** talk.
83. He wasted ***his all*** wealth.	He wasted ***all his*** wealth.
84. I prefer cycling ***more than*** walking.	I prefer cycling ***to*** walking.
85. I am ***more*** stronger than he.	I am stronger than he.
86. He is the ***weakest*** boy of the two.	He is the ***weaker*** boy of the two.
87. I have got ***few*** books.	I have got **a few** books.

(1) إن معنى كل من Elder و older هو أكبر من ولكن elder لا تستعمل إلاّ للقرابة الحقيقية نحو، elder brother, elder sister, أما إذا كان شخصان أو شيئان مختلفتان فنستعمل older نحو. Mohsin is older than Salim.

(2) إن معنى كل Eldest و oldest هو الأكبر ولكن elder تستعمل للقرابة الحقيقية مثل elder .

(3) افهم معنى كل من Further (آخر، مزيد) و farther (ابعد من) واستعملها باحتراس.

(4) كلمة Many تستعمل لبيان العدد نحو: many books (كتب كثيرة) و much لبيان الكمية نحو: much water (ماء كثير) .

(5) يجب استعمال ثلاث درجات الصفة باحتراس وحذر.

(6) كلمة Few لبيان العدد مثل Many وكلمة less لبيان الكمية مثل Much .

أخطاء في استعمال الفعل

(ERRORS IN THE USE OF VERBS)

(Incorrect) جمل خاطئة	**(Correct) جمل صحيحة**
88. Her father told me that honesty ***was*** the best policy.	Her father told me that honesty ***is*** the best policy.
89. The cashier-cum-accountant ***have*** come.	The cashier-cum-accountant ***has*** come.
90. The cashier and the accountant ***has*** come.	The cashier and the accountant ***have*** come.
91. ***Can*** I come in, sir?	***May*** I come in, sir?
92. I'm so weak that I ***may not*** walk.	I'm so weak that I ***cannot*** walk.
93. Tell me why ***are you*** abusing him.	Tell me why ***you are*** abusing him.
94. Pushpa as well as her other sisters ***are*** beautiful.	Pushpa as well as her other sisters ***is*** beautiful.
95. I ***am*** ill for two weeks.	I ***have been*** ill for two weeks.
96. The ship ***was drowned***.	The ship ***sank***.
97. He has ***stole*** a pen.	He has ***stolen*** a pen.
98. Dhulip ***sung*** well.	Dhulip ***sang*** well.
99. Mohammed has often ***beat*** me at tennis.	Mohammed has often ***beaten*** me at tennis.
100. I ***laid*** in bed till eight in the morning.	I ***lay*** in bed till eight in the morning.

101. I ***will*** be drowned and nobody ***shall*** save me.	I ***shall*** be drowned and nobody ***will*** save me.
102. You ***will*** leave this place at once.	You ***shall*** leave this place at once.
103. We ***shall*** not accept defeat.	We ***will*** not accept defeat.
104. I should learn to ride if I ***buy*** a cycle.	I should learn to ride if I ***bought*** a cycle.
105. I never ***have*** and I never ***will*** do it.	I ***have*** never done, and I ***will*** never do it.
106. Neither he came nor he ***wrote***.	Neither ***did*** he ***come*** nor ***did*** he ***write***.
107. Seldom I go to the hills.	Seldom ***do*** I go to the hills.
108. This food is hard to be ***digested***.	This food is hard to ***digest***.
109. He ordered to withdraw ***the army***.	He ordered ***his army*** to withdraw.
110. Each and every father love ***their*** children.	Each and every father loves ***his*** children.

(1) معنى كل من Can و May القدرة والاستطاعة . ولكن can تستعمل لأداء معنى الاستطاعة والقدرة و may تستعمل لمعنى الاستئذان. انظر الجملتين ٩١، ٩٢ أعلاه.

(2) إذا كان المبتدأ قبل As well as مفردا فالفعل (الذي يحتويه الخبر) يجب أن يكون مفردا. انظر الجملة ٩٤.

(3) إذا كانت الجملة المتضمنة Why في Indirect form ، فبدلا من Why are you يجب أن يقال Why you are . ولا حاجة في مثل هذه الجمل لعلامة الاستفهام . انظر الجملة ٩٣.

(4) معنى كل من Drown و sink هو الغرق ولكن drown تستعمل للأحياء و sink تستعمل لغير ذات الروح. انظر الجملة ٩٦ و ١٠١.

(5) للزمن المستقبل، بصورة عامة، مع كل من I, we يستعمل فعل shall ومع كل من you, he, she, they فعل will . ولكنه إذا أريد الجزم أو الزجر فيكون عكس ذلك. انظر الجملتين ١٠٢ و ١٠٣.

(6) إذا استعمل Should كالشكل الماضي لفعل Shall في جملة ما فالفعل الثاني في نفس الجملة يجب أن يكون ماضيا. انظر الجملة ١٠٤.

(7) أن كلمتى Neither, seldom كلمتا نفى (negative). فإذا استعملنا إحداهما في الجملة، بنيناها كالجملة المنفية باستعمال do, did. انظر الجملتين ١٠٦ و ١٠٧.

(8) تأمل لماذا استعملنا his children في الجملة ١١٠، ولا their children ......صحيح، لأن his يتعلق بـ father و لا بـ children .

أخطاء في استعمال الحال

(ERRORS IN THE USE OF ADVERBS)

Incorrect جمل خاطئة	**Correct** جمل صحيحة
111. I play basketball ***good***.	I play basketball ***well***.
112. I am very ***much*** sorry.	I am very sorry.
113. It is ***much*** cold today.	It is ***very*** cold today.
114. The horse is ***too*** tired.	The horse is ***very*** tired.
115. This girl is ***very*** poor to pay her dues.	This girl is ***too*** poor to pay her dues.
116. She is too weak ***for*** walk.	She is too weak ***to*** walk.
117. I am ***too*** pleased.	I am ***much*** pleased.
118. We ***slowly walked***.	We ***walked slowly***.
119. We should ***only*** fear God.	We should fear God ***only***.

120. This house is ***enough large*** for them.	This house is ***large enough*** for them.
121. He doesn't know ***to*** swim.	He doesn't know ***how to*** swim.
122. I don't know ***to*** do it.	I don't know ***how to*** do it.
123. Don't run ***fastly***.	Don't run ***fast***.
124. She is not clever to do it.	She is not clever ***enough*** to do it.
125. He explained ***clearly*** his case.	He explained his case ***clearly.***
126. You have done it very ***quick***.	You have done it very ***quickly***.
127. It's ***too*** hot.	It's ***very*** hot.
128. It's ***very*** hot to play tennis.	It's ***too*** hot to play tennis.
129. Egypt is ***known*** for its cotton.	Egypt is ***well*** known for its cotton.
130. I went ***directly*** to school.	I went ***direct*** to school.
131. I feel ***comparatively*** better today.	I feel better today.
132. He runs ***fastly***.	He runs ***fast***.
133. The child walks ***slow***.	The child walks ***slowly***.
134. I am ***very*** delighted to see you.	I am ***much*** delighted to see you.
135. He is now ***too strong*** to walk.	He is now ***strong enough*** to walk.

(1) لا يصح استعمال good (adjective) مكان well (adverb) . انظر الجملة ١١١.

(2) معنى كل من Too و very هو الكثرة والزيادة. ولكنه يلزم مع too كلمة to نحو إنها ضعيفة جدا حتى أنها لا تستعطيع أن تمشي She is too weak to walk. انظر الجملة ١١٦ ولمعنى الكثرة تستعمل very او much انظر الجملتين ١٢٧ و ١١٧.

(3) إن adverbs مثل Slowly, clearly وغيرها تأتي عادة بعد الفعل انظر الجملتين ١٢٥ و ١١٨.

(4) يقول بعض الناس. comparatively better مع ان better نفسها تؤدى معنى المقارنة فلماذا نقول comparatively انظر الجملة ١٣١.

(5) لماذا أن الجملة ١٣٥ He is now too strong to walk. خاطئة؟ إنها خاطئة لأنها تعنى أنه لا يستطيع إن يمشي مع أن القائل يريد أنه أصبح قويّا الآن ويستطيع أن يمشي . فبدلًا من too strong يصح استعمال strong enough .

أخطاء في استعمال حروف العطف

(ERRORS IN THE USE OF CONJUNCTIONS)

Incorrect جمل خاطئة	**Correct** جمل صحيحة
136. Though he works hard ***but*** he is weak.	Though he works hard ***yet*** he is weak.
137. The teacher asked ***that*** why I was late.	The teacher asked why I was late.
138. Wait here till I ***do not*** come.	Wait here till I come.
139. No sooner we reached the station, the train started.	No sooner ***did*** we reach the station ***than*** the train started.
140. Not only he ***abused*** me but also beat me.	Not only ***did*** he abuse me but beat me also.
141. We had hardly gone out ***before*** it began to rain.	We had hardly gone out ***when*** it began to rain.
142. Run fast lest you should ***not be*** late.	Run fast lest you should ***be*** late.
143. As Saleh is fat ***so*** he walks slowly.	As Saleh is fat, he walks slowly.
144. I doubt that she will pass this year.	I doubt ***whether*** she will pass this year.
145. When I reached there ***then*** it was raining.	When I reached there, it was raining.

Incorrect	Correct
146. Although he is poor ***but*** he is honest.	Although he is poor, ***yet*** he is honest.
147. Wait here ***until*** I do not come.	Wait here ***till*** I come.
148. Unless you ***do not*** try, you will never succeed.	Unless you try, you will never succeed.
149. There is no such country ***which*** you mention.	There is no such country as you mention.
150. He had scarcely reached the station ***than*** the train started.	He had scarcely reached the station when the train started.

(1) اعرف أن عدة حروف عطف تستعمل متلازمة بعضها مع بعض نحو though...yet; no sooner...than; not only...but; hardly...when; lest...should; although...yet; such...as و scarcely... when وغيرها (واعرف أن though تلزمها yet و but .

(2) No sooner, not only كلمات نافية فلذلك يلزم استعمال do, did بعدها انظر الجملتين ١٤٠ و ١٣٩ .

(3) معنى lest مخافة أن وهي تتضمن معنى النفي ويستعمل معها should لا should not انظر الجملة ١٤٢ .

(4) لا حاجة لاستعمال so بعد As . انظر الجملة ١٤٣ .

(5) لا حاجة إلى then بعد when . انظر الجملة ١٤٥ .

أخطاء في استعمال حروف الإضافة (حروف الجر)

(ERRORS IN THE USE OF PREPOSITIONS)

(i) لا حاجة إلى حرف الإضافة

Incorrect جمل خاطئة	**Correct** جمل صحيحة
151. My mother loves ***with*** me.	My mother loves me.
152. He reached ***at*** the station.	He reached the station.
153. He ordered ***for*** my dismissal.	He ordered my dismissal.
154. Rashid married ***with*** your cousin.	Rashid married your cousin.
155. Ahmed entered ***into*** the room.	Ahmed entered the room.

(ii) استعمال **by**

156. What is the time ***in*** your watch?	What's the time ***by*** your watch?
157. They went to Baghdad ***in*** train.	They went to Baghdad ***by*** train.
158. She was killed ***with*** a robber.	She was killed ***by*** a robber.

(iii) استعمال **with**

159. He is angry ***upon*** me.	He is angry ***with*** me.
160. Are you angry ***on*** her?	Are you angry ***with*** her?
161. My principal is pleased ***from*** me.	My principal is pleased ***with*** me.
162. Wash your face ***in*** water.	Wash your face ***with*** water.
163. The dacoit was killed ***by*** a sword.	The dacoit was killed ***with*** a sword.
164. Compare Jarir ***to*** Farazdaq.	Compare Jarir ***with*** Farazdaq.
165. She covered her face ***by*** her shawl.	She covered her face ***with*** her shawl.

(v) استعمال **at**

166. Open your book ***on*** page ten.	Open your book ***at*** page ten.
167. Osman lives ***in*** Qurna.	Osman lives ***at*** Qurna.

168. Why did you laugh ***on*** the beggar?	Why did you laugh ***at*** the beggar?
169. Who is knocking ***on*** the door?	Who is knocking ***at*** the door?
170. The train arrived ***on*** the platform.	The train arrived ***at*** the platform.

(v) استعمال on

171. We go to school ***by*** foot.	We go to school ***on*** foot.
172. We congratulate you ***for*** your success.	We congratulate you ***on*** your success.
173. The rioters set the house ***to*** fire.	The rioters set the house ***on*** fire.
174. The house was built ***over*** the ground.	The house was built ***on*** the ground.
175. Father spent a lot of money ***at*** her wedding.	Father spent a lot of money ***on*** her wedding.

(vi) استعمال to

176. Ruqayya was married ***with*** Omar.	Ruqayya was married ***to*** Omar.
177. You are very kind ***on*** me.	You are very kind ***to*** me.
178. We should pray God everyday.	We should pray ***to*** God everyday.
179. I won't listen what you say.	I won't listen ***to*** what you say.
180. I object ***at*** your statement.	I object ***to*** your statement.

(vii) استعمال in

181. Ummu Kulthum lives ***at*** Cairo.	Ummu Kulthum lives ***in*** Cairo.
182. He was walking ***into*** the garden.	He was walking ***in*** the garden.
183. Please write ***with*** ink.	Please write ***in*** ink.
184. I have no faith ***upon*** your story.	I have no faith ***in*** your story.
185. The rain will cease ***after*** a little while.	The rain will cease ***in*** a little while.

(viii) استعمال into

186. Divide the cake ***in*** five parts.	Divide the cake ***into*** five parts.
187. Please look ***in*** the matter.	Please look ***into*** the matter.
188. She jumped ***in*** the river.	She jumped ***into*** the river.
189. I fear that she will fall ***in*** the hands of robbers.	I fear that she might fall ***into*** the hands of robbers.
190. Translate this passage ***in*** Arabic.	Translate this passage ***into*** Arabic.

(ix) استعمال of

191. She died ***from*** plague.	She died ***of*** plague.
192. We are proud ***on*** our country.	We are proud ***of*** our country.
193. The child is afraid ***from*** you.	The child is afraid ***of*** you.
194. Hamida is not jealous ***to*** Abdoh.	Hamida is not jealous ***of*** Abdoh.
195. We should take care ***for*** our books.	We should take care ***of*** our books.
196. He died ***from*** hunger.	He died ***of*** hunger.

(x) استعمال from

197. My shirt is different ***to*** yours.	My shirt is different ***from*** yours.
198. His mother prevented him ***of*** going to cinema.	His mother prevented him ***from*** going to cinema.

199. I commenced work ***since*** 14th July.	I commenced work ***from*** 14th July.
200. He hindered me ***to*** do this.	He hindered me ***from*** doing this.

(xi) استعمال for

201. He won't be there ***before*** four months.	He won't be there ***for*** four months.
202. The employer blames her ***of*** carelessness.	The employer blames her ***for*** carelessness.
203. Three scholarships are competed.	Three scholarships are competed ***for***.
204. Free meals should be provided ***with*** the poor children.	Free meals should be provided ***for*** the poor children.
205. Who cares ***of*** you?	Who cares ***for*** you?

(xii) استعمال between, among, since, up, against وغيرها

206. Distribute the fruit ***among*** Kamal and Jamal.	Distribute the fruit ***between*** Kamal and Jamal.
207. Divide this money ***between*** these girls.	Divide this money ***among*** these girls.
208. Rashid has been absent from college ***from*** last Monday.	Rashid has been absent from college ***since*** last Monday.
209. He tore ***away*** the bills.	He tore ***up*** the bills.
210. The English fought ***with*** the Russians.	The English fought ***against*** the Russians.

إن لاستعمال حروف الجر مع الفعل منهجا متبّعا في اللغة ولا مجال للجدال أو المناقشة فيه. وذلك مثل اللغات الأخرى. فيجب على متعلم اللغة اتباعه.

أخطاء في استعمال حروف التنكير والتعريف a, an, the

(ERRORS IN THE USE OF ARTICLES)

(i) استعمال the :

Incorrect جمل خاطئة	**Correct** جمل صحيحة
211. ***The*** Baghdad is the capital of Iraq.	Baghdad is the capital of Iraq.
212. She met me in ***the*** Faiz Bazaar.	She met me in Faiz Bazaar.
213. He has failed in ***the*** English.	He has failed in English.
214. She was suffering from ***the*** typhoid.	She was suffering from typhoid.
215. ***The*** union is strength.	Union is strength.

(ii) يلزم استعمال the مع مثل هذه الأسماء :

216. This is ***a*** best player I have ever met.	This is ***the*** best player I have ever met.
217. Nile flows into Mediterranean sea.	***The*** Nile flows into ***the*** Mediterranean sea.
218. Rose is sweetest of all flowers.	***The*** rose is ***the*** sweetest of all ***the*** flowers.
219. Rich are happy but poor are unhappy.	***The*** rich are happy but ***the*** poor are unhappy.
220. Ramayana and Mahabharata are the epics of India.	***The*** Ramayana and ***the*** Mahabharata are epics of India.

١. لا يُستعمل The مع اسم المعرفة (مثل: Baghdad, Faiz Bazaar, English language وغيرها) واسم المادة (مثل: gold, silver وغيرها) واسم المعنى (union, honesty) وأسماء الأمراض.

٢. يُستعمل the الدرجة الثالثة لاسم الصفة وأسماء الولايات والجبال والأنهار والبحار وغيرها (نحو: The Nile, The Himalayas وغيرها) وكذلك مع أسماء الكتب مثل: (The Arabian Nights, The Ramayana, The Mahabharata وغيرها)

ومع كل اسم يستعمل للجنس (للجمع) نحو: the rich, the poor وغيرها) وكذلك إذا أريد التاكيد على شيء أو شخص ما نحو: (the rose, the flower, the epic وغيرها)

(iii) لا يستعمل a في مثل هذه الكلمات :

221. ***A*** man is mortal.	Man is mortal.
222. Your sister is in ***a*** trouble.	Your sister is in trouble.
223. He made ***a*** rapid progress.	He made rapid progress.
224. There is ***a*** vast scope for improvement.	There is vast scope for improvement.
225. He writes ***a*** good poetry.	He writes good poetry.

٣. في الجملة 122 إن كلمة(a man) لا تشير إلى شخص واحد بل تشير إلى نوع الإنسان كله لذلك لا يصح استعمال a فيه. وفي الجملة 222 إن كلمة (trouble) (مشكلة) ليست من الكلمات التي تدل على العدد. لذلك لا يصح استعمال a هنا. وكذلك لا يستعمل a أو an مع كل اسم الصفة واسم المادة.

(iv) يستعمل a عادة مع اسم لا يبدأ بحرف العلة أو صوته.

Incorrect جمل خاطئة	**Correct جمل صحيحة**
226. Don't make noise.	Don't make ***a*** noise.
227. He is good boy.	He is ***a*** good boy.
228. I got headache.	I got ***a*** headache.
229. Your words are not worth penny.	Your words are not worth ***a*** penny.
230. He is an European.	He is ***a*** European.

(v) والكلمات التي تبدأ بحرف العلة vowel أو صوته يستعمل معها an .

231. She was not ***a*** Indian.	She was not ***an*** Indian.
232. Please buy ***a*** umbrella from the Bazaar.	Please buy ***an*** umbrella from the Bazaar.
233. I'll finish with my work in ***a*** hour.	I'll finish with my work in ***an*** hour.
234. He was ***a*** M.P.	He was ***an*** M.P.
235. She is ***a*** M.A.	She is ***an*** M.A.

٤. إن كلّا من a و an يستعمل للتنكير. والفرق بينهما إن a يستعمل مع الكلمة التي تبدأ بحرف صحيح و an يستعمل مع الكلمة التي تبدأ بحرف العلة. نحو: *an* India, *an* umbrella, *an* apple, *a* book, *a* nation, *a* noise وغيرها.

٥. إن an يستعمل مع الكلمات الأخرى أيضاً. وعادة إن الحرف الأول لتلك الكلمات صامت (silent) نحو: honest, honour, hour, an honour, an hour, an honest وغيرها.

٦. ويستعمل an أيضاً مع عدة كلمات مختصرة كمثل. M.A., M.P. نحو *an* M.A. و *an* M.P. ذلك أن صوت M يبدأ بحرف العلة انظر الجملتين ٢٣٤ و ٢٣٥.

٧. والآن انظر الجملة ٢٣٠ إنها تتضمن a European إن الكلمة تبدأ بـ E ولكنه صامت (silent) وصوت U صوت حرف صحيح.

في الأخير نرجوك أن تتأمل مثل هذه الأخطاء عند الحوار والتكلم. فإذا فعلت ذلك انكشف لك كثير من الطرق وتسهل عليك مهمتك تتكلم الإنكليزية بطلاقة وبمهارة وذلك التكلم ينفعك في أعمالك وفي مهنتك وتشعر بشيء من التمتع والتسلية. ولك تمنياتنا الخالصة.

بناء الكلمات في الإنكليزية

(WORD BUILDING IN ENGLISH)

في الإنكليزية يوجد نوعان من الكلمات : أساسية (Simple) و مشتقة (Derived)

(a) تسمى الكلمات الأساسية 'Primitive' أيضا. ولا يمكن فك وفصل هذه الكلمات في أجزاء مختلفة. وهي نحو: man, good, far وغيرها.

(b) والكلمات التي يتم بنائها من الكلمات الأساسية تسمى Derivatives أو Derived وهي تكوّن بأربع طرق.

(i) بتغيير يسير في الكلمة الأساسية وهي تسمى المشتقات البدائية (Primary Derivative) نحو: hot منها heat، tale منها tell، ull منها fill وغيرها.

(ii) بإضافة البوادئ (prefix) نحو: wise بإضافة بادئة un تتكون unwise و side باضافة بادئة out أو in تتكون outside أو nside وغيرها.

(iii) بإلحاق اللواحق بالكلمة الأساسية نحو : man بالحاق hood تتكون manhood وgood بالحاق ness تتكون goodness وكذلك fear بالحاق less تتكون fearless وغيرها.

(iv) بتركيب كلمة أساسية بكلمة أساسية أخرى. وتسمى الكلمات المكونة بهذه الطريقة (compound words). نحو: sometime, midday, footpath, وغيرها.

ونبيّن فيما يلي كلمات من كل هذه الأنواع مفصلا . فاحفظها وزد معلوماتك (vocabulary) مهما شئت.

I- المشتقات البدائية (Primary derivatives) تبنى بمختلف الطرق الآتية.

(1) بناء الاسم من الفعل :

المعنى	النطق	اسم	المعنى	النطق	فعل
الطعام	(فود)	food	يطعم	(فيد)	feed
الموت	(ديث)	death	يموت	(داى)	die
ضربة	(استروك)	stroke	يضرب	(استرايك)	strike
شئ مكتوب	(رت)	writ	يكتب	(رايت)	write
الخطبة	(اسبيش)	speech	يتكلم	(اسبيك)	speak
اعتقاد	(بليف)	belief	يعتقد	(بليو)	believe
نقض	(بريتش)	breach	ينقض، يكسر	(بريك)	break

(2) بناء اسم المعنى من اسم الصفة :

المعنى	النطق	اسم	المعنى	النطق	صفت
حزن، اسى	(غريف)	grief	خطير	(غريو)	grave
فخر	(برايد)	pride	فاخر	(براود)	proud
حرارة	(هيت)	heat	حار	(هوت)	hot

(3) بناء اسم الصفة من اسم المعنى :

المعنى	تلفظ	اسم الصفت	المعنى	النطق	اسم المعنى
ذكي	(وائز)	wise	ذكاء	(وزدم)	wisdom
حلوب	(مِلش)	milch	حليب	(ملك)	milk

(4) بناء الفعل من الاسم :

المعنى	النطق	الفل	المعنى	النطق	الفعل
ينزف الدم	(بليد)	bleed	دم	(بلد)	blood
يطلى بالذهب	(غلد)	gild	ذهب	(غولد)	gold
يقول	(تل)	tell	قصة	(تيل)	tale
يطعم	(فيد)	feed	طعام	(فود)	food
يقلّد(قلادة)	(ريد)	wreathe	قلادة	(ريث)	wreath
يكسو	(كلود)	clothe	قماش	(كلوث)	cloth
يغتسل	(بيد)	bathe	الغسل	(باث)	bath
يتنفس	(بريد)	breathe	النفس	(بريث)	breath

(5) الفعل من اسم الصفة :

المعنى	النطق	الفعل	المعنى	النطق	اسم الصفة
يملأ	(فل)	fill	مملوء	(فل)	full
يُوسى، يُحزن	(غريو)	grieve	جِدّى	(غريو)	grave
يكسو بالصقيع	(فروست)	frost	مكسو بالصقيع	(فروستى)	frosty

II- توجد في اللغة الإنجليزية كلمات من اللغات French, Latin, Anglo saxon و Greek بكثرة. ولكل من هذه اللغة بوادئ (prefix) مختلفة فاعرفها أنت.

بوادئ اللغات الإنجليزية والفرنسية واللاتينية واليونانية

(English, French, Latin, Greek Prefixes)

بادئة	المعنى	المثال
A-	على، بعيداً، بدون	*a*shore, *a*way, *a*pathy
Ab-	غير، بعيداً	*ab*normal
Ad-	مع ، عن	*ad*here, *ad*vocate
After-	بعداً	*after*wards, *after*growth
Al-	كاملاً، كلياً	*Al*mighty, *al*most, *al*together
Amphi-	كلاهما	*amphi*bious, *amphi*theatre
An-	غير، بدون	*an*archy
Ana-	على، حول	*ana*lyse, *ana*tomy
Ant-, Anti-	ضد، مضاد	*ant*agonist, *anti*pathy
Ante-	قبل، سابق	*ante*cedent, *ante*date, *ante* meridiem
Arch-, Archi-	أول، الرئيس	*arch*bishop, *archi*tect
Auto-	ذاتي	*auto*vehicle, *auto*biography, *auto*graph
Bi-	ثنائي	*bi*nocular, *bi*lingual, *bi*centenary
By-	الفرعي ، جانبي	*by*election, *by*name, *by*path, *by*product

Circum-	مايتعلق بالدورة أوالمدوّر	*circum*ference, *circum*navigation, *circum*scribe
Circu-	محيط	*circu*s, *circu*lar, *circu*it
Contra-	معاكس	*contra*dict, *contra*band
Counter-	ضد	*counter*act, *counter*balance, *counter*feit, *counter*foil
Contro	مضاد	*contro*versy, *contro*vert
De-	تحت، ينقص، ينزع	*de*scend, *de*fame, *de*crease
Demi-	نصف	*demi*god, *demi*structure
Dia-	وسيلة	*dia*logue, *dia*meter
Dis-	ضد، معاكس	*dis*order, *dis*obey, *dis*grace
E-	بادئة فرنسية تحدث صوتا معينا	*e*state, *e*squire, *e*special
Em-, En-	يضمن، يشمل	*em*bark, *en*list
Epi-	على، فوق	*epi*taph, *epi*logue, *epi*dermis
Ex-	خارج، سابقا	*ex*-student, *ex*-minister, *ex*clude
Extra-	غير	*extra*ordinary, *extra*judicial
Fore-	مسبقا، سابقا	*fore*see, *fore*warn, *fore*word, *fore*thought
Gain-	خلاف	*gain*say
Hetero-	مختلف، متغاير	*hetero*dox, *hetero*geneous
Homo-	متماثل، متجانس	*homo*geneous, *homo*sexual
Homoeo-	مماثل، شبيه	*homoeo*pathy
Hyper-	كثرة، فوق	*hyper*sensitivity, *hyper*tension
In-	غير، داخل	*in*convenience, *in*clude, *in*ward
Inter-, Intro-	مابين	*inter*national, *inter*continent, *intro*duce
Mal, Male-	سوء	*mal*treatment, *mal*content, *male*factor, *male*diction
Mid-	أوسط ، وسط ، منتصف	*mid*night, *mid*wife
Mis-	سوء	*mis*fortune, *mis*use, *mis*behaviour
Non-	عدم	*non*sense, *non*payment
Off-	بعيدا	*off*shoot, *off*shore
On-	فوق	*on*looker
Out-	خارج	*out*side, *out*come, *out*cast
Over-	على، فوق	*over*coat, *over*done, *over*look
Para-	بجانب، بمحاذاة	*para*phrase, *para*psychology
Post-	بعد	*post*dated, *post*script
Pre-	قبل، مسبقا	*pre*arrange, *pre*caution, *pre*dict
Re-	إعادة	*re*set, *re*sound, *re*tract, *re*arrange
Sub-	نائب	*sub*heading, *sub*-editor, *sub*branch
Super-	فوق العادة	*super*natural, *super*power, *super*man
Sur-	إضافة، زيادة	*sur*pass, *sur*charge, *sur*plus
Tele-	بعيد	*tele*phone, *tele*vision, *tele*graph
Trans-	عبر	*trans*form, *trans*port

Un-	غير	*un*wise, *un*ripe, *un*able
Vice-	نائب	*vice*-chancellor, *vice*-principal
Wel-	جيد	*wel*come, *wel*done, *wel*fare
With-	سحب	*with*stand, *with*draw

III- ومثل البوادئ، تستعمل في الإنجليزية لواحق اينجلو سيكسون واللاتينية والفرنسية واليونانية فمن الضروري معرفتها أيضا:

اللواحق الإنجليزية والفرنسية اللاتينية واليونانية
(English, French, Latin, Greek Suffixes)

Suffixes (اللواحق)	المعنى والشرح	الأمثلة
-able, -ible	القابل لـ	respect*able*, port*able*, service*able*
	جدير بـ	resist*ible*, revers*ible*
-acy	صفة ، حالة	suprem*acy*
-age	صفة، حالة	bond*age*
-archy	نظام، حكم	hier*archy*, mon*archy*
-ary	تستعمل هذه اللا حقة في تكوين الأسماء والصفات	arbitr*ary*, diction*ary*, exempl*ary*
-cide	إبادة، قتل	geno*cide*, homi*cide*
-cracy	نظام (تلحق بالكمات اليونانية)	demo*cracy*, pluto*cracy*
-craft	فن، حرفة	wood*craft*, book*craft*
-crat	من دعاة أو ممثلى نظرية ما	demo*crat*, pluto*crat*, bureau*crat*
-cule	صغير/مايدل على الصغر	mole*cule*, animal*cule*
-dom	صفة، حالة، إشارة إلى جزء	free*dom*, king*dom*, bore*dom*
-ed	لتحويل الاسم إلى الصفة	tail*ed*, feather*ed*
-ee	تستعمل لبناء المجهول	trust*ee*, employ*ee*, pay*ee*
-en	(i) لأداء معنى الصغر	chick*en*
	(ii) لأداء معنى المؤنث	vix*en*
	(iii) لأداء معنى الجمع	ox*en*
	(iv) لتحويل الاسم إلى الصفة	gold*en*, wood*en*
	(v) لتحويل الصفة إلى الفعل	deep*en*, moist*en*
-er -or	(i) لبناء الاسم من الفعل	preach*er*, teach*er*, sail*or*
	(ii) لتكوين التفضيل	great*er*, bigg*er*
-ess	في الأسماء المؤنثة	princ*ess*, govern*ess*
-et	في اسم الفاعل	proph*et*, po*et*
-ette	لأداء معنى الاسم المصغر (قديما)	cigar*ette*
-fold	تركب بالعدد لأداء معنى أضعاف	mani*fold*, four*fold*, ten*fold*
-ful	ذو	delight*ful*, cheer*ful*, grace*ful*
-hood	تتعلق بالعهد	child*hood*, boy*hood*
-ian	للنسبة بالأسماء	Christ*ian*, Arab*ian*, Ind*ian*
-il	لتكوين الصفة	civ*il*, utens*il*

-ing	(i) للاستمرار (Continuous tense)	kill*ing*, read*ing*
	(ii) لتكوين الاسم من الفعل	(mass) kill*ing*
-ion	لتكوين الاسم	relig*ion*, tens*ion*, opin*ion*
-ise	لتكوين الاسم	franch*ise*, exerc*ise*
-ish	لتكوين الاسم	blu*ish*, child*ish*, boy*ish*
-ism	(i) تدل على حالة معينة	ego*ism*, hero*ism*
	(ii) نظرية، نظام	Commun*ism*, Capital*ism*, Naz*ism*
-ist	(i) لأداء معنى الفاعل	novel*ist*, art*ist*
	(ii) تدل على متبع نظام أو نظرية	Commun*ist*, impression*ist*
-ite	تدل على النسبة أو التصغير	modernite
-ive	تدل على الصفة	act*ive*, pass*ive*
-kin	لأداء معنى الصغر	lamb*kin*
-ling	لأداء معنى الصغر	duck*ling*
-less	بدون، غير	guilt*less*, home*less*
-let	لأداء معنى التصغير	leaf*let*
-ly	مثل، بطريقة كذا	home*ly*, man*ly*, wicked*ly*
-ment	لتكوين الاسم من الفعل	establish*ment*, nourish*ment*
-most	للدلالة على أفضلية الكل	top*most*, super*most*, inner*most*
-ness	لتكوين الاسم من الفعل	good*ness*, kind*ness*, sweet*ness*
-ock		bull*ock*, hill*ock*
-ous	لأداء معنى التصغير	religi*ous*, glori*ous*
-red	كثرة، متعلق بـ	hat*red*
-right	صفة	out*right*
-ry	مطلقا، كليًا	poet*ry*, slave*ry*
-se	ما ينتج عن فعل	(clean) من(clean*se)*
-ship	لتكوين الاسم	friend*ship*, hard*ship*
-some	لتكوين الصفة من الاسم والفعل	whole*some*, hand*some*, trouble*some*
-th	(١) لتكوين اسم المعنى	streng*th*, bread*th*
	(٢) لأداء معنى الترتيب في العدد	ten*th*, four*th*
-tor	لتكوين الاسم من الفعل	conduc*tor*, crea*tor*, trai*tor*
-ty	لتكوين الاسم	digni*ty*, priori*ty*, seniori*ty*
-ule	لأداء معنى التصغير	glob*ule*, gran*ule*, pust*ule*
-ward	إلى، اتجاه	way*ward*, home*ward*
-way	جهة، حالة	straight*way*
-y	(١) لتكوين الاسم	famil*y*, memor*y*
	(٢) مع، لبيان الصفة	might*y*, dirt*y*
	(٣) لمعنى الاسم	arm*y*, deput*y*, treat*y*

IV- الكلمات المركبة (Compound words). الكلمات التي تكوّن بتركيب كلمتين تكون على عدة أنواع: (أ) الأسماء المركبة (ب) أسماء الصفة المركبة (ج) الأفعال المركبة.

الأسماء المركبة من اسمين

كلمتان	الكلمة المركبة	المعنى
foot + path	foot – path	طريق المشاة
mother + land	mother – land	الوطن
fountain + pen	fountain – pen	قلم الحبر
sun + beam	sun – beam	شعاع الشمس
sun + shade	sun – shade	مظلّة

أسماء الصفة المركبة

كلمتان	الكلمة المركبة	المعنى
child + like	child – like	مثل الطفل
life + long	life – long	طوال الحياة
home + made	home – made	مصنوع في البيت
out + spread	out – spread	منتشر في الخارج
out + come	out – come	نتيجة
bare + foot	bare – foot	حاف

الأسماء الصفة المركبة من كلمتين مختلفتين

كلمتان	الكلمة المركبة	المعنى
he + goat	he – goat	ماعز
she + goat	she – goat	شاة
blotting + paper	blotting – paper	ورق نشاف
looking + glass	looking – glass	مرآة
spend + thrift	spend – thrift	مسرف
mid + day	mid – day	وقت نصف النهار
gentle + man	gentle – man	الرجل الطيب

الأفعال المركبة

كلمتان	الكلمة المركبة	المعنى
back + bite	back – bite	يغتاب
full + fill	ful – fil	يُكمل
put + on	☆put – on	يلبس
switch + off	☆switch – off	يطفئ
switch + on	☆switch – on	يشعل

☆ بعد تكوّن الفعل يبقى جزآه منفصلين

(TWO-WORD VERBS) الأفعال المكوّنة من كلمتين

2. ينهض (من الفراش)

He will ***be up*** at five in the morning.

Bear down – يهزم، يتغلب على

The dictator ***bore down*** all opposition./The president ***bore down*** all dissent.

Bear on – يحتوي، يتضمن

Does this book ***bear on*** the same subject as that?

Bear out – يؤيّد

If the evidence ***bears out*** the charge, George will be convicted for armed robbery.

Bear with – يتحمل

It is very difficult to ***bear with*** Reem's bad temper.

Beat back – يردّ، يصدُّ

The flames ***beat back*** the firemen.

Beat off – يردّ، يدفع

In the battle of Waterloo the British ***beat off*** Napoleon.

Believe in – يعتقد، يؤمن بـ

I do not ***believe in*** astrology.

Bid fair – يأمل أملا حسناً

His coaching has been so good that he ***bids fair*** to win the race.

Bind over – يُلزم على

The man was ***bound over*** by the court not to indulge in any criminal activity for at least six months.

Blow down – يعصف به

The storm last night ***blew down*** many big trees.

Blow out – يطفئ

On her birthday she ***blew out*** fifteen candles on her cake.

Blow over – ينقضى، يخمد

We hope that this crisis will ***blow over*** and be forgotten.

Blow up – ينسف

The retreating army ***blew up*** all the bridges.

(A)

Act for – يعمل بالنيابة

The senior clerk was asked to ***act for*** head clerk when he went on leave.

Act upon – يؤثر على

Heat ***acts upon*** bodies and causes them to expand.

2. يعمل بـ

Acting upon a witness's evidence, the police caught the thief.

Agree with – يلائم

Oil does not ***agree with*** my stomach.

Answer for – يكون مسئولاً عن

Every man must ***answer for*** his actions to God.

Ask after – يسأل عن

He was ***asking after*** you when I met him this morning.

Ask for – يطلب، يسأل

You can ***ask for*** anything you need.

Attend on – يخدم

Acting as a good hostess she ***attended on*** her guests well.

(B)

Back out – يحنث بوعده

He had promised me two hundred rupees but later he ***backed out*** from his words.

Back up – يؤيد

Let us all ***back up*** his demands.

Be off – يذهب، يرحل

I'll ***be off*** to the railway station now.

Be on – يجري، يستمرّ

The concert will ***be on*** till nine p.m.

Be over – ينتهي، يختتم

After the picture will ***be over*** we will go home.

Be up – ينتهي (الوقت)

Time is going to ***be up***, hand over your answer copies.

Break off – يقطع العلاقات، يتخاصم

Wajid and Ahmed were close friends, but they seem to have ***broken off*** now.

Bring about – يُحدث، يسبّب

The new government ***brought about*** many reforms.

Bring forward – يقدّم

The proposal he ***brought forward*** did not seem practical.

Bring in – يغُلّ

How much does your monthly sale ***bring in***?

Bring off – ينجح، يفوز

The touring Indian cricket team in England ***brought off*** a spectacular victory.

Bring on – يُحدث، يسبّب

Dirt often ***brings on*** diseases.

Bring out – يُظهر

War ***brings out*** the worst in people.

Bring to – يعيد إلى الصحة أو الوعى

The unconscious man was ***brought to*** consciousness by a passer-by through artificial respiration.

Bring under – يُخضع، يتغلب على

The king ***brought under*** the rebels and established peace in his kingdom.

Bring up – يُربّى

Ali was ***brought up*** by his uncle.

Brush off – يرفض رفضاً فظاً

As he became irritating she had to ***brush him off.***

Buckle to – ينكب على العمل

With his examinations round the corner Rashid has to ***buckle to*** at once.

Build up – يعزّز، يحسّن

You need a good tonic to ***build up*** your strength after your recent illness.

Burn down – يحترق إلى أن يصير رماداً

The house was completely ***burnt down*** in the great fire in the city.

2. يثور (غضبا)

I did not understand why he ***blew up*** at my answer.

Border upon – يقارب، يشابه

His ranting ***bordered upon*** madness.

Break away – يفر، يفلت

The horseman tried to hold the horse by the bridle, but the horse ***broke away.***

Break down – تتعطّل (الآلة)

Our car ***broke down*** on the way to Agra.

2. يتفجّر باكيا

She ***broke down*** at his departure.

3. يحلّ، يفكّ

If you ***break down*** the figures you will find out your mistake.

Break in – يروّض

How much time will you need to ***break in*** this house?

2. يقتحم

We had to ***break in*** the room when there was no response from her.

Break into – يدخل خلسة أو عنوة

The thieves ***broke into*** the bank and stole the money from its lockers.

Break loose – ينحلّ، يتصرّم

During the storm the boat ***broke loose*** from its anchor and was washed away by strong current.

2. يفرّ

The buffalo ***broke loose*** the rope and ran away.

Break off – يتوقف فجأة

She was saying something, but ***broke off*** as she saw him.

Break out – يقع فجأة، تندلع (الحرب / النار)

No one could tell the police how the fire ***broke out.***

Break up – ينهي (النزاع)

He intervened to ***break up*** the quarrel.

2. يفرّق، يشتّت

The police resorted to a lathi-charge to ***break up*** the crowd.

This house has ***changed hands*** twice during the last ten years.

Check out – يغادر(الفندق)

He was caught before he could ***check out*** without paying the bill.

Check up – يفحص

Please ***check up*** if he is at home or not.

Clear off – يفرّ، يتخلص من

I went to see who had thrown the stone, but the boys had ***cleared off.***

Clear out – ينصرف، يفرّغ(المنزل)

His impudence infuriated me so much that I asked him to ***clear out*** of my house.

Close down – يغلق نهائيا، ينهي

On account of a slump in the market he had to ***close down*** his shop.

Close up – يغلق

He ***closed up*** the shop for the day and went home.

Come about – يحدث، يحصل

You have grown so thin! How did this ***come about***?

Come along – يرقى ويتقدم

How is your book ***coming along***?

Come by – ينال، يكسب

Initially he was not doing very well, but now he has ***come by*** a fantastic contract.

Come into – يرث

He will ***come into*** the estate on his father's death.

Come of – ينتج

Nothing ***came of*** his proposal.

Come off – يحدث، يقع، يحصل

When does the concert ***come off?***

Come out – يظهر

It ***comes out*** that she was aware of the startling facts all the time.

Come round – تتحسن حالة، يفيق

My friend was seriously ill for some days, but is now ***coming round.***

(C)

Call at – يزوره في بيته

I ***called at*** my friend's place to inquire about his health.

2. يقف

This ship does not ***call at*** Cochin.

Call for – يجئ ليجلب

The washerman ***called for*** the wash.

2. يقتضي

Good painting ***calls for*** a great skill.

Call off – يلغى

I had to ***call off*** the party because of my wife's illness.

Call on – يزور

The visiting Australian prime minister ***called on*** the president.

Care for – يهيّئ، يوفّر، يتفضل بـ

Would you ***care for*** a cup of tea?

2. يُربّي

Mother Teresa ***cared for*** many orphans.

Carry on – يواصل، يستمرّ بـ

Despite the accident they ***carried on*** with the show.

Carry out – يقوم بـ، ينجز

My secretary ***carries out*** her duties very efficiently.

Carry through – ينجز، يُكمل

It required lot of effort for the engineers to ***carry through*** the building construction.

Catch on – يفهم،يدرك

When he explained his plan I ***caught on*** to his motive.

Catch up – يلحق به، يدركه

He ran so fast that it was difficult to ***catch up*** with him.

Cave in – ينهار،ينهدم

On account of a major earthquake recently the outer wall of our house ***caved in.***

Change hands – تنتقل الملكية من واحد إلى آخر

Don't ***cut in*** while I am speaking to someone.

Cut off – يقطع السبيل

Our army ***cut off*** the enemy's escape route.

Cut out – يفصل، يُخرج

You can safely ***cut out*** the last paragraph of this article.

Cut short – يختصر

The meeting was ***cut short*** as the chief speaker suddenly fell ill.

Cut up – يحزن، يتأذى

He was greatly ***cut up*** by his failure in the examination.

2. ينتقد انتقاداً لاذعاً

The reviewers mercilessly ***cut up*** his autobiographical novel.

(D)

Dash off – يندفع بسرعة

The horse ***dashed off*** down the street.

2. يكتب بسرعة

He ***dashed off*** three letters in half an hour.

Dawn on – يتبيّن، يتضح

It only later ***dawned on*** me that he was all this while pulling my leg.

Deal in – يتّجر بـ

My friend ***deals in*** ready-made garments.

Deal out – يوزّع، ينصف

Justice Ahmed of Baghdad High Court is famous for ***dealing out*** equal justice to all.

Deal with – يتعامل مع

I've had bad experience with him. I won't ***deal with*** him any further.

2. يبحث (في)

This book ***deals with*** foreign policy matters.

Deliver from – ينقذ، ينجى

Oh God, ***deliver*** us ***from*** evil!

Die away – يزول، يهدأ

After a while the sounds ***died away***.

Die down – يزول، يهدأ

After a while the noise ***died down***.

2. يوافق على

He was strongly opposed to the idea of going to Habbania lake for picnic, but after a lot of persuasion he ***came round*** to others' wishes.

Come through – ينجح

As I've studied hard for the examination, I am quite confident that I'll ***come through***.

Come to – يفيق (من إغماء)

He ***came to*** after a long period of unconsciousness.

2. يبلغ (المبلغ إلى) يساوي

How much does the bill ***come to***?

Come upon – يجده مصادفة

While wandering through the jungle I ***came upon*** a strange bird.

Cook up – يختلق، يلفّق

As he feared beating he ***cooked up*** a story to explain his absence.

Correspond to – يماثل، يوازي، يوافق، يقابل

The bird's wing ***corresponds to*** the man's arm.

Cry out – يصيح، يصرخ

She ***cried out*** for help when she saw a car speeding towards her child.

Count in – يشمل

If you are planning to make a trip to Somali[a] you can ***count*** me ***in***.

Count on – يعتمد على

You can always ***count on*** my help.

Count out – يُخرجه

If you are planning any mischief, please ***cou[nt]*** me ***out***.

Cover for – يعمل كبديل لغيره

Go and take your coffee break, I'll ***cover for*** you until you return.

Cross out – يشطب، يخرج

She ***crossed out*** his name from the invitees' lis[t]

Cut down – يُنقص، يقلل

If you want to reduce you must ***cut down*** on starchy and oily food.

Cut in – يقاطع الحديث

Draw out – يغريه بالكلام بحرية
He was reluctant to comment on Aqil's behaviour, but in the end I managed to ***draw*** him ***out***.

Draw toward – ينجذب
Khalid finds Nawal very charming and feels ***drawn towards*** her.

Draw up – يرتّب ، يعدّ
Let us ***draw up*** a list of all the people we want to invite.

Drive at – يقصد (من كلامه)
I listened to his rambling talk and could not make out what he was ***driving at***.

Drop in – يزور
I ***dropped in*** on Mahmood on my way to market.

Drop out – يكفّ عن الاشتراك في
Haroon ***dropped out*** of the medical course as he found it very laborious.

Dwell on – يسهب (يعالج الأمر تفصيليا)
In his speech he ***dwelt on*** the importance of prompt action.

(E)

Eat into – يأكل(الصدأ)
Rust ***eats into*** iron.

Egg on – يحث
He is a well-behaved boy, but he was ***egged on*** by Khalid to fight with Ahmed.

Enlarge upon يُطنب
The lawyer ***enlarged upon*** this part of the evidence and treated it as of great importance.

Explain away – يؤوّل
Although he was at fault yet he tried to ***explain away*** his mistake.

(F)

Fall back – يتراجع، يتقهقر
When our army charged, the enemy ***fell back***.

Fall behind – يتخلف (عن غيره)
On account of a prolonged illness, she ***fell***

Die off – ينقرض
As the civilisation advanced, many backward tribes ***died off***.

Die out – ينتهي
As the night advanced the fire ***died out***.

Dip into – يتصفح كتابا، يلقي نظرة عابرة
I have not read this book; I have only **dipped into** it. I had to ***dip into*** my savings to buy a motor cycle.

Dish out – يصوغ، يعطي
The flattery he ***dishes out*** would turn anyone's head. Everybody, please ***dish out*** US $. 10 each for this trip.

Dispense with – يستغنى عن
You can easily ***dispense with*** his services.

Dispose of – يبيع
The rich man ***disposed of*** all his property and became an ascetic.

Do for – يخدم كـ ،يلبّى حاجة كذا
This plot of land is fairly large and will ***do for*** a playground.

Do over – يعيد عمل كذا
You will have to ***do over*** this sum, as you have made a mistake.

Do up – يرتّب أو يزخرف (الغرفة وغيرها)
If you ***do up*** this place it will look beautiful.

Do without – يستغنى عن
We will have to ***do without*** many facilities at this village.

Draw back – يستخلف عن
I cannot ***draw back*** from my promise.

Draw in – يأتي به إلى الداخل
The cat ***drew in*** its paws and curled up on the floor.

Draw near – يقترب
As winter ***draws near***, people start wearing woollen clothes.

Draw on – يدنو
As the time of the concert ***drew on*** the audience got anxious.

the candidates had to ***fill out*** several forms.

Fit out – يجهّز ويرتّب

Today, she is very busy ***fitting out*** her house for the big party.

Fix up – يُصلح

We decided to ***fix up*** the old house ourselves.

Flare up – يثور غضبا

It is immature to ***flare up*** on trifles.

Fly at –

I asked him to lend me five rupees and at once he ***flew at*** me.

Fly open – يُفتح الباب فجأة

Suddenly the door ***flew open*** and he ran out.

Fly out – يجري، يهرب

As the fire spread, all the people ***flew out*** of the burning house.

Follow suit – يحذو حذو فلان

She asked the speaker a probing question and gradually everyone ***followed the suit***.

Fool around – يمزح، يلهو

Stop ***fooling around*** and get to work.

Fool away – يضيّع

Don't ***fool away*** your time like this.

Front for – يواجه، يقاوم

The chairman is the real boss in this company but the general manager ***fronts for*** him.

(G)

Get about – يتحرك ، يتمشى

For last two months he was bed-ridden on account of typhoid. Now, he is ***getting about*** again.

Get across – يُفهم (يجعله مفهوما)

At last I was able to ***get across*** my point.

Get ahead – يسبق

Unless you work hard how will you ***get ahead*** of others in studies?

Get along – ينسجم مع

She is highly sociable and ***gets along*** with everybody.

behind in her studies.

Fall flat – يعجز عن إحداث أثر في النفس

Although she is an accomplished dancer her performance last week ***fell flat***.

Fall for – يعجب بـ

Ayesha ***fell for*** the pretty shawl displayed in a window shop.

Fall in – يصطف

The captain ordered the soldiers to ***fall in***.

Fall off – ينقص، يتضاء ل

On account of the heavy snowfall, attendance at the evening class has ***fallen off*** considerably.

Fall on – يهاجم

The angry mob ***fell on*** the running thief.

Fall out – يتشاجر

Ali and Suhail were good friends, but now they seem to have ***fallen out***.

Fall through – يخفق

We had been planning to go to Netherlands this summer but for want of money the programme ***fell through***.

Fall under – يقع ضمن أو تحت كذا

This entire district ***falls under*** my jurisdiction.

Feel for – يعطف على، يرق لـ

I deeply ***feel for*** you in your suffering.

Feel like – ينزع إلى، يرغب في

I ***feel like*** taking a long walk.

Figure on – يعتمد على، يتكل على

I had ***figured on*** your attending the meeting.

Figure out – يفهم، يكتشف

His lecture was long and boring and I couldn't ***figure out*** what he was driving at.

Figure up – يقدّر، يحاسب

Have you ***figured up*** the cost of this entire project?

Fill in – يشغل المنصب (مؤقتا)

As the principal was on leave, the vice-principal ***filled in*** for him.

Fill out – يملأ (الاستمارة)

For the marketing management examination

He ***gave away*** Haroon's name as he had drawn teacher's cartoon.

Give in – يستسلم

He knew he was losing the match, but he refused to ***give in***.

Give off – يطلق، يُخرج

Some gases ***give off*** a pungent smell.

Give out – يصرّح، يعلن

He ***gave out*** that he had got nominated on the Welfare Board.

Give up – ينقطع عن السعي ويستسلم

When he realised that he would not be able to win the race, he ***gave up***.

Give way – ينهار

Ashok kept on kicking the door vigorously and finally it ***gave way***.

Gloss over – يغضّ النظر، يتسامح

In Rashid Hasan's biography, the writer has ***glossed over*** many of his shortcomings.

Go around – يكفي

I am afraid we do not have enough chairs to ***go around***.

Go back – يخلف وعده

He promised to lend me his history notes but now he has ***gone back*** on his word.

Go down – يلقى قبولا

Your story is highly unconvincing and will not ***go down*** with the authorities.

Go for – يهاجم

The boys ***went for*** the poor dog with stone.

Go off – ينفجر بفرقعة، ينطلق

The gun ***went off*** with a loud bang.

Go on – يجري، يحصل

What's ***going on*** here?

2. يواصل

Yahya ***went on*** reading and did not pay attention to her friends.

Go out – ينطفئ

The lights ***went out*** as Sanjeev entered the room.

2. يتقدم

How is Mr. Arif ***getting along*** in his new job?

Get around – يتجنب

He tried to ***get around*** the policeman's inquiries.

Get at – يدرك

Our enquiry's object is to ***get at*** the truth.

Get away – يُفلِت

Despite vigilance of the policeman, the thief ***got away***.

Get back – يرجع، يعود

He has just ***got back*** from his tour after two months.

Get by – ينجز العمل بصورة ناجحة

You will have to somehow ***get by*** with this work.

Get down – ينزل ، يركز التفكير على

Let us ***get down*** at the next stop. The exams are approaching fast. Let's ***get down*** to studies.

Get off – ينزل من قطار أو غيره

We have to ***get off*** the bus at the next stop.

Get on – يركب

I saw him ***get on*** to the bus at the last stop.

2. يتقدم

Ahmed is quite industrious and sure to ***get on*** in the world.

Get over – يتعافى عن، يتغلب على

Have you ***got over*** your cold?

Get round – يُرضي، يقنع

I'm sure he'll somehow ***get round*** the money-lender for a loan.

Get through – ينجز، يُتم

When will you ***get through*** with your work?

Get to – يبلغ

His house is in a remote village and very diffcult to ***get to***.

Get up – ينهض من فراش أو مقعد وغيره

He ***got up*** from his seat to receive me.

Give away – يوزّع

The chief guest ***gave away*** the prizes.

2. يفشي السر

Hang on to the rope lest you should fall down.

Hang up – يضع السماعة (لا يريد التكلم)

I rang him up but as soon as he heard my voice he ***hung up***.

Hang upon – يصغي إلى

The audience ***hung upon*** every word of the distinguished speaker.

Happen on – يعثر على (بالمصادفة)

During my Himalayan trek I ***happened on*** a tiger in a forest.

Have on – يرتدي، يلبس

What dress did she ***have on*** when you saw her?

Hear of – يسمع، يعلم (من طريق السماع)

Have you ***heard of*** the bus accident at Ziad square in which ten persons got killed.

Hit upon – يكتشف بالمصادفة

To begin with, I tried quite a bit and finally by sheer luck I ***hit upon*** the right solution.

Hold forth – يلقي خطبة

He ***held forth*** on his favourite topic for one full hour.

Hold good – يسري مفعوله

The promise I made you last week still ***holds good***.

Hold off – يبطئ في الإدلاء برأيه أو قراره

Everybody in the office is wondering why Mr. Hamza is ***holding off*** his decision?

Hold on – يقبض، يتمسّك بـ

Hold on to the rope, lest you should fall down.

Hold out – يصمد

Despite massive strength of the enemies our soldiers ***held out*** to the last.

Hold over – يؤجّل

In view of the fresh evidence available the judge has decided to ***hold over*** the case till the next month.

Hold still – يبقى ساكنا

How can I take your photograph if you do not ***hold still***.

Hold together – تتماسك أجزاؤه

Go over – يدرس، يراجع

I ***went over*** the events of the day as I lay in bed at night. ***Go over*** this chapter again and again until you have learnt it thoroughly.

Go through – يكابد، يعاني

You will never know what she ***went through*** to give her children good education.

Go upon – يعمل وفقه (بصفته كمبدأ)

Is this the principle you always ***go upon***?

Go with – يلائم أويتفق مع

A blue cardigan will not ***go with*** a green sari.

Go without – يمضي بدون

How long can you ***go without*** food?

Go wrong – يصيبه الفساد أوالعطل

What has ***gone wrong*** with your car?

Grow upon – تنشأ (العادة)

The habit of taking drugs is ***growing upon*** college boys.

(H)

Hand down – يدلي بالحكم

The judge ***handed down*** his verdict in the case.

Hand in – يعطي

Time is up, please ***hand in*** the answer books.

Hand out – يوزّع

The examiner ***handed out*** the question papers to the candidates.

Hand over – يسلّم إلى

The retiring sales engineer ***handed over*** the charge to the new engineer.

Hang about – يتسكّع

A suspicious-looking man was seen ***hanging about*** the house last night.

Hang around – يتسكّع

I have often seen him ***hanging around*** her house.

Hang back – يتخلّف

I asked him to receive the chief guest, but he ***hung back***.

Hang on – يتمسّك بـ

(K)

Keep at – يواصل

If he only ***keeps at*** his work, he will soon finish with it.

Keep back يخفي

I won't ***keep back*** anything from you.

Keep away – يتجنب

We should advise our children to ***keep away*** from bad company.

Keep house – تدبير شئون المنزل

He wants his wife only to ***keep house*** and not work in an office.

Keep off – يمنع، يصدّ

The curtains will ***keep off*** the mosquitoes.

Keep on – يستمر في، يواصل

It was a long journey and he was tired, but he ***kept on*** going.

Keep out – يمنع

The woollen clothes are warm enough to ***keep out*** the cold.

Keep to – يواصل

Unless you ***keep to*** the job you are doing, you will never be able to finish with it.

2. يفي بوعده

You must learn to ***keep to*** your word.

Keep together – يبقى معاً

I asked my children to ***keep together*** in the crowd.

Keep up – يستمرّ في

Our country must ***keep up*** with the development and progress in the world of science.

Knock down – يصرعه

The boxer struck his opponent a heavy blow and ***knocked*** him ***down***.

Knock off – يوقف العمل

He did not take long to ***knock off*** the work.

Knock out – يصرعه ويهزمه (في مصارعة أو ملاكمة)

A heavy blow on the nose by his opponent ***knocked out*** the boxer.

This chair is so rickety that it will not ***hold together*** if you sit in it.

Hold true – يكون (القول) صادقا

Newton's Law of Gravitation will always ***hold true*** on earth.

Hold up – يعوق

Your late arrival has ***held up*** the work.

2. ينهب

Two armed robbers ***held up*** the bank staff.

Hunt for – يبحث عن، يفتش

What were you ***hunting for*** in the newspaper?

Hunt up – يحصل عليه بعد البحث عنه

I am ***hunting up*** material for my new book on politics.

(I)

Inquire after – يسأل عن صحته وحاله

Since last week Ahmed had not been feeling well, so I went to his place to ***inquire after*** him.

Introduce into – يُدخل، يعرّف

He ***introduced into*** the debate a fresh approach.

Issue from – يصدر، يخرج

Water ***issued from*** a small crack in the stream.

(J)

Join in – يساهم، يلحق بـ

At first he kept aloof from our games, but later ***joined in***.

Join with – يشترك

I'll ***join with*** you in the expenses of the trip.

Join up – يلتحق بـ

When the war was declared, the government appealed to all young men to ***join up***.

Jump at – يوافق عليه ويقبل بلهفة

When I suggested that we could go for picnic tomorrow he ***jumped at*** the proposal.

Jump to – يسارع إلى تكوين الرأي

Don't be hasty in judging him and ***jumping to*** the conclusion that he is hostile to you.

Let out – يُؤجر

As I am hard up nowadays I had to ***let out*** a portion of my house.

Let up – ينقص، يتوقّف

If the rain ***lets up*** we will go to the market.

Light on – يعثر عليه بصدفة

While wandering in the jungle the boys suddenly ***lighted on*** a secret cave.

Live on – يقتات بـ، يعيش على

Squirrels ***live on*** nuts.

Look after – يُعنى بـ

Will you please ***look after*** the house in my absence?

Look for – يبحث عن

I ***looked for*** my lost watch everywhere in the house, but couldn't find it.

Look in – يزور زيارة قصيرة

Do ***look in*** after dinner if you are free.

Look into – ينظر في الأمر

Have the police ***looked into*** the matter relating to theft at your house.

Look out – يحذر، ينتبه

Look out there is a car coming.

Look over – يفحص

The examiner was ***looking over*** the students' answer papers.

Look up – يبحث عن معنى الكلمة في القاموس

Yusuf ***looked up*** the word in the dictionary as he did not know its meaning.

2. يرتفع

Prices of cooking oil are ***looking up***.

(M)

Make after – يطارد

The policmen ***made after*** the thief very fast.

Make believe – يتظاهر، يدّعي

Haroon ***made believe*** that he was sick to take a leave from school.

Make clear – يوضح

The teacher ***made clear*** to me my mistake.

Knuckle under – يخضع ، يذعن

We thought it would be a tough bout, but it was not long before one of the boxers was ***knuckling under***.

(L)

Lay about – يضربه ضربا شنيعاً

As the watchman spotted a man stealing watches from a shop he ***laid about*** him with his cane.

Lay down – يستقيل

After ten long years he ***laid down*** the chairmanship of the company.

Lay off – يصرفه عن الخدمة موقتا

If the sales continue to fall like this we may have to ***lay off*** one or two people.

Lay on – يضرب

Taking up a stick he caught the mischievous boy and ***laid on*** vigorously.

Lay open – يكشف

I shall not rest till I've ***laid open*** the whole conspiracy.

Lay out – يضع خُطّة

The garden was ***laid out*** by an expert.

Lay up – يدّخر للمستقبل

The squirrel was busy ***laying up*** nuts.

Leave alone – يترك، يخذل

How can you ***leave*** me ***alone*** in my hard times?

Leave out – يهجر

It will be unfair to ***leave*** him ***out*** of the picnic programme.

Let down – يخذل

I was counting on your help, but you ***let*** me ***down***.

Let off – يترك، يعذر

You must prepare hard. Interviewers won't ***let*** you ***off*** so easily.

Let on – يفشي سرّاً

Don't ***let on*** to Fahd that we are going to a movie tonight.

(O)

Occur to – يخطر في البال

As I always considered him an honest person, it never ***occurred to*** me that he was lying.

Offend against – يجرح مشاعر فلان

There was nothing in his speech to ***offend against*** good taste.

(P)

Pack off – يصرفه فجأة

As he was getting on my nerves I, ***packed*** him ***off***.

Palm off – يخدع

He tried to ***palm off*** a forged hundred-rupee note on me.

Part with – يتخلى عن

Nobody likes to ***part with*** one's property.

Pass away – يموت

Kamal's father ***passed away*** yesterday.

Pass for – يُعتبر

Our villagers being largely illiterate he ***passes for*** a learned man in our village.

Pass out – يغمى عليه

She could not bear the sight of the accident and ***passed out***.

Pass over – يتغاضى عن

I ***passed over*** many candidates before I could choose this one.

Pay attention – يولي عنايته

The teacher asked the student to ***pay attenion*** to him.

Pay off – يعطي حسابه ويصرفه عن الخدمة

He was not happy with his servant so he ***paid*** him ***off***.

Pick on – يُزعج ويبدأ بالمشاجرة

The quarrelsome boy always ***picked on*** fights with small children.

Pick out – يختار

Adil spent a long time ***picking out*** a nice gift

Make faces – يقطّب

Stop ***making faces*** at me.

Make for – يذهب إلى

The thief entered the house and ***made for*** the safe.

Make good – يبلغ الرتبة

Being a hard worker he is sure to ***make good*** in that new job.

Make of – يفهم

I cannot ***make*** anything ***of*** this statement.

Make merry – يبتهج، يمرح

As we have now an unexpected holiday, so let us ***make merry***.

Make out – يفهم المعنى، يكتشف

Can you ***make out*** his handwriting?

Make over – يحوّل الملكية إلى

He has ***made over*** all his property to his son.

2. يجدّد أو يعدّل (ثوبا)

She is an efficient housewife and ***makes over*** all her old clothes.

Make room – يُوسع، يفسح مكاناً لِ

I cannot ***make room*** for anything more in this trunk.

Make sense – يكون مفهوماً

How can you be so foolish in dealing with your clients? It doesn't ***make sense*** to me.

Make towards – يذهب إلى

The swimmer ***made towards*** the right bank of the river.

Make up – يختلق

Don't ***make up*** such silly excuses for your absence yesterday.

Make way – يفسح له الطريق

The crowd hurriedly ***made way*** for the leader as he arrived.

Mix up – يمزج، يخلط

As they were introduced to me in a hurry, I ***mixed up*** their names and called him by the wrong name.

fighting together. If they manage to ***pull together***, they'll succeed.

Pull up – يتوقف

The taxi ***pulled up*** at the entrance of the hotel.

Push off – ينطلق

I'm getting quite late, so I must ***push off*** now.

Push on – يواصل (عمله أو سيره الخ)

He was exhausted and ill, but he ***pushed on***.

Put across – ينجز أو يؤدي بنجاح

He ***put across*** his arguments very eloquently and convincingly.

Put away – يضعه في مكانه

The workmen ***put away*** their tools and left the factory.

Put down – يقمع

The army easily ***put down*** the revolt.

Put forward – يرشّح، يقدّم (نظريّة)

He ***put forward*** his suggestions for our consideration.

Put off – يؤجل، يُرجئ

The match had to be ***put off*** because of bad weather.

Put on – يلبس

She ***put on*** her best dress for the party.

2. يتظاهر بـ

Don't ***put on*** as if you don't know anything.

Put out – يطفئ

He ***put out*** the light and went to sleep.

2. يُزعج، يضايق

You should take care not to ***put out*** people by your irresponsible behaviour.

3. يُصدر، ينشر

The party ***put out*** a pamphlet to explain its economic policy.

Put right – يصلح

Ask the carpenter to ***put right*** this broken table.

Put together – يركّب، يجمع

The child took the watch apart but couldn't ***put*** it ***together*** again.

for Alia.

Pick up – يكسب معرفة شيء بسرعة

The children don't take long time to ***pick up*** what they see around.

Play down – يقلّل من أهمية شيء

Some newspapers ***played down*** the significance of disturbances in Poland.

Play off – يثير فلاناً على فلان

The crooked man ***played off*** the two friends against each other for his own benefit.

Play on – يعزف

Can you ***play on*** a violin?

2. يستخدم

His skill to ***play on*** words makes him a very forceful speaker.

Play with – يتلاعب بـ

It is dangerous to ***play with*** fire.

Prevail over – يؤثر عليه

None of these considerations ***prevailed over*** his prejudices.

Prevail with – يقنعه

He is a difficult person. So I found it difficult to ***prevail with*** him.

Proceed against – يقيم دعوى على فلان

I have decided to ***proceed against*** him in a court of law.

Provide against – يتخذ الحيطة لِـ

A wise man takes care to ***provide against*** emergencies.

Pull in – يصل

The coolies started running towards the train as it ***pulled in***.

Pull out – يرحل

At the guard's signal the train ***pulled out*** of the station.

Pull through – يجتاز بسلام مرحلة خطرة

Although he was seriously ill and doctors had given up hope, he ***pulled through***.

Pull together – يتعاونون، يعملون بانسجام

The partners of Ahmed Enterprise have been

Rule out – يعلن عدم إمكانية شيء
The police has ***ruled out*** the possibility of sabotage in this train accident?

Run across – يلتقي به مصادفة
I was quite surprised to ***run across*** him in the market.

Run after – يطارده، يسعى لنيله
Running after money does not speak well of you.

Run against – يتعارض مع
She will ***run against*** her husband in the municipal elections.

Run down – يطعن في
Certain malicious reviewers will ***run down*** even the best book ever written.

Run errands – يزور زيارة خاطفة
Rasheed is of obliging nature and ***runs errands*** for all the neighbours.

Run for – يرشح للانتخاب
He ***ran for*** presidentship in the college elections.

Run into – يقابله بصدفة
I ***ran into*** an old friend yesterday at the cinema hall.

2. يقع (في دين أو خطر)
If you spend your money so recklessly you will soon ***run into*** debt.

Run out – ينتهي، ينفد
We were afraid that we might ***run out*** of our food supply at the excursion.

Run over – يدهس
The unlucky dog was ***run over*** by a car.

Run short of – ينفد (ما عنده من مال وغيره)
If we ***run short of*** food we will get more from some restaurant.

Run through – يتصفح بسرعة
I had to ***run through*** the book in an hour.

Put up – ينزل في فندق، يقيم
Where should I ***put up*** in Basrah?

(R)

Rail against – يشجب
It is useless ***railing against*** your master's orders.

Rail at – يشكو
He has always ***railed at*** his parents for not understanding him.

Rake up – يعيد إلى الأذهان واقعة منسية
Please do not ***rake up*** old quarrels at this critical juncture.

Rank with – يضاهي
There is scarcely any poet who can ***rank with*** Ahmed Shauqi.

Reason with – يقنعه بالحجة
I had to ***reason*** hard ***with*** him for my proposal's acceptance.

Reckon on – يعتمد على، يأخذه في الاعتبار
I was ***reckoning on*** her presence at the function.

Reflect on – يؤثر على
Your misconduct will ***reflect on*** your character.

Relate to – يتعلق بـ
Please get me the file that ***relates to*** this matter.

Resort to – يلجأ إلى
As the crowd became unruly, the police had to ***resort to*** lathi-charge.

Rest on – يبني على
His whole theory ***rests on*** a wrong assumption.

Ride out – ينجو، تثبت السفينة للعاصفة
Fortunately, our ship ***rode out*** the storm.

Root out – يستأصل
The government is determined to ***root out*** corruption.

Rout out – يطرد
I ***routed*** him ***out*** of bed early in the morning.

Set about – يبدأ العمل

As your examination is near you should ***set about*** your work without delay.

Set apart – يدّخر، يوفّر

One day in the week is ***set apart*** as the rest day.

Set aside – يُلغي، يبطل

The supreme court ***set aside*** the verdict of the high court in Bihari Lal case.

Set down – يُدوّن، يسجّل

The magistrate ***set down*** in writing the witness's statement.

Set forth – يوضح

He ***set forth*** his views with clarity and force.

Set in – يبدأ

Just as I was about to go out, the rain ***set in***.

Set off – يبدأ الرحلة

As we have to go a long distance, we will ***set off*** early in the morning.

Set up – يؤسّس، ينشئ

The state government has ***set up*** a new auditorium at Mehta Chowk to encourage performing arts.

Set upon – يهاجم بعنف

As the poor old beggar approached the corner house, two dogs ***set upon*** him.

Set out – يبدأ الرحلة

He ***set out*** on his travels.

Set to – يبدأ العمل بنشاط

You have a lot to do, so you should ***set to*** work at once.

Settle down – يتخذ المكان كوطنه

After retirement I have ***settled down*** in Dubai.

Settle on – يختار

Finally, she ***settled on*** a blue sari.

Show off – يسعى للفت الأنظار

She went to the party as she was quite keen to ***show off*** her new dress.

Show up – يصل، يحضر

(S)

Search out – يستكشف

Our aim in this inquiry is to ***search out*** the truth.

See about – يتدبر الأمر، يعنى به

I am badly tied up with other things, so you will have to ***see about*** the catering arrangements at the party.

See off – يودّع

I went to the airport to ***see off*** my friend who left for U.S.A. last night.

See through – ينجز الأمر على الرغم من عوائق

He ***saw through*** the entire job by himself.

2. يدرك حقيقة مراميه الخفية

He was trying to be clever, but I ***saw through*** his trick.

See to – يتولى الأمر

Will you please ***see to*** the catering arrangements for the function?

Seek out – يبحث عن

Ramesh and Vikas have gone to the nearby wood to ***seek out*** the place of rabbits.

Sell out – يبيع

He ***sold out*** his business as he could not make a profit.

Send away – يبعد، ينفي

He was becoming a nuisance, so I had to ***send*** him ***away***.

Send for – يرسل في طلب فلان

She has fallen unconscious. Please ***send for*** a doctor immediately.

Send word – يبعث برسالة

He ***sent word*** to me that he would come in a week's time.

Serve out – يقوم بواجباته

The apprentice has ***served out*** his period of apprenticeship, so he is due for an increment.

Serve up – يُقدّم (الطعام وغيره)

She ***served up*** a tasty meal.

Stand against – يقاوم، يقوم في وجهه

Nebuchad Nezzar was so powerful that no king could ***stand against*** him.

Stand by – ينتظر

Please ***stand by*** for an important announcement.

Stand for – يعني، يمثّل

The stars in the American flag ***stand for*** fifty states.

2. يرشّح للانتخابات

My uncle ***stood for*** chairmanship of the Municipality.

3. يتحمّل

I will not ***stand for*** such a rude behaviour.

Stand out – يبرز

She ***stood out*** in the crowd because of her beauty.

Stand up – يتحمل

How can you ***stand up*** to such tremendous pressure of work?

Start for – يبدأ الرحلة

When did he ***start for*** Mecca?

Stay up – يمكث

I had to finish with some work last night, so I ***stayed up*** till one o'clock.

Stay with – يقيم

When you come to Basrah, please ***stay with*** me.

Step down – يتخلى عن منصب

Next month our company's president will ***step down*** in favour of his son.

Step up – يزيد من سرعة السيارة

I ***stepped up*** the speed of my car.

Stick around – يبقى، يمكث

After dinner we requested our guest to ***stick around*** for the movie on the TV.

Stick at – يتردد

He will ***stick at*** nothing to fulfil his ends.

Stick by – يساعد، يساند

I have been waiting for him for more than an hour, but he has not yet ***shown up***.

2. يفضح

If he provokes me further, I will have to ***show*** him ***up***.

Shut in – يمنع من الخروج

As night came, the shepherd ***shut*** his flock of sheep ***in***.

Shut off – يوقف التيار الكهربائي عن

There appeared to be some trouble with his car, so he ***shut off*** its engine.

Shut up – يُسكت

As the boy was chattering a lot, the teacher asked him to ***shut up***.

Side with – ينحاز لِـ

No matter what happens, I will always ***side with*** you.

Sit out – يجلس أو يبقى إلى آخر الحفلة

I ***sat out*** his long lecture.

Sit up – يجلس منتصبا (في فراشه)

The poor old man was too weak to ***sit up***.

Sleep off – يستريح بالنوم

I was exhausted after the day's work, so I decided to ***sleep off*** my fatigue.

Slow down – يهدّئ السرعة

The train ***slowed down*** as it approached the station.

Smart under – يتألّم، يتحمّل الخزي

The clerk was ***smarting under*** the officer's rebuke.

Snap at – يقبله بلهفة

He ***snapped at*** the offer I made to him.

Speak up – يتكلم بصوت مرتفع

As the audience could not hear the speaker, it requested him to ***speak up***.

Spell out – يشرح

He ***spelt out*** his treking plan in detail and asked me to accompany him.

Stamp out – يقمع، يكبت

The government tried its best to ***stamp out*** the rebellion.

(T)

Take after – يحذو حذو، يشبه
She has ***taken after*** her mother.

Take apart – يحلُّ، يفكّ
Can you ***take apart*** a watch?

Take down – يكتب
Take down carefully whatever I say.

Take for – يظنّه كذا
I ***took*** him ***for*** a doctor.

Take in – يخدع
He tried to play a trick on me, but I couldn't be ***taken in***.

Take off – يخلع (اللباس، الحذاء)
He ***took off*** his coat.
2. تقلع الطائرة
We watched the plane ***take off***.

Take on – يستخدم
They are ***taking on*** many new workers at that factory.

Take over – يتولى (المنصب)
After the Chairman retired, the Managing Director ***took over*** as the new Chairman.
2. يستولي على
They defeated the enemy and ***took over*** the fort.

Take place – يقع، يحصل
Where did the meeting ***take place***?

Take to – يتولى العناية بـ
I ***took to*** Ali right from the very beginning.

Take turns – يعمل بالنوبة
During the trip Jamil and I ***took turns*** at car driving.

Take up – يختار المنهج للدراسة
After completing school, he ***took up*** mechanical engineering.

Talk back – يردّ الكلام بطريقة غيرمهذّبة
It is very rude to ***talk back*** to your elders.

Talk over – يناقش، يدرس
The committee is ***talking over*** our report.

Stick by your friends in their difficulty.

Stick out – يُخرج
I went to the doctor with a stomach complaint and he asked me to ***stick out*** my tongue.

Stick to – يلتزم بـ ، يتمسك بـ
Despite interrogation he ***stuck to*** his story till the end.

Stir up – يثير
He tried to ***stir up*** trouble between the management and the workers.

Stop short – يقف عن الكلام فجأة
He was talking about Nabeel, but suddenly ***stopped short*** as he saw him coming.

Strike down – يُبطل، يُلغي
The court ***struck down*** the government's ordinance as unconstitutional.

Strike off – يشطب
At the last moment something came into her mind and she ***struck off*** his name from the list of invitees.

Strike up – يغنّى، يُنشد
At the end of the programme, the band ***struck up*** the national anthem.

Strike work – يُضرب عن العمل
The factory workers ***struck work*** to demand higher wages.

Subscribe to – يوافق على
Do you ***subscribe to*** the philosophy of Aristotle?

Subsist on – يعيش على
The sufi ***subsisted on*** nuts and roots for many weeks.

Succeed to – يرث العرش ، يخلف
The prince will ***succeed to*** the throne on the king's death.

Sue for – يقاضى
As he developed after-operation complications, he ***sued*** the City Nursing Home ***for*** damages to the extent of ten thousand dollars.

The photographer ***touched up*** my photograph.

Trade in – يتعوض، يتبادل

I ***traded in*** my old car for a new one.

Trade on – يستفيد

I ***traded on*** his good nature to help me out of my financial difficulties.

Trifle with – يسخر من

It is cruel to ***trifle with*** anybody's feelings.

Trump up – يختلق

The story you have ***trumped up*** is not at all convincing.

Try on – يلبس لبسة فحص

The tailor asked me to ***try on*** the coat.

Try out – يشغّل (آلةً) للفحص

You should ***try out*** that TV set before you finally buy it.

Turn about – يدوّر الوجه إلى الخلف

The moment she saw him coming, she ***turned about***.

Turn against – يصبح خلافه

We have been such good friends and I had no idea that he would ***turn against*** me.

Turn around – يدور إلى الخلف

Being a novice he could not ***turn around*** the car in the narrow lane.

Turn aside – ينحرف عن الرأي المستقيم

Never ***turn aside*** from the path of truth.

Turn away – يردّ، يرفض

He has ***turned away*** three applicants for the new post of purchase-officer.

Turn back – يعود، ينكص، يرد

Please ***turn back*** from the edge of the water.

Turn down – يرفض

I'm counting a lot on this, so please do not ***turn down*** my request.

2. يقلّل، يخفف

Please ***turn down*** the volume of the radio.

Turn in – يقدّم، يسلم

He ***turned in*** his answer paper and came out of the examination hall.

Talk shop – يتحدث عن عمله ومهنته

The two lawyers always ***talk shop***.

Taste of – يكون ذاطعم كذا

This coffee is no good, it ***tastes of*** kerosene.

Tear down – يهدم

They brought bulldozers to ***tear down*** the building.

Tell against – يحكم ضدّ

The new evidence relating to this case ***tells against*** the accused.

Tell off – يذمّ

The headmaster ***told off*** the rowdy student.

Tell on – ينمّ، يشي

It is unfair to ***tell on*** others.

Tell upon – يحدث أثراً سيّئاً

You must not work so hard. It will ***tell upon*** your health.

Think of – يفكّر، يرى

What did you ***think of*** the movie?

Think out – يرسم خطة

They will have to ***think out*** some good idea to produce this kind of advertisement.

Think up – يفكّر

You will have to ***think up*** a good excuse for the delay.

Throw out – يطرد

He was making a nuisance of himself, so he was ***thrown out*** of the lecture hall.

Throw up – يترك العمل

Why have you ***thrown up*** your job?

Tide over – يتغلب على

Will this amount enable you to ***tide over*** your financial difficulties?

Touch at – يتوقف لوقت قصير

The Baghdad Express between Baghdad and Basrah ***touches at*** Najaf.

Touch on – يتناول موضوعاً (باختصار)

Your lecture was illuminating but did not ***touch on*** the problem of casteism in the country.

Touch up – يضع لمسات الإصلاح

Wash out – ينظّف بّا لغسل
Can this stain be ***washed out***.

Watch over – يراقب
The dog faithfully ***watched over*** his master's sleeping child.

Wear off – يتناقص أو يزول تدريجيا
This colour will ***wear off*** soon.

Wear out – يُبلي
Constant use will ***wear out*** any machine.

While away – يضيّع
Get to work. Don't ***while away*** your time in trifles.

Wind up – يُنهي
Recurring losses compelled him to ***wind up*** his business.

2. يملأ (الساعة)
I ***wound up*** my watch when I went to bed.

Wink at – يتسامح
I can ***wink at*** his faults no longer.

Work away – يستمّرفي العمل
He is a hard-working man. He can ***work away*** at his job for hours at a stretch.

Work into – يدخل
The miner's drill ***worked into*** the hard rock.

Work open – يفتح بطريقة أو أخرى
I had lost my suitcase's key, but somehow I managed to ***work*** it ***open***.

Work out – يحلّ (مشكلة)
Could you ***work out*** that problem?

Work up – يشتعل (عاطفيا)
Why are you so ***worked up***?

(Y)

Yield to – يوافق على، يستسلم
It took me long to persuade him to ***yield to*** my request.

Turn on – يُدير المفتاح ويفتح
Please ***turn on*** the light.

Turn out – يُنتج
How many cars does this factory ***turn out*** everyday?

2. يُبرز
To begin with he looked like any other carpenter, but later he ***turned out*** to be a very talented one.

Turn tail – يفرّ
The enemy had to ***turn tail*** as it could not hold against the massive attack of our army.

Turn up – يصل فجأة
Everybody was surprised to see him ***turn up*** at the meeting.

2. يكتشف
Some interesting facts have ***turned up*** during the inquiry.

(U)

Used to – يتعوّد
I am quite ***used to*** driving in crowded places.

Use up – يستهلك، يستنفد
Have you ***used up*** all the paper I had given you?

(W)

Wade into – يهاجم
Rashid could not tolerate Hisham's insulting remark. He ***waded into*** him and knocked him down.

Wade through – ينصبّ على العمل
Today I have to ***wade through*** a lot of correspondence.

Wait for – ينتظر
I'll ***wait for*** you at my office till you come.

Wait on – يخدم
She ***waited on*** us efficiently.

IDIOMS & PHRASES عبارات اصطلاحية و تعبيرات موجزة

(A)

Abounding in – يمتلئ، يزخر

Sea ***abounds in*** all kinds of animals.

Above all – مع كل ذلك

Above all, don't mention this to Hari.

Abreast with – على علم بـ

He keeps himself ***abreast with*** the latest developments in the world of science.

Absent-minded person – شخص مذهول

Our professor is a very ***absent-minded person***.

Accessary to – مساعد

This man was ***accessary to*** the crime.

Affect ignorance – يتجاهل

You cannot ***affect ignorance*** of the law and escape punishment.

Aghast at – مشدوه

As she entered the hospital, she looked ***aghast at*** the bed of the wounded.

Agreeable to – يكون مقبولاً

He being very fussy, the plan was not ***agreeable to*** his wishes.

Alive to – واعٍ، مدرك

He is not at all ***alive to*** the current economic problems.

All at once – فجأة

All at once the sky became dark and it began to rain.

All moonshine – هُراء

What you are saying is ***all moonshine***.

All of a sudden – فجأة

All of a sudden the walls of the room started shaking.

All the same – مع ذلك

Although your agreements appear convincing, ***all the same*** it will not happen.

Animal spirits – حيوية، مرح

Young children are by nature full of ***animal spirits***.

Apple of discord – سبب النزاع

Ever since their father's death, this property has been ***an apple of discord*** between the two brothers.

Apple of one's eye – بؤبؤ العين، شخص محبوب جداً

His lovely little daughter is the ***apple of his eye***.

Ask for something – يجلب بلاءً بعمله

Now you are complaining about the cut in your salary. You had ***asked for*** it by regularly coming late.

At all – مطلقاً

He told me that he did not have any money ***at all***.

At daggers drawn – على وشك القتال

Once upon a time they were friends, but now they are ***at daggers drawn*** over the issue of money.

At large – مطلق السراح

A convict who had escaped from prison last month is still ***at large***.

At once – حالاً

The boss was furious over secretary's mistake and asked him to come to his room ***at once***.

At the eleventh hour – في الساعة الأخيرة

The mob was getting out of control, but ***at the eleventh hour*** the police arrived and averted a riot.

At times – أحياناً

At times she feels a little better, but then again relapses into her old condition.

Aware of – مطّلع على

I was not ***aware of*** his intentions.

(B)

Back out of – يتخلف عن القول

He ***backed out of*** the promise he had given me.

Backstairs influence – نفوذ سرّي

They own a house and a car, so they certainly are ***well-off***.

Be worth its weight in gold – يكون ثميناً جداً

In the desert a bottle of water is ***worth its weight in gold***.

Bear down upon – يهاجم (بالسفينة الحربية)

Our warship ***bore down upon*** the enemy convoy.

Beast of burden – دابّة حمل

Mules are used as ***beasts of burden*** by the Army.

Beast of prey – حيوان ضارٍ

A tiger is a ***beast of prey***.

Beat about the bush – يحوم حول الموضوع

Come to the point. Don't ***beat about the bush***.

Beck and call – يستجيب الدعوة كلّ وقت

You cannot expect me to be at your ***beck and call*** everytime.

Bed of roses – الترف والنعم

Life is not a ***bed of roses***.

Beggar description – لا يمكن التعبير عنه، غني عن البيان

Her beauty ***beggared description***.

Behind the scenes – بصورة غير رسمية أو غير مُعلنة

The leaders had been discussing ***behind the scenes*** for long and finally they arrived at an agreement.

Bent on – عازم على

I am sure the two boys are ***bent on*** some mischief.

Better half – زوجة، قرينة

His ***better half*** takes good care of him.

Bide his time – ينتظر فرصة ملائمة

The hunter ***bided his time*** till the tiger approached the pond for a drink.

Big deal – غاية الاعتماد

You think you can beat me! A ***big deal***.

Bird's eye view – نظرة طائر (من علُ)

We had a ***bird's eye view*** of the city from the plane.

Birds of a feather – أُناس من مزاج أو ذوق واحد

He managed to get the job through ***backstairs influence***.

Bad blood – عداء مُرّ، خصومة شديدة

There is ***bad blood*** between the two neighbours.

Be a party to something – فريق، مشارك

I disagree with your proposals, so I won't ***be a party to*** this agreement.

Be all ears – يصغي إلى

The children were ***all ears*** as I began to tell the story of Alibaba.

Be beside oneself – خارج عن طوره

She was ***beside herself*** with grief when she heard about her son's death.

Be born with a silver spoon in one's mouth يُولد في أسرة ثرية للغاية

Prince Charles was ***born with a silver spoon in his mouth***.

Be bound to – يتحتم

We are ***bound to*** be late if you don't hurry up.

Be bound for – جهة القصد

This ship is ***bound for*** London.

Be ill at ease – منزعج

The whole night mosquitoes kept on biting him and he was quite ***ill at ease***.

Be in the way – يعرقل

Is this chair ***in your way***?

Be no more – يموت

Since her husband is ***no more***, she feels quite lost.

Be off – يذهب

I was tired of his chattering and asked him to ***be off***.

Be out of the question – مستحيل

Without oxygen life is ***out of question***.

Be under age – قاصر

You cannot vote as you are ***under age***.

Be up to something – يؤامر

These boys have suspicious movements. I am sure they are ***up to something***.

Be well-off – يكون ثريا

Ahmed had drowned and somebody had to ***break the*** sad ***news*** to his family somehow.

Breathe one's last – يلفظ نَفَسه الأخير

The nation plunged into grief as the beloved leader ***breathed his last***.

Bring to light – يكشف

The C.I.D. ***brought to light*** a hideous conspiracy to assassinate the police chief.

Bring to the hammer – يبيع بالمزاد

As he went bankrupt, all his goods were ***brought to the hammer***.

Broad daylight – في ضوء النهار

Yesterday the bank near our house was robbed in ***broad daylight***.

Brown study – يستغرق في التفكير

Hisham is in the habit of getting into ***brown study***.

Build castles in the air –

يفكر في (أو يتمنى) لشيء لا أساس له

Be content with what you have. There is no point in ***building castles in the air***.

Burning question – القضية المتقدة (الراهنة والهامة)

In the world today, issue of Iraq is a ***burning question***.

Burn the candle at both ends –

يسرف إسرافاً (في العمل)

If you ***burn the candle at both ends*** like this, you will soon land up in the hospital.

Bury the hatchet – يعقد صلحا

The two warring nations reached a truce and at last ***buried the hatchet***.

By and by – بصورة تدريجية، شيئا فشيئا

By and by people began to come into the lecture hall.

By heart – عن ظهر قلب

I know many passages from Shakespeare ***by heart***.

By himself – وحيداً

I have often seen him walking all ***by himself*** in the woods.

Birds of a feather tend to flock together.

Black sheep – شخص تافه

Robert is the ***black sheep*** of the family.

Blind alley – زقاق مسدود

They had to turn back as they had entered a ***blind alley***.

Blind to – مغمض عينيه

He is ***blind to*** his son's actions.

Blow one's own trumpet – يثني على نفسه

Blowing one's own trumpet speaks of ill breeding.

Blow one's top – يثور غضباً

Sameer has not been caring for his studies at all. Naturally, his father had to ***blow his top***.

Blue stocking – امرأة مثقفة وأديبة

She has made a name for herself in society as a ***blue stocking***.

Body and soul – يبذل كل جهده

He gave himself ***body and soul*** to the pursuit of learning.

Boil down – كل ما ينتج عن ذلك

It all ***boils down*** to a clear case of murder.

Bolt upright – منتصباً

As he was suddenly awakened by a passing procession's noise he got up and sat ***bolt upright***.

Bosom friend – صديق حميم

Haroon and Aqeel are ***bosom friends***.

Brazen-faced fellow – صفيق الوجه

I cannot stand that ***brazen-faced fellow***.

Break cover – يخرج من مكمنه

The enemy resumed heavy firing as the soldiers ***broke cover***.

Break in – يدخل عنوةً

The thief quietly ***broke in*** when everyone was asleep.

Break the ice – يستهلّ الحديث

They sat in awkward silence till I ***broke the ice***.

Break the news – يُخبر

Who would believe such a ***cock and bull story***?

Cold-blooded murder – قتل وحشي

Fauzan had committed a ***cold-blooded murder***, so the judge didn't show any mercy in awarding death sentence.

Cold feet – مفقود الاعتماد

At the sight of his opponent he got ***cold feet***.

Cold reception – غير ودّي، تفقده الحرارة والحفاوة

I wonder why she gave him such a ***cold reception***.

Cold shoulder – سلوك بجفاء

He tried to talk to her, but she gave him the ***cold shoulder***.

Come of age – يبلغ سن الرشد

Now that you have ***come of age***, you should take your own decisions.

Come off it – يتخلى عن

Come off it, don't start with that boasting again.

Come to an end – ينتهي

It was such a boring film that I thought it would never ***come to an end***.

Come to light – ينكشف، يتّضح

The conspiracy ***came to light*** at the right time and plotters were arrested.

Come up to – يبلغ

The profit from this deal with M/s Renuka Enterprise has not ***come up to*** my expectations.

Come up with – يدرك

I must say you have ***come up with*** an excellent idea.

Commanding view – المنظر من علُ

Come, we can go up and get a ***commanding view*** of the harbour from the hill top.

Confirmed bachelor – الأعزب المصدَّق

Is he going to marry late or is he a ***confirmed bachelor***?

Corresponding to – يوافق، يماثل

While digging in the field other day I found an old coin ***corresponding to*** the one shown in this picture.

By the way – وعلى فكرة

By the way, are you married?

(C)

Call a spade a spade – يقول بصراحة

I'am not rude but at the same time I don't hesitate to ***call a spade a spade***.

Call to order – يدعو إلى الهدوء والتقيد بالنظام

The chairman ***called*** the meeting ***to order***.

Capital crime – جريمة عقوبتها الموت

Murder is a ***capital crime***.

Capital idea – الفكرة الرائعة

Going on a picnic this Sunday is a ***capital idea***.

Capital punishment – عقوبة الإعدام

The murderer was awarded ***capital punishment***.

Carry one's point – ينتزع موافقة الآخرين على وجهة نظره

In the beginning Mohsin was slightly vague in his speech but gradually he succeeded in ***carrying his point***.

Carry the day – يفوز

The opener scored a century and ***carried the day***.

Cast about for – يبحث عن، يخطّط

He will ***cast about for*** an opportunity to take revenge on you.

Catch one's eye – يلفت (النظر، الانتباه)

I could not ***catch his eye***, else I would have greeted him.

Chicken-hearted fellow – رجل جبان

A ***chicken-hearted fellow*** like you will never make a soldier.

Clear off – ينصرف

Don't bother me? ***Clear off*** !

Close-fisted man – بخيل

Although having lot of money, he is a ***close-fisted man***.

Close shave – نجاة بأعجوبة

My car was just about to dash against the lamp post. It was quite a ***close shave***.

Cock and bull story – حكاية غير قابلة للتصديق

to the ***dead letter*** office.

2. القوانين التي لم تعد نافذة المفعول

Several enactments still on the statute book are now a ***dead letter***.

Dead loss – الخسارة التي لا تجبر

He invested quite a lot of money in paper business but it proved to be a ***dead loss***.

Dead of night – في منتصف الليل

The thief entered the house at ***dead of night***.

Dead silence – الصّمت الشديد

There was ***dead silence*** in the deserted house.

Dead tired – التعبان تعبا شديداً

Having walked four miles I felt ***dead tired*** and immediately fell asleep.

Dish something out – مخيّب الأمل

He is a glib talker and very good at ***dishing out*** flattery.

Do a city – جولة في المدينة

While I ***do the city*** you can relax in the hotel and watch the television.

Do away with – يتلف

The murderer seems to have ***done away with*** the body.

Done to death – يقتل

The poor man was ***done to death*** by repeated stick blows on the head.

Do well – يتقدم، يترقى

He is ***doing*** quite ***well*** in his new business.

Dog-eared book – كتاب ذو صفحات مطوية الزوايا

This ***dog-eared book*** suggests that you have read it carefully and marked the important pages.

Down and out – في حالة فقر و يأس

He was without money and without food. In short, just ***down and out***.

Draw out a person –

يغريه بالكلام ويستخلص منه معلومات

For a long time he was reluctant to say anything, but in the end I managed to ***draw him out***.

Draw a line _ يضع الحد لِـ

Cover a lot of ground – يعالج موضوعاً (بالتفضيل)

In his very first lecture the professor ***covered a lot of ground***.

Creature comforts – المتعة الجسدية

Being rich he would equip his mansion with all ***creature comfort***.

Crocodile tears – دُموع كاذبة

He shed ***crocodile tears*** at the loss incurred by his friend.

Crux of a problem – نقطة أساسية

The ***crux of the problem*** is how we are going to raise the funds we require for this project.

Cry over spilt milk –

يأسى على مضيّع لا سبيل إلى استرجاعه

In the beginning only, I had told you that was a bad bargain. It is no use ***crying over spilt milk*** now.

Curtain lecture – توبيخ المرأة لزوجها سِرًّا

The henpecked husband had to endure a ***curtain lecture*** every night.

Cut a sorry figure – يكون غير قادر

When asked to make a speech he ***cut a sorry figure***.

Cut out for – يكون صالحا أو مؤهلا لِـ

Vikas is not ***cut out for*** army.

Cut to the quick – يجرح عواطف شخص بشدة

Your reproaches ***cut*** him ***to the quick***.

(D)

Dance attendance on one – يلازمه

He ***danced attendance on*** her all the time, but she ignored him.

Day in, day out – كلّ يوم

He worked ***day in, day out*** to pass his C.A. Examination.

Dead against – يعارضه كلياً

Her mother is ***dead against*** her acting in the films.

Dead letter – الرسالة الميتة

As there was no address on the letter it went

fifty-five when he asked seventy pieces.

Escape notice – لم يلفت الانتباه

I read this copy very carefully, but don't know how this mistake ***escaped*** my ***notice***.

Escape one's lips – ينطق

Never let that abusive word ***escape*** your ***lips*** again.

Every now and then – في كل حين و آخر

We are very good friends and visit each other ***every now and then***.

(F)

Fast living – عيشة ترف

Rich men's children generally like ***fast living***.

Feather one's nest – يجمع الثروة من ممتلكات شخص آخر

The corrupt people are always busy ***feathering*** their ***nests***.

Fed up with – يملّ

I am ***fed up with*** this daily drudgery.

Feel up to – يجده مستعداً لِـ

Do you ***feel up to*** writing letters after a hard working day?

Fellow feeling – الشعور بالودّ والمحبة

One should have ***fellow feelings*** for all.

Few and far between – قليلاً جداً

His visits to our place are now ***few and far between***.

Fight shy of – يتجنب

I ***fight shy of*** air travel as it makes me sick.

Fill one in – يخبره عن

As Rasheed could not attend the meeting he asked me to ***fill him in***.

Fish out of water – في حالة مُملّة أو مزعجة

I felt like a ***fish out of water*** in the company of those scientists.

Flowery style – العبارة المسجعة

Flowery style is not suited to every kind of writing.

Fly in the face of – يتحدى

Why should you recklessly ***fly in the face of***

I can at the most give you one thousand dollars. And then I must ***draw a line***.

Drop a line – يكتب له رسالة قصيرة

As soon as I get to Sharjah, I'll ***drop*** you ***a line***.

Drop a subject – يترك مناقشة موضوع ما

We don't seem to agree, so let us ***drop*** the ***subject***.

Drop in on – يقوم بزيارة

Do ***drop in on*** me whenever you have the time

Drop out of – يتخلى عن

He had to ***drop out of*** the race when his car broke down.

Dutch courage – الشجاعة الكاذبة

He showed a lot of ***Dutch courage,*** but got frightened as the drink wore off.

(E)

Ease someone out – يُعفيه عن الخدمة

After the two companies merged, a number of their officers had to be ***eased out***.

Easy come, easy go –

صول المال من دون جهد وإنفاقه بدون قصد

He inherited great wealth but spent it a foolishly. It was a case of ***easy come, easy g***

Eat humble pie – يصبح متواضعا

He used to boast about his intelligence. Now with such bad examination results he ha to ***eat the humble pie***.

Eat one's words – يرجع عن قوله

He was vehemently insisting on his point, bu finally had to ***eat his words***, when the truth came out.

Eat out – يأكل الطعام في المطعم

When you ***eat out***, what restaurant do you generally go to?

Elbow room – حُرّية العمل

He is a go-getter and needs just ***elbow roon*** to succeed.

Err on the safe side – أهون الأمرين

To ***err on the safe side***, I gave him

Fair weather friend – من كانت صداقته في أيام الرخاء فقط
Most of the people you are associating with these days are just ***fair weather friends***.

Fall a prey to – ينخدع
The innocent man ***fell a prey to*** the designs of the cheat.

Fall back upon – يرتدّ إلى
If I don't do well as a businessman I'll have to ***fall back upon*** my old profession of journalism.

Fall behind in – يتخلف (عن غيره)
He fell ill and had to miss his college for a month. As a result he ***fell behind in*** his studies.

Fall foul of – يتشاجر أو يتخاصم مع
If this new clerk continues with his criticism like this he will soon ***fall foul of*** the manager.

Fall in with – يوافق علَى
He found my plan very profitable and so readily ***fell in with*** it.

Fall out of use – يصبح مهجوراً
As a language grows new words are added and many old ones ***fall out of use***.

Fall out with – يتشاجر
It is indeed sad to see that you have ***fallen out with*** your best friend.

Fall to one's lot – يكون مقدّراً
I ***fell to my lot*** to become a writer.

Fall to work – يبدأ (العمل) بنشاط
He ***fell to work*** with enthusiasm and completed the job in an hour.

Family likeness – تشابه عائلي
There is a ***family likeness*** between the two cousins.

Family tree – شجرة النسب
Our ***family tree*** is rooted in eighteenth century.

Fan the flame – يزيد في حدة كذا
Although outwardly he professed loyalty, in secret he was ***fanning the flame*** of sedition.

Fancy price – الثمن الغالي
He has recently bought an imported TV set at a ***fancy price***.

danger?

Fly off at a tangent – ينحرف عن الموضوع
Stick to the point. Don't ***fly off at*** a tangent.

For good – للأبد، نهائيا
He proposes to leave India ***for good***.

For long – لمدة طويلة
I cannot go on with this boring work ***for long***.

Force one's hand – يضطره ليكشف عن سرّه
I ***forced his hand*** to learn the real motive behind his plan.

Forty winks – يستريح لمدة قصيرة
After lunch I must have my ***forty winks***.

Fill in for – يشغل المنصب (مؤقتا)
Our manager has not been keeping well. So, I have ***filled in for*** him.

For the time being – لمدة قصيرة، مؤقتا
For the time being, I am staying at a hotel, but I propose to rent a flat shortly.

Freelance – يمارس مهنة حُرة
He is a ***freelance*** and contributes to several papers and magazines.

French leave – انصراف بدون الاستيذان
The boss is angry with him for taking ***french leave***.

Fresh lease of life – فرصة جديدة للعيش
The heart patient was almost dying. But now through the relentless efforts of the doctor, he has got a ***fresh lease of life***.

Fringe benefits – ميزات إضافية للأجور
His salary is small, but he gets good ***fringe benefits***.

Face up to – يواجه ببسالة
You have to ***face up*** the fact that you are not capable of handling this job.

Fair play – عدل، إنصاف
I know him well and can count on his sense of ***fair play***.

Fair sex – جماعة الإناث
She was the only representative of the ***fair sex*** at the meeting.

She talks so much that she ***gets on my nerves***.

Get on with – يشرع في العمل

Get on with your work.

2. ينسجم أو يتفق مع شخص

Nasir and I ***get on with*** each other quite well.

Get out of – يخرج

Safia is a very affectionate mother and does not let her children ***get out of*** her sight.

Get out of line – لا يلتزم بالنظام

The headmaster warned unruly Osman that he would be expelled if he ***got out of line*** in future.

Get rid of – يتخلص من

Don't ask what all I had to do to ***get rid of*** a bore like Zubair.

Get the better of – يتغلب على، يهزم

He easily ***got the better of*** her in the argument.

Get the sack – يطرد من الخدمة

He is thoroughly incompetent and I know that one day he will ***get the sack***.

Get the upper hand – يتفوق على، يفوز

It was a keenly fought match, but in the end I ***got the upper hand***.

Get through with – يُكمل

When will you ***get through with*** your homework?

Get wind of – يكتشف (مؤامرة)

There was a well-guarded conspiracy, but somehow the government ***got wind of it***.

Get word – يتلقى خبراً

I ***got word*** that my brother had suddenly become ill.

Gift of the gab – موهبة فن الخطابة

He has a ***gift of the gab*** and can hold his audience spellbound.

Give a break – يمنحه فرصة أخرى

Considering the fact that it was his first offence the judge ***gave him a break*** and let him off only with a warning.

Give a piece of mind – يذمّه أو ينتقده بصراحة

He is so negligent in his work that I had to ***give*** him ***a piece of my mind***.

(G)

Gain ground – يُحرز تقدماً

Our team lost the first two matches, but began to ***gain ground*** gradually.

Game is not worth the candle –

لا يستحق العناء والإنفاق

If you have to send your article to a dozen editors to get it published, I must say that the ***game is not worth the candle***.

Get ahead of – يسبق

Ali has ***got ahead of*** Umair in mathematics.

Get all dolled up – مرتدية لباساً أنيقاً ومتزينة

She ***gets all dolled up*** when she gets ready to go to parties.

Get along with – يجامل وينسجم

He has the knack for ***getting along with*** all sorts of people.

Get away with – يفلت من

You can't cheat me like that and ***get away wit***[h] it.

Get by heart – يحفظ عن ظهر قلب

Have you ***got*** the whole poem ***by heart?***

Get down to – يركّز التفكير على

Now as we have had an hour's rest let us ***get down to*** business.

Get even with – ينتقم

The other day Arif made a fool of Aqil. And Aqil wants to ***get even with*** him.

Get hold of – يفهم

I was quite far from the stage and couldn't ***get hold of*** what the speaker was saying.

Get into a soup – يقع في مأزق

You will ***get into a soup*** if you neglect your studies like this.

Get into the swing of things –

يتكيف مع الظروف الجديدة

Many of the Asian students don't take long to ***get into the swing of things*** in the U.S.A.

Get on one's nerves – يُزعج

Go through fire and water – يجازف

A patriot is ready to ***go through fire and water*** to serve his motherland.

Go through with – يتولى أمراً ويكمله

Do you have the determination enough to ***go through with*** this job?

Go to law – يلجأ إلى

In the western countries people ***go to law*** on very petty issues.

Go to rack and ruin – يتدمّر

The government must do something to save this sick sugar mill from ***going to rack and ruin.***

Go to town – يعمل بإجادة وإتقان

The interior decorator ***went to town*** on my flat and made it like a palace.

Go without saying – يكون واضحا

It ***goes without saying*** that honesty pays in the long run.

Going concern – تجارة رابحة

He has expanded his business and it is now a ***going concern.***

Golden mean – الطريق السويّ

We shall not go to the extremes, rather find a ***golden mean*** between the two.

Golden opportunity – فرصة ذهبية (جيدة)

It was a ***golden opportunity*** for me to show my mettle.

Good deal – مقدار كبير

This sofa set has cost me a ***good deal*** of money.

Good hand – ماهر

She is quite a ***good hand*** at knitting.

2. خط جيد

You have a ***good hand.***

Good humour – مسرة وفرح

He has got a promotion today, so he is in ***good humour.***

Good offices – بمساعدة من، بمساع من

This dispute between the two countries can be resolved only through the ***good offices***

Give a ring – يتصل به تلفونيا

I'll ***give*** you ***a ring*** as soon as I get there.

Give a wide berth – يبتعد عن، يتجنب

He is not to be trusted. You should always ***give him a wide berth.***

Give chapter and verse – يقول شيئا بالإشارة إلى المرجع

I can ***give*** you ***chapter and verse*** for every statement I am making.

Give currency to – يُروّج، يُشيع

Many new words in English have ***got currency*** of late.

Give into – يستسلم

He ***gave into*** her wishes.

Give quarter – يرحم

The conqueror ***gave*** no ***quarter*** to the defeated.

Give the go by – ينسى، يترك

There are many old religious practices to which we have now ***given the go by.***

Give the slip – يفلت

As the thief saw the policeman he ***gave*** him ***the slip*** by getting into a nearby lane.

Give to – يتعود

I was sorry to see that he was ***given to*** heavy drinking.

Go a long way – يكفي

This amount will ***go a long way*** in defraying your trip's expenses.

Go hand-in-hand – يتعاون

Going hand-in-hand with this expansion programme of the company is a massive plan of modernisation.

Go in for – يرغب في

What sports do you ***go in for.***

Go off the deep end – يتصرف بصفة طائشة

Think with a cool mind. There is no need to ***go off the deep end*** and act foolishly.

Go through channels – يسلك طريقا مناسبا

You will have to ***go through the channels*** if you want your representation for promotion to be considered.

is being paid? Do you ***have a finger in the pie***?

Have a mind – يرغب في، يريد

He can be very funny if he ***has a mind.***

Have a thing at one's finger tips – يعرف معرفة جيدة

He has the Abbasid history ***at his finger tips.***

Have an easy time of it – أحوال هيّنة

As long as Mr. Omar was there as the manager, the staff had ***an easy time of it,*** but now things have changed.

Have another guess coming – يقدّر تقديراً خاطئاً

If you think I'll be with you in this mischief, you ***have another guess coming.***

Have been to – يزور

Have you been to Mumbai of late.

Have clean hands – يكون بريئا

You can't suspect him of taking bribe. I am sure his ***hands are clean.***

Have in hand – في عهدته

What job do you ***have in hand*** at present?

Have it out with – نزاع

I am sure he has cheated me and I am going to ***have it out with him.***

Have an eye on a thing – يلتفت إلى، يراقب

Be content with what you have. Don't ***have an eye on others' things.***

Have one's hands full – يكون مشغولا بعمل

Please do not ask me to do anything more, my ***hands are already full.***

Have one's heart set on – يتمنى

Ever since he had heard of accounts of the U.S.A. from his brother he ***has his heart set on*** going abroad.

Have one's way – يفضّل رأيه، يفعل ما يريد

Little children must ***have their way*** in everything.

Have the right ring – يقدّر تقديراً صائبا

The statesman's speech about the problem ***had the right ring about it.***

Have too many irons in the fire – يحاول إنجاز عدد من الأعمال في وقت واحد

of the Irrigation Ministers.

Green room – الحجرة الخضراء (في مسرح)

After the play was over I went to the ***green room*** to see the hero.

Grow grey – يقضي وقتاً طويلاً

Rasheed began working at the age of twenty and has ***grown grey*** in the same office.

Grow out of – يتخلى عن عادة

As a child he used to stutter, but now has ***grown out of*** it.

(H)

Hallmark – سمة مميّزة

He is generally a good painter, but Batik painting is one of his ***hallmarks.***

Hammer and tongs – بقوة وعنف

The opposition went for the government's policies ***hammer and tongs.***

Hang by a thread – في حالة الخطر

Nasir has been badly injured in the train accident and he is still ***hanging by a thread.***

Hang fire – يتأخر، يتطاول

This matter had been ***hanging fire*** for more than a month.

Hard-boiled – عملي

He is a ***hard-boiled*** businessman.

Hard of hearing – ثقيل السمع

You will have to speak a little louder, as Mr. Omar is ***hard of hearing.***

Hard up – في حالة العسر

Ever since he has left his job, he has been quite ***hard up.***

Haul over the coals – يوبّخ بقسوة

The boss ***hauled him over the coals*** for his insubordination.

Have a brush with – شجار ومناوشة خفيفة

Our union's president ***had a brush with*** the general secretary in a meeting last week.

Have a finger in the pie – له ضلعٌ في

Why should you be so interested in what he

Hold one's tongue – يكفّ عن الكلام
She talked so much that I had to ask her to ***hold her tongue***.

Hold out against – يصمد (في القتال)
Although our force was small we ***held out against*** a large number of enemies.

Husband one's resources – يدّخر، يوفّر
We were careful to ***husband our resources*** for our journey across the desert.

Hush money – رشوة
A lot of ***hush money*** passed between the minister and his favourite business house.

(I)

Idle compliment – ثناء كاذب
Although he praised my work yet I knew it was an ***idle compliment***.

In a bad way – في حالة سيئة (من الصحة)
Khalid had an accident yesterday and now he is ***in a bad way***.

In a body – مجتمعين
The boys went ***in a body*** to the headmaster to request him to declare a holiday on account of their winning a cricket match.

In a fair way – يتقدم إلى
The doctor thinks that Rasheed is ***in a fair way*** to recovery.

In a fix – في حيرة
I could not decide whether to leave or stay, I was ***in a fix***.

In a mess – في مشكلة
Do your work properly, else you'll get ***into a mess***.

In a person's good books – محبوب لدى شخص
Raihan is a bright boy and naturally ***in his teacher's good books***.

In a temper – زعلان
The boss seems to be ***in a temper*** today.

In a word – باختصار
In a word he doesn't care for your company.

Beware of your health breaking down under the strain of overwork; I think you ***have too many irons in the fire***.

Help oneself to – يأخذ بنفسه
Please ***help yourself to*** whatever you would like to have.

Henpecked husband – شخص تهيمن عليه زوجته
Abbas is known among his friends as an ***henpecked husband***.

Herculean task – عمل صعب
Preparing such a big report in such a short time was indeed a ***herculean task***.

Hide one's light under a bushel – شخص لا يُظهر محاسنه
To keep such a learned man in his present obscure position is like ***hiding his light under a bushel***.

High and low – في كل مكان
I searched for my pen ***high and low***.

High-flown style – مستوى رفيع
He has a ***high-flown style*** which does not cater to masses.

High living – ترف
Many diseases are brought on by ***high living***.

High noon – وقت الظهر
At ***high noon*** during summer in Dubai, people generally keep indoors.

High time – وقت مناسب
It is ***high time*** to get up.

Hit it off – ينسجم مع
She and her husband do not seem to ***hit it off***.

Hit the nail on the head – يقول قولاً صحيحاً
The reviewer ***hit the nail on the head*** when he wrote that the main shortcoming of the book was the author's ignorance of the subject.

Hold on to – يمسك بـ
He ***held on to*** the rope for fear of falling.

Hold one's own – يصمد
Will you be able to ***hold your own*** in front of a great player like him?

Iron hand – قوة صارمة
The despots usually rule their kingdom with an ***iron hand.***

Iron will – العزم الثابت
Mr. Husein is known as a man of an ***iron will.***

(J)

Jack of all trades – صاحب الصنائع السبع
Adnan is a ***jack of all trades*** and master of none.

Jail bird – المجرم المزمن
He being a notorious ***jail bird*** the judge did not show any mercy to him.

Join in with – يشترك مع
We requested him to ***join in with*** us, but he preferred to act independently.

Jaundiced eye – نظرة حاقد
Don't look at the proposal with a ***jaundiced eye.***

Jump to a conclusion – يسارع إلى تكوين الرأي (بدون تفكير)
Don't ***jump to the conclusion*** that Ali does not care for you only because he could not help you this time.

Just the thing – صواب، صحيح
You are being critical but in my opinion Arif's appointment to this post is ***just the thing.***

(K)

Keep a thing to oneself – يكتم السر
I knew he did not mean what he was saying, so I ***kept the whole thing to myself.***

Keep an eye on – يراقب
Please ***keep an eye on*** my suitcase while I buy my ticket.

Keep body and soul together – يعيش عيشة كفاف
His income is just enough to ***keep his body and soul together.***

Keep company with – يصاحب
If you ***keep company with*** bad people you will automatically acquire bad habits.

Keep good time – تبيّن (الساعة) الوقت صحيحا
My watch always ***keeps good time.***

In an instant – في لحظة
In an instant the panther leapt onto its prey.

In all – كُليا، ككل
In all there were thirty students in the class.

In a bad taste – الذوق الرديئ
You should not have criticised him so viciously. It was ***in a bad taste.***

In course of time – بمرّ الأيام
In course of time the little boy grew into a fine young man.

In keeping with – نظراً إلى
I knew he would help you. This is ***in keeping with*** his character.

In one's element – طبقا لطبيعته
Everyone at the party laughed at his jokes and I could see that he was ***in his element.***

In one's line – طبقا لمهنته
He writes quite well. After all this is ***in his line.***

In one's teens – في بداية سن الشباب
Some girls get married while still ***in their teens.***

In the air – خبر شائع
It's ***in the air*** that he is going to become a minister.

In the chair – على منصب الرئاسة
Who was ***in the chair*** at the meeting?

In the doldrums – في حالة الركود
On account of trade recession his business is ***in the doldrums*** for more than a year.

In time – في الميعاد
Did you reach office ***in time***?

In the long run – في النهاية
You will find that he proves to be your best friend ***in the long run.***

In the van – في الطليعة
Shauqi will always be ***in the van*** of Arab poets.

In vain – بدون جدوى
All efforts of the doctor went ***in vain*** and the patient could not be saved.

Ins and outs – تفصيل
Only Abbas knows the ***ins and outs*** of this affa

wonder how come he has ***kicked this habit***.

ick something around – يدرس أو يناقش من زوايا مختلفة

They will first ***kick around with*** many proposals and then finally settle on one.

ill two birds with one stone –

إنجاز أمرين في وقت واحد

While in Abu Dhabi I'll call on a friend and also do some shopping. Thus, I'll ***kill two birds with one stone***.

nock off – ينتهي من العمل

He did not take long to ***knock off*** the work.

now by sight – يعرفه بشكله

Although I haven't been introduced to our new neighbour, yet I ***know him by sight***.

nowing look – نظرة معرفة

He gave me a ***knowing look***, when I said I was busy in the evening.

(L)

id up with – يلزم الفراش بسبب المرض

He was out in the rain yesterday and now is ***laid up with*** cold and fever.

me excuse – عذر واه

Whenever Arif Saeed is late for office he gives some ***lame excuse***.

nd on one's feet – ينجو من الخطر بسلام

t was dangerous dive in the air, but he inally ***landed on his feet***.

ugh in one's sleeve – يضحك في نفسه (سِرّاً)

He was wearing a funny dress at the party and everyone was ***laughing in his sleeve***.

ughing stock – أضحوكة

He talked nonsense and made himself the ***aughing stock*** at the party.

bare – يكشف الغطاء عن

can't rest until I've ***laid bare*** this conspiracy.

down the law – يحكم، ينفذ أمره

n his house his wife ***lays down the law***.

hands on – يمسك، يقبض على

he bandit ***laid hands on*** the poor travellers.

Keep in mind – لا ينسى

Please ***keep in mind*** that you promised to phone her this evening.

Keep in the dark – لا يخبره

Why did you ***keep me in dark*** about your illness.

Keep in touch with – يكون على صلة مستمرة

He promised to ***keep in touch with*** us while he was abroad.

Keep late hours –

يكون ساهراً إلى الساعات المتأخرة (من الليل)

If you ***keep late hours***, you will ruin your health.

Keep on with – يظلّ على

I asked him to check these proofs and he has ***kept on with*** it for the last four hours.

Keep one's head – يحتفظ برباطة جأشه

When I saw a thief enter the room, I ***kept my head*** and bolted the door from outside.

Keep out of the way – يُبعده، يبقيه بعيداً

Keep selfish people like Basim ***out of the way***.

Keep pace with – يجاريه

Imran is really fast in Mathematics. I cannot ***keep pace with*** him.

Keep someone at arm's length – يتجنبه

He is a cheat so I take care to ***keep him at arm's length***.

Keep the wolf from the door – يقاوم الفقر

The poor man found it hard to ***keep the wolf from the door***.

Keep to the house – يلزم البيت

He has not been keeping well of late so he ***keeps to the house***.

Keep track of – يدوّن (سجلّ الأحداث أو النفقات وغيرها)

We are going to ***keep track of*** all our expenses while we are in the U.S.A.

Keep up with – يجاريه.

Osman walks so fast that it is difficult to ***keep up with*** him.

Kick a habit – يتخلى عن عادة

He used to be quite a heavy smoker. I

It is no ***left-handed compliment***. You really acted very well.

Legal tender – موافق عليه رسميا

Thousand dinar notes are not ***legal tender*** any more.

Lend a hand – يمدُّه، يساعده

Let us all ***lend him a hand*** in carrying these books to the basement.

Lend one's ear – يستمع إلى

Friends, *lend* ***me your ears***.

Let bygones be bygones – اصفح وانس الماضي

We are now friends, so let ***bygones be bygones***.

Let fly – يرمي بقوة

The boy ***let fly*** a stone in the direction of the dog.

Let go of – يترك

Don't ***let go of*** the rope until I tell you.

Let loose – يطلق

The dogs were ***let loose*** on the running thief.

Let the cat out of the bag – يُفشي السر

Rasheed ***let the cat out of the bag*** when he said Maryam was just pretending to be ill because she did not want to go to school.

Let the grass grow under your feet – يؤخِّر إنجاز عمل

Do this work quickly; don't ***let the grass grow under your feet***.

Lie in one's power – ما يمكنه أو يكون في وسعه

I will do whatever ***lies in my power*** to get you the job.

Lie in wait for – ينتظر

The tiger hid and ***lay in wait for*** its prey.

Light-fingered gentry – نشّال

As he reached his trousers' pocket for his wallet, he realised that he had fallen a victim to the ***light-fingered gentry***.

Light reading – قراءة يسيرة

I think I'll do some ***light reading*** during train journey to pass time.

Light sleeper – شخص ينام بحذر

Lay one's hand on – يجد الشيء الذي يطلبه

I hope I'm lucky to ***lay my hand on*** the history book I'm looking for.

Lay oneself open to – يوقع نفسه في الخطر

Fault finders ***lay themselves open to*** attack if they make a slip anywhere.

Lay up for a rainy day – يقتصد لوقت عصيب

Don't spend your money so lavishly. You should ***lay up something for a rainy day***.

Lay waste – يدمّر

During World War II many cities in Europe were ***laid waste*** by continuous bombardment.

Lead a charmed life – حياة من نجا من المخاطر المحدقة

I wonder how he has come out unscathed from this dangerous mission. He seems to be ***leading a charmed life***.

Lead a person a dance –

يزعجه ويلجئه إلى أن يتحرك من مكان إلى مكان

Why don't you pay him his dues instead of ***leading him a dance***?

Lead by the nose – يكون طوع أمر فلان

He is quite a henpecked husband and is ***led by nose*** by his wife.

Leading question – السؤال الإيحائي

The lawyer asked the witness many a ***leading question***.

Leave in the lurch – يتركه في وقت حرج

He stood by me as long as all was well but ***left me in the lurch*** the moment he sensed danger.

Leave much to be desired – عدم إتمام الأمر وفق المطلوب

The arrangements they made for the function ***left much to be desired***.

Leave the beaten track – يترك الطريقة المألوفة

This author had ***left the beaten track*** and suggested a fresh look on the age-old problem of casteism.

Leave to oneself – يتركه، يخلّيه وحده

At times I prefer to be ***left to myself***.

Left-handed compliment –

ثناء كاذب (بكلمات تحتمل معنيين)

I am on the ***look out for*** a good second hand car.

Look up to – يحترم

When our grand father was alive everybody used to ***look up to*** him.

Lord it over – يهيمن على

Try to be independent. Don't let others ***lord over you***.

Lose ground – يتخلف

To begin with, he was ahead of others in the race; but later he ***lost ground***.

Lose heart – يقنط، يهن عزمه

Don't ***lose heart***, everything will be all right in due course.

Lose one's cool – يفقد رباطةالجأش

One should not ***lose one's cool*** even in the most difficult situation.

Lose one's head – يفقد العزم

You are, of course, in fix but still you must not ***lose your head***.

Lose one's touch – يفقد الحذاقة والمهارة

I'm afraid I will not be able to play well anymore; I seem to have ***lost my touch***.

Lose one's way – يضلّ الطريق

We had gone for hunting, but while returning, ***lost our way*** in the woods.

(M)

Maiden name – اسم المرأة قبل الزواج

What is the ***maiden name*** of Mrs. Kamil?

Maiden speech – الخطبة الأولى

The new M.P. of our area promised to bring electricity in our town in his ***maiden speech***.

Make a clean breast of something – يبيّن كل شيء بالتفصيل

The accused ***made a clean breast of everything***.

Make a hash – يجعله خليطاً من الأشياء

Don't meddle in my cooking, you will ***make a hash*** of everything.

I am a ***light sleeper*** and even a slight sound can wake me up.

Lion's share – نصيب الأسد (النصيب الأكبر)

The ***lion's share*** of his profit was appropriated by his financier.

Little by little – شيئا فشيئا

His health is improving, but ***little by little***.

Live from hand to mouth – يعيش عيشة الكفاف

Majority of our people ***lives from hand to mouth***.

Live it up – يعيش عيشة هادئة

The rich man's son went to America and ***lived it up***.

Live up to – طبق آمال فلان

Adib had great expectations of his son but he did not ***live up to*** them.

Long and short – موجز

The ***long and short*** of what I have to say to you is that you are inefficient.

Long winded – خطبة طويلة (ومملة)

The audience visibly appeared bored with his ***long winded*** speech.

Look a gift horse in the mouth – يحتقر الهدية

You should not say that the book Ghanim has gifted you is rubbish, it is improper to ***look a gift horse in the mouth***.

Look back on – يتذكر

It is usually pleasant to ***look back on*** the childhood memories.

Look daggers at someone – ينظره بنظرة غاضبة

What have I done? Why are you ***looking daggers at me***?

Look down upon – يحتقر، يزدري

We should not ***look down upon*** him just because he is poor.

Look every inch – تماماً

He ***looks every inch*** a king.

Look forward to – يتطلع إلى

We are all ***looking forward to*** your visit to Basra.

Look out for – يبحث عن

When business was good he worked hard and made money, he believes in ***making hay while the sun shines***.

Make it up with – يصالح ويسوّي الخلافات

I had quarrelled with Hisham yesterday, but now I have ***made it up with*** him.

Make light of – يعتبره هيّناً

Although Naresh had committed a serious mistake in the ledger, yet he tried to ***make light of*** it.

Make much ado about nothing –

ضجة صاخبة على شيء تافه

I am only five minutes late, so don't ***make much ado about nothing***.

Make much of – يوليه أهمية بالغة

Every mother ***makes much of*** her children.

Make neither head nor tail – لا يفهم شيئا

He was so confused that I could ***make neither head nor tail*** of what he said.

Make no bones about – يقول بصراحة

She ***made no bones about*** her distaste for mathematics.

Make off with – يذهب بـ

The thief ***made off with*** a thousand dollars.

Make one fire – صاحب أهلية فائقة

I am amazed at your capacity for hard work and I wonder what ***makes you fire***.

Make his mark – يكافئه

It did not take him long to ***make his mark*** at the college.

Make their mouth water –

يمتلئ الفم بالرضاب (يشتهي للطعام)

As I was hungry the sight of cakes ***made my mouth water***.

Make his wa y – يشق طريقه في أحوال غير مؤاتية

I ***made my way*** through the great crowd.

Make oneself at home – يعتبر المكان كبيته فيستريح فيه

Please ***make yourself at home***, there is no need to be formal.

Make oneself scarce – ينصرف

Make a mountain of a molehill – يجعل من الحبة قبة

This job will not take you more than a few minutes, so don't ***make a mountain of a molehill***.

Make a living – يعيش (على)

In our country it is difficult to ***make a living*** as an artist.

Make a point – يعتبره شيئا لازماً

I ***make it a point*** of buying a new book every month.

Make a virtue of necessity –

يدعي لنفسه الفضل لإقدامه على عمل بحكم الاضطرار

Knowing that the landlord was about to drive him out he vacated the house himself, thus ***making a virtue of necessity***.

Make an example of – يضع مثالاً

I must ***make an example of*** behaving in the same rude manner as he does with others.

Make amends for – يجبر، يكافئ

By his good deed today he had ***made amends for*** past misbehaviour.

Make away with – يذهب بـ

The thief ***made away with*** a thousand dollars.

Make believe – يجعله يصدّق قوله

The little girl ***made believe*** that she was a princess.

Made bold to – يجترئ على

We ***made bold to*** call directly on the minister to present our memorandum of demands.

Make both ends meet –

يقتصد في الإنفاق حتى يكون دخله كافيا لحاجاته

In a poor country like ours a lot of people find it difficult to ***make both ends meet***.

Make common cause with – يساعده فى مهمته

I will ***make common cause with*** you in your efforts to eradicate the evil of casteism from the country.

Make fun of – يسخر من

Atika had made a very funny hairdo for the party and everybody ***made fun of*** it.

Make hay while the sun shines – يغتنم الفرصة

Although he is ***middle aged***, yet he looks quite young.

Milk of human kindness – عواطف الودّ والمواساة

She is full of the ***milk of human kindness.***

Mind one's own business –يركّز فكره في أعماله

Mind your own business; don't interfere in my personal affairs.

Miss the boat – يضيع الفرصة

It was a golden opportunity for him to make a profit, but choosy as he is, he ***missed the boat.***

Moot point – موضع الخلاف

Whether school children should be given sex education or not is a ***moot point.***

Move heaven and earth –يسعى ويجهد جهداً شاقًّا

He will ***move heaven and earth*** to find out about the murderer.

(N)

Naked eye – عين مجرّدة

You cannot look straight at the sun at noon with ***naked eye.***

Narrow escape – نجاة بشق النفس

No sooner did we run out of the burning house than it collapsed. It was indeed a ***narrow escape.***

Never mind – لا بأس

Never mind, if you cannot arrange for the books I had asked for.

Next to nothing – لا شيئ تقريباً

The children have eaten the entire loaf of bread and there is ***next to nothing*** left.

Nine days wonder – شيء يثير الاهتمام لوقت قصير

Many a scientific inventions have proved just ***nine day's wonders.***

Nip in the bud – يقضي عليه في المهد

The government ***nipped the*** revolt ***in the bud.***

No love lost between – ينشأ بينهما عداء

Although Mr. Shariq and Mr. Tariq do not quarrel openly there is ***no love lost between*** them.

No matter – مهما كان الأمر

Don't trouble me, ***make yourself scarce.***

Make short of – يقتضب

Our lawyer was quite smart and ***made short of*** the defence counsel's arguments.

Make the best of – يتحمل الحالات غير المؤاتية بسرور

If we cannot find a larger apartment we will continue living here and ***make the best of*** what we have.

Make the best of a bad bargain –
يستفيد من الحالة غير المؤاتية أو الصفقة السيئة

As the cloth was little damaged, I got it very cheap, thus ***making the best of a bad bargain.***

Make up for – يجبر الخسارة، يسدّ النقص

You will have to ***make up for*** the loss you have caused.

Make up one's mind –يعتزم على

Have you ***made up your mind*** about my proposal to go to Simla this summer?

Make up to – يتملق

Osman has been ***making up to*** the manager in the hope of a promotion.

Man in a thousand – واحد في ألف رجل

I like Rasheed very much; in my opinion he is a ***man in a thousand.***

Man in the street – عاميّ/نائب

The critics praised him as a great author, but the ***man in the street*** did not think much of him.

Man of letters – أديب

He started writing at a very young age and is now an acknowledged ***man of letters.***

Man of parts – صاحب ميزات متنوعة

He is a singer, a dancer and a musician; in short, a ***man of parts.***

Man of straw – شخص لا يمكن الاعتماد عليه

Gulzar is a ***man of straw.*** You cannot possibly rely on him.

Meet one half way – يصالح

I cannot accept, but I am prepared to ***meet one half way.***

Middle age – شخص عمره ما بين ٤٠ و ٦٠ سنة

On one's last legs – على وشك الاكتمال

The hotel project is ***on its last legs*** now.

On purpose – بتعمد

I suspect he made that mistake ***on purpose***.

On the alert – محترس

The commander asked the guards to be ***on the alert***.

On the double – بسرعة

Double up to your quarters, soldiers.

On the eve of – عند (وقت كذا)

On the eve of his marriage, he fell ill.

On the look out – يراقب بحذر

The police inspector asked all constables to be ***on the look out*** for the thief.

On the spot – فوراً، في المكان نفسه

During police firing one man died ***on the spot***.

On the wane – يتضاءل

The British Empire's influence is now on ***the wane***.

On the whole – وعلى كلّ، وعلى الجملة

I have slight doubts about certain things but ***on the whole*** I agree with you.

On time – في الميعاد

Did you reach office ***on time*** today?

Once and for all – نهائيًا وعلى نحو حاسم

I am warning you ***once and for all*** to mend your ways.

Once in a while – بين فترة وأخرى

Earlier I used to see a film every Sunday, but now I go only ***once in a while***.

Once upon a time – في قديم من الزمان

Once upon a time there was a king, who was very powerful.

One and all – جميعاً

The soldiers ***one and all*** were drunk.

Open fire – يفتح النار (يبدأ بإطلاق النار)

As the enemy approached, we ***opened fire***.

Open-handed man – شخص سخيّ

He is an ***open-handed man*** and will certainly help you with money.

No matter where the thief tries to hide, the police will find him out.

Not fit to hold a candle – من الدرجة الأدنى

Most of the English dramatists are ***not*** even ***fit to hold a candle*** to Shakespeare.

Not on your life – لا، أبداً

I asked Aziz if he was interested in joining politics and he retorted: " ***not on your life*** ".

Not worth his salt – غير مؤهّل

I had employed him as he had brought good certificates, but I soon found out that he was really ***not worth his salt***.

Now and then – من وقت إلى آخر

I don't often fall ill, but ***now and then*** I do catch cold.

Null and void – غير صالح، ملغى

This offer is open for six months, after which it will become ***null and void***.

(O)

Of a piece – شخصان متماثلان

Hisham and Nizam are ***of a piece*** in their general conduct.

Of late – في هذه الأيام

Of late many girls have started dressing like boys.

Off and on – أحيانًا

He drops in ***off and on*** for a chat with me.

Off one's head – يفقد صوابه

How can you say I won't help you? Are you ***off your head***?

Oily tongue – مداهنة

I have seen many people falling prey to his ***oily tongue***.

On edge – متململ

Expecting his examination result any moment he was ***on an edge*** throughout.

On one's guard – على حذر

He tried to trick me, but I was ***on my guard***.

of order.

Out of pocket – فارغ الجيب (نتيجة لخسارة)

I'm sorry I cannot lend you any money as I am ***out of pocket*** myself.

Out of sight, out of mind – البعد مدعاة للنسيان

Even when I was in Beirut I remembered you always, it was not a question of ***out of sight*, out of mind**.

Out of sorts – متوعك

I feel ***out of sorts*** today.

Out of step – خارج الموضوع

Your remark is quite ***out of step*** in what we are discussing.

Out of temper – مغتاظ

Be on your guard, the boss seems to be ***out of temper*** today.

Over and over – تكراراً

He is such a dull boy that I have to explain to him the same thing ***over and over.***

Over head and ears – بكامله، برُمّته

He is ***over head and ears*** in love with her.

Over night – ليلاً (حتى الصباح)

It's quite late, why don't you stay here ***over night***?

Over and above – بالإضافة إلى ذلك

Over and above this consideration, there is another I wish to mention.

Over one's head – فوق قدرة المرء على الفهم

The speech of chairman was so pedantic that it went ***over the heads*** of the audience.

(P)

Part and parcel – جزء لازم

Every person is ***part and parcel*** of the society.

Passing strange – غريب جداً

Rashid has turned out to be a spy for the enemy! It's ***passing strange.***

Pay one back in his own coin – يجازي بالمثل

Don't play tricks on him, otherwise he will ***pay you back in your own coin.***

Open-hearted man – مخلص، كريم النفس

He is an ***open-hearted person*** and liked by all.

Open mind – منفتح العقل

I have an ***open mind*** on this question.

Open one's mind – يفشي سره

She ***opened her mind*** to me and told me that she was in love with him.

Open question – أمر بديهيّ

Whether the government will accept opposition's this proposal or not is an ***open question.***

Open secret – سرّ (أمر) مكشوف

It is an ***open secret*** that this film star is bald and wears a wig.

Order of the day – أمر سائد وشائع

Nowadays jeans are the ***order of the day*** among youth.

Out and out – من كل الوجوه

He is ***out and out*** a docile character.

Out at elbows – فقير، بائس

He has suffered heavy losses in business and is now ***out at elbows.***

Out of breath – لاهث

He ran very fast and was ***out of breath***, when he reached here.

Out of date – عتيق (الزيّ، الطراز)

Double-breasted coats are now ***out of date.***

Out of doors – خارج البيت

One must spend some time ***out of doors*** everyday.

Out of favour – بغيض

Mr. Shamim, once a great favourite of our boss, now seems to be ***out of favour*** with him.

Out of hand – حالاً

If you do this job ***out of hand*** you will be free in the evening.

Out of one's mind – مجنون، معتوه

You are shouting and screaming as if you are ***out of your mind.***

Out of order – عاطل

I had to take a taxi because my car was ***out***

school children which should be checked at a proper stage.

Play up to – يتملق

Rafi ***plays up to*** every girl he meets.

Plume oneself on – يفتخر ويتباهى

Imad always ***plumes himself on*** his record in mathematics.

Pocket an insult – يسكت على الإهانة

A debtor unable to pay, has to often ***pocket insults*** from his creditor.

Poet laureate – شاعر البلاط

Wordsworth was the ***poet laureate*** for England during the early nineteenth century.

Point blank – توّاً

When I asked him to loan me 200 dollars, he refused ***point blank.***

Poison the mind – يُسمِّمُ فكرة أو رأي شخص

Rasheed tried to ***poison my mind*** against Azeez.

Pros and cons – الحجج المؤيدة والحجج المعارضة

Don't pester me about your appointment. I shall take a decision only after weighing the ***pros and cons*** of the matter.

Provide against a rainy day – يقتصد لوقت حرج

Wise men save to ***provide against a rainy day***.

Pull one's punches – يهاجم بعنف أقل مما هو قادر عليه

When I complained to the neighbour about his vicious dog, I did not ***pull any punches.***

Pull one's weight – يتولى مسؤليته

If you do not ***pull your weight*** you will be sacked.

Pull oneself together – يستجمع قوته

You can't go on weeping like this over bad results. ***Pull yourself together***.

Pull well with – يعمل بالانسجام مع

I resigned my job because I could not ***pull well with*** my ill-tempered boss.

Put a spoke in one's wheel – يعرقل في تقدمه ورقيّه

Ziad Kamil was getting on well in business

Pick a lock – يفتح القفل بدون مفتاح

The burglar ***picked the lock*** and broke into the house.

Pick a quarrel with – يتشاجر مع

The soldier was furious over his insulting remark and was determined to ***pick a quarrel with*** the sailor.

Pick holes – ينتقد

Scientists tried to ***pick holes*** in his theory.

Pick pocket – نشّال

A young boy was arrested by the police for ***picking*** a man's ***pocket***.

Pick up the tale – يصفيّ الحسابات

When he went abroad to attend an international conference, his company ***picked up the tale***.

Pin something on – يُلقي المسؤلية على

Despite his best efforts the public prosecutor could not ***pin*** the robbery ***on*** the accused.

Pink of condition – في صحة جيدة

If you want to make a name as an athlete, you must be in the ***pink of condition***.

Piping hot – حارّ جدّاً

I always prefer to have my tea ***piping hot***.

Play a trick on – يحتال على

The boys tried to ***play a trick on*** the professor, but he was too clever for them.

Play fast and loose with – على نحوٍ ماكر

You promised to stitch my shirt by today, but you haven't. How can you ***play fast and loose with*** your promises like this.

Play second fiddle – يرضى بالمقام الثاني

He always ***plays second fiddle***.

Play something by the ear – يعمل بالتخمين

As I did not know much of subject, I decided to ***play it by the ear*** rather than show my ignorance by asking too many questions.

Play the game – يعمل بالإجادة والإتقان

Whatever you do, always ***play the game***.

Play truant – يهرب، يتغيب (عن المدرسة)

Playing truant is a bad practice among

Unless you ***put the screw*** on your extravagant expenditure you'll be in debt soon.

Put everything ship shape – يضع الأشياء بنظام حسن

Clean the room and ***put everything ship shape***.

Put to bed – ينوّم

She ***put*** her children ***to bed***.

Put to flight – يدفع، يطرد، يكرهه على الفرار

During the war, our army put up a tremendous show and ***put*** the enemy ***to flight***.

Put to sea – يبحر

That ship will be ***put to sea*** tomorrow.

Put to shame – يخجّل

I had been unfair to him, but he ***put*** me ***to shame*** by his generous behaviour.

Put to the sword – يقتل

Nadir Shah ***put*** many innocent people ***to sword***.

Put up to – يثير، يغرى

Who ***put*** you ***up to*** this mischief?

Put up with – يتحمل، يصبر على

How do you ***put up with*** that kind of noise whole day?

(Q)

Quarrel with one's bread and butter – يتشاجر مع صاحب عمله

Giving it back to your superiors is just like ***quarrelling with your bread and butter***.

Queer fish – رجل غريب الأطوار

You never know how he might behave. He's a *queer fish*.

Quick of understanding – سريع الفهم

I didn't think much of him, but he was ***quick of understanding*** and easily grasped the subject.

Quite a few – عدد كبير

Quite a few students were absent in our class today.

(R)

Rack one's brains – يُجهد نفسه

till Imad Kamil opened a rival establishment and thus ***put a spoke in his wheel***.

Put down in black and white – مكتوب على الورق

I am not lying. The evidence is here in ***black and white***.

Put it to one – يضع أمام شخص (لأن يقرّ)

I ***put it to you***, is it wise to squander money like this.

Put on trial – يقاضي

Although Imran hadn't stolen any money he was ***put on trial***.

Put one on his guard – يحذّر

As the robber saw the watchman he ***put his*** accomplice ***on his guard***.

Put one out of countenance – يخجّل

My friendly response to his hostile attitude ***put him out of countenance***.

Put one's foot down – يرفض

I did not mind my son spending some money on clothes, but when he asked for a hundred dollars for a new tie, I had to ***put my foot down***.

Put one's foot in it – يرتكب خطأً مضحكاً

He ***put his foot in*** when he addressed the chief guest by the wrong name.

Put one's hand to a thing – يتولّى أمراً

Once you ***put your hand to this*** job you won't find it very difficult.

Put one's shoulder to the wheel – يقوم بجهد جهيد

It was a very tough job to be handled by one person, but he ***put his shoulder to the wheel***.

Put something by for a rainy day – يوفّر لوقت عصيب

Don't be in a hurry to spend all your money; ***put something by for a rainy day***.

Put the cart before the horse – يعمل عملاً بطريقة خاطئة

How can you prepare the plan before you have got the loan sanctioned. It's like ***putting the cart before the horse***.

Put the screw – يضع الحدّ من

See me ***right here*** at this shop after half an hour.

Right now – في هذه الساعة، حالاً

Let us do it ***right now***.

Rise like a phoenix from its ashes –

ينبعث من الرماد كالعنقاء

Many times the tyrant stamped out revolt in his kingdom, but it kept on ***rising like a phoenix from its ashes***.

Rise to the occasion – يقوم لمواجهة أمر

During the aggression many people ***rose to the occasion*** and raised millions of dollars for war efforts.

Roaring business – تجارة مزدهرة

Till yesterday he was a small time shopkeeper. But ever since he has started with book trade he has been doing ***roaring business***.

Rough guess – تقدير غيردقيق، بوجه التقريب

At a ***rough guess*** I would say there were about fifty people at Hishams's party.

Round dozen – دوزينة كاملة

This man has a ***round dozen*** of children.

Rule of thumb – على أساس الخبرة

He is an efficient mechanic although he does the job only by ***rule of thumb***.

Rule the roost – يهيمن على

I don't like Aziz. He always tries to ***rule the roost***.

Ruling passion – الهوى الحاكم

Love of money has been the ***ruling passion*** of his life.

Run away with – يذهب مع

If you let your feelings ***run away with*** your judgement, you won't make a good judge.

2. يستنتج سريعاً، يتعلق ويتمسك بعقيدة خاصة

Don't ***run away with*** the notion that I do not want to succeed.

Run in the blood – يجري في دمه

Acting ***runs in*** Kapoor family's ***blood***.

Run of good luck – حسن الحظ

I ***racked my brains*** over this algebra problem for two hours, but could not find a solution.

Racy style – أسلوب متين و واضح

He writes in a ***racy style***.

Read between the lines–(المعنى المحجوب) قرأ بين السطور

His speech was very simple, but if you ***read between the lines*** you can find it was full of biting criticism.

Read upon – يبحث عن معلومات حول

I am ***reading upon*** Canada as I shall be shortly visiting it.

Ready money – المبلغ نقداً

Do you have ***ready money*** to make the payment?

Ready pen – قادر على الكتابة بسرعة

A journalist has to have a ***ready pen***.

Real estate – العقار (الملك الثابت)

The most safe investment these days is the one in the ***real estate***.

Red letter day – يوم سعيد,

15 August 1947 is a ***red letter day*** in Indian history.

Red tape – إبطاء الأعمال بسبب الإجراءات الرسمية

The ***red tape*** of government thwarts many a promising projects.

Rest on one's laurels –

يكفّ عن الاجتهاد (بعد الحصول على شيءٍ من التقدم)

It's a great achievement to have secured a first position in university but you must not ***rest on your laurels***.

Rest on one's oars –(بعد عمل شاق) أخذ قسطاً من الراحة

Don't ***rest on your oars*** until you've reached the top.

Ride a hobby – يتحدث عن شيء يحبّه

I tried to converse with him on various subjects, but he kept ***riding his hobby***.

Right hand man – شخص مساعد ومعتمد

Mr. Ishaq is the minister's ***right hand man,*** so you can't displease him.

Right here – في هذا المكان بالذات

It ***served him right.***

Set a scheme on foot – يبدأ بمشروع

After we had worked out all the details we ***set the scheme on foot.***

Set at defiance – ينتهك (القانون)

He ***set*** the law of land ***at defiance*** and landed up in jail.

Set at liberty – يطلق سراحه

As the police could not prove the case against the prisoner he was ***set at liberty.***

Set eyes on – ينظر، يرى

While wandering in the woods yesterday I happened to ***set*** my ***eyes on*** a strange sight.

Set one on his legs again – يساعده

After he sustained serious losses in his business I gave him a loan to ***set him on his legs again.***

Set one's face against – يعارضه بشدة

They tried their best to draw him in the conspiracy but he ***set his face against*** it.

Set one's heart on – يرغب رغبة شديدة

My son has ***set his heart on*** going abroad for higher studies.

Set one's house in order – ينظّم أعماله

Ever since Ghanim's son has taken over the business he has ***set the house in order.***

Set one's teeth – يعزم على

I know I had to suffer hardship, but I had ***set my teeth*** and determined not to give up.

Set one's teeth on edge – يُبغِض

His disgusting behaviour ***set my teeth on edges.***

Set sail – يقلع

Let us go on board, the ship is about to ***set sail.***

Set store in – يهتمّ ب

You don't seem to ***set store in*** his advice.

Settle an account – يتشاجر مع

I have to ***settle an account*** with Hisham.

Sharp practice – احتيال

It is said that he has made good money

In the beginning he had a ***run of good luck*** and made a big profit, but has been suffering losses now.

Run on a bank – حشد على المصرف

There was a ***run on the bank*** as the rumour spread that it was being closed down.

Run out of – ينفد

We ***ran out of*** petrol on our way to Sharjah.

Run riot – يسلك سلوكاً مستهتراً

The poet's imagination has ***run riot*** in this poem.

(S)

Scot free – يطلق سراحه بدون المعاقبة

As the police could not collect enough evidence against the robber he went ***scot free.***

Search me – لاأعرف

"Why did she get so angry suddenly?" ***Search me.***

Seasoned food – الطعام بالبهارات

Seasoned food is tasty, but not good for digestion.

See how the land lies – يدرس الأحوال والظروف

We'll attack the enemy at night after ***seeing how the land lies.***

See how the wind blows – يدرس الأحوال والظروف

We might launch the product in the market next month after ***seeing how the wind blows.***

See the light – يُطبع ويُنشر

He says he has written a book. But if he has, it is yet to ***see the light.***

See through coloured spectacles – يقدّر مسبقاً

If you couldn't do well in the hockey tournament you should not lose heart. Don't ***see through coloured spectacles.***

Send one about his business – يطرده بحقارة

As the salesman started getting on my nerves I ***sent him about his business.***

Serve one right – كما تدين تُدان

He was trying to push Saleh but fell himself.

Skin of one's teeth – بشق النفس
When the ship sank everybody drowned except Jamal who managed to escape with the ***skin of his teeth***.

Sleeping partner – الشريك غيرالنشيط
I told him that I could invest some money in a joint venture with him, but as I was busy with my own affairs, I could only be a **sleeping *partner***.

Slip of the pen – زلقة قلم
It was just a ***slip of the pen*** when I wrote 'boot' instead of 'foot'.

Slip of the tongue – زلقة لسان
I didn't mean to hurt you. It was just a ***slip of the tongue***.

Slip through one's fingers – تفلت الفرصة
Had you been a little careful, this golden opportunity would not have ***slipped through your fingers***.

Small arms – أسلحة خفيفة
Illegal distribution of ***small arms*** has given a fillip to crime in our area.

Small fry – صغير
I have a factory of my own, but as compared to a big industrialist like you I am only a ***small fry***.

Small hours – الساعات الأولى من الصباح
As I had to catch a flight, I got up in the ***small hours*** of the morning.

Small talk – هذر
We passed a pleasant hour in ***small talk***.

Snake in the grass – عدُوّ مستتر
Don't ever trust Ghanim. He is a ***snake in the grass***.

So far – حتى الآن
So far I have completed only five chapters of this book.

Sound a person – يُطْلِعُ على
I learn you have been ***sounded for*** the general manager's post.

Sound beating – يضربه ضرباً مبرّحاً
through ***sharp practice***.

Shooting star – شهاب، نيزك
Have you ever seen a ***shooting star***?

Short cut – طريق مختصرة
This lane is a ***short cut*** to my house.

Show a bold front – يُظهرالجراءة
You only have to ***show a bold front*** and he will yield to your demand.

Show fight – يظهر استعداده للمقاتلة
A bully is a coward, and he will back out if you ***show fight***.

Shut one's mouth – يُسكته
You can easily ***shut his mouth*** if you remind him of his foolish behaviour in the last party.

Sick bed – فراش المريض
How did you get into ***sick bed***? Till yesterday you were alright.

Sick leave – إجازة مرضية
I am on ***sick leave*** for the last one week.

Side issue – قضية جانبية
We'll take up the ***side issues*** after we are through with the main problem.

Side line – أمر أو عمل جانبي
We are mainly dealers in ready-made garments, but sale of hosiery items is our ***side line***.

Sightseeing – نزهة
During our halt in Madrid we went ***sightseeing***.

Single blessedness – حالةالعزوبة
Why should I marry? I don't want to give up the state of ***single blessedness***.

Sink money – يُوظّف مالاً في تجارة (غير رابحة)
He has ***sunk*** in a lot of ***money*** in a business of precious stones and nothing has come out of it

Sink or swim – نموت أونحيي
Whatever be the situation I will never leave you. We shall ***sink or swim*** together.

Sit up with – لا يزال يجلس معه
As her husband was ill she ***sat up with*** him throughout the night.

go to Beirut for vacation.

Stand in another man's shoes – مكانَ شخص آخر

In his absence I have to ***stand in his shoes***.

Stand in good stead – يفيد وقت الحاجة

His regular habit of saving ***stood him in good stead*** in difficult times.

Stand on ceremony with – يراعي آداب السلوك المهذب

Please be at ease, you don't have to ***stand on ceremony with*** me.

Stand one's ground – يصرّ على رأيه

He put forth many objections to my proposal but I ***stood*** my ***ground***.

Stand a chance – يكون له أمل (في النجاح)

Although the rival cricket team was quite good, it did not ***stand a chance*** of beating us.

Stand out against – يقاوم بشدة

We tried our best to take him along for the expedition, but he ***stood against*** all our efforts.

Stand to reason – من البديهي ، مما يقره العقل

It ***stands to reason*** that he would side with you.

Stand up for – يقوم لِ ، يقف

If you yourself don't ***stand up for*** your rights, no one else will do it for you.

Standing joke – مزحة دائمة

His so-called skill at horse riding has become a ***standing joke*** after his fall from the horse the other day.

Standing order – أمر دائم

Our ***standing orders*** are to answer all letters the same day.

Stare one in the face – يُحدّق (الخطر)

During his trek across the desert he ran out of water supply and death ***stared him in the face***.

Steer clear of – يبتعد عن

Why do you get involved with bad characters? You should ***steer clear of*** them.

Stick at nothing – لا يتردد

He is so ambitious that he will ***stick at nothing*** to get ahead of others.

The teacher caught on to Iqbal's mischief and gave him a ***sound beating***.

Sour grapes – حصرم حلب

The fox tried her best to reach the grapes but couldn't. Finally she said that ***grapes were sour***.

Sow one's wild oats – ينغمس في حماقات الشباب

After ***sowing his wild oats*** he has now got a job and finally settled down.

Spare time – الوقت الفارغ

In my ***spare time*** I prefer to read.

Speak extempore – (يدلي بكلمة)ارتجالا

Although he ***spoke extempore***, it was a fine speech.

Speak for itself – ينطق بنفسه، ينم عليه

I am not exaggerating by praising him. His work ***speaks for itself***.

Speak for one – يتكلم نيابة عن

As he was too shy to put forward his case, I had to ***speak for him***.

Speak of one in high terms – يثني عليه

You ***speak of him in high terms***. But does he deserve so much praise?

Speak one's mind – يعبّر عن رأيه بصراحة

Since you have asked for my candid opinion, I shall ***speak my mind***.

Speak volumes – يشهد على

It ***speaks volumes*** for her love for him that she left her home to marry him.

Speak well for – يصف

The neatness of his writing ***speaks well for*** him.

Spin a yarn – يقص قصة

Are you telling the truth or just **spinning a yarn**?

Split hairs – يتجادل في أمور لفظية،متجنباً الموضوع الرئيسي

You should not ***split hairs***, but take a broad view of the matter.

Spur of the moment – عفو اللحظة

On the ***spur of the moment*** we decided to

together.

(T)

Take a fancy – يولع به
Although there is nothing outstanding about this bedsheet, yet I have ***taken a fancy*** to it.

Take a leap in the dark – يأخذ الخطوة بدون اعتبار العواقب
You ***took a leap in the dark*** by going into partnership with a dishonest person like Adib.

Take advantage of – ينتهز الفرصة
I ***took advantage of*** the sale at 'Babylon Dress House' and bought some cheap shirts.

Take by storm – يؤثّر تاثيراً شديداً
Muna Laila, melodious singer, ***took*** the audience ***by storm.***

Take into account – يأخذ في الاعتبار
In judging his performance in the examination, you should also ***take into account*** the fact that he was ill for a month.

Take it easy – هَوّن عليك
The test is still quite far. So, ***take it easy.***

Take it ill – يستاء
I hope you will not ***take it ill*** if I tell you the truth.

Take one at his word – اعتقاداً بقوله
Taking him at his word I put in Rs. 10,000 in sugar business.

Take one's time – على مهل
I am in no hurry to go out. You ***take your time.***

Take oneself off – ينصرف
Mahir, don't trouble me. ***Take yourself off.***

Take sides – يتحيّز
I would not like to ***take sides*** in this quarrel.

Take someone by surprise – يُدهشه
I didn't know he could sing so well. He ***took me by surprise*** that day.

Take someone for – يحسبه كذا
He resembles you so much that I ***took him for*** your brother.

to get ahead of others.

Stick up for – يدافع عن
If anybody criticises you in the meeting, I'll ***stick up for*** you.

Stone deaf – أصم تماما
My grandmother was already hard of hearing but, of late, she has become ***stone deaf.***

Stone's throw – مسافة رمية حجر
The railway station is just at a ***stone's throw*** from our house.

Strain every nerve – يسعى بجدٍّ
Although he ***strained every nerve*** to get audience's attention, nobody listened to him.

Strait-laced person – متزمت
His ideas are too liberal for a ***strait-laced person*** like his father.

Strike a bargain – يساوم
The fruitseller was asking for eight rupees for one kilogram of grapes. But I managed to ***strike a bargain*** and got them for six only.

Strike while the iron is hot – ينتفع بفرصة
Now that prices are rising let us sell our stocks. We should ***strike while the iron is hot.***

Strong language – لهجة شديدة/خشنة
Don't use such ***strong language*** in the company of ladies.

Sum and substance – ملخّص
The ***sum and substance*** of my argument is that it is now too late to do anything.

Swallow the bait – ينخدع
Election time promises are made to catch votes and many illiterate and ignorant men ***swallow the bait.***

Swan song – القول الأخير
Mr. Ayub Kamal, a leading communist leader, issued a statement to the press during his serious illness, which proved to be his ***swan song.***

Sworn enemies – عدو لدود
Nothing can bring these two ***sworn enemies***

years old.

Tell two things/persons apart – يميّز بينهما

The two brothers look so much alike that no one can ***tell them apart***.

Through and through – كُليّاً

I was caught in the rain yesterday and by the time I reached home, I was wet ***through and through***.

Through thick and thin – في السرّاء والضرّاء

The two friends stayed together ***through thick and thin***.

Throw away money – يبذّر بالمال

If you ***throw away money*** like this, you will soon be on the streets.

Throw cold water upon – يثبّط

I was eager to set up a business in precious stones, but he ***threw cold water upon*** my enthusiasm by pointing out its minus points.

Throw dust in one's eyes – يخدع

He outlined a grand plan and asked for a loan for it, but I knew he was trying to ***throw dust in my eyes***.

Throw oneself on – يناشده

He knew I could help him out of the tight corner so he ***threw himself on*** my mercy.

Throw people together – يجمع الناس

The purpose of my party is to ***throw persons of like*** interests ***together***.

Time after time – مرة بعد مرة

He applied for a professor's job ***time after time*** but could not succeed.

Time hangs heavy – يمرّ الوقت بصعوبة

Time hangs heavy on my hands on a holiday.

To a man – جميعاً

They rose ***to a man*** and left the room agitatedly.

To and fro – جيئة وذهاباً

Preoccupied with his emotional problems he walked ***to and fro*** about the room in a pensive mood.

Take stock – يقدّر الأحوال

It is time for us to ***take stock*** of the situation before we take any further steps.

Take the air – يتنفس في الهواء الطلق

To improve your health you should ***take the air*** every morning.

Take the bull by the horns – يواجه الموقف بجراءة

Finally he decided to ***take the bull by the horns*** and ask his boss for a promotion.

Take the law into one's hands –
يثأر لنفسه، يأخذ حقه بالقوة

Even if he is guilty, you can't ***take law in your hands*** and beat him like this.

Take time off – يأخذ الإجازة

Since I was not feeling well, I ***took*** two days ***off*** last week.

Take to heart – يتأثر تأثرا عميقا

She has ***taken*** her father's death ***to heart***.

Tell to one's face – يعارضه في وجهه

Do you have the courage to ***tell him to his face*** that he is a fool ?

Take to one's heels – يفرّ

As the thief heard policeman's whistle, he ***took to his heels***.

Take to pieces – يفكّك

Only yesterday I bought Hamdi this toy train and today he has ***taken it to pieces***.

Take to task – يوبّخ

Mother ***took*** Nasir ***to task*** for his idleness.

Take aback – يُفاجئ

I was ***taken aback*** at a strange sight in the jungle.

Taken up with – ينهمك في

My time is ***taken up with*** a lot of household jobs.

Take upon oneself – يأخذ على نفسه أوعلى عاتقه أمرا

I ***took upon myself*** to look after Gopal's ailing father.

Tell time – يبيّن الوقت (من الساعة)

My son could ***tell time*** when he was only four

What not – أيما شيء آخر

She went to the market on a shopping spree and bought shirts, socks, ties and ***what not***.

What's what – يعرف الصالح من الطالح

He is an intelligent person and knows ***what's what***.

Wheels within wheels – معقد

To begin with I thought I could tackle this job, but then I found that there were ***wheels within wheels***.

Wide awake – مستيقظ تماماً

I thought Mohsin was asleep. But as I talked of the plan for a film, he got up ***wide awake***.

Wide of the mark – بعيداً عن الهدف

His argument sounds impressive, but is ***wide of the mark***.

With might and main – بأقصى قوة المرء البدنية

They pushed the huge rock ***with might & main*** & cleaned the way.

With bated breath – بفارغ الصبر

They all waited ***with bated breath*** for the election results.

Within an ac e – على قيد شعرة من

He was ***within an ace*** of being killed by the tiger.

Wolf in sheep's clothing – شخص ماكر

Beware of Zuhair. He is a ***wolf in sheep's clothing***.

World of good – يفيد

This medicine has done a ***world of good*** to my stomach problem.

Worn out – يستكشف السر

The spy pretended to be his friend and tried to ***worn his secret out*** of him.

Worship the rising sun – يستسلم للقوة المهيمنة

The newly appointed manager has taken over and the staff has been ***worshipping the rising sun***.

Turn away from – يصرفه عن

I tried to ***turn*** them ***away from*** their evil purpose, but was unsuccessful.

Turn over a new leaf – يبدأ دوراً جديداً (من الحياة)

He gave up his bad habits and ***turned over a new leaf***.

Turn the tables – يقلب الأحوال

He was ahead of me in the terminal examination, but I ***turned the tables*** on him in the annual examination.

Turn up one's nose at – يزدري

He is so poor that he hardly gets anything to eat, and yet he ***turns up his nose at*** the idea of working for a living.

(U)

Under a cloud – مشبوه

After his misbehaviour on the field boycott is ***under a cloud***.

Up in arms – مستعد للقتال

In Iraq many people are ***up in arms*** against the allied forces.

Up-to-date – حديث

He is very careful to keep up with ***up-to-date*** fashions.

Ups and downs of life – سعود الحياة ونحوسها

I have had my share of ***ups and downs of life***

(W)

Wash one's hands of – يغسل يده من

I don't think anything is going to come off your programme of going for a trek, so I ***wash my hands of*** it.

Waste one's breath – يسعى بدون جدوى

Don't argue with Habib any longer. You are only ***wasting your breath***.

Watch out for – يراقب

One thief went inside while the other waited outside near the gate to ***watch out for*** the police.

CLASSIFIED VOCABULARY المفردات المبوّبة

أعضاء الجسم الإنساني (PARTS OF BODY)

مِعى، حشا	Intestine, Bowel	(انتستاين، بوول)
عين	Eye	(آي)
حاجب	Eyebrow	(آي برو)
قضيب	Penis	(بينس)
مهبل	Vagina	(وجاينا)
إصبع	Finger	(فنغر)
إصبع القدم	Toe	(تو)
خنصر	Little finger	(لتل فنغر)
بنصر	Ring finger	(رنغ فنغر)
وسطى	Middle finger	(مدل فنغر)
سبابة	Index finger	(إندكس فنغر)
إبهام	Thumb	(ثمب)
عقب	Heel	(هيل)
ذراع	Arm	(آرم)
شعر	Hair	(هير)
إبط	Armpit	(آرم بت)
الصفراء	Bile	(بايل)
مقلة العين	Eyeball	(آي بول)
عضلة	Muscle	(مسل)
غلاف القلب	Pericardium	(بيرى كا رديم)
الثدي	Breast	(برست)
حلمة الثدي	Nipple	(نيبل)
أهداب الجفن	Eyelash	(آي ليش)
ضلع	Rib	(رب)
جفن العين	Eyelid	(آي لد)
بطة الساق	Calf	(كاف)
بطن، جوف	Abdomen	(ايبدومن)
بطن	Belly	(بيلى)
معدة، بطن	Stomach	(استومك)
ظهر	Back	(بيك)
رئة	Lung	(لنغ)
قدم	Foot	(فت)
جبهة	Forehead	(فورهيد)
الحنك	Palate	(بيليت)
باطن القدم	Sole	(سول)
الطحال	Spleen	(اسبلين)
خطم	Snout	(اسناوت)
الكاحل	Ankle	(اينكل)
ذقن	Chin	(شن)
فكّ	Jaw	(جاو)
مفصل	Joint	(جواينت)
خصلة شعر	Lock, bun	(لوك، بن)
كبد	Liver	(ليفر)
جلد	Skin	(اسكين)
كَفَل	Rump	(رمب)
وجه	Face	(فيس)
الحنجرة	Gullet	(غلت)
ضرس	Molar teeth	(مولر تيث)
لحية	Beard	(بيرد)
سنّ	Tooth	(توث)
قلب	Heart	(هارت)
مخ، دماغ	Brain	(برين)
بدن الإنسان باستثناء الرأس والذراعين والرجلين	Trunk	(ترنك)
فخذ	Thigh	(تاي)
الرحِم	Womb	(ووم)
الرحِم	Uterus	(يو ترس)
خدّ	Cheek	(شيك)
وريد	Vein	(وين)
عصب	Nerve	(نرو)
شعر	Hair	(هير)
لسان	Tongue	(تنغ)
خصلة الشعر	Lock	(لوك)
رُغامى	Trachea	(تريكيا)
حشفة القضيب	Glans penis	(غلانس بينس)
صدر المرأة	Breast	(برست)
صدر الرجل	Chest	(شست)

شريان	Artery	(آرتري)
ضرس العقل	Dens serotinous	(دنس سيروتينس)
طرف البظر	Glans clitoris	(غلانس كلايتورس)
أذن	Ear	(اير)
طبلة الأذن	Eardrum	(اير درم)
غضروف	Cartilage	(كارتي ليج)
معصم، رسغ	Wrist	(رست)
خصر	Waist	(ويست)
كتف، منكب	Shoulder	(شولدر)
صدغ	Temple	(تمبل)
مِرفق	Elbow	(البو)
جمجمة	Skull	(اسكل)
عنق	Neck	(نيك)
كلية	Kidney	(كدني)
الحلق	Throat	(ثروت)
الركبة	Knee	(ني)
شفة	Lip	(لب)
مثانة	Urinary bladder	(يوريزى بليدر)
سمّ، مسام	Pore	(بور)
لثة	Gum	(غم)
الإست	Anus	(انس)
فم	Mouth	(ماؤث)
شوارب	Moustache	(ماوس تش)
ظفر	Nail	(نيل)
سرّة	Navel	(نيفل)
أنف	Nose	(نوز)
نبض	Pulse	(بلس)
منخر	Nostril	(نوسترل)
يد	Hand	(هيند)
راحة اليد	Palm	(بام)
عظم	Bone	(بون)
الترقوة	Collar-bone	(كولر بون) .

الأمراض وأحوال الجسم
(AILMENTS & BODY CONDITIONS)

السفلس	Syphilis	(سفلس)
فتاق	Hernia	(هرنيا)
دموع	Tears	(تيرس)
داء الاستسقاء	Dropsy	(دروبسى)
إجهاض	Abortion	(ابورشن)
أعمى	Blind	(بلايند)
الأنفلونزا	Influenza	(انفلوينزا)
أمهق	Albino	(البينو)
حمّى	Fever	(فيفر)
قلة الشهوة إلى الطعام	Anorexia	(انوركسيا)
تخمة، سوء الهضم	Indigestion	(اندايجيشن)
بلغم	Phlegm	(فليم)
قزم	Dwarf	(دوارف)
بواسير	Piles	(بايلس)
غائط	Stool	(استول)
مجنون	Mad	(ميد)
جنون	Lunacy	(لونيسى)
غشاء ا لبكارة	Hymen	(هاي من)
حصاة	Stone	(استون)
العرق	Sweat	(سويت)
عطش	Thirst	(ثرست)
قيح، صديد	Pus	(بس)
ألم في ا لبطن	Stomach ache	(استومك أك)
البول	Urine	(يورين)
زحار	Dysentery	(دى سنترى)
بثرة	Pimple	(بمبل)
حبة	Boil	(بوايل)
مرض الدرَن	Tuberculosis	(تيوبركيولوسس)
بصاق، لعاب	Spittle	(اسبتل)
برد شديد	Chill	(شل)
حمضية	Acidity	(ايسى ديتى)
تثاؤب	Yawning	(ياوننغ)
بدانة، سِمنة	Obesity	(اوبيه سيتى)
دُوار	Giddiness	(غدى نيس)
جُرح	Hurt	(هرت)
الجُدري	Small pox	(اسمول بوكس)
عطْس	Sneezing	(اسنيزنغ)
الجرَب	Scabies	(اسكيبيز)
الحصبة	Measles	(ميزلس)
ينزف الدم	Bleeding	(بليدنغ)

فقر الدم	Anaemia	(انيميا)
أكزيما، نملة	Eczema, ringworm	(اكزيما،رنغ ورم)
هزيل	Lean	(لين)
ألم، وجع	Pain	(بين)
صداع	Headache	(هيديك)
إسهال	Loose-motion, diarrhoea	(لوزموشن ،دايريا)
التهاب التأمور	Pericarditis	(بيرى كاردايتس)
داء الرّبْو	Asthma	(ايزما)
ذُهان	Psychosis	(سايكوسس)
مدّ البصر	Long-sightedness	(لونغ سايتدنيس)
تجشّؤ	Belching	(بلشنغ)
ريق، لعاب	Saliva	(سيليفا)
جُرح، قرحة	Sore, wound	(سور،وونd)
ولادة	Delivery	(ديليفري)
زكام	Coryza	(كوريزا)
ديابيطس، البول السكري	Diabetes	(داي بتيز)
البُرداء	Ague	(ايغو)
الورم	Swelling	(سويلنغ)
سيلان، تعقيبه	Gonorrhoea	(غونوريا)
السيلان المهبلي	Leucorrhoea	(ليوكوريا)
الطاعون	Plague	(بليغ)
إمساك، قبض	Constipation	(كونستى بيشن)
تقيّؤ	Vomit	(وومت)
الحمّى النمشية، تيفوس	Typhus	(تائيفس)
الالتهاب الشُعبي	Bronchitis	(برونكا يتس)
أعور	One-eyed	(ون آيد)
أحدب	Hunchback	(هنش بيك)
دودة	Worm	(ورم)
جُذام	Leprosy	(لبروسى)
سرطان	Cancer	(كينسر)
سُعال	Cough	(كف)
الحِكّة، الجرب	Itch, scabies	(إتش، اسكيبز)
أصلع	Bald	(بالد)
الرثية، الروماتزم	Rheumatism	(روميتزم)
بُحّة في الصوت	Hoarseness	(هورس نس)
التهاب البلعوم	Sore throat	(سورثروت)
التهاب اللوزة	Tonsilitis	(تو نسلايتس)

غُدّة	Gland	(غليند)
ورم خبيث	Tumour	(تيومر)
ابكم	Dumb	(دم)
ريق، لعاب	Saliva	(سيليفا)
ضربة الشمس	Sunstroke	(سن استروك)
أعرج	Lame	(ليم)
حمى الضنك، الدنجية	Dengue	(دينغيه)
البهق	Leucoderma	(ليوكو درما)
مغص	Griping	(غرايبنغ)
صرْع	Epilepsy	(ايبيلبسى)
ثؤلول	Wart	(وارت)
التيفوئيد	Typhoid	(تايفايد)
السد	Cataract	(كتاريكت)
حب الشباب	Acne	(ايكنى)
ناسور	Fistula	(فستولا)
الرعاف	Epistaxis	(ايبستاكسس)
أرق	Insomnia	(انسو منيا)
الخُدار	Narcolepsy	(ناركوليسبى)
الوثء	Sprain	(اسبرين)
تورّم	Swelling	(سويلنغ)
فُواق	Hiccup	(هيكب)
الكوليرا، الهيضة	Cholera	(كولرا)
يرقان	Jaundice	(جوندس)

(DRESSES) الملابس

الكم	Sleeve	(سليف)
بطانة الثوب	Lining	(لا يننغ)
بيجامة	Pyjama	(بايجاما)
بنطلون، سروال	Pant, trousers	(بينت،تراوزرس)
شريط، رباط	Lace	(ليس)
منشفة	Towel	(تowيل)
قُبعة	Hat	(هيت)
طاقية	Cap	(كيب)
ثوب تحتي	Underwear	(اندروير)
الغزّى	Gauze	(غوز)
دِمقس	Damask	(ديمسك)
زركشة	Trimming	(ترمنغ)
جاكيت، سترة	Jacket	(جيكت)
المُلاءة	Sheet	(شيت)

باءة	Gown	(غاؤن)
الجزء الأعلى من الثوب النسائي	Bodice	(بودس)
فاز	Glove	(غلف)
فاع، منديل الرأس	Scarf	(اسكارف)
سال	Shawl	(شال)
حاف	Quilt	(كويلت)
نديل	Handkerchief, hanky	(هنيدكرشيف، هينكى)
رير	Silk	(سلك)
ماش قطني متين	Drill	(درل)
مالة البنطلون	Suspenders	(سسبندرس)
رج	Serge	(سرج)
عطف	Chester, overcoat	(شيستر، اوفركوت)
مامة	Turban	(تربن)
ريط	Tape	(تيب)
يص	Shirt	(شرت)
يابر	Diaper brocade	(دايبر بروكيد)
اش القنب	Canvas	(كينوس)
كشمير(قماش صوفي ناعم)	Cashmere	(كشميرى)
زام، رباط	Belt	(بيلت)
انية	Blanket	(بلينكت)
ترة	Coat	(كوت)
ة	Suit	(سوت)
تبة	Mattress	(ميترس)
ع العنق	Muffler	(مفلر)
رة	Skirt	(اسكرت)
جاب	Veil	(ويل)
رة طويلة	Long skirt	(لونغ اسكرت)
شية(مزخرفة)	Border	(بوردر)
رب	Stockings, socks	(استوكنغس، سوكس)
درية	Waist-coat	(ويست كوت)
، بزة رسمية	Uniform	(يونيفورم)

العلاقات

(القرابة/ أهل القرابة) (RELATIONS)

تاذ،مدرّس	Teacher	(تيشر)
م، معلّمة	Mistress, madam	(مسترس ،ميدم)
	Father	(فادر)
	Son	(سن)
بنت	Daughter	(داوتر)
أخت	Sister	(سستر)
زوج الأخت	Brother-in-law	(بردر ان لا)
زوجة	Wife	(وايف)
أخ	Brother	(بردر)
ابن الأخ أو الأخت	Nephew	(نفيو)
ابنة الأخ أو الأخت	Niece	(نيس)
العمّ أو زوج الخالة	Uncle	(انكل)
زوجة العم	Aunt	(اونت)
خالة	Mother's sister, Aunt	(مدرس سستر)
جد	Grandfather	(غريند فادر)
جدة	Grandmother	(غريند مدر)
سرّيّة	Concubine	(كنكيوباين)
زوج البنت	Son-in-law	(سن ان لا)
صديق	Friend	(فريند)
مالك الأرض	Landlord	(ليندلورد)
أمّ الزوجة	Mother-in-law	(مدر ان لا)
أخو الزوجة	Brother-in-law	(بردر ان لا)
أخت الزوجة أو الزوج وزوجة أخي الزوج	Sister-in-law	(سستر ان لا)
أبو الزوج أو الزوجة	Father-in-law	(فادر ان لا)
زوج الأم	Step-father	(استب فادر)
ابن الزوج أو الزوجة	Step-son	(استب سن)
أخ من زوجة الأب أو من زوج الأم	Step-brother	(استب بردر)
الربيبة : بنت الزوج أو الزوجة	Step-daughter	(استب داوتر)
زوجة الأب	Step-mother	(استب مدر)
أخت من زوجة الأب أو من زوج الأم	Step-sister	(استب سستر)
تلميذ، مريد	Disciple, pupil	(دسايبل، بيوبل)
المستأجر	Tenant	(تيننت)
الزبون	Customer	(كستمر)
الخال	Maternal uncle	(ميترنل انكل)
الابن المتبنّى	Adopted son	(اد وبتدسن)
الابنة المتبناة	Adopted daughter	(ادوبتد داوتر)
المحب، العاشق	Lover	(لَوَر)

زوجة الخال	Maternal aunt	(ميترنل اونت)
مريض	Patient	(بيشينت)
موكّل	Client	(كلاينت)
المضيف	Host	(هوست)
ضيف	Guest	(غيست)
معلم	Preceptor	(بريسبتر)
جد من الأم	Maternal grandfather	(ميترنل غريند فادر)
جدة من الأم	Maternal grandmother	(ميترنل غريند مدر)
وارث	Heir	(اير)
أمّ	Mother	(مدر)

أدوات منزلية
(HOUSEHOLD ARTICLES)

مرآة	Mirror	(مرر)
خزانة	Almirah	(الميرا)
خزانة ، صوان	Cupboard	(كبرد)
خزانة الثياب	Wardrobe	(واردروب)
مكواة	Iron	(آيرن)
وشيعة	Bobbin	(بوبن)
جمرة	Cinder	(سندر)
كشتبان	Thimble	(تمبل)
موقد	Hearth	(هرت)
هاون	Mortar	(مورتر)
وقود	Fuel	(فيول)
فتيلة ، ذبالة	Wick	(وك)
عربة أطفال	Perambulator	(برامبو ليتر)
إناء	Pot	(بوت)
فرشة	Brush	(برش)
زر	Button	(بتن)
علبة ثلج، ثلاجة	Ice-box	(آيس بكس)
زجاجة	Bottle	(بوتل)
كيس	Sack	(سيك)
مرقاق(العجين)	Rolling pin	(رولنغ بن)
محفّة	Palanquin	(بلانكوين)
ممسحة	Doormat	(دورميت)
فنجان	Cup	(كب)
مزهرية	Flower-vase	(فلاور ويس)
مبصقة	Spittoon	(اسبتون)
قفل	Lock	(لوك)
ميزان	Balance	(بيلنس)
مخدة	Pillow	(بيلو)
غلاف المخدة	Pillow-cover	(بيلوكَور)
فرن، تنور	Oven	(اوفن)
صحن	Plate	(بليت)
سلة	Basket	(باسكيت)
طبق	Tray	(تريه)
حاملة الوقود	Grate	(غريت)
مكنسة	Broom	(بروم)
أرجوحة	Swing	(سوينغ)
مفتاح	Key	(كى)
ملاءة	Bed-sheet	(بيدشيت)
سرير	Cot	(كوت)
حصير	Mat	(ميت)
منضدة	Pastry-board	(بيسترى بورد)
ملعقة	Spoon	(اسبون)
ملقط	Tong	(تونغ)
كمّاشة، كلاب	Pincers	(بنسرس)
منخل	Sieve	(سيو)
موقد	Stove	(استوو)
موقد كهربائي	Electric-stove	(الكترك استوو)
شمسية،مظلة	Umbrella	(امبريلا)
عصا	Stick	(استك)
حقيبة صغيرة	Attache	(اتيشى)
شيشة،نارجيلة	Hubble-bubble, hookah	(هبل ببل ،هوكا
خلال	Toothpick	(توث بك)
خيط	Thread	(ثريد)
مبخرة	Censer	(سنسر)
علبة	Box	(بوكس)
زبدية	Bowl	(باول)
رماد	Ash	(ايش)
طبق، صحفة، صحن	Dish	(دش)
رسن، خيط	String	(استرنغ)
حبل	Rope	(روب)
كسارة الجوز	Nut cracker	(نت كريكر)
عليبة المجوهرات	Casket	(كاسكت)

إبرة	Needle	(نيدل)
صِنّارة	Knitting needle	(نتنغ نيدل)
زجاجة، قنينة، قارورة	Phial	(فايل)
صابون	Soap	(سوب)
علبة الصابون	Soap-case	(سوب كيس)
إبريق	Flagon	(فليغن)
صندوق	Box, trunk	(بوكس،ترنك)
صحن الفنجان	Saucer	(سوسر)
ثريا	Chandelier	(شيندلير)
قلم	Pen	(بن)
قِمْع	Funnel	(فنل)
شوكة	Fork	(فورك)
مغرفة	Ladle	(ليدل)
كرسي	Chair	(شير)
مرجل	Cauldron	(كالدرن)
بطانية	Blanket	(بلينكت)
مشط	Comb	(كوم)
عليبة	Canister	(كنستر)
زبدية	Bowl	(باول)
مصباح	Lamp	(ليمب)
عودكبريت	Matches	(ماتش)
عودكبريت	Match-stick	(ماتش استك)
علبة كبريت	Match-box	(ماتش بوكس)
ممخضة	Churner	(شرنر)
جرة، مرطبان	Jar	(جار)
طاولة	Table	(تيبل)
وسادة، مخدة	Bolster	(بولستر)
زيت الكيروسين	Kerosene oil	(كيروسين أويل)
مدقة،يد الهاون	Pestle	(بسل)
شمعة	Candle	(كيندل)
حنفية	Tap	(تيب)

الحلي والمجوهرات

(ORNAMENTS & JEWELLERY)

خاتم	Ring	(رنغ)
سوارلأعلى الذراع	Armlet	(آرم لت)
المَرْو، الكوارتز	Quartz	(كوارز)
قرط الأنف	Nose-pin	(نوزبن)
خلخال	Anklet	(اينك لت)
دبوس شعر	Hair-pin	(هير بن)
زمرّد	Emerald	(ايمرلد)
حزام	Belt	(بلت)
توباز	Topaz	(توباز)
تاج	Crown, tiara	(كراون،تيارا)
زركون	Zircon	(زركن)
وسام، ميدالية	Medal	(ميدال)
سُوار	Wristlet	(رست ليت)
قرط	Tops	(توبس)
مدلاّة الرأس	Head-locket	(هيدلوكت)
مجوهرات	Jewellery	(جويلرى)
فضة	Silver	(سلور)
مشبك	Clip	(كلب)
سوار	Bangle	(بينغل)
أوبال	Opal	(اوبل)
فيروز	Turquoise	(تركوايز)
قرط الأذن	Ear stud	(ايراسد)
سلسلة	Chain	(شين)
دبوس زيني	Brooch	(بروش)
سوار	Bracelet	(برا سلت)
ياقوت	Ruby	(روبي)
عين الهر(حجركريم	Cat's eye	(كيتس آي)
قلادة	Garland	(غارليند)
لؤلؤ	Pearl	(برل)
محار اللؤلؤ	Mother of pearl	(مدر اوف برل)
المرجان	Coral	(كورل)
حلق الأنف	Nose-ring	(نوزرنغ)
الصَفّير	Sapphire	(سفاير)
عقد	Necklace	(نيكلس)
ماس	Diamond	(دايمند)

الآلات الموسيقية

(MUSICAL INSTRUMENTS)

فلوت،ناي	Flute	(فلوت)
بوق	Bugle	(بغل)
الشفوية	Mouth-organ	(ماوت أورغن)

البانجو	Banjo	(بينجو)
الكمان	Violin	(وايلن)
بيانو	Piano	(بيانو)
بوق	Clarion	(كليريون)
الصنج	Cymbal	(سمبل)
دفّ صغير ، رِق	Tambourine	(تيمبورن)
طبلة صغيرة	Drumet	(درمت)
طبل	Drum	(درم)
طبلة صغيرة	Tomtom	(توم توم)
قيثار	Harp	(هارب)
السيتار	Sitar	(ستار)
صفّارة	Whistle	(وسل)
محارة	Conch	(كونش)
مزمار	Clarionet	(كلير يونت)
دف	Tabor	(تيبر)
قيثارة، غيتار	Guitar	(غتار)
جرس	Bell	(بيل)
مزمار القربة	Bagpipe	(بيغ بايب)
قيثار اليهودي	Jew's harp	(جيوزهارب)
طبل	Drum	(درم)
القدمية	Harmonium	(هارمونيوم)

الحبوب والمأكولات

(CEREALS & EATABLES)

دقيق	Flour	(فلور)
مخلّل، طرشي	Pickle	(بكل)
المرنطة، الأروروت	Arrowroot	(ايروروت)
البسلّة الهندية	Pigeon pea	(بيجين بي)
بزرة نبات الخِروع	Castor-seed	(كاستر سيد)
بِيقة	Vetch	(وتش)
فاكهة مجففة مسكّرة	Comfit	(كم فت)
حبوب	Grain	(غرين)
زيت الخروع	Castor-oil	(كاستر أويل)
الدّخن	Pearl millet	(برل ملت)
أقاقيا، صمغ عربي	Gum acacia	(غم اكاسيا)
ثلج	Ice	(آيس)
بسكويت	Biscuit	(بسكت)
سنبلة الذرة	Corn-ear	(كورن اير)
جبن	Cheese	(تشيز)
خشخاش	Poppy	(بوبى)
الخضرة	Vegetable	(فيجى تيبل)
سمسم	Sesamum	(سيس مم)
زيت	Oil	(أويل)
صلصة طماطم،	Tomato ketchup,	(تميتو كتش اب/
صلصة	sauce	سوس)
شعير	Barley	(بارليه)
دخن	Millet	(ملت)
الشوفان	Oat	(أوت)
دقيق الشوفان	Oat-meal	(اوت ميل)
الرز المطرّق	Beaten paddy	(بيتن بيدى)
الرز	Rice	(رايس)
الشاي	Tea	(تي)
رغيف	Loaf	(لوف)
صلصة	Sauce	(سوس)
نُخالة	Bran	(بران)
سكر	Sugar	(سوغر)
خشخاش	Poppy	(بوبى)
حبوب، عدس	Pulse	(بلس)
حليب	Milk	(ملك)
عصيدة	Gruel	(غرويل)
الرز غير المقشر	Paddy	(بيدى)
لبن زبادي	Curd	(كرد)
عيش، خبز	Bread	(بريد)
خردل	Mustard	(مسترد)
خردل أبيض	White mustard	(وايت مسترد)
الخل	Vinegar	(فنيغر)
السميد، لباب الدقيق	Semolina	(سيمولينا)
لوبيا	Bean	(بين)
الخمر	Wine	(واين)
شراب	Syrup	(سيرب)
سكر	Sugar	(سوغر)
مرق، حساء رقيق	Broth	(بروث)

شهد، عسل	Honey	(هنى)
بْس السكر	Treacle	(تريكل)
بوظة	Ice-cream	(آيس كريم)
ن، قهوة	Coffee	(كوفي)
حم مفروم	Minced meat	(منسد ميت)
طعام الكري	Curry	(كرى)
حم	Meat	(ميت)
حم خروف، لحم الغنم	Mutton	(متن)
حم البقر	Beef	(بيف)
حم الخنزير	Pork	(بورك)
جاج	Chicken	(تشكن)
ل عنقودى	Cluster-bean	(كلستربين)
سمْن	Ghee	(غى)
حنطة، قمح	Wheat	(ويت)
سلّة	Pea	(بي)
سلة برية	Field-pea	(فيلدبى)
حلوى	Sweetmeat	(سويت ميت)
صل اللبن	Whey	(ويه)
دس	Lentil	(لينتل)
لوىٰ	Sugar-candy	(سوغر كيندى)
بدة	Butter	(بتر)
رة	Maize	(ميز)
كريم	Cream	(كريم)
ربّي	Conserve	(كنزرف)
بيا	Puffed-rice	(بفد رايس)
بيا	Kidney-bean	(كدنى بين)
يده، دقيق أبيض	Maida	(ميده)
حنطة السوداء	Buck-wheat	(بك ويت)

توابل

(SPICES)

لا	Amla	(آمله)
وْيا	Caraway	(كيراويه)
قدونس	Parsley	(بارسليه)
يمول	Thymol	(تاى مول)
جبيل	Ginger	(جنجر)
بزر الكتان	Linseed	(لنسيد)
حب الهيل	Cardamom	(كاردمم)
المنتول	Menthol	(منتول)
حجر الشب	Alum	(ايلم)
سمسم	Niger	(نغر)
الريحان	Basil	(باسل)
ورق الغار	Cassia	(كيسيا)
تابلة مستخرجة من قشرة جوزة الطيب	Mace	(ميس)
جوزة الطيب	Nutmeg	(نت مغ)
شيراتا	Chirata	(شِراتا)
خميرة	Yeast	(ييست)
خشخاش (حبّ)	Popy seed	(بوبى سيد)
دارصين	Cinnamon	(سنامن)
بزور الكزبرة	Coriander seed	(كورى اندر سيد)
زعفران	Saffron	(سيفرون)
الكمون	Cumin seed	(كيومن سيد)
الساغو	Sago	(ساغو)
بزرة الفَوْفَل	Betel-nut	(بتل نت)
المرتك	Litharge	(ليتارج)
السنا	Senna	(سنا)
أنيسون	Aniseed	(ايني سيد)
زنجبيل جاف	Dry ginger	(دراى جنجر)
الملح الصخرى	Saltpetre	(سالت بيتر)
النتر	Niter	(نايتر)
كافور	Camphor	(كيمفر)
فلفل أسور	Black pepper	(بليك بيبر)
الكاد	Catechu	(كيتتشو)
مسك	Musk	(مسك)
الزاج	Vitriol	(فيتريول)
الحبة السوداء	Nigella	(ناى جيلا)
الكوكايين	Cocain	(كوكين)
القِلْى	Alkali	(الكلى)
زعفران	Saffron	(سيفرون)
صَندل	Sandal	(صندل)
قرنفل	Clove	(كلوف).
العفصة الجوزية	Gall-nut	(غال نت)

فلفل	Red pepper, Chilli	(ردبيبر، شلى)
المرتك	Litharge	(ليثارج)
فُوّة هندية	Indian madder	(اندين ميدر)
الصبر	Aloe	(ايلو)
السوس	Liquorice	(ليكو رايس)
ملح	Salt	(سالت)
كركم	Turmeric	(تر ميرك)
حلتيت	Asafoetida	(أيسا فيتيدا)
إهليلج	Myrobalan	(ماى روبلان)

المعادن
(MINERALS)

الميكا	Mica	(مائكا)
الحجر الصابوني	Steatite	(استي أ تايت)
بيتومين	Bitumen	(بتومن)
نحاس	Copper	(كوبر)
نحاس رمادي	Grey copper	(غريه غوبر)
طين لدائني	Plastic clay	(بلاستك كليه)
زئبق	Mercury	(مركرى)
بترول	Rock oil, Petroleum	(روك أويل ،بتروليم)
خارصين	Zinc	(زنك)
فضة	Silver	(سلفر)
المغرة الصفراء	Yellow ochre	(يلو أوكر)
قصدير	Tin	(تن)
زرنيخ	Arsenic	(آرسينك)
الكحل، إثمد	Antimony	(اينتى منى)
الميكا	Muscovite	(مسكوفيت)
الرصاص الأبيض	White lead	(وايت لد)
الطَفَل الصفحي	Shale	(شيل)
الزنجفر	Cinnabar	(سنا بر)
رخام	Marble	(ماربل)
رصاص	Lead	(ليد)
الحجر الصابوني	Soap stone	(سوب استون)
العقيق الأحمر	Cornelian	(كورنلين)
مِحك	Touchstone	(تش استون)
طباشير	Chalk	(تشاك)

الفحم	Coal	(كول)
كبريت	Sulphur	(سلفر)
المغرة الحمراء	Red ochre	(رداوكر)
حديد	Iron	(آيرن)
تراب القصّار	Fuller's earth	(فولرس ارث)
زيت الكيروسين	Kerosene oil	(كيروسين أويل)
الزاج الأزرق	Blue vitriol	(بلو فيتريول)
النطرون	Natron	(نيترن)
الرهج الأصفر	Orpiment	(اوربيمنت)

الأشجار وأجزاءها
(TREES & THEIR PARTS)

المانجو	Mango	(مينغو)
الجوافة	Guava	(غواوا)
تمرهندي	Tamarind	(تمارند)
بزرة	Germ	(جرم)
بوليا لثيا	Polyalthia	(بول يالثيا)
القصب، الخيزران	Bamboo	(بمبو)
سنط	Acacia	(اكاسيا)
بزرة	Seed	(سيد)
البتولا	Birch	(برتش)
ورق	Leaf	(ليف)
غبار الطَّلْع	Pollen	(بولن)
حبة غبار الطلع	Pollen-grain	(بولن غرين)
أنبوبة غبار الطلع	Pollen-tube	(بولن تيوب)
زهرة	Flower	(فلوور)
نخلة	Palm	(بام)
ليف جوز الهند	Coir	(كواير)
أصل، جذر	Root	(روت)
الصنوبرية	Conifer	(كونيفر)
لحاء الشجر	Bark	(بارك)
قشرة	Skin	(اسكن)
صنوبر	Pine	(باين)
عصير	Juice	(جوس)
ليف	Fibre	(فائبر)
السّرْو	Cypress	(سايبرس)

ساج	Teak	(تيك)
يزيا	Abbizzia	(ابزيا)
صن، فرع	Branch	(برانتش)
طعيم النبات	Graft	(غرافت)
صلة النبات	Bulb	(بلب)
رعم	Bud	(بد)
موكة	Thorn	(ثورن)
سبّار	Cactus	(كيكتس)
مدقة (عضو التأنيث)	Pistil	(بستل)
بّ	Pulp	(بلب)
سمغ	Gum	(غم)
زرة، نواة	Stone	(استون)
شَب	Wood	(وود)
لدو	Haldo	(هلدو)

الأزهار والفواكه والخضر
(FLOWERS, FRUITS, DRY FRUITS & VEGETABLES)

خوخ	Peach	(بيش)
طاطس	Potato	(بوتيتو)
لو بالو	Bokhara plum	(بخارا بلم)
رقوق	Plum	(بلم)
رقوق ياباني	Japanese plum	(جيبنيز بلم)
ستنة	Chestnut	(تشستنت)
نجبيل	Ginger	(جنجر)
مر هندي	Tamarind	(تمارند)
جوافة	Guava	(غواوا)
رمّان	Pomegranate	(بوم غرينيت)
عنب	Grape	(غريب)
ناناس	Pineapple	(باين ابيل)
ين	Fig	(فغ)
كولوسيشة	Colocesia	(كولوسيسيا)
وز	Almond	(المند)
يلج	Lilac	(ليلاك)
ملفوف	Cabbage	(كيبيج)
بنفسج	Sweet violet	(سويت وايلت)
سنبلة الذرة	Corn-ear	(كورن اير)
بامية	Lady's finger	(ليديز فنغر)
باذنجان	Brinjal	(برنجل)
اسفاناخ	Spinach	(اسباينف)
تريكو سنتس	Trichosanthes dioica	(ترايكوسينتس دئوئِكا)
فستق	Pistachio	(بس تيشيو)
القنب الهندي	Hemp	(همب)
ببايا بري	Mountain papaya	(ماونيتن بابايا)
ببايا	Papaya	(بابايا)
قرع	Cucurbit gourd	(كوكربت غورد)
قنبيط	Cauliflower	(كولى فلوور)
نعناع	Mint	(منت)
خشخاش	Poppy	(بوبى)
بصل	Onion	(اونين)
بطيخ أحمر	Watermelon	(واترميلن)
اللف	Luffa	(لفا)
تبغ	Tobacco	(توباكو)
طماطم	Tomato	(توميتو)
العُلّيق	Blackberry	(بليك بيرى)
شمندر	Sugar beet, Beetroot	(سوغربيت)
الأترج	Citron	(سايترن)
البينوس	Pinus	(باينس)
مغنولية	Magnolia	(ميغنوليا)
ياسمين	Jasmine	(جيسمن)
قطيفة	Amaranthus	(ايمرنتس)
قرع	Snake gourd	(اسنيك غورد)
الكرز الحامض	Sour cherry	(سور تشيرى)
الكرز الحلو	Sweet cherry	(سويت تشيرى)
السبوتة	Sapodilla	(سيبوديلا)
شمام	Musk melon	(مسك ميلن)
خشخاش	Poppy	(بوبى)
مشمش	Apricot	(ايبرى كوت)
البلادونة	Belladona	(بيلا دونا)
كزبرة	Coriander	(كورى اندر)
بطاطا حلوة	Yam	(يام)

قطن	Cotton	(كوتن)
العليق الأسود	Rose berry	(روز بيري)
زيتون	Olive	(اوليف)
الساغو	Sago	(ساغو)
ثمر العليق	Berry	(بيري)
خسّ	Lettuce	(لتيوس)
الكتّان	Flax	(فليكس)
برتقال	Orange	(اورنج)
جوز الماء	Water nut	(واترنت)
تفاح	Apple	(ايبل)
تفاح برّي	Crab apple	(كريب ايبل)
فاصوليا	Bean	(بين)
القطن الحريري	Silk cotton	(سلك كوتن)
سفرجل هندي، قشدة	Custard apple	(كسترد ايبل)
البطاطا الحلوة	Sweet potato	(سويت بوتيتو)
لِفت	Turnip	(ترنب)
التوت	Mulberry	(مل بيرى)
كاشونات	Cashewnut	(كيشونت)
يقطين	Red pumpkin	(رد بمكن)
جاك فروت	Jack fruit	(جيك فروت)
دُباء	Pumpkin	(بمكن)
الخيار المر	Bitter gourd	(بيترغورد)
الكشمش	Currant	(كرنت)
الكرمبولا	Carambola	(كرم بولا)
النيلوفر، لوطس	Lotus	(لوتس)
الدّفلى	Oleander	(اوليندر)
الفُطر	Mushroom	(مشروم)
خيار	Cucumber	(كوكمبر)
تمر	Date	(ديت)
موز	Banana	(بنانا)
البندانوس	Pandanus	(بندانس)
الجزر	Carrot	(كيرت)
قنبيط بري	Knolkhol	(نول كول)
زهرة الربيع	Daisy	(ديزى)
الأقحوان	Chrysanthemum	(كرى سين تمم)
المجزاعة	Touch-me-not	(تش مى نوت)
الورد	Rose	(روز)
المحبَبْ	Boll	(بول)
قصب السكر	Sugarcane	(شوغر كين)
الآذريون، القطيفة	Marigold	(ميرى غولد)
زنبق الماء	Lily	(للى)
ليتشي، اللتشية	Lichi	(ليتشي)
الليمون	Lemon	(ليمن)
الليم	Lime	(لايم)
يوسفي	Malta	(مالتا)
بسلّى	Pea	(بي)
فلفل	Chilli	(شلى)
عنب الثعلب	Night shade	(نايت شيد)
زنبق مائي جاف	Dry water lily	(دراى واتر ليلي)
زبيب	Raisin	(ريزن)
فول سوداني	Groundnut	(غراوندنت)
برتقال أخضر	Mosambi	(موسمبي)
فجل	Radish	(ريدش)
نارنج	Orange	(اورنج)
جوز هندي	Coconut	(كوكونت)
التين الشوكي	Prickly pear	(بر كلي بير)
الصبار	Cobra flower	(كو برا فلاور)
نرجس	Narcissus	(نارسي سس)

المباني وأجزاءها

(BUILDINGS & THEIR PARTS)

غرفة النوم	Bedroom	(بدروم)
المشكاة	Niche	(نايش)
فناء	Courtyard	(كورت يارد)
عِلّيّة	Attic	(ايتك)
مستشفى	Hospital	(هوسبيتل)
مدرسة	School	(اسكول)
موقد	Hearth	(هرث)
مطبخ	Kitchen	(كتشن)
شرفة	Verandah	(فراندا)
رُواق	Portico	(بورتيكو)
مصنع الثلج	Ice factory	(آيس فيكتري)

وطيدة	Plinth	(بلنت)
بنغل	Bungalow	(بنغلو)
ساس	Foundation	(فاونديشن)
جرة الاستقبال	Drawing room	(درواينغ روم)
مرحاض	Latrine	(ليترن)
مارستان	Lunatic asylum	(ليونيتك اسايلم)
زاب، بالوعة	Gutter	(غتر)
جرة القراءة	Reading room	(ريدنغ روم)
ص	Plaster	(بلاستر)
بولة	Urinal	(يورينل)
تب صرف التذاكر	Booking office	(بكنغ أوفس)
مل، مختبر	Laboratory	(ليبوريترى)
ور تحت الأرضي	Underground cell	(اندرغراوندسيل)
عرية	Lattice	(ليتس)
معة	University	(يونفيرسيتى)
حة، ثقب	Peep-hole	(بيب هول)
خ	Cottage	(كوتيج)
صة، مصطبة، رصيف	Platform	(بليت فورم)
يقة الحيوان	Zoo	(زو)
طْيَر	Aviary	(ايفيري)
خنة	Chimney	(شمنى)
ب رسم الدخول	Octroi-post	(اوكترای بوست)
ف	Ceiling	(سيلنغ)
يب	Bar	(بار)
ة	Shed	(شد)
ر الباب	Door-frame	(دورفريم)
	Door	(دور)
ب	Office	(أوفس)
ة الباب	Door-sill	(دورسل)
ة الباب	Threshold	(تريشولد)
ر	Wall	(وال)
اة	Ventilator	(وينتى ليتر)
سلة	Chain	(شين)
ن	Store-room	(استور روم)
	Inn	(إن)
السينما	Cinema hall	(سنيماهال)

الإسمنت	Cement	(سمنت)
درجة، سلّم	Stair	(استير)
رافدة	Beam, Rafter	(بيم، ريفتر)
فناء	Courtyard	(كورت يارد)
عمارة، بناء	Building	(بلدنغ)
حمّام	Bathroom	(باث روم)
أرضية	Floor	(فلور)
نافورة	Fountain	(فاؤنتين)
ثُكنة	Barrack	(بيريك)
مسلخ	Slaughter-house	(سلاوتر هاوس)
قلعة	Fort	(فورت)
مصنع	Factory	(فيكتري)
كورنيش	Cornice	(كورنيس)
كليّة	College	(كولج)
مكتبة	Library	(لايبريري)
الجمنازيوم	Gymnasium	(جمنازيم)
غرفة	Room	(روم)
زاوية	Corner	(كورنر)
الكتيفة	Bracket	(بريكت)
بلاطة	Tile	(تايل)
هُرْى	Granary	(غرينري)
نافذة، شباك	Window	(وندو)
مشجب	Peg	(بيغ)
كنيسة	Church	(شرش)
قبة	Dome	(دوم)
بالوعة	Drain	(درين)
رواق	Gallery	(غيلرى)
منصة	Dais	(دايس)
طاق	Arch	(آرش)
قصر	Palace	(بيلس)
مسبجد، جامع	Mosque	(موسك)
دير	Cloister	(كلوايستر)
منزل، دار	House	(هاوس)
هيكل	Temple	(تيميل)
الشرفة المفرّجة	Battlement	(بيتلمنت)
طابق، دور	Storey	(استوري)

برج الكنيسة	Steeple	(استيبل)
دار الأيتام	Orphanage	(اورفينيج)

أدوات يد

(TOOLS)

منشار	Saw	(سَاو)
موسى الحلاقة	Razor	(ريزر)
كفة لقم اللولبة	Stock & dies	(استوك اند دايز)
ملزمة	Vice	(وايس)
عود صيد السمك	Fishing-rod	(فشنغ رود)
مثقب النجار (ذو مقبض)	Auger	(اوغر)
حفّارة	Drill	(درل)
طرف إبريّ	Needle-point	(نيدل بواينت)
وحدة تقطير	Still	(استل)
دفّة، سكّان	Rudder	(ردر)
محقنة	Syringe	(سيرنج)
فرجار	Divider	(ديوايدر)
لولب	Screw	(اسكريو)
مفك	Screw-driver	(اسكريودرايور)
مجراف، رفش	Spade	(اسبيد)
مقص القضبان	Bar-shear	(بارشير)
جِملاج	Blowpipe	(بلوبايب)
مربط	Cleat	(كليت)
ميزان	Balance	(بيلنس)
مخراز	Awl	(اول)
مبرد للخشب	Rasp	(ريسب)
خنجر	Dagger	(ديغر)
إزميل قطع على البارد	Cold chisel	(كولد شيزل)
إزميل حجر	Stone chisel	(استون شيزل)
خُطاف	Bagging hook	(بيغنغ هوك)
منجل	Sickle	(سيكل)
مقص، تشذيب	Pruning shear	(بروننغ شير)
محور	Axis	(ايكسس)
كير، منفاخ	Bellows	(بلوز)
مجداف	Oar	(اور)
عتلة	Lever	(ليفر)
مسحاج تخشين	Jack plane	(جيك بلين)
مسحاج افتراز	Rebate plane	(ربيت بلين)
مسحاج تمليس	Smoothing plane	(اسموتنغ بلين)
مسحاج تشكيل	Tooling plane	(تولنغ بلين)
مَحزّ	Bead plane	(بيدبلين)
مسحاج تسوية	Trying plane	(ترواينغ بلين)
محفار	Dibble	(دبل)
مِبرد	File	(فايل)
حجر الشحذ	Hone	(هون)
خيط الفادن	Plumbine	(بلم باين)
ميزان تسوية كحولي	Spirit-level	(اسبرت ليول)
قالب الأحذية	Last	(لاست)
بوصلة	Compass	(كمباس)
مقراض، مقص	Scissors	(سيزرس)
قامطة، ملزمة	Clamp	(كليمب)
مجرفة	Spade	(اسبيد)
منسج	Loom	(لوم)
معصرة، مصنع السكر	Sugar mill	(شوغر مل)
معصرة، مصنع الزيت	Oil-mill	(آيل مل)
حديدة المحراث	Colter	(كولتر)
معيار، مقياس	Gauge	(غيج)
قونية، زاوية ضبط	Trying-angle	(ترواينغ اينغل)
فأس	Axe	(ايكس)
مخروط	Cone	(كون)
مرساة	Anchor	(اينكر)
مدقة، ميتدة	Mallet	(ميلت)
مبضع، مفصد	Lancet	(لين ست)
سندان	Anvil	(اينول)
أداة يد	Hand vice	(هيند وايس)
محراث	Plough	(بلاو)
نصل المحراث	Ploughshare	(بلاو شير)
مفتاح ربط	Spanner	(اسبينر)
مِدقة	Hammer	(هيمر)

الحرب وما يتعلق بها

(WARFARE)

لة ذرية	Atom bomb	(ايتم بم)
رب النووية	Atomic warfare	(ايتومك وارفير)
ارود	Gunpowder	(غن باودر)
زن ذخائر حربية	Magazine	(ميغزين)
رد	Mutiny	(ميوتنى)
لة متفجرة	Explosive-bomb	(اكسبلوسيف بم)
لة	Bomb	(بم)
سف جوّي	Bombardment	(بمباردمنت)
سلاح البحري	Navy	(نيوي)
نيد إلزامي	Conscription	(كونس كربشن)
اصة	Submarine	(سب ميرين)
مّرة	Destroyer	(دستراير)
فع	Cannon	(كينن)
يفة مدفع	Cannon-ball	(كينن بال)
فع مضاد للطائرات	Anti-aircraft gun	(اينتى اير كرافت غن)
فينة حربية	Battle ship	(بيتل شب)
رى الحرب	Prisoners of war	(برزنرس اوف وار)
وان، هجوم	Aggression, attack	(ايغريشن، اتيك)
وة الحيوانية	Brute force	(بروت فورس)
رب الأهلية	Civil-war	(سول وار)
دق	Trench	(ترنش)
قة الدماء	Bloodshed	(بلدشيد)
ندوق الدفاع	Defence fund	(ديفنس فند)
دوّ	Enemy	(اينمى)
فاع	Defence	(ديفنس)
ؤنة	Provisions	(بروفيشنز)
ع	Armour	(آرمر)
رب الباردة	Cold war	(كولد وار)
سم الدفاع	Defence service	(ديفنس سروس)
اقية	Treaty	(تريتى)
سلاح البرّي	Land force	(ليند فورس)
سكر، الجنود	Army, troops	(آرمى، تروبس)
لاح الفرسان	Cavalry	(كيويلرى)
حملة	Campaign	(كمبين)
المارشال	Field-marshal	(فيلد مارشل)
عملية (حربية)	Operation	(اوبريشن)
القائد الأعلى	Commander-in-chief	(كماندر ان شيف)
تسريح جيش	Demobilization	(دى موبيلايزيشن)
تجنيد	Recruitment	(ريكروتمنت)
تحصين	Fortification	(فورتى فكيشن)
خرطوشة	Cartridge	(كارترج)
حملة، إرسال	Expedition	(ايكسبيديشن)
زورق طربيد	Torpedo boat	(توربيدوبوت)
ذخيرة حربية	Ammunition	(ايميونيشن)
رصاصة	Bullet	(بولت)
حرب العصابات	Guerilla war	(غوريلا وار)
قناع الغاز	Gas mask	(غيس ماسك)
حصار	Siege	(سيج)
الاستراتيجية	Strategy	(استريتيجى)
الأفراد المقاتلون	Combatants	(كمباتينتس)
الدولة المحاربة	Belligerent nation	(بيلي جرنت نيشن)
آلات ومعدات حربية	Armaments	(آرمامنتس)
وقف إطلاق النار	Cease-fire	(سيز فاير)
طائرة مقاتلة	Fighter plane	(فايتربلين)
الرشاش	Machine-gun	(مشين غن)
القوة المساعدة	Auxiliary force	(اوكزيليرى فورس)
حصار	Blockade	(بلوكيد)
وزارة الدفاع	Defence ministry	(ديفنس منسترى)
وزير الدفاع	Defence minister	(ديفنس منستر)

الحِرف والمهن

(PROFESSIONS & OCCUPATIONS)

بائع الصحف	Newspaper vendor	(نيوزبيبر وندر)
مدرّس	Teacher	(تيشر)
مهندس	Engineer	(انجينير)
طباخ، طاهي	Cook	(كك)
تاجر الأجواخ والألبسة	Draper	(دريبر)
كمساري	Conductor	(كندكتر)
بائع البزور	Seedsman	(سيدس مين)

نجار	Carpenter	(كاربنتر)	صبّاغ	Dyer	(داير)
كاهن، قسيس	Priest	(بريست)	دهّان	Painter	(بينتر)
بائع جوّال	Hawker	(هاوكر)	كمساري	T.T.E.	(تي تي اي)
رسول	Messenger	(ميسنجر)	مالك الأرض	Landlord	(ليند لورد)
تاجر	Merchant, businessman	(مرشنت، بزنس مين)	شرطي	Constable	(كونستبل)
زيّات	Oil man	(أويل مين)	سائس خيل	Groom	(غروم)
الملقّح	Vaccinator	(فيكسنيتر)	بائع الخضر	Green vendor	(غرين ويندر)
مُنضِد، طابع	Compositor, typist	(كمبوزيتر، تاييست)	صائغ	Goldsmith	(غولد اسمث)
مقاول	Contractor	(كنتر يكتر)	سياسي	Politician	(بولى تيشين)
ساحر، مشعوذ	Magician	(ميجيشين)	نحّات	Sculptor	(اسكلبتر)
جرّاح	Surgeon	(سرجن)	شاعر	Poet	(بويت)
نسّاج، حائك	Weaver	(ويور)	الزّجّاج	Glazier	(غليزير)
مجلّد الكتب	Book-binder	(بك بايندر)	منظّف	Cleaner	(كلينر)
جوهري	Jeweller	(جويلر)	ناقر على الطبل	Tabla player	(طبله بلير)
طابع	Printer	(برنتر)	عطّار	Perfumer	(برفيومر)
فراش	Peon, orderly	(بيو ن، اردلى)	فنّان، رسّام	Artist	(آرتست)
حارس، خفير	Watchman	(واتش مين)	مصوّر	Photographer	(فوتو غرافر)
مفتش صحّي	Sanitary inspector	(سينترى انسبكتر)	جزّار	Butcher	(بوتشر)
حلّاق	Barber	(باربر)	عتّال	Coolie	(كولي)
طبيب	Physician	(فزيشين)	فلّاح	Farmer	(فارمر)
الحلواني، صانع الحلويات	Confectioner	(كنفكشنر)	صانع	Artisan	(آرتى زن)
خرّاط	Turner	(ترنر)	سائق عربة	Coachman	(كوتش مان)
أمين الصندوق	Treasurer	(تريزرر)	مركّب أدوية	Compounder	(كمباؤندر)
طبيب الأسنان	Dentist	(دنتست)	كيميائي	Chemist	(كيمست)
قابلة	Midwife	(مدوايف)	خزّاف	Potter	(بوتر)
صاحب الدكان	Shopkeeper	(شوب كيبر)	سائق السيارة	Chauffeur	(شوفر)
صانع	Artisan	(آرتيزن)	البائع بالتجزئة	Retailer	(ريتيلر)
وكيل، عميل	Broker	(بروكر)	بائع اللبن	Milkman	(ملك مان)
خياط	Tailor	(تيلر)	بائعة اللبن	Milkmaid	(ملك ميد)
مسرّح الصوف أو القطن	Carder	(كاردر)	حدّاد	Blacksmith	(بليك اسمث)
قصّار	Washerman	(واشر مين)	حمّال، ناقلة	Carrier	(كيرير)
غاسلة الملابس	Washerwoman	(واشر وومين)	ملّاح، بحّار	Sailor	(سيلر)
كاتب المسرحية	Dramatist	(دراماتست)	بستاني	Gardener	(غاردنر)
دكتور، طبيب	Doctor	(دوكتر)	جزمجي، إسكافي	Cobbler	(كوبلر)
ساعي البريد	Postman	(بوست مان)	رئيس التحرير	Editor	(اديتر)
عامل بناء	Mason	(ميسن)	صاحب المؤسسة	Proprietor	(بروبرايتر)

كانيكي	Mechanic	(مكينك)
تش	Inspector	(انسبكتر)
تحن	Examiner	(اكزامنر)
ير	Manager	(منيجر)
مّاك	Fisherman	(فشرمان)
شغّل	Operator	(اوبريتر)
تي، ملّاح	Boatman	(بوتت مان)
يل، وكيل	Agent	(ايجنت)
تب	Clerk	(كلرك)
س	Sweeper	(سويبر)
طلّاء	Enameller	(اناميلر)
ن، رسام	Artist	(آرتست)
تب	Writer	(رايتر)
قص/ راقصة	Dancer	(دانسر)
شر	Publisher	(ببليشر)
تب رواية	Novelist	(ناولست)
تب النثر	Prose-writer	(بروز رايتر)
رّضة	Nurse	(نرس)
باز	Baker	(بيكر)
سيقيّ	Musician	(ميوزيشين)
سام	Draftsman	(درافتس مان)
ئع بالمزاد العلني	Auctioneer	(اوكشنيئر)
حامي	Advocate	(ايدووكيت)
دل	Waiter	(ويتر)

مفردات الأعمال والتجارة

(BUSINESS)

خل، الإيراد	Income, Earning	(انكم ،ارننغ)
ساب الوارد	Receipts &	(رسيتس اند
منصرف	payments account	بيمينتس اكاونت)
فلس المصدّق	Discharged bankrupt	(دسشارجد بيك ربت)
يك بتاريخ متأخر	Postdated cheque	(بوست ديتد شيك)
قة نقدية كبيرة	Tight money	(تايت منى)
عب فكّها		
عر المتوقع	Call rate	(كا ل ريت)
ساب الابتدائي	Initial account	(انيشيل اكاونت)
ية الدفع	Paying capacity	(بيئنغ كيبيسيتى)
الفاتورة المدفوعة	Discharged bill	(دسشارجد بل)
القرض المدفوع	Discharged loan	(دسشارجد لون)
الفاتورة الواجب دفعها	Bill payable	(بل بيه ايبل)
اعتماد، قرض	Credit	(كريدت)
حساب الاعتماد	Credit account	(كريدت اكاونت)
البيع قرضاً	Sale on credit	(سيل اون كريدت)
رسالة الاعتماد	Letter of credit	(ليتر اوف كريدت)
إيداع الاعتماد	Credit deposit	(كريدت دبو زت)
فاتورة قرض	Bill of credit	(بل اوف كريدت)
المقرض	Moneylender	(منى ليندر)
دفتر القروض	Credit book	(كريدت بك)
رسالة تفويض	Letter of	(ليتر اوف
	authorisation	او تو رايزيشن)
الدخل الخالص	Net Income	(نت انكم)
رأسمال	Capital	(كيبيتل)
البنك التعاوني	Co-operative Bank	(كو أوبريتيو بينك)
المدوّن	Endorser	(اندور سر)
تدوين، مصادقة على	Endorsement	(اندورس منت)
شيك مظهّر	Endorsed cheque	(اندورسد شيك)
حساب فردي	Individual account	(اندو يجويل اكاونت)
معدّل	Average	(ايوريج)
معدّل السعر	Average rate	(ايوريج ريت)
معدّل المسافة	Average distance	(ايوريج دستنس)
الفاتورة المنقضي موعد دفعها	Overdue bill	(اوور ديو بل)
	Cheque	(شيك
تسديد القرض بالشيك	Deposit crediting	دبوزت كريديتنغ)
المبالغ الواجبة	Charges	(شارجز)
الفاتورة القابلة للدفع	Bill receivable	(بل ريسيويبل)
دفتر بأوراق منفصلة	Loose leaf ledger	(لو زليف ليجر)
القرض الذى يخشى عدم تسديده	Suspended debt	(سسبيندديت)
الاعتماد الطارئ	Emergency credit	(ايمر جنسى كريدت)
العملة الصعبة	Hard currency	(هارد كرنسى)
رصيد القروض	Loan balance	(لون بيلنس)
القرض المتبقي	Standing credit	(استيندنغ كريدت)
الرصيد	Balance	(بيلنس)
حساب الرصيد	Balancing	(بيلنسنغ)

سوق البضائع	Commodity market	(كموديتى ماركيت)
سعر السوق	Market price	(ماركيت برايس)
تصدير	Export	(اكسبورت)
قرض التصدير	Export credit	(اكسبورت كريدت)
رسوم التصدير	Export duty	(اكسبورت ديوتي)
فاتورة بيع	Bill of sale	(بل اوف سيل)
دفتر المبيعات	Sales ledger	(سيلس ليجر)
المبلغ المتبقي	Arrears	(ايريرس)
إيداع الادخار	Saving deposit	(سيونغ دبوزت)
عملية الصنع	Manufacturing process	(مينو فيكشرنغ بروسس)
ماركة الصانع	Maker's brand	(ميكرس براند)
القرض غير المضمون	Clean loan	(كلين لون)
دفتر الحساب	Account book	(اكاونت بك)
مجاناً	Free of charge	(فرى اوف تشارج)
مدفوعات البنوك	Banker's payment	(بينكرس بيمينت)
أمر البنوك	Banker's order	(بينكرس أوردر)
التسليف المصرفي	Banker's advance	(بينكرس ادوانس)
القرض المصفي	Bank credit	(بينك كريدت)
سعر المصرف	Bank rate	(بينك ريت)
الحساب المصرفي	Bank account	(بينك اكاونت)
قرض البنك	Banking debt	(بينكنغ دت)
ضمان البنك	Banker's security	(بينكرس سيكو ريتي)
طلب المصرف	Bank call	(بينك كال)
المبلغ المودع في البنك	Bank cash	(بينك كيش)
الرهن المصرفي	Banker's mortgage	(بينكرس مورتغيج)
مبالغ واجبة للبنك	Bank charge	(بينك تشارج)
النظام المصرفي	Banking structure	(بينكنغ استركشر)
تأمين	Insurance	(انشو رنس)
بيان الحساب المعد مسبّقا	Advance accounts	(ايدوانس اكا ونتس)
القرض بدون تحديد الموعد	Morning loan	(مورنغ لون)
الواجب الحصري	Restrictive duty	(ريستر كيتيو ديو تى)
الشيك المنقضى ميعاده	Stale cheque	(استيل تشيك)
الحساب السابق	Account rendered	(اكاونت ريندرد)
القرض المحدد ميعاده	Time money	(تايم منى)
تاجر	Merchant	(مر شينت)

تحويل، تغيير	Exchange	(اكسشنج)
رسالة مقدّمة	Forwarding letter	(فور واردنغ ليتر
رأس المال العامل	Working capital	(وركنغ كيبيتل
البضائع الموجودة في المخزن	Stock in trade	(استوك ان تريد
السلع التجارية	Merchandise	(مرشندايس)
الديون التجارية	Trade creditor	(تريدكريدتر)
الرأسمال التجاري	Trading capital	(تريدنغ كيبيتل)
البنك التجاري	Commercial bank	(كمر شيل بينك)
الحساب التجاري	Commercial account	(كمرشيل اكاونت
تصفية المبلغ المحوّل	Cash transfer clearing	(كيش ترانسفر كليرنغ)
العملة الموافق عليها	Approved currency	(ايبروفد كرنسى
مذكرة الطلب التحريرية	Demand note, indent	(ديماندنوت، اند
نفقات التطوير	Development expenses	(ديولبمينت ايكبنس
رسالة توضيحية	Covering letter	(كو رنغ ليتر)
راتب، دفع	Pay	(بيه)
سوق البيع بالجملة	Wholesale market	(هول سيل ماركي
سعر التكافؤ	Mint par	(منت بار)
البلىٰ بالاستعمال	Wear & tear	(وير اند تير)
القيمة بعد دفع الضريبة	Duty paid price	(ديوتي بيد برايس
القرض الجاري	Current loan	(كرنت لون)
دفتر التفتيش	Check register	(شيك رجستر)
الوديعة الجارية	Current deposit	(كرنت دبوزت)
الشيك المفتوح	Open cheque	(اوبن شيك)
المذكرة المزورة	Forged note	(فور جد نوت)
المال المجموع	Consolidated fund	(كونسولديتدفند
دفتر الودائع	Book deposit	(بك دبوزت ،
دفتر الودائع	Deposit ledger	دبو زت ليجر)
بطاقة الإيداع	Pay in slip	(بيه ان سلب)
مصرف الإيداع	Bank of deposit	(بينك اوف دبوز
المبلغ المودع	Deposit account	(دبوزت اكاونت
العملة المودعة	Deposit currency	(دبوزت كرنسي
حساب الودائع	Deposit account	(دبوزت اكاونت
دفتر الودائع	Deposit register	(دبوزت رجستر
القرض الذي تمّ تأجيله	Funding loan	(فندنغ لون)

حساب المخزونات	Stock account	(استوك اكاونت)
الحساب الجاري	Current account	(كرنت اكاونت)
المحاسب القانوني	Chartered accountant	(شار ترد اكاونتينت)
سعر بالتجزئة	Retail price	(رتيل برايس)
خصم	Discount	(دسكاونت)
حساب الخصم	Discount account	(دسكاونت اكاونت)
مبادلة الخصم	Exchange at discount	(ايكسشينج ات دسكاونت)
وكيل التخليص	Clearing agent	(كليرنغ ايجنت)
حساب	Account	(اكاونت)
إغلاق الحساب	Closing of account	(كلوزنغ اوف اكاونت)
الشريك	Partner	(بارتنر)
شيك يدفع على أمر فلان	Order cheque	(أوردر شيك)
تدوين فارغ	Blank endorsement	(بلينك اندورسمينت)
فاتورة الكلفة	Bill of costs	(بل اوف كوستس)
التكاليف	Charge	(شارج)
الدائن للنفقات	Creditors for expenses	(كريديتر س فور ايكسبنسز)
تمويل	Finance	(فايننس)
صراف	Cashier	(كيشير)
كارت	Letter card	(ليتر كارد)
طلب	Application	(ايبلى كيشن)
كمبيالة وثائقية	Documentary bill	(دوكو منترى بل)
البنك المحلي	Indigenous bank	(انديجينس بينك)
دفع المبلغ مقابل الوثائق	Cash against documents	(كيش اغينست دوكو منتس)
كمبيالة واجبة الدفع بعد الإراءة	Bill payable after sight	(بل بيه ايبل آفتر سايت)
سعر الشيك	Cheque rate	(شيك ريت)
كمبيالة واجبة الدفع عند الرؤية	Bill payable at sight	(بل بيه ايبل ابت سايت)
المبلغ المدعى له	Claimed amount	(كليمد اماونت)
دكان	Shop	(شوب)
حكَم	Arbitrator	(آربتريتر)
مفلس	Bankrupt	(بينك ربت)

إفلاس	Bankruptcy	(بينك ربسى)
رسوم الدمغة	Stamp duty	(استامب ديوتى)
حساب الدين الميت	Bad debt account	(بيد ديت اكاونت)
الدين الميت	Bad debt	(بيد ديت)
الرأسمال المسموح به	Authorised capital	(اوثو رايزد كيبيتل)
المبلغ	Amount	(اماونت)
المبلغ المطلوب قبل الأجل	Call in advance	(كو ل ان ايدوانس)
جدول المبالغ	Cash scroll	(كيش اسكرول)
حوالة	Draft	(درافت)
ورقة الدين	Credit paper	(كريدت بيبر)
أمر بالدين	Credit note	(كريدت نوت)
دفتر يومي	Rough day book	(رف ديه بك)
دفتر النفقات اليومية	Job cost ledger	(جوب كوست ليجر)
العملة، المال	Currency, money	(كرنسى منى)
انكماش العملة	Deflation of currency	(ديفليشن اوف كرنسى)
تحويل العملة أو نقلها	Currency transfer	(كرنسى ترانسفر)
النظام المالي	Monetary system	(مونترى سستم)
انخفاض في قيمة العملة	Depreciation of currency	(دبيرى سيئيشن اوف كرنسى)
تغيير العملة	Currency exchange	(كرنسى ايكسشينج)
السوق المالية	Money market	(منى ماركت)
مسلماً على ظهر القطار	Free on rail (F.O.R.)	(فرى أون ريل)
إشعار بالإيقاف	Notice of stoppage	(نوتس اوف استابج)
المموّل	Financer	(فاينينسر)
الصندوق السنوي، السناهية	Annuity fund	(اينوتى فند)
الربح السنوي	Annual profit	(اينول بروفت)
الحساب السنوي	Annual account	(اينول اكاونت)
بيان الحساب السنوي	Annual return	(اينول ريترن)
الراتب السنوي	Annual pay	(اينول بيه)
الربح السنوي الخالص	Annual net profit	(اينول نت بروفت)
نظام السناهية	Annuity system	(اينو تى سستم)
المالية العامة	Public finance	(ببلك فاينينس)
الحساب العام	Public account	(ببلك اكاونت)
التسليف العام	Public credit	(ببلك كريدت)
السوق الرأسمالية	Capital market	(كيبتل ماركيت)

حساب الرأسمال	Capital account	(كيبتل اكاونت)
صاحب الرأسمال	Capitalist	(كيبتلست)
الربح على الرأسمال	Capital profit	(كيبتل بروفت)
تدفق الرأسمال	Capital outflow	(كيبتل آوت فلو)
حساب الرأسمال والدخل	Capital & revenue account	(كيبتل اند ريوينو اكاونت)
مبلغ الرأسمال	Capital sums	(كيبتل سمس)
عائدات على الرأسمال	Return on capital	(ريترن أون كيبتل)
موجودات الرأسمال	Capital asset	(كيبتل ايست)
بائع	Salesman	(سيلس مان)
مناورة في سعر البنك	Manipulation of bank rate	(مينى بوليشن اوف بينك ريت)
سعر التبادل	Exchange rate	(ايكسشينج ريت)
حساب على الشهرة (التجارية)	Goodwill account	(غدول اكاونت)
بورصة	Stock exchange	(استوك ايكسشينج)
الرصيد السابق	Opening balance	(اوبننغ بيلنس)
حساب معلق	Suspense account	(سسبينس اكاونت)
شيك على بنك خارج المدينة	Outstation cheque	(آوت أستيشن شيك)
المستهلك	Consumer	(كنزيومر)
سلع المستهلك	Consumer's goods	(كنزيومرس غدس)
سوق الذهب والفضة	Bullion exchange	(بولين ايكسشينج)
البنك الصناعي	Industrial bank	(اندستريل بينك)
الاحتياطي الإلزامي	Compulsory reserve	(كمبلسرى رزرو)
وثيقة ضمان	Bill as security	(بل ايزسيكوريتى)
الدفع لغرض الشرف	Payment for honour	(بيمنت فور أونر)
الدين الذى لم يحدّد أجله	Morning loan	(مورننغ لون)
العملة الأجنبية	Foreign exchange	(فورن ايكسشنج)
رسالة المسئولية	Risk note	(رسك نوت)
مال غير مستثمر	Floating money	(فلوتنغ منى)
طلب القرض نقداً	Demand cash credit	(ديماندكيش كريدت)
البضائع القابلة لفرض الرسوم عليها	Dutiable goods	(ديوتى ايبل غدس)
المقرض	Creditor	(كريديتر)
دفتر القروض	Book debt	(بك دت)

إقراض	Floatation	(فلو تيشن)
المدينون للقرض	Debtors for loan	(ديترس فور لون)
المقرضون	Creditors for loan	(كريدرس فور لون
القيمة، السعر	Price	(برايس)
تعرفة، قائمة الأسعار	Price list	(برايس لست)
التضخم (ارتفاع الأسعار)	Inflation	(انفليشن)
مصنع	Factory	(فيكتري)
مجموع الأعمال	Job, outturn	(جوب آوت ترن)
مقياس ورقي	Paper scale	(بيبر اسكيل)
أوراق نقدية	Paper currency	(بيبر كرنسى)
الإنتاج الخالص	Net production	(نت برودكشن)
الإيراد الصافي	Net earning	(نت ارننغ)
المبيعات الخالصة	Net selling, sale	(نت سيلنغ سيل)
الدخل الإجمالي	Gross earning	(غروس ارننغ)
الخسارة الإجمالية	Gross loss	(غروس لوس)
الدخل الخالص	Net income	(نت انكم)
أجرة النقل	Freight	(فريت)
تضخم مالى	Inflation of currency	(انفليشن اوف كرنسى
الاقتصاد	Economy	(اكو نومى)
الدين قصير الأجل	Short-term credit	(شورت ترم كريدت
الدين قصير الأجل	Floating debt	(فلوتنغ دت)
السعر الأدنى	Bottom price	(بوتم برايس)
دفتر تدوين المدفوعات	Paying in book	(بيينغ ان بك)
الحساب والرصيد	Account & balance	(اكاونت اند بيلنس)
المحاسب	Accountant	(اكاونتينت)
مسك الدفاتر	Maintenance of account	(منتى نينس اوف اكاونت)
عام المحاسبة	Accounting year	(اكاونتنغ اير)
دفتر النفقات الصغيرة	Petty cash book	(بتى كيش بك)
المحاسبة	Accountancy	(اكاونتينسى)
محاسب مساعد	Assistant accountant	(اسستينت اكاونتينت)
دفتر تدوين النقد	Cash book	(كيش بك)
الزبون	Customer	(كستمر)
حساب الزبائن	Customer's account	(كستمرس اكاونتس
رسالة الضمان	Letter of guarantee	(ليتر اوف غارنتى)
انخفاض قيمة العملة	Depreciation	(ديبرى سي ايشن)

حساب الانخفاض (فى العملة)	Depreciation account	(ديبرى سي ايشن اكاونت)
الدين المتراوح	Revolving credit	(ريوولونغ كريدت)
تراوح	Fluctuation	(فلكشو يشن)
الشيك المسطر	Crossed cheque	(كروسد شيك)
بنك المبادلة	Exchange bank	(ايكسشينج بينك)
رسالة ا لتبادل	Letter of exchange	(ليتر اوف ايكسشينج)
البضائع	Goods	(غدس)
حدّ خزن البضائع	Stock limit	(استوك لمت)
دفتر البضائع والنقد	Goods cash book	(غدس كيش بك)
لمستخدم	Employer	(امبلاير)
لتبادل المالي	Financial transaction	(فايننشيل ترانزيكشن)
لعام المالي	Financial year	(فايننشيل اير)
مذكرة مالية	Financial memorandum	(فايننشيل ميموريندم)
يان مالي	Financial statement	(فايننشيل استيت منت)
لإشارة المالية	Financial advice	(فايننشيل ايدوايس)
قرير مالي	Financial reporting	(فايننشيل ريورتنغ)
لإدارة المالية	Financial management	(فايننشيل مينجمنت)
تحكم المالي	Financial control	(فايننشيل كنترول)
شريك بالمال	Financial partner	(فايننشيل بارتنر)
مسئوليات والديون) المالية	Financial liability	(فايننشيل لا يبليتى)
قيمة الرأسمالية	Capitalised value	(كيبتلا يزد ويليو)
مبلغ المتبقي من ا لمطلوب	Call in arrears	(كال ان ايريرس)
شريك المحدود	Limited partner	(لميتد بارتنر)
مال الاحتياطى ن الرأسمال	Capital reserve fund	(كيبتل ريزروفند)
سالة الاعتماد للمسافر	Travellers Letter of credit	(تريولرس ليتر أوف كريدت
ين المقيّد	Tied loan	(تائيد لون)
سوق المتين	Firm market	(فرم ماركيت)
حساب المشترك	Joint account	(جوائنت اكاونت)
الأسهم المشتركة	Joint stock bank	(جوايننت استوك بينك)
بح	Bonus	(بونس)
عة إلى الكساد	Bearish tendency	(بيرش تيندنسى)
سوق	Market	(ماركيت)

الحسابات المبينة	Accounts stated	(اكاونتس استيتد)
حساب الدين	Debt account	(ديت اكاونت)
رصيد الدين	Debt balance	(ديت بيلنس)
المال المخصّص	Allotted fund	(الوتيدفند)
الكمبيالة الصافية	Clean bill	(كلين بل)
القيمة المدفوعة نقداً	Cash value	(كيش ويليو)
الودائع النقدية	Cash deposit	(كيش دبوزت)
القرض نقداً	Cash imprest	(كيش امبرست)
الرصيد نقداً	Cash balance	(كيش بيلنس)
حساب النقد	Cash account	(كيش اكاونت)
المبلغ نقداً	Cash	(كيش)
الدفع نقداً	Cash payment	(كيش بيمنت)
ايصال نقد	Cash memo	(كيش ميمو)
الحسم نقداً	Cash discount	(كيش دسكاونت)
الأمر بالدفع نقداً	Cash order	(كيش اوردر)
القرض نقداً	Cash credit	(كيش كريدت)
المسئولية المالية	Financial Obligation	(فايننشيل اوبليغيشن)
الغرامة المالية	Financial penalty	(فايننشيل بنالتى)
مذكرة الطلب	Call notice	(كول نوتس)
الطلب	Demand	(ديماند)
قرض الطلب	Demand loan	(ديماند لون)
حوالة الطلب	Demand draft	(ديماند درافت)
الرأسمال العامل	Active capital	(ايكتو كيبيتل)
تحكم التبادل	Exchange control	(ايكسشنج كنترول)
الرسوم الخاصة	Specific duty	(اسبيسفك ديوتى)
الكمبيالة القابلة للدفع بعد	Bill payable after date	(بل بيايبل آفتر ديت)
القرض الميقاتي	Terminable loan	(ترمنيبل لون)
الوديعة الثابتة	Fixed deposit	(فكسددبوزت)
المبلغ المسحوب	Withdrawn amount	(وددران اماونت)
تعويض عن الخسارة	Loss Compensation	(لوس) (كمبنسيشن)
مدة الصلاحية	Validity period	(ويلديتى بيريد)
الفاتورات القابلة للدفع	Bill of collection	(بل اوف كليكشن)
حوالة يدفعها البنك	Payable bank draft	(بيايبل بينك درافت)
الشيك المردود	Returned cheque	(ريترند شيك)

السوق الحرة Free market (فري ماركيت)
كمبيالة bill (بل)
سحب الكمبيالة Retirement of bill (ريتاير منت اوف بل)
تصفية الكمبيالة Clearing a bill (كليرنغ ايه بل)
عميل الكمبيالة Bill broker (بل بروكر)
مجلة/دفتر الكمبيالة Bill journal (بل جرنل)

أدوات الكتابة
(STATIONERY)

أرومة Counterfoil (كاونتر فوائل)
كرسي استراحة Easy-chair (ايزي شير)
جريدة Newspaper (نيوز بيبر)
خزانة Almirah (الميره)
مقعد Bench (بنش)
دفتر Ledger (ليجر)
فرجار Divider (ديوايدر)
قلم الريشة Quill pen (كويل بين)
وسادة الدبابيس Pin-cushion (بن كشن)
مثقب Punch machine (بنش مشين)
قلم الرصاص Pencil (بنسل)
قلم رصاص النسخ Copying pencil (كوبينغ بنسل)
بطاقة بريد Postcard (بوست كارد)
برقية Wire (واير)
كرسي بلا ظهر Stool (استول)
طابع بريد Postage-stamp (بوستيج استامب)
طابع حكومي Revenue-stamp (ريونيو استامب)
ورق نشاف Blotting paper (بلوتنغ بيبر)
كتيّب Pocket-book (بوكت بك)
مشبك Clip (كلب)
بطاقة الدعوة Invitation card (انوتيشن كارد)
دواة Inkpot (انك بوت)
دبّوس الرسم Drawing-pin (درواينغ بن)
شريطة Tag (تيغ)
محّاية Eraser (اريزر)
سلة المهملات Waste paper basket (ويست بيبر باسكت)
سجل Register (رجستر)

دفتر الايصالات Receipt-book (رسيت بك)
حبر Ink (انك)
الحبر الأسود Black ink (بليك انك)
مختمة Inkpad (انك بيد)
الحبر الأزرق Blue ink (بلو انك)
جريدة يومية Daily paper (ديلي بيبر)
مسطر Ruler (رولر)
مخرز Bodkin (بود كن)
ملف File (فايل)
شريط Tape (تيب)
قلم Pen (بين)
ورق التغليف Wrapper, packing paper (ريبر، بيكنغ بيبر)
ورق أبيض (خال) Blank paper (بلينك بيبر)
ورق النسخ Tracing paper (تريسنغ بيبر)
ورق زيتي Oil paper (اويل بيبر)
ورق الكربون Carbon paper (كاربن بيبر)
مقص الورق Paper cutter (بيبر كتر)
المثقّلة Paper-weight (بيبر ويت)
فلّين Cork (كورك)
بطاقة Card (كارد)
بطاقة شخصية Identity card (آيدينتيتي كارد)
بطاقة زيارة Visiting card (وزيتنغ كارد)
الكريون Crayon (كرايون)
جرس الدعوة Call bell (كول بيل)
صمغ Gum, glue (غم، غلو)
قاموس Dictionary (دكشنري)
شمع Sealing-wax (سيلنغ ويكس)
ظرف Envelope (انويلب)
إضمامة الورق Writing pad (رايتنغ بيد)
مجلة شهرية Monthly magazine (منتلي ميغزين)
الختم، سدادة Seal (سيل)
ختم مطاطي Rubber stamp (ربر استامپ)
قماش زيتي Tracing cloth (تريسنغ كلوث)
طاولة Table (تيبل)
ريشة قلم Nib (نب)

خريطة	Map	(ميب)
صحيفة أسبوعية	Weekly paper	(ويكلى بيبر)
مسك	Holder	(هولدر)

الحيوانات
(ANIMALS)

الجمل	Camel	(كيمل)
أيّل	Stag	(استيغ)
أيّلة	Hind	(هايند)
ماعز	He-goat	(هي غوت)
شاة	She-goat	(شي غوت)
جَدْي	Kid	(كد)
قطّ، هِرّة	Cat	(كيت)
هُريرة	Kitten	(كتن)
شيمبانزي	Chimpanzee	(شمبينزى)
قرد	Monkey	(منكي)
عِجل	Calf	(كاف)
عِجْلة	She-calf	(شي كاف)
دُبّ	Bear	(بير)
ذئب	Wolf	(وولف)
غنم	Sheep	(شيب)
نعجة	Ewe	(ايو)
حمَل	Lamb	(ليم)
جاموس	Buffalo	(بفيلو)
ثور	Ox	(اوكس)
جَرْو	Puppy	(ببي)
نمر	Leopard	(ليوبرد)
فرس قزم	Pony	(بوني)
فأرة	Mouse, rat	(ماؤس، ريت)
خُلْد	Mole	(مول)
نمِر، يغوار	Panther	(بينتر)
آكل النمل	Ant eater	(اينت إيتر)
بَغْل	Mule	(ميول)
أرنب	Rabbit, hare	(رييت، هير)
زرافة	Giraffe	(جراف)
حمار الزرد	Zebra	(زيبرا)
ثور	Bull	(بل)
نَيْص	Porcupine	(بوركيو باين)
خنزير	Pig, swine	(بغ، سواين)
خنزير وحشي	Boar	(بور)
أسد	Lion, tiger	(لاين، تايغر)
كلب	Dog	(دوغ)
السبَنْيَلي	Spaniel	(اسبينيل)
كلب صيد	Hound	(هاوند)
كلبة	Bitch	(بتش)
كنغر	Kangaroo	(كنغارو)
بقر	Cow	(كاو)
سنجاب	Squirrel	(اسكويرل)
حمار	Ass	(أيس)
ابن آوى	Jackal	(جيكال)
كركدن	Rhinoceros	(راينو سيرس)
حصان	Horse	(هورس)
فرس (أنثي)	Mare	(مير)
مُهْرُ	Colt	(كولت)
ثعلب	Fox	(فوكس)
جَدْي	Kid	(كد)
كَبْش	Ram	(ريم)
الضبُع	Hyena	(هاينا)
قرد	Ape	(ايب)
النّمس	Mongoose	(مونغوز)
فيل	Elephant	(ايلى فينت)
غزال	Deer	(دير)
أيّل المسك	Musk deer	(مسك دير)
الخِشْف	Fawn	(فَاون)

الحشرات
(WORMS & INSECTS)

الأصَلة	Boa	(بوا)
عقرب	Scorpion	(اسكوربين)
بُرغوث	Flea	(فلي)
زنبور	Wasp	(وا سب)
فراشة	Butterfly	(بتر فلاي)

جُندُب	Grasshopper	(غراس هوبر)
جراد	Locust	(لو كست)
الحُباحب	Glow worm	(غلو ورم)
قمل	Lice	(لايس)
علقة	Leech	(ليش)
صرصار	Cricket	(كركت)
سام أبرص	Lizard	(لزرد)
قمل الجسم	Body-lice	(بودي لايس)
جاموس البحر	Hippopotamus	(هيبوبو تيمس)
النمل الأبيض، أرَضة	Termite	(ترمايت)
شرنقة	Cocoon	(كوكون)
المحارة	Oyster	(أويستر)
النحل	Honey bee	(هني بي)
حشرة الذرة	Earthworm	(ارث ورم)
سرطان	Crab	(كريب)
سلحفاة	Turtle	(ترتل)
بقة الفراش	Bug	(بغ)
خنفساء	Beetle	(بيتل)
حية	Snake	(اسنيك)
أفعى	Adder	(ايدر)
جريث	Eel	(ايل)
حَلَزون	Snail	(اسنيل)
الصوابة	Nit	(نت)
عنكبوت	Spider	(اسبايدر)
ذباب	Fly	(فلاي)
ناموس، بعوضة	Mosquito	(موسكيتو)
سمك	Fish	(فش)
كركند، جراد البحر	Lobster	(لوبستر)
ضفدع	Frog	(فروغ)
شرغوف	Tadpole	(تيدبول)
الصِّل، الناشر	Cobra	(كوبرا)

الطيور (BIRDS)

السنونو	Swallow	(سويلو)
بوم	Owl	(آول)
صقر	Hawk	(هوك)
سُمانى	Quail	(كويل)
ذكر البط	Drake	(دريك)
أنثى البط	Duck	(دك)
فرخ البط، بطة صغيرة	Duckling	(دكلنغ)
بلبل، عندليب	Nightingale	(نايتنغيل)
حبّاك	Weaver bird	(ويور برد)
الحجَل	Partridge	(بيترج)
خُفّاش	Bat	(بيت)
فَرّوج	Chicken	(شكن)
حدأة	Kite	(كايت)
كُركي	Crane	(كرين)
عُقاب	Eagle	(إيغل)
ببغاء	Parrot	(بيرت)
يمامة	Dove	(دوف)
غراب أسود	Raven	(ريون)
حمامة	Pigeon	(بيجين)
نقّار	Woodpecker	(وود بيكر)
الوقواق	Cuckoo	(ككو)
نسر	Vulture	(ولشر)
الدُوري	Sparrow	(اسبيرو)
قُبّرة	Lark	(لارك)
ديك	Cock	(كوك)
دجاجة	Hen	(هن)
طاووس	Peacock	(بي كوك)
طاووسة	Peahen	(بي هن)
العقعق	Magpie	(ميغ باى)
تَمّ، الأوز العراقي	Swan	(سو ان)

Some Difficult Words Commonly Misspelt

Correct	Incorrect
Absorption	absorpshun, absorpsion
abundant	abundent, aboundant
abyss	abiss, abis
access	acces
accident	accidant
acquaintance	acquintance
advertisement	advertismant, advartisement
aerial	airial, aireal
aggregate	aggregat, agregrate
alcohol	alchohol, alkohal
altar	altre
aluminium	alluminium, allumminium
amateur	amature, ameture
analysis	analisis, analises
appropriate	appropriat, apropriate
aquatic	acquatic
ascertain	assertain, asertain
ascetic	asetic, aestik
autumn	autamn, autum
Balloon	baloon, ballon
banana	bannana
banquet	bankuet, banquette
barrier	berrier, barriar
beneficent	beneficient, benificent
bequeath	bequethe, bequith
besiege	besige, beseege
bouquet	bokuet, bequett
buoyant	boyant, bouyant
Calendar	calender, calandar
calumny	calumni, calamny
candour	candoar, cander
canvas	canvass
canvass	canvas
career	carrier
carcass	carcas, carcese
catalogue	catalog, catalaug
certain	sertain, certen
chew	choo, cheu
coffee	cofee, coffe
coincide	concide, conecide
commission	comission, commison
committee	comitee
Decease (death)	disease, dicease
disease (ill-health)	decease, dicease
deceive	decieve, deceeve
defendant	defendent
depth	deapth
descendant	discendant
desperate	desparate, disperate
detector	detecter
develop	develope, devalop
diamond	daimond
director	directer
discipline	descipline
Element	eliment, elemant
elementary	elimentary, elementory
embarrassed	embarassed
endeavour	endevour, endeavur
entrance	enterance
Fascinate	facinate, fashinat
fibre	fiber
fiery	firy, firey
forfeit	forfit
fusion	fushion
furniture	farniture, furnetur

Correct	Incorrect
Gaiety	gayty, gaity
galloping	gallopping, galopping
gorgeous	gorgeus, gorgias
Hammer	hammar, hamer
handicraft	handecraft
hindrance	hinderance, hindrence
humour	humor (American), humar
hygiene	hygeine, higiene
Illiterate	illitrate, illetrate
indigenous	indigenus, indeginous
influential	influensial, influntial
ingenious	ingeneaus, inginious
ingenuous	inginuous
irresistible	irrestable
Jealous	jelous, zelus
jester	jestor
jugglery	juglery, jugglary
Kerosene	kerosin, kerosine
knack	nack
Laboratory	labrartory, laboratery
language	languege
leopard	lepard, leppard
library	liberary, librery
licence (noun)	license
license (verb)	licence
lieutenant	leftenant, leiutenant
lily	lilly
limited	limitid
literary	litrary
livelihood	livlihood, livelyhood
lustre	luster, lustar
Maintenance	maintainance
manageable	managable, managible
manoeuvre	manover, manour
marvellous	marvelous, marvellus
millionaire	millioner
miscellaneous	misellaneous, miscellenous
mischief	meschief
modelled	modled, moddled
moustache	moustashe, mustance
mystery	mystry, mistery
Nasal	nazal
necessity	nescity, necesity
neighbour	naghbour, neighber
noticeable	noticable, notiseable
Obedient	obidient, obdiant
occasion	occesion, ocasion
occurred	occured
occurrence	occurance
odour	odor, oder
offence	offense
offensive	offensev
offered	offerrd
offering	offerring
omelette	omlette, oumlet
omitted	ometted, ommitted
opportunity	oppurtunity, oportunity
orator	orater, oratar
Parallel	paralel
parlour	parler
persuade	pursuade, parsuade

Correct	Incorrect
philosophy	phylosophy
physique	physic
persuasion	persuation
pleasant	plesant, plesent
professor	proffessor, professer
profession	proffession, profesion
proprietor	propritor, propriter
prominent	prominant
Quinine	quinin
quotation	quotetion, quottation
Rabbit	rabit, rabbitt
railing	railling, relling
realm	relm, rilm
receipt	receit, reciept
recur	recurr
recurred	recured
recurrence	recurrence, recurrance
referred	refered
reference	referrence
regrettable	regretable, regretteble
relieve	releive, relive
removable	removeable
repetition	repeatition, repitition
Salutary	salutory
saviour	savior, saviur
scholar	scholer, skolare
scissors	sissors, scisors
separate	separat, saparate
several	severel, sevarel
shield	sheild, shild
shyly	shily, shiely
smoky	smokey
sombre	somber
sovereignty	sovereinty
spectre	spector, specter
sufficient	sufficent
summary	summury, sumary
superintendent	superintandant
susceptible	suseptible, susesptible
Technique	technic
tolerance	tolerence
tranquillity	tranquilitey, tranquilty
transferred	transfered
tributary	tributory, tributery
tuition	tution
Unintelligible	uninteligeble
unmistakable	unmistakeable
utterance	utterence
Vaccinate	vaxinate, veccinate
Vacillate	vascilate, vacillate
valley	valey, velley
veil	vail
ventilator	vantilatar, ventilater
verandah	varanda, varandah
victuals	victuels
vigorous	vigorus, vigorus
visitor	visiter, visitar
Wield	weild, wilde
wilful	willful, wilfull
woollen	wollen, woolen
Yawn	yan, yaun
yearn	yern

■ Technical terms

Correct	Incorrect	Correct	Incorrect	Correct	Incorrect
algebra	algabra	dynamo	dinomo	oxygen	oxigen
arithmetic	arithmatic	eclipse	eclypse	peninsula	pennisula
adjacent	adjcent	electricity	elektricity	parliament	parleament
ambiguous	ambigous	equilibrium	equilibriam	plateau	plato
apparatus	aparatus	executive	exeketive	positive	posetive
artillery	artillary	expedition	expidition	percentage	percentege
barley	barly	formulae	formuli	phenomenon	phenomenun
barometer	barometre	governor	governer	phosphorus	phosforus
circumference	circumferance	government	govemmant	quotient	quoshent
carnivorous	carnivorus	hypothesis	hipothisis	route	rute
corollary	corolary	insect	insact	revenue	ravenue
chocolate	chokolate	lens	lensce, lense	season	seeson
compass	compas	liquid	lequid	sepoy	sepoi
conqueror	conqerer	league	leegue	science	sience
column	colum	mammal	mamal	secretary	secretery
concave	conkave	mathematics	mathametics	subtraction	subtrection
convex	conveks	machinery	machinary	sulphur	sulpher
cocoa	coco	metre	mitter	temperate	tamperate
cyclone	syklone	mercury	mercary	theoretical	theoreticle
cylinder	cylindar	mineral	minarel	triangle	trangle
diagonal	digonal	microscope	microskope	tobacco	tobaco
diagram	digram	neutral	netural	veins	vains
decimal	decimale	negative	negetive	vacuum	vaccum

■ Proper nouns

Correct	Incorrect	Correct	Incorrect	Correct	Incorrect
Alexander	Alexendar	Buddhism	Budhism	Guinea	Gunea
Andes	Andis	Buenos Aires	Bonus Aeres	John	Jhon
Antarctic	Antratic	Caesar	Ceaser	Mediterranean	Maditeranion
Arctic	Arktic	Calcutta	Calcatta	Muhammad	Mohammad
Atlantic	Atlantik	Delhi	Dehli	Napoleon	Napolian
Bombay	Bombai	Egypt	Egipt	Philip	Phillip
Buddha	Budha	Europe	Erope	Switzerland	Swizerland
Buddhist	Budhist	European	Europian	Scotch	Scoch

■ Words which are erroneously combined

Correct	Incorrect	Correct	Incorrect	Correct	Incorrect
all right	alright	at least	atleast	some one	someone
all round	alround	in spite of	inspite of	some time	sometime
at once	atonce	per cent	percent	uptill	uptil

■ Words which are erroneously divided

Correct	Incorrect	Correct	Incorrect	Correct	Incorrect
anyhow	any how	into	in to	sometimes	some times
anything	any thing	instead of	in stead of	somebody	some body
almost	all most	madman	mad man	schoolboy	school boy
already	all ready	more over	moreover	somehow	some how
anybody	any body	nobody	no body	together	to gether
afterwards	after wards	newspaper	news paper	today	to day
cannot	can not	nowadays	now-a-days	tomorrow	to morrow
everybody	every body	ourselves	our selves	utmost	ut most
everywhere	every where	otherwise	other wise	welfare	well fare
elesewhere	else where	outside	out side	welcome	well come

Currencies around the World

Country	Currency	Country	Currency
Afghanistan	afghani (100 puls)	Dominican Republic	peso (100 centavos)
Albania	lek (100 qindarka)	Ecuador	dollar (100 cents)
Algeria	dinar (100 centimes)	Egypt	pound (100 piastres, 1000 millimes)
Andorra	franc (Fr) and peseta (Sp)	El Salvador	colon (100 cetavos)
Angola	kwanza (100 lwei)	Equatorial Guinea	franc
Antigua & Barbuda	dollar (100 cents)	Ethiopia	birr (100 cents)
Argentina	peso (100 centavos)	Fiji	dollar (100 cents)
Australia	dollar (100 cents)	Finland	markka (100 penniä)
Austria	schilling (100 groschen)	France	franc (100 centimes)
Bahamas	dollar (100 cents)	French Guiana	franc
Bahrain	dinar (1000 fils)	Gabon	franc
Bangladesh	taka (100 paisa)	Gambia	dalasi (100 bututs)
Barbados	dollar (100 cents)	Germany	deutsche mark (100 pfennig)
Belgium	franc (100 centimes)	Ghana	cedi (100 pesewas)
Belize	dollar (100 cents)	Gibraltar	pound (100 pence)
Benin	franc	Greece	euro (100 cents)
Bermuda (UK)	dollar (100 cents)	Grenada	dollar (100 cents)
Bhutan	ngultrum (100 chhetrum)	Guatemala	quetzal (100 centavos)
Bolivia	peso (100 centavos)	Guinea	franc (100 centimes)
Botswana	pula (100 100 thebe)	Guinea-Bissau	franc
Brazil	real (100 centavos)	Guyana	dollar (100 cents)
Brunei	dollar (100 sen)	Haiti	gourde (100 centimes)
Bulgaria	lev (100 stotinki)	Honduras	lempira (100 centavos)
Burkina Faso	franc	Hong Kong	dollar (100 cents)
Burma	kyat (100 pyas)	Hungary	forint (100 filler)
Burundi	franc	Iceland	krona (100 aurar)
Cameroon	franc	India	rupee (100 paise)
Canada	dollar (100 cents)	Indonesia	rupiah (100 sen)
Cape Verde Islands	escudo	Iran	rial (100 dinars)
Central African Republic	franc	Iraq	dinar (1000 fils)
Chad	franc	Ireland, Rep. of	pound (100 pence)
Chile	peso (100 centavos)	Israel	shekel (100 agora)
China: People's Republic	yuan (10 chiao; 100 fen)	Italy	lira (100 centesimi)
Colombia	peso (100 centavos)	Ivory Coast	franc
Comoros	franc (100 centimes)	Jamaica	dollar (100 cents)
Congo	franc	Japan	yen
Costa Rica	colon (100 céntimos)	Jordan	dinar (1000 fils)
Cuba	peso (100 centavos)	Kampuchea (Cambodia)	riel (100 cents)
Cyprus	pound (1000 mils)	Kenya	schilling (100 cents)
Czechoslovakia	koruna (100 haléru)	Kiribati	dollar
Denmark	krone (100 öre)	Korea, North	won (100 jeon)
Djibouti	franc (100 centimes)	Korea, South	won (100 jeon)
Dominica	dollar (100 cents)	Kuwait	dinar (1000 fils)

Country	Currency
Laos	kip (100 ats)
Lebanon	pound (100 piastres)
Lesotho	loti
Liberia	dollar (100 cents)
Libya	dinar (1000 dirhams)
Liechtenstein	franc (Swiss)
Luxembourg	franc (100 centimes)
Macau (Portugal)	pataca (100 avos)
Madagascar	franc
Malawi	kwacha (100 tambala)
Malaysia	dollar (100 cents)
Maldives, Rep. of	rupee (100 laris)
Mali	franc
Malta	pound (100 cents, 1000 mils)
Mauritania	ouguiya (5 khoums)
Mauritius	rupee (100 cents)
Mexico	peso (100 centavos)
Monaco	franc (Fr)
Mongolian People's Republic	tugrik (100 mongo)
Morocco	dirham (100 centimes)
Mozambique	metical
Namibia	rand
Nauru	dollar (Australian) (100 cents)
Nepal	rupee (100 pice)
Netherlands	guilder (100 cents)
New Zealand	dollar (100 cents)
Nicaragua	cordoba (100 centavos)
Niger	franc
Nigeria	naira (100 kobo)
Norway	krone (100 ore)
Oman	rial (Omani) (1000 baiza)
Pakistan	rupee (100 paisas)
Panama	balboa (100 cents)
Paraguay	guarani (100 centimes)
Peru	sol (100 centavos)
Philippines	peso (100 centavos)
Poland	zloty (100 groszy)
Portugal	escudo (100 centavos)
Qatar	riyal (100 dirhams)
Romania	leu (100 bani)
Russia	rouble (100 copecks)
Rwanda	franc
St Christopher-Nevis	dollar (100 cents)
St Lucia	dollar (100 cents)

Country	Currency
St Vincent & the Grenadines	dollar (100 cents)
San Marino	lira (Italian)
São Tomé & Prínciple	dobra
Saudi Arabia	riyal (20 qursh)
Senegal	franc
Sierra Leone	leone (100 cents)
Singapore	dollar (100 cents)
Solomon Islands	dollar
Somali Democratic Republic	shilling (100 cents)
South Africa	rand (100 cents)
Spain	peseta (100 centimos)
Sri Lanka	rupee (100 cents)
Sudan	dinar (100 dirham)
Suriname	guilder (100 cents)
Swaziland	lilangeni (pl. emalangeni) (100 cents)
Sweden	krona (100 öre)
Switzerland	franc (100 centimes)
Syria	pound (100 piastres)
Taiwan	dollar (100 cents)
Tanzania	shilling (100 cents)
Thailand	baht (100 stangs)
Togo	franc
Tonga	pa'anga (100 seniti)
Trinidad & Tobago	dollar (100 cents)
Tunisia	dinar (1000 millimes)
Turkey	lira (100 kurus)
Tuvalu	dollar (Aust.)
Uganda	shilling (100 cents)
United Arab Emirates	dirham (100 fils)
United Kingdom	pound sterling (100 pence)
Uruguay	peso (100 centésimos)
Vanuatu	vatu
Vatican City State	lira
Venezuela	bolivar (100 centimos)
Vietnam	dông (100 Xu)
Western Samoa	tala (100 sene)
Yemen, North (Arab Rep.)	riyal (40 bogaches)
Yemen, South (PDR)	dinar (1000 fils)
Yugoslavia	dinar (100 paras)
Zaire	zaire (100 makuta [sing likuta], 10,000 sengi)
Zambia	kwacha
Zimbabwe	dollar (100 cents)

(APPENDIX-II) الملحق -II

كتابة الرسائل

(LETTER WRITING)

إرشادات هامة حول كتابة الرسائل

إذا أردت كتابة الرسالة، أياً كان المكتوب إليه ومهما كان الغرض المقصود، فإن اتبعت الإرشادات التالية يسهل عليك أمرك.

١. إذا كان المكتوب إليه أحداً من الأقرباء أو الأصدقاء أو الأحباء فالتزم بالكتابة باليد. ويمكنك الطباعة أيضا إن لم يكن خطك جميلا.

٢. اكتب عنوانك أعلاه في الجانب الأيمن (Top right margin)

411/5, Hayyaul Abidin,
Azamiyah, Baghdad

٣. اكتب التاريخ تحت العنوان بأية طريقة من الطرق التالية:

Friday, 4th October, 2004
8.10.2004
8th October, 2004
October 4, 2004.

٤. كيف نستهل الرسالة؟ (How to start a letter?)

إن استهلال الرسالة مهمٌ جدا. لأنه يشتمل على كلمات الوصف والخطاب للمكتوب إليه على ما يلائم مقامه. ولكل نوع كلمات خاصة. وفيما يلي عدة كلمات الخطاب التي تستعمل عادة.

- للوالدين والكبار من الأقرباء :

Dear aunt/mother/mummy,
My dear father/papa/uncle,

- من الوالدين إلى الأولاد:

Dear Hamdi,
My dear daughter Salma,
My dear Umar,
My dear son,

- فيما بين الإخوة والأصدقاء:

My dear sister Ghadah,
My dear friend Ahmed,
My dear brother/sister,
My dear Ahmed,

- لمسئولي المؤسسات والشركات وأصحاب المناصب:

Dear Sirs, Dear Mr. Aziz,
Sir,

٥. الأجزاء الأساسية للرِّسالة (Body of the letter)

يمكن تقسيم الرسالة إلى ثلاثة أجزاء أساسية. أولاً الإشارة والداعي إلى الكتابة. ثانياً الغرض المقصود بما فيه الإجابة على ما طلب وسئل وأخيرا إنهاء الرسالة وختامها بكلمات تناسب المكتوب إليه.

الإشارة (Reference) :

I have just received your letter.

الغرض المقصود (Message) :

Meet Mr. Siraj and give him the money.

الختام (End) :

Please give my best regards/love/wishes to......................

٦. كيف تختم الرسالة؟ (How to close a letter?)

الكلمات التي تختم بها الرسالة تسمّى (Subscription) وهي تضمن إمضاء الكاتب، وتختلف باختلاف مكانة المكتوب إليه.

- للوالدين والكبار من الأقرباء :

Affectionately yours, Yours affectionately, Your affectionate son /daughter/nephew/niece,

من ا لوالدين أو العم وغيرهم للصغار:

Affectionately yours, Yours affectionately, Your affectionate father/uncle/mother/auntie,

للأصدقاء:

Sincerely yours, Yours sincerely, Yours very sincerely,

لأصحاب المناصب ومسئولي المؤسسات والشركات: Yours faithfully,

المكاتبة فيما بين أخ وأخت: Your loving sister, Your loving brother,

- وإذا تذكرت شيئا بعد إنهاء الرسالة، وأردت أن تكتبه فاكتب أولاً في التحت P.S. (Post-Script) ثم اكتب ذلك.
- ينبغي أن تكون الرسالة ، من حيث المجموع، بعبارة لطيفة وسلسة، تعبّر فيها عن نفسك بوضاحة، مجتنباً الرمز والكناية، سلوب يلائم مكانة المكتوب إليه. وهناك أهمية بالغة للرسالة التي تصل بالمناسبة فاكتب في الموعد الصحيح قبل فؤات وان وانظر أنك ضمنت فيها كل ما لزم وحاول الإيجاز والاختصار لأن التطويل المملّ يضرّ بالهدف المنشود.

١. رسالات التحيّة (Letters of Greetings)

إن الغرض من رسالة التحية إلى أيّ شخص هو المشاركة في فرحه وسروره والإعراب عن المودة والإخاء له وبذلك تحسين العلاقات بينك وبينه وتوطيد أواصر الأخوة والصداقة. ولو أن مثل هذه الرسائل تكون رسمية وشكلية ولكن الرسالة ستكون أكثر تأثيرا إن اتسمت بالعواطف الودية أكثر فأكثر. وأسلوب هذه الرسائل يجب أن يكون أقرب إلى لغة التكلم والمحادثة حتى أن القارئ يحسب أن مرسل الرسالة جالس أمامه ويعرب عن عواطفه بنفسه. ترسل هذه الرسائل بمناسبات الأعياد والأفراح وأيام الميلاد وغيرها.

ابدأ الرسالة بجملة تُظهِر المسرة:

1. I was pleasantly surprised to know..............
2. Please accept my heartiest greetings on the eve of...............
3. Please accept my best wishes on this happy occasion.............
4. My wife and kids join me in expressing our warmest greetings on the occasion of...........

اعتذر على عدم حضورك في المناسبة:

5. May this occasion bring you all happiness and prosperity!
6. May every day of your future be as pleasant and auspicious as this day!
7. May God grant you every success in the coming years!
8. I wish this day to be as happy and gay as lily in May!

9. I would have joined you so happily in celebrations but for my visit on urgent official business.
10. I regert my absence on this happy day owing to my illness.

11. How eager I am to be with you but my family occupation prevents me from doing so.

اذكر عن تقديم هدية :

12. But you will soon receive a gift as a token of my affection for you on this happy occasion.
13. I hope you like the small gift/bouquet I sent to you today to convey my warm feelings.

ثُم اختم الرسالة مُظهراً المسرة :

14. Once again I convey my sincerest greetings on this auspicious occasion.
15. Wishing you all the best in life.
16. Looking forward to hearing more from you.

....**Sample letter**

My dear ....

Please accept my heartiest greetings on your birthday. (2) May this occasion bring you perfect happiness and prosperity in the coming years! (7) I regret my absence on this happy day owing to my illness. (10) But you will soon receive a gift as a token of my affection for you on this happy occasion. (12).

Yours sincerely,

(Letters of Congratulations) ٢. رسالات التهنئة

رسالات التهنئة تكون عادة أهم وأطول من رسالات التحية. يعبّر الواحد فيها للآخر عن العواطف الشخصية ويعرب عن فرحه تقديراً لمجهوداته وانجازاته ويضمّن فيها كلمات الرجاء والدعاء له. وهي تُرسَل عند نجاح الواحد في الامتحان أو الرقيّ والتقدم في الأعمال والتجارة أو بمناسبة ترويج كتابه الجديد وغيره.

ابدأ الرسالة مبديا المسرة:

1. I am so happy to know................
2. We are thrilled to hear from our mutual friend.
3. My heart is filled with joy to learn about ....
4. My happiness knew no bound the other day when I came to know about.........
5. I was beside myself with joy the other day when I came to know about............

قدِم التهنئة بأسلوب جميل :

6. Please accept my heartiest congratulations on........
7. My wife joins me in congratulating you/your son......on your/your son's grand success.
8. It is really a splendid achievement and we are all proud of you.
9. I am delighted to learn that you have realized your cherished ambition.

أدع له دُعاءً خالصاً لمستقبله الزاهر :

10. Your grand success will make you bask in the glory of good fortune all through your life.
11. May God continue to grant you similar successes all through your life.
12. I am sure you would bring great laurels to your profession and the organization you joined.
13. Having attained a firm footing in your life, I am sure you would go very far on the path of achievements.

وإن استخبرتَه عن برامجه المستقبلية فتتحسن بذلك علاقاتك معه :

14. Do you plan to celebrate the occasion?
15. When are you intending to join..........?

16. Do you plan to go abroad for higher studies?

واختم الرسالة مقدماً التهنئة مرة أخرى مُظهراً المسرة وداعياً له النجاح والتوفيق :

17. Once again I congratulate you on your well deserved success.
18. Your success is a fitting reward of your merit/painstaking labour.
19. God has duly rewarded your sincere efforts.
20. Accept once again my felicitation on this grand occasion.

....**Sample Letter**

My dear.......,

I was beside myself with joy the other day when I came to know about topping the list of the successfu candidates in the Civil Services Examination. (5) It is really a splendid achievement and we are all proud o you. (8) May God continue to grant you similar successes all through your life. (11) Do you plan to celebrate the occasion? (14) Your success is a fitting reward of your merit/painstaking labour. (18)

Yours sincerely

(Letters of Sympathy) ٣. رسائل المواساة

يمكن تقسيم رسائل المواساة إلى أربعة أقسام. مواساة على الضرر المالي أو الحادث أو الإصابة بمرض أو الفشل (في الامتحان أو الحصول على وظيفة). يعرب الواحد، في رسالة المواساة عن الأسف والحزن أقلّ مِمّا في رسالة التعزية. لأن الضرر المادّي أقلّ أهمية من الضرر بالنفس. ومع ذلك يجب أن تشمل الرسالة كلمات المواساة التي يتسلّى بها المكتوب إليه حقاً.

بيّن أنك تأسفت على وصول خبر الحادث :

1. I am extremely sorry to hear of the fire that ravaged your factory on 10th Sept.
2. I was much distressed to learn about the theft committed in your house last Monday.
3. I was extremely worried to know about your illness the other day by our mutual friend.
4. It was with profound shock that I learnt about your car accident from the newspaper.
5. I was quite disturbed to know about your supercession in service.
6. It was with great sadness that I learnt from the newspaper about your failure in the examination.

وأعرب عن الشكر على أن الضرر ليس جسيما :

7. However, it is a matter of great relief that the damage caused was not major.
8. At the same time I am quite relieved to know that the loss is not much.
9. But I am sure the regular treatment will make you get rid of it in no time.
10. But I feel greatly relieved to know that you are physically safe.
11. Do not worry, if you could not get your promotion this time, you may get it next year.
12. Success and failure are a part of life and should be taken in stride.

انصحه بأن لايحزن ولا يتأثر بالحادث. واكتب أيّ أمر آخر إن كان لازماً :

13. Do not get upset about it as I am told it was insured.
14. I am glad that the police is hotly pursuing the case with some useful clues.
15. Take full rest and follow the doctor's instruction. You will get well soon.
16. Success or failure are a matter of luck. Do not lose your heart and work hard with redoubled vigour. Success shall be yours.

قدّم خدماتك له :

17. I know some important personnel in the insurance company. I will speak to them.
18. Please do not hesitate in asking any finacial help from me in case you need.
19. Why do not you come to my place for the convalescence? We'll have good time.
20. Henceforth be careful in driving and also get your car brakes thoroughly checked.
21. Sincere efforts always bring reward, so continue trying.

ثم أعرب عن الأسف :

22. You have all my sympathies on this unfortunate incident.
23. I feel greatly concerned about your loss.
24. Please convey my heart-felt sympathies to your entire family.
25. May you recover speedily.
26. May God grant you your well-deserved success next time.

Sample Letter

My dear ....,

I was extremely sorry to hear of the fire that ravaged your factory on 10th Sept. (1) However, it is a matter of great relief that the damage caused was not major. (7) Do not get upset about it as I am told it was insured. (13) I know some important personnel in the insurance company. (17) You have all my sympathies on this unfortunate incident. (22)

Yours sincerely,

٤. رسائل الاعتذار (Letters of Regret)

هي كل رسالة تكتب لبيان عدم قبول الدعوة أو عدم حضور الحفلة. وهي عادة طويلة إلى شيء ما. لأن الكاتب يبين فيها أسباب عدم قبوله الدعوة أو عدم حضوره المناسبة.

في البداية اشكره على توجيه الدعوة إليك:

1. Thanks a lot for your kind invitation to attend................
2. I was extremely happy to receive your letter of invitation to attend........
3. It was so kind of you to have remembered me on the occasion of.............
4. It was an honour to have received your courteous invitation letter.

وبعد ذلك اعتذر منه على عدم قبول الدعوة :

5. I would have been so much delighted to be with you but.......
6. I was thrilled to receive your invitation and was looking forward to meeting you all but owing to...
7. I regret to inform you that in spite of my ardent wish, I would not be able to make it for reasons beyond my control.
8. We were all very keen to participate in..........but..........
9. I have much pleasure in accepting your invitation but deeply regret having to refuse owing to a previous engagement.

وأكمل الرسالة منتخبا جملا مناسبة من الجمل التالية :

10. Unfortunately I am not well.
11. Owing to my urgent business trip abroad, I would not be able to attend it.
12. ..... but I am preoccupied with the arrival of guests on the same dates.
13. ..... but I am going out on the same dates to attend my sister's wedding.

أعرب عن الفرح والمسرة بمناسبة الحفلة :

14. Nevertheless I convey my heartiest good wishes for the happy occasion.
15. All the same, let me congratulate you most heartily on this happy event of your life.
16. My family joins me in wishing you all the best.
17. Best wishes for this grand event of your life.

اعتذر، في النهاية، مرة أخرى على عدم حضورك :

18. How I wish, I would have reached there. I hope you would appreciate my position.
19. I do hope you would accept my sincere apologies for my absence.
20. You cannot imagine how perturbed I am at not being able to make it.
21. I sincerely regret the disappointment I am causing to you.

.... **Sample Letter**

My dear ....,

It was an honour to have received your courteous invitation letter. (4) I would have been so much delighte to be with you, (5) but unfortunately I am not well. (10) I sincerely regret the disappointment I am causing you. (21) Nevertheless I convey my heartiest good wishes for the happy occasion.

Sincerely you

(Leave Applications) ٥. طلب للإجازة

إن طلبات الإجازة سواء من المدرسة أو المكتب يجب أن تكون موجزة ولكن واضحة. اكتب اللقب المناسب أوّلاً ثم اطلب الإجازة مُبيِّناً السبب واسأل قبول الطلب بكلمات الرجاء والالتماس.

اذكر السبب أولا :

1. Respectfully I beg to state that I have been suffering from fever since....................
2. With due respect I wish to bring to your kind notice that my niece is getting married on..........
3. I submit that I have to attend an interview at.......on..........
4. I have to state that I am having a very important work to do on...............

ثم اطلب الإجازة :

5. Therefore, I request you to grant me leave for...........days.
6. Hence you are requested to grant me leave of absence for.....
7. I, therefore, request you to grant me leave for............to enable me to attend to this work.

واختم الطلب مقدماً الشكر :

8. I shall be highly grateful.
9. I shall be much obliged to you.

.... **Sample Lette**

Sir,

Respectfully I beg to state that I have been suffering from fever since last night. (1) Therefore, I request you to grant me leave for three days. (5) I shall be much obliged to you. (9)

Thanking you,

Yours faithfull

٦ . رسائل الشكر (Letters of Thanks)

في رسالة الشكر يقدم الواحد شكره على هدية وصلته أو على أن الآخر ذكره بمناسبة خاصة أو غير ذلك. ولو أنها من قسم الرسالات الشكلية ولكن يجب أن لا نظهر كونها شكلية. إن هذه الرسائل تكون موجزة ولكن هامة لأن العلاقات المستقبلية موقوفة عليها.

ابدأ الرسالة بكلمات الامتنان والشكر:

I thank you from the core of my heart for your letter/sending me the gift etc.
I express my profound gratitude for your having cared to remember me/send me the beautiful gift etc.
It was very kind of you to have ....
Thanks a lot for............. (your letter/beautiful gift etc.). Indeed I am grateful.

اذكر الهدية أو الرسالة وأهميتها :

Your letter/gift is the most precious possession that I have.
Your sentiments expressed through the letter/gift have really boosted my morale.
Your letter/gift has really strengthened our bonds of affection.
The exquisite gift/warm feelingful letter was most befitting the occasion.

واختم الرسالة شاكراً له مرة أخرى :

Thank you once again for your kind letter/gift.
. Very many thanks for caring to remember me.
. Thanks a lot for the letter/gift, although your personal presence would have made quite a difference.
. Thanks again. We are looking forward to meeting you soon.

....**Sample Letter**

/ dear ....,

I thank you from the core of my heart for your letter/sending me the gift. (1) Your letter/gift is the most ecious possession that I have. (5) Very many thanks for caring to remember me. (10)

Yours sincerely,

٧. رسائل التعزية (Letters of Condolence)

ترسل رسالة التعزية على وصول خبر عن وفاة شخص أو حادثة فاجعة أخرى. والهدف منها هو العزاء. إنها عادة موجزة وترسل فور وصول الخبر. ولا بد أن تشتمل على كلمات عاطفية، لا شكلية. وينبغي ذكر فضائل ومحامد المتوفى واحترامه أو شفقته (حسب علاقته مع الكاتب). وإن كان الكاتب أهلا لمساعدة ذويه بأيّ شكل ويريد ذلك فينبغي أن يذكر ذلك أيضا.

اذكر أنك تأسفت بشدة عندما سمعت الخبر :

It was with deep regret that we learnt the shocking news of the passing away of............
I was greatly saddened to know about .... from the newspaper/telephone call/letter.
I was rudely shocked to know about the sudden demise .... from.......
I was deeply distressed to learn about the sudden demise of ....

امدح المتوفى واذكر صفاته الحميدة :

5. He was such a lovable person.
6. In his death in the prime of life God has snatched a bright jewel from our midst.
7. His sociable nature and cultural refinement would keep him alive in the hearts of his admirers.
8. His death has caused a grievous loss not only to your family but to all of us.
9. He was a source of strength and inspiration to many of his fellow beings.
10. His remarkable achievements would transcend his memory beyond his physical death.
11. Some of his pioneering work will go a long way to benefit many future generations.

وفي النهاية أعرب عن الأسف واكتب كلمات المواساة مرة أخرى :

12. Please accept my sincerest condolences on this sad occasion.
13. May God grant you enough courage and forbearance to withstand this shock.
14. May his soul rest in peace in heaven and guide you for years to come.
15. We express our most sincere sympathy to you in your great bereavement.
16. We hope that the tree he has planted thrives well to provide protection to his family.

....**Sample letter**

My dear ....,

It was with deep regret that we learnt the shocking news of the passing away of your father. (1) His death has caused a grievous loss not only to your family but to all of us. (8) We express our sincerest sympathy to you in your great bereavement. (15) May God grant you enough courage and forbearance to withstand this shock. (13).

Yours sincerely,

٨. رسائل الحب والغرام (Love Letters)

إن رسائل الود والمحبة يمكن تقسيمها إلى قسمين: (١) رسائل الزوج إلى زوجته. (٢) رسائل المحبّ إلى حبيبه. في رسائل القسم الأول، بجانب التعبير عن عواطف المحبة تذكر أحوال البيت أيضا. أما في رسائل القسم الثاني فهناك أحاديث الحب والغرام والرومانس وما إلى ذلك. فليس لها حد ولا يمكن حصرها بالقوانين ولا ضبطها بالضوابط.

ابدأ الرسالة بأحاديث الودّ والمحبة :

1. Your loving letter this morning has come like a ray of sunshine.
2. Your sweet letter has enveloped me in the sweet fragrance of our love.
3. Your letter has flooded me with sheer happiness.
4. Your affectionate letter has dispelled the depression that surrounded me earlier.

ثم اذكر الأمور المتعلقة :

5. Everything is fine here except that I miss you so badly.
6. Has our little daughter (write her name) recovered from flu.
7. Nights really seem unending in your absence.
8. Is all well at home?

واختم الرسالة بأحاديث ودية :

9. I am longing/dying to meet you.
10. Once again I must tell you how deeply do I love you.
11. Write back soon as your letters provide me a great emotional support.

12. I am counting the days when I will meet you.

ثم اختم الرسالة بكلمات المدح والثناء :

13. You are the sweetest dream of my life.
14. Your memory keeps me radiant.
15. I am desperately waiting to meet you, my sweetheart!
16. You are the greatest thing that happened to my life.

....**Sample Letter**

Your sweet letter has enveloped me in the sweet fragrance of our love. (2) Everything is fine here except that I miss you so badly. (5) Write back soon as your letters provide me a great emotional support. (11) You are the greatest thing that happened to my life. (16)

Love,

Yours ever,

(Letters of Invitation) ٩ . رسائل الدعوة

رسائل الدعوة تضمّ في طيّها خواطر الحبور والابتهاج. فينبغي أن تكون الرسالة بحيث أن يعتقد المستلم أنه دُعي إلى المناسبة بإخلاص وإصرار. ويجب أن تضمن التفصيل عن المنا سبة من المكان والموعد وغيره. ومثل هذه الرسائل تُوجّه بصورة عامة بمناسبة العرس وعيد الميلاد وافتتاح البيت وما إلى ذلك.

اذكر في البداية موعد ومكان الحفلة بوضوح :

1. It is with great pleasure that I inform you that (I am/my son is getting engaged on 16 February, 2005 at Prince Hotel's Crystal Room at 6 p.m.)
2. This is to bring to your kind notice that ....
3. Most respectfully I inform you that ....
4. I am pleased to inform you that ....

ثم قدم الدعوة شخصياً :

5. I request you to kindly come with your family to grace the occasion.
6. I would be delighted if you could spare some time from your busy schedule to attend the above mentioned function/celebration.
7. It would be a great pleasure to have you among the guests.
8. Please do come with your family at the appointed place and time.

وفي الأخير قل له مرة أخرى أن يحضر الاحتفال بالتأكيد :

9. You know how important is your presence on this occasion for us. So please do come.
10. I am sure you would not disappoint us.
11. I would be greatly honoured if you could come on this occasion.
12. My whole family is very eagerly awaiting your arrival.

....**Sample letter**

My dear,

It is with great pleasure I inform you that my son is getting engaged on 16th Feb. 2005 at Prince Hotel's Crystal Room at 6 p.m. (1) I request you to kindly come with your family to grace the occasion. (5) My whole family is very eagerly awaiting your arrival. (12)

Yours sincerely,

١٠. الطلبات والرسائل حول الأمور التعليمية
(Letters and Applications on Educational Matters)

يجري هناك مكاتبة بين الأساتذة و والدي الطلبة بصفة مستمرة. والرسائل فيما بينهم تكون حول الأمور التعليمية كالحصول على الشهادة أو الاستخبار أو الإخبار عن دراسة التلميذ وغيره. إن اللغة فيها تكون بسيطة واضحة ومحتوياتها دائما هو الغرض الأصلي ليس غير.

اذكر في البداية الداعي للكتابة :

1. This is to bring to your kind notice that I am leaving the town and I want to have my son's transfer certificate from your reputed school/college etc.
2. I have been watching my son's studies and find him to be still quite weak in mathematics.
3. I am deeply pained to learn from my son about the callous attitude of some of the teachers towards the students.
4. Since my daughter ...... a student of your school, class .... wishes to compete for the science talent competition, I should be grateful if you could issue the relevant certificates.

واختم المكتوب شاكراً للمكتوب له :

5. Kindly arrange to issue the certificate at your earliest. Thank you.
6. I would be grateful if some special attention is given to my son ....
7. You are requested to send the relevant certificates by .... (give date)
8. I again request to get the needful done at your end.

....**Sample Letter**

Dear Sir (or Madam),

Since my daughter Safia, a student of class XI in your school, wishes to compete for the science taler competition, I should be grateful if you could issue the relevant certificates. (4) I again request you to get th needful done at your end. (8)

Yours sincerel

١١. الرسائل التي تكتب استجابة للإعلانات حول الزواجات
(Replies to Matrimonial Advertisements)

في زماننا وخاصة في المدن تتمّ عقود الزواجات من خلال الإعلان في الصحف أيضا. إن هذه الإعلانات تُقرأ بنظرة فاحصة. وإذا أراد الواحد ردّه، وجب أن يراعي أموراً عديدةً. منها الإشارة إلى الإعلان من اسم الصحيفة والتاريخ والتفصيل عن الولد/ البنت وذكر أحوال الأسرة ومستوى المعيشة والرجاء لإرسال الصورة وغيره، ويجب بيان كل شيء بصدق و وضوح.

اذكر في البداية أني شفت إعلانكم في صحيفة كذا يوم كذا :

1. In response to your matrimonial advertisement published in the (newspaper's name and date) I furnish hereunder the relevant particulars about my daughter/son.
2. This is in reference to your matrimonial advertisement published in (name of the newspaper) on......... (date), that I give below the detail of my daughter/son and my family.
3. I have seen your recent advertisement for a suitable bridegroom/bride for your daughter/son and

would like to furnish the following particulars about myself/my son.

واكتب بعد ذلك التفاصيل عن الولد/البنت :

. Name, age, education, appearance and earnings.
. Brothers, sisters, and their description.
. Parents and their description.
. Caste/sub-caste or community details.

واختم الرسالة بالطريقة التالية :

. In case you are interested, please send to me more details about the boy/girl along with his/her one recent photograph.
. If you require more information, I would be pleased to furnish it.
0. If you have belief in astrology, we will send the horoscope also.
1. Since we want marriage at the earliest, a prompt reply will be highly appreciated.

....**Sample Letter**

ear sir........................,

In response to your matrimonial advertisement published in The Gulf Times on 20th Sep. 2004, I furnish ere the relevant particulars of my daughter (give the relevant details). (1) If you have belief in astrology, we vill send the horoscope also. (10) Since we want marriage at the earliest, a prompt reply will be highly ppreciated. (11)

Yours sincerely,

١٢. الإجابة على الرسالة التي وردت استجابة لإعلان الزواج
(Letter to the responses received from Matrimonial Ads)

يجب الإجابة على مثل هذه الرسائل إجابة مختصرة . لأنها خطوة أولى تجاه تحقيق رغبتك. فاكتب كل ما سُئِل و طُلِب صحيحا وطبق الواقع. إن لغة هذه الرسائل كلغة الرسائل التجارية التي تكون مختصرة ومُظهرة للحقيقة.

في البداية أعرب عن فرحك بوصول الرسالة :

. I was delighted to receive your letter in response to our ad. in the newspaper.
. Received your letter soliciting further enquiry into our likely matrimonial alliance.

ثم اكتب تفاصيل عن كل ما سُئِل :

. My sister is a post-graduate in Economics from Baghdad University.
. At present my daughter is teaching in Cannosa convent school.
. Enclosed photograph is a recent shot of..............(name), my sister.

واسأل عدة أسئلة واطلب عدة معلومات مُؤَكِّداً بأنّك ستكتب وتبيّن كلّ ما يُسئل، بصراحة، في المستقبل :

. Should you have any further query, I would be most willing to satisfy it. When is Amir coming for holidays?
. I hope this satisfies your query. Kindly care to send a recently shot photograph of Amir too.
. If you need ask anything still, we can meet at Rashid Hotel between 14th and 16th instt., where I shall be staying during my next visit to Dubai.

واختم الرسالة مُعرِباً عن أملك بأنه ستنشأ علاقات وطيدة بين الأسرتين:

. Hope to see our proposal to fruition soon.

10. Expecting to hear from you soon.
11. Looking forward to our coming meeting.

....**Sample Letter**

Dear Mr..............................,

I was delighted to receive your letter in reply to our ad. in the newspaper. (1) At present my daughter teaching in Cannosa convent school. (2) I hope this satisfies your query. Kindly care to send a recently sh photograph of Amir too. (7) Looking forward to our coming meeting. (11)

Yours tru

١٣. الرسائل العائلية فيما بين متساويين في الدرجة
(Family Letters : Between Equals)

إن مجال الرسائل العائلية واسع ولا يمكن تحديد محتوياتها. فإنها تحتوي من الأمور الشخصية إلى الأمور العامة. وتكمن فيها مشاعر الحب والحنان. وعادة أنها طويلة ولغتها لغة التفاهم والتكلم. والرسائل التي تكتب إلى ذوي درجة متساوية أسلوبها يكون وديًا غير رسمي، ويتضمن شيئا من الفكاهة والسخرية اللتين تزيدان الطرفين أنسا وحُبًا.

اكتب الداعي للكتابة مُظهراً الفرح :

1. It was indeed a great pleasure to receive your letter.
2. I received your letter and was delighted to go through its contents.
3. Received your letter after ages.
4. So, at long last you cared to remember me!

ثم اكتب الأمور العائلية :

5. Of late I have not been keeping in good health.
6. Father is now better but his movements are somewhat restricted.
7. After the cataract operation, mother's eyesight has improved considerably.
8. Mahmood secured 86% marks and IV rank in his annual exams.
9. The other day my wife met your cousin at Shakeela's marriage.

واكتب عدة جمل تتضمن النصيحة والمحبة :

10. What about your tea-addiction, still going 20 cups strong a day?
11. How are you getting along in your new affair. Any help needed?
12. Are you really so busy as not to be able to correspond frequently?
13. When are you going to marry .... in old age?

واختم الرسالة آملا في اللقاء :

14. Hoping to meet you in the Eid vacation.
15. I hope you would be coming over to this side at Rashid's marriage. Then we will meet.

....**Sample Lette**

Dear Shakeb...................,

So, at long last you cared to remember me! (4) Of late I have not been keeping in good health. (5) What about your tea-addiction, still going 20 cups strong a day? (10) I hope you would be coming over to this side Rashid's marriage. Then we will meet. (15)

With/ loving regards,

Yours affectionate

١٤. الرسائل العائلية: من الكبار إلى الصغار

(Family Letters : From Elder to Younger)

الرسائل التي يكتبها الكبار إلى الصغار تضمن الشفقة والعطف بجانب إسداء النصيحة والإرشاد لمستقبلهم. ولا يمكن تحديد محتوياتها لأنها تتوقف على الظروف والأحوال الشخصية.

مُظهراً المسرة اذكر الداعي للكتابة :

. I was happy to receive your letter the other day.
. It is surprising that since last one month you haven't cared to drop even a single letter to us.
. The photographs sent by you are really marvellous. We were delighted to see them.
. Mr. Hasan met me yesterday and told me about his meeting you on 10th instant.

ثم اكتب الأمور الشخصية/ العائلية :

. Khalid's competitive exams would start from 21st Oct.
. Your Lubna auntie expired on September 9 last. She was unwell for some time.
. Since Rashida's marriage has been fixed on 9th January, I expect you to be here at least a week earlier to help me in the arrangements.
. Your nephew Hamid is unhappy as you didn't send him the promised watch.

وبعد ذلك اسئل عن صحة وعافية المكتوب إليه :

. How are you doing in your new assignment? Is it really taxing? Hope it is exciting.
0. I hope you are taking proper care of your health.
1. Tell Ayesha that I miss the delicious sweet prepared by her.
2. How is Mahmood in his studies?

واختم الرسالة آملا في المقابلة :

3. I hope you would be punctual in your letter-writing to us and would come on Eid.
4. Be careful about your health in this rainy season and continue writing letters.
5. Apply for your leave well in advance so that you are in time for Rashida's marriage.
6. More when we meet.

Sample Letter

ly dear Akram............,

It is surprising that since last one month you haven't cared to drop even a single letter to us. (2) Since ashida's marriage has been fixed on 9th January, I expect you to be here at least a week earlier to help me in e arrangements. (7) I hope you are taking proper care of your health. (10) More when we meet. (16)

/ith love,

Yours affectionately,

١٥. الرسائل العائلية: من الصغار إلى الكبار

(Family Letters : From Younger to Elder)

الرسائل التي يكتبها الصغار لكبارهم تتضمن الود والاحترام. وهي مثل الرسائل الأخرى ولا يمكن تحديد محتوياتها. ويترشح من مثل هذه الرسائل العواطف والتواضع لكبار.

مظهراً المسرة اذكر الداعي للكتابة :

1. I was very happy to receive your letter after a long while.
2. I was thrilled to receive the sweets sent by mummy through Mrs. Jamila.
3. Have you people completely forgotten me? No letters!
4. I am writing this letter to ask you to send US$ 250 for my fees at your earliest.

ثم اكتب الأمور الشخصية/ العائلية :

5. You will be glad to know that I have been selected in the debating group going to U.S.A. for one month.
6. This year owing to extra-classes in Ramadan holidays I won't be able to come.
7. Tell Osman Dada that I need a tennis racket as I have been selected in the college tennis team.
8. Ayesha wants to go to her parents' place at Eid. She will go only if you permit.

وبعد ذلك اسئل عن صحة وسلامة المكتوب إليه :

9. Is Mummy O.K.? How is her arthritis?
10. I hope your blood-pressure must now be under control.
11. Has Safia auntie returned from Jeddah?
12. Would Najeeb be going to watch the cricket test match at Sharjah ground?

واختم الرسالة آملاً في المقابلة :

13. I hope to come for 10 days in Eid vacation.
14. I might come there during this month for a day.
15. Hope to talk to you over phone when I go to Uncle's place.
16. More when we meet.

..........**Sample Letter**

Respected Brother,

I was very happy to receive your letter after a long while. (1) You will be glad to know that I have been selected in the debating group going to U.S.A. for one month. (5) Is Mummy O.K.? How is her arthritis? (9) More when we meet. (16)

With regards to elders and love to youngers.

Yours affectionately

١٦ . الرسائل المتضمنة استفسارات حول رسالة المقابلة أو التعيين التي وصلتك
(Letters supplementing the queries arising out of your receiving of the Appointment/Interview Letters)

إن مثل هذه الرسائل تكون مختصرة لأنها رسائل الرد وليست بادئة. ومحتوياتها قليلة. واكتبها بالتروي بدون عجلة، مستخدما لغة الرزانة وشيئا من التواضع.

في البداية أعرب عن فرحك بوصول الرد لطلبك :

1. I was glad to receive your query in response to my application.
2. Delighted to receive the questionnaire sent by your office.
3. Extremely pleased to get a favourable response from your side.

ثم اذكر الأمر المختص :

4. But your letter does not mention anything about the T.A. I am entitled to receive for travelling to attend the interview.
5. There appears to be some discrepancy between the grade given in the ad. and the one given in your letter.
6. Owing to my illness I won't be able to attend the interview on the scheduled date. Could I get a date fifteen days later than the scheduled one?

واختم الرسالة مُظهراً رغبتك في العمل في الشركة :

7. Avidly awaiting the interview date/answer to my query.
8. Looking forward to a bright future in your esteemed organisation.
9. I hope you would kindly care to send the required clarifications on the mentioned points to enable me to attend the interview/or join the concern.

....**Sample Letter**

Sir,

I was glad to receive your query in response to my application. (1) But your letter does not mention anything about the travelling allowance I am entitled to receive for travelling to attend the interview. (4) Avidly awaiting the interview date. (7)

Yours faithfully,

١٧. طلب للحصول على الوظيفة (Job Applications)

هناك أهمية بالغة لحسن الأداء واختيار الكلمات في الطلبات المقدمة للحصول على الوظيفة . لأن المكتوب إليه شخص لا يعرفك. واستخدامه إياك متوقف على اقتناعه ورضاه. وهي عادة، مختصرة ولكن بسبب ذكر المعلومات الشخصية لا يمكن تحديد محتوياتها.

ابدأ الطلب بالإشارة إلى المصدر الذي علمت به عن هذه الوظيفة الشاغرة :

1. I have come to know through some reliable sources that you have a vacancy for the post .... in your renowned organisation.
2. I came to know from your advertisement published in the Gulf Times on........... that you have vacancy for the post of .... in your esteemed organisation.

3. Being given to understand by your advertisement in............

ثم ابدأ الطلب واعرض خدماتك :

4. Since I meet all the required qualifications and experience conditions, I wish to offer my candidature for the same and supply hereunder my details relevant to the job.
5. In response to the aforementioned advertisement I wish to offer my candidature for the same and supply hereunder particulars relevant to the job.
6. As I possess the requisite qualification I beg to offer my services for the same.

كدّ له بأهليّتك للعمل واطلب عملاً يتفق ومؤهلاتك :

7. I assure you, sir, that if selected, I shall do my work most conscientiously.
8. In case you select me, I assure you that I will do my work very sincerely.
9. If given the appointment, I am sure I will prove an asset for your organisation.
10. If you favour me with an appointment I shall do my best to work to the entire satisfaction of superiors.

اذكر معلوماتك الشخصية :

Name, Address, Date of Birth, Educational qualification, Experience, Extracurricular activities etc.

....**Sample Applica**

Sir,

I came to know from your advertisement published in the Gulf Times of 8th August, 2004 that you h vacancy for the post of Administrative Officer in your esteemed organisation. (2) Since I meet all the rec qualifications and experience conditions, I wish to offer my candidature for the same and supply hereund details relevant to the job. (4) I assure you, sir, that if selected, I shall do my work most conscientiously. (

Name :	Date of Birth :
Address :	Qualification :
Experience :	Extracurricular Activities :

Yours fai

١٨. رسائل الشكاوى (Letters of Complaints)

كتب هذه الرسائل إلى موظفي ومسئولي مكتب حكومي. يشتكي فيها الواحد من الإزعاجات التي يواجهها في الحياة رمية. وبعد تقديم الشكوى يناسب أحياناً تقدير خدماتهم أيضا.

دأ الرسالة بذكر إزعاجك مراعيا احترام المكتوب له :

1. It is with great agony that I wish to bring to your kind notice the callousness shown some employees of your Deptt.
2. I am pained to draw your attention to the following lapse committed by your men.

ين الإزعاج بالتفصيل :

3. For the last fifteen days .... (mention the cause) and in spite of my several remin no action has been taken by your men.
4. In spite of my repeated oral complaints and your department's oral assurances, no co action has been taken yet to solve this problem.
5. It is indeed sad that your department has turned a deaf ear to our written complaint foll

by several reminders.

وبعد ذكر شكواك، اذكر شيئا من إنجازات القسم بذكر حسن. واطلب النظر في الأمر :

It is really surprising that such an efficient department as that of yours is not heeding to our complaints. Please get the needful done without any further loss of time.

It is difficult to believe that such thing should have happened under your efficient control. Please get the needful done at the earliest.

I can hardly believe that a department like yours which is reputed for its efficiency should be taking so much time in doing the needful.

واختم الرسالة راجيا إزالة الشكوى بأسرع وقت :

I am quite hopeful that we will take a prompt action and oblige.

I feel confident of receiving a favourable and helpful reply.

....**Sample Letter**

ar Sir,

It is with great agony that I wish to bring to your kind notice the callousness shown by your Deptt.'s rsonnel. (1) For the last fifteen days my phone is lying dead and in spite of several reminders, no action has been taken by your men. (3) It is really surprising that such an efficient Deptt. as that of yours is not eding to our complaints. Please get the needful done without any further loss of time. (6)

Yours faithfully,

١٩. الرسائل المتعلقة بالنزول في الفندق

(Letters of Enquiry regarding Hotel Accommodation)

إن مثل هذه الرسائل تكون من النوع التجارى. لأنك لا تعرف المكتوب إليه شخصيا. فلذلك يجب أن تكون مختصرة مبيّنة موعد الوصول ومدة الإقامة بوضوح. وإن لا تعرف منصب المخاطب فاستخدم كلمة الخطاب مثل ما تخاطب بها مسئولي الشركات.

في البداية اذكر برنامجك واضحاً :

I shall be coming by the Baghdad Express and arrive at your hotel around 5.30 A.M.

I want you to book an A.C. room for me from 17th to 20th, both inclusive.

Book a single bedded and sea facing room in your hotel between 17th Oct. and 20th Oct. from your time of check in and check out.

واكتب أيّ شيء آخر إذا كان مهمّاً :

Please collect all my mails reaching your hotel before my arrival on 17th Oct. morning.

Please make sure I get an air-conditioned room.

Please arrange a taxi to take me out around 10.30 A.M. the same day i.e. 17th October.

واختم الرسالة بشيء من مدح الفندق :

I am sure this visit shall also be as comfortable as it was the last time.

You are an added attraction for me to visit your city.

Looking forward to a comfortable stay in your hotel.

....**Sample Letter**

The Nile Sheraton,
Cairo.
Dear Sirs,

I want to book an A.C. room for me from 17th to 20th Oct. both inclusive (2) Please collect all my ma reaching your hotel before my arrival on 17th Oct. morning. (4) Please arrange a taxi to take me out arou 10.30 A.M. the same day i.e. 17th October. (6) Looking forward to a comfortable stay in your hotel. (9)

Yours tru

(Letters to Banks) ٢٠. الكتابة إلى المصرف

أصبحت المصارف جزءً لازماً من حياتنا اليومية. والرسائل التي تكتب لها تكون عادة حول فتح الحساب أو توفير خدمات الحوالة أو الإخبار عن ضياع شيك وما إلى ذلك. ويجب كتابتها بلغة رزينة خالية عن كل خطأ وباحتراس وحذر.

ابدأ الرسالة بذكر الغرض الذي تكتب له :

1. I have recently moved into this town and opened a general store at the address given above. O the recommendation of my friend Siraj I wish to open a current account with your bank.
2. I have been recently posted to (.....) from (....). I am interested in opening a saving account i your bank.
3. With the approach of Ramadan we expect a big increase in the sales of our shop/company. As w have just entered this field, the wholesale dealers are unwilling to give us the credit facility. Therefore, we have to request for overdraft for US$..................
4. I wish to inform you that I have been transferred to (.....). This being the case, it will not be possib for me to continue my account with your bank in future. Hence, I request you to close my account.
5. This is with reference to my personal discussion with you regarding overdraft. I, therefore, nc request for allowing me to overdraw on my account (No.........) up to US$. 3,000/- between 1st January, 1987 to 1st July, 1987.
6. I am writing to ask you to stop the payment of cheque (No..... amount.....) drawn payat to M/s Kamil & Rizwan, Dubai as this cheque has been lost in the post.

وإن كان هناك حاجة إلى الكفيل أو الضامن فاطلب معلومات عنه أو اكتب عنه :

7. Please send me the necessary form and also let me know if any referee is required for opening a new account.
8. I will provide references should you require them.
9. We have debentures worth US$........... which we are prepared to deposit as security.
10. As I have no investments to offer as security, I should be grateful if you could make an advance against my personal security.
11. As our past commitments regarding overdrafts have always been honoured, hence we find nc reason for you to turn down our proposal.

واختم الرسالة راجياً جواباً إيجابياً:

12. I shall be grateful for an early reply.
13. Hoping for a favourable reply.
14. We shall highly appreciate a sympathetic response to our above request.
15. We shall be grateful if you could grant the overdraft asked for.
16. We should be highly thankful, if you could accede to our request.

ar sir,

I have recently moved into this town and opened a general store at the address given above. On the ommendation of my friend Siraj I wish to open a current account with your bank. (1) Please send me the cessary form and also let me know if any referee is required for opening a new account. (7) I shall be ateful for an early reply. (12)

Yours faithfully,

٢١. رسائل إلى شركة التأمين

(Letters to an Insurance Company)

هذه الرسائل أيضا من قبيل الرسائل التجارية ولغتها لغة التجارة. وبما أنه يوجد فيما بين شركات التأمين منافسة شديدة فإن كل شركة تعلن بتسهيلات وأخرى من حين إلى حين. إن الرسالة إلى شركة تأمين يجب أن تضمن تفاصيل عن كل شيء.

ابدأ الرسالة بذكر المؤمن عليه :

I want to have my life insurance policy for the sum of US$......

I want to get my car insured by your company for US$ 10,000

I wish to have the householder's insurance policy covering both building and contents in the sum of (give the cost of the building) and (the cost of the contents) respectively.

واطلب تفاصيل عن التسهيلات التي تقدّمها الشركة :

We wish to take out insurance cover against loss of cash on our factory/shop premises by fire, theft or burglary.

What rebate or concession you do offer on an insurance policy for US$ 20,000

Is there any loan facility after a fixed period in the policy you offer?

What modes of premium payments do you offer?

اكتب عن الدعوى (المطالبة) :

I am sorry to report an accident to (mention the property insured). We estimate replacement cost of the damaged property at (give the amount).

I regret to report that a fire broke out in our factory stores last night. We estimate the damage to the stores at about (give the amount).

. We regret to report that our employee (give name of the employee) has sustained serious injuries while doing his work. Doctors estimate that it will take him about a month to be fit to work again.

ارجُ الموافقة على التعويض واتخاذ الإجراءات لدفعه :

. Please arrange for your representative to call at our factory premises and let me know your instructions regarding the claim.

. Should your representative visit to inspect the damaged property, please let me know your instructions regarding the claim.

3. We, therefore, wish to make a claim under the policy (give the name of the policy) and shall be glad if you send us the necessary claim form.

واختم الرسالة راجياً الرد السريع :

14. I hope you would care to send to me an early reply.
15. Please answer this letter as soon as possible.
16. An early reply to my query shall be greatly appreciated.
17. Please send me particulars of your terms and conditions for the policy along with a proposal form, if required.

....Sample Letter

Dear sir,

I want to get my car insured by your company, for US$ 20,000 (2) What modes of premium payments you offer? (7) Please send me particulars of your terms and conditions for the policy along with a proposal form, if required. (7) An early reply to my query shall be greatly appreciated. (16)

Yours faithfully,

٢٢. رسائل الشكاوى : التجارة

(Letters of Complaints : Business)

تكتب مثل هذه الرسائل إلى شركة أو مؤسسة اشتريت إحدى منتوجاتها وهي لا تشتغل أو لاتخدم سوياً والرسالة تضمن ذكر تاريخ ومكان الشراء واسم المحل ثمّ بياناً عن الشكوى. وهي من قبيل الرسائل الرسمية ولكنها أحياناً طويلة بسبب بيان الشكوى بشيء من التفصيل.

ابدأ الرسالة بذكر المنتوج وتاريخ ومكان شرائه واسم المحل :

1. On.........(date) I bought from..........(place) an instant geyser manufactured by your renowned concern.
2. Your salesman delivered the (name the product) on.....(date) one instant geyser we had ordered.
3. I was shocked to find the instant geyser purchased on .... (date) at (place) ...... by us did not function well.

واذكر العيب والخلل بوضوح :

4. It is a matter of shame for your esteemed organisation to have brought out such products in the market without proper quality control.
5. It is shocking to find the appliance having faulty wiring system.
6. I am sorry to point out the defect in the geyser.........(write your complaint).

واختم الرسالة راجيا أن شكواك سوف تزال سريعاً :

7. I am confident that a reputed concern like that of yours can ill afford to lose your reputation and shall get the needful done at the earliest.
8. I hope you would send your salesman/woman to replace the mentioned product of yours.
9. Need I remind you that such product should be lifted/replaced without much fuss.

....Sample Letter

(Name of the concern and its concerned officer)

Dear sir,

On 10.9.86 I bought from the Diplomatic Store an instant geyser manufactured by your reputed concern. (1) It is shocking to find the appliance having faulty wiring system. (5) I am confident that a reputed concern like that of yours can ill afford to lose your reputation and shall get the needful done at the earliest. (7)

Yours faithfully

٢٣. رسائل التأسف والاعتذار (Letters of Apology)

كل واحد منا يرتكب الخطأ في وقت أو آخر. ومن مقتضيات الحضارة والتمدن الندامة وإظهار التأسف عليه. وتكتب رسائل الاعتذار لذلك الغرض. ويلزم الاعتذار وإظهار التأسف أيضا عندما لم يرتكب الواحد خطأ ولكن تأذى وانزعج بعمله شخص ما. وتكتب هذه الرسائل بنيّة الإخلاص فلذلك من اللازم كتابتها فور حصول العمل المزعج، وإلاّ فالقصد منها يفوت.

اكتب سبب الندامة أوّلاً :

1. My son informed me that my cat had eaten away your chickens.
2. My wife told me about our driver's ramming my car into your boundary wall.

ثم أظهر الندامة والتأسف على الخطأ :

3. I am extremely sorry to know about it and render my sincere apologies.
4. I apologise deeply for the inconvenience caused to you.
5. My sincere apologies.

وبعد ذلك اعرض جبر النقصان والتعويض عن الخسارة من قبلك :

6. Although it happened inadvertently, yet I am prepared to compensate for your loss.
7. I wish I were there to prevent it. Any way you can penalize me as you want.
8. Kindly care to inform me the loss you have incurred owing to (name the culprit).......this negligence.

وأكد له من عدم حصول مثل هذا الخطأ مرة أخرى في المستقبل :

9. I promise that in future I shall be extra-vigilant to see it does not happen again.
10. I have admonished my..............and he will be careful in future.
11. I assure you that such things will never happen in future.

واختم الرسالة معتذراً إليه :

12. In the end I again ask your forgiveness.
13. Once again with profound apologies.
14. Repeatedly I express my profuse apologies.

....**Sample Letter**

Dear sir,

My wife told me about our driver's ramming my car into your boundary wall. (2) My sincere apologies. (5) Although it happened inadvertently, yet I am prepared to compensate for your loss. (6) I assure you that such things will never happen in future. (11) Once again with profound apologies. (13)

Yours faithfully,

٢٤. الرسائل حول الأمور المكتبية (Letters on Official Matters)

يضطر الواحد، أثناء عمله في المكتب أو المؤسسة، أن يكتب الرسالة إلى مستخدمه. وذلك ابتداء من الطلب لرقيه إلى الأحوال الشخصية من قبيل الإزعاجات أوالشكاوى. وهذه الرسائل، عادة، موجزة وأحياناً تضمن عبارات عاطفية.

ابدأ الرسالة ببيان منصبك ونوعية وظيفتك :

1. As your honoured self must be aware that I am working in.......... Deptt, in the capacity of a Junior clerk.
2. For the last twenty years, I am the ....(position) in the factory.
3. I am officiating in the capacity of .... for last two years.

فاذكر سبب الكتابة:

4. Now I have been transferred to....................
5. Owing to my domestic problems, I request you to change..............
6. On account of my health problems I would not be able to.................
7. Owing to my..................(reason) I cannot function in the same position any more.
8. On health grounds I have been advised to leave this city.
9. My family duties have constrained me to seek my transfer.

ثم بيّن الغرض الأصلي واسأل مطلوبك :

10. Looking at such a changed situation I won't be able to work in the present position.
11. As such I request you to change my working/shift hours.
12. In the light of the above I request you to transfer me to...........(section) or place.

واختم الرسالة راجياً النظر في الأمر نظرة عطف:

13. Hence I request you to expedite/order my desired transfer to..................
14. You are, therefore, requested to release me at the earliest.
15. I pray you to consider my case sympathetically.
16. In view of my loyalty and past performance I am sure you would condescend to grant me the desired wish.
17. I am sure to get a sympathetic response from your side to my genuine problem.
18. With earnest hope I crave your special sympathy in my case.

....**Sample Letter**

Sir,

As your honoured self must be aware I am working in Sales Dept. in the capacity of a Junior clerk. (1) Owing to my domestic problems I request you to change my place of work. (5) In the light of the above facts I pray you to transfer me to Purchase Deptt. (12) In view of my loyalty and past performance I am sure you would condescend to grant me the desired wish. (16)

Yours faithfully,

٢٥. رسائل من صاحب الدار إلي المستأجر (Letters from a Landlord to a Tenant)

في حياة المدن هذه الأيام تأتي مواقف حينما تلزم المكاتبة بين المؤجر والمستأجر. وبما أنها تضمن إزعاجات وشكاوى من طرف أوآخر فينبغى أن تكون العبارة واضحة ولا تكون بحيث يمكن الاستناد بها قانونياً عند المقاضاة:

ابدأ الرسالة بذكر شكواك أو الإشارة إلى رسالة المستأجر التي وصلتك :

1. I feel constrained to inform you that due to the recent increase in the house tax I have been left with no alternative but to increase the house rent by US$ 50 per month w.e.f first of next month.
2. It has come to my notice that your children make so much noise when they play that it causes disturbance to other tenants.
3. I am in receipt of your letter regarding the leaking of the roof of your house.
4. I have noted your complaints about the rent payment receipts.

واسأل الآن إزالة الشكوى أو رُدّ على رسالة المستأجر:

5. I hope we will not mind this increase in rent as I have retired from service recently and my only source of income is the house rent received from you.
6. I am sure you will give the necessary instructions to your children in this connection.

7. I like to assure you that we are arranging for the necessary repairs at the earliest.
8. The receipts in question will be issued on coming Monday.

واختم الرسالة راجياً من المستأجر التعاون:

9. I hope we won't find this increase burdensome.
10. I hope you will be able to understand and appreciate my point of view.
11. I expect you to bear with me for a few days only.
12. I am sure you will extend your cooperation as always.

....**Sample Letter**

Dear sir,

I am in receipt of your letter regarding the leaking of the roof of your house. (3) I like to assure you that we are arranging for the necessary repairs at the earliest. (7) I expect you to bear with me for a few days only. (11)

Yours sincerely,

٢٦. رسائل من المستأجر إلى صاحب الدار

(Letters from the Tenant to the Landlord)

ابدأ الرسالة بذكر شكواك أو الإشارة إلى الرسالة التي وصلتك من صاحب الدار:

1. I have to inform you that the roof of the house we are occupying leaks during rain causing great inconvenience to our family.
2. I am sorry to point out that despite several reminders you haven't issued the rent payment receipts for the last three months.
3. Please refer to your letter regarding increase in the rent of the house we are occupying.
4. We have noted your complaint regarding our carelessness in switching off the light at the main gate.

واسأل إزالة شكواك أو رُدّ على رسالته:

5. Hence you are requested to get the necessary repairs done at the earliest.
6. I therefore request you to issue the above mentioned receipts without any further delay.
7. I regret to write that whatever cogent reason you may have for increasing the house rent but my financial means don't permit me to pay a higher rent.
8. Rest assured that we will be careful in future regarding switching off the light at the main gate.

واختم الرسالة آملاً في صيانة العلاقات الحسنة مع صاحب الدار:

9. I hope you will understand our problem and cooperate.
10. Hoping for a favourable reply.
11. I am sure you will appreciate my financial problem and withdraw your rent increase proposal.
12. We are sure that this assurance is enough to set to rest all your doubts in this regard.

....**Sample Letter**

Dear sir,

I am sorry to point out that despite several reminders you haven't issued the rent payment receipts for the last three months. (2) I, therefore, request you to issue the above mentioned receipts without any further delay. (6) Hoping for a favourable reply. (10).

Yours sincerely,